A Arte da Memória

Frances A. Yates

A ARTE DA MEMÓRIA

TRADUÇÃO
Flavia Bancher

EDITORA UNICAMP

FICHA CATALOGRÁFICA ELABORADA PELA
BIBLIOTECA CENTRAL DA UNICAMP

Yates, Frances Amelia
Y27a   A arte da memória / Frances A. Yates; trad. de Flavia
Bancher. – Campinas, SP: Editora da Unicamp, 2007

1. Arte – Filosofia. 2. Mnemônica. 3. Memória. 4. Ciências
ocultas. I. Título

	CDD	- 701
		- 153.14
		- 153.12
ISBN 978-85-268-0768-6		- 133

Índice para catálogo sistemático:

1. Arte - Filosofia	701
2. Mnemônica	153.14
3. Memória	153.12
4. Ciências ocultas	133

Título original: *The Art of Memory*

Tradução autorizada da edição em idioma inglês publicada por
Routledge, um membro do Taylor & Francis Group.

Direitos desta edição reservados à Editora da UNICAMP.

Espaços da Memória

Esta coleção reúne obras que são referência nos estudos da memória. Visando divulgar e aprofundar esse campo de pesquisa, a coleção tem um caráter interdisciplinar e circula entre a teoria literária, a história e o estudo das diferentes artes. Suas obras abrem a perspectiva de uma visada singular sobre a cultura como um diálogo e um embate entre diversos discursos mnemônicos e registros da linguagem.

O Silêncio Hermético
Achilles Bocchius, *Symbolicarum quaestionum... libri quinque*,
Bolonha, 1555. Gravado por G. Bonasone.

Sumário

Ilustrações

Prefácio

O assunto deste livro será pouco familiar à maioria dos leitores. Apenas algumas pessoas sabem que, entre as muitas artes que os gregos inventaram, está uma arte da memória que, como as outras artes gregas, foi transmitida a Roma, de onde passou para a tradição européia. Essa arte busca a memorização por meio de uma técnica de imprimir "lugares" e "imagens" na memória. Tem sido classificada como "mnemotécnica", ramo da atividade humana que parece ser pouco considerado nos tempos atuais. Mas, antes da invenção da imprensa, uma memória treinada era de vital importância; e a manipulação de imagens na memória deve sempre implicar, em certa medida, a psique como um todo. Além disso, uma arte que utiliza a arquitetura da época para elaborar seus lugares de memória e, para suas imagens, o repertório figurativo da mesma época terá, como as outras artes, seus períodos clássico, gótico e renascentista. Embora, na Antiguidade e depois, o aspecto mnemotécnico dessa arte esteja sempre presente e forme a base efetiva de sua investigação, sua pesquisa deve incluir outros aspectos além da história de suas técnicas. Mnemosyne, diziam os gregos, é a mãe das Musas: a história da educação dessa capacidade humana fundamental e esquiva lançar-nos-á em águas profundas.

Meu interesse por esse assunto iniciou-se há quinze anos, quando, cheia de confiança, comecei a tentar compreender os trabalhos de Giordano Bruno sobre a memória. O sistema de memória extraído do *De umbris idearum* (pr. II) foi exposto pela primeira vez em uma conferência no Warburg Institute, em maio de 1952. Dois anos depois, em janeiro de 1955, em uma conferência no mesmo instituto, também foi mostrada a planta do Teatro da Memória de Giulio Camillo (ver encarte). Naquele momento, compreendi que havia alguma ligação histórica entre o Teatro de Camillo, os sistemas de Bruno e Campanella e o de Robert Fludd, todos superficialmente comparados na referida conferência. Encorajada pelo que me parecia um pequeno progresso, comecei a escrever a história da arte da memória a partir de Simônides. Essa fase da pesquisa está refletida em um artigo sobre "A Arte da Memória Ciceroniana", publicado na Itália, no volume de estudos em homenagem a Bruno Nardi (*Medioevo e Rinascimento*, Florença, 1955).

Depois disso, houve uma longa pausa devido a uma dificuldade. Não conseguia entender o que acontecera com a arte da memória na Idade Média. Por que Alberto Magno e Tomás de Aquino consideravam como obrigação moral e religiosa o uso feito por "Tullius" de lugares e de imagens na memória? O termo "mnemotécnica" parecia inadequado para explicar por que a escolástica recomendava a arte da memória como parte da virtude cardeal da Prudência. Gradualmente começou a desenvolver-se a idéia de que a Idade Média podia considerar como imagens de memória as figuras das virtudes e dos vícios formadas segundo as regras clássicas, ou, como lugares de memória, as divisões do Inferno de Dante. Fiz tentativas para compreender a transformação sofrida pela arte clássica da memória na Idade Média nas conferências sobre "A Arte Clássica da Memória na Idade Média", ministradas à Oxford Mediaeval Society, em março de 1958, e sobre "A Retórica e a Arte da Memória", no Warburg Institute, em dezembro de 1959. Partes dessas conferências foram incorporadas aos capítulos IV e V.

Restava o maior dos problemas, o dos sistemas de memória mágica ou oculta do Renascimento. A invenção da imprensa parecia ter tornado desnecessárias as grandes memórias artificiais góticas. Por que haveria, dentro desse contexto, um interesse renovado pela arte da memória sob as estranhas formas que ela toma nos sistemas ressurgentes de Camillo, Bruno e Fludd? Voltei ao estudo do Teatro da Memória de Giulio Camillo e percebi que o estímulo ao interesse do Renascimento pela memória oculta era a tradição hermética renascentista. Também se tornou claro que, antes de tratar dos sistemas de memória renascentistas, seria necessário escrever um livro sobre essa tradição. O pano de fundo dos capítulos deste livro que envolvem o período do Renascimento é baseado em meu livro *Giordano Bruno and the Hermetic Tradition* (London/ Chicago, 1964).

Pensei em não incluir aqui o llullismo e tratá-lo separadamente, o que se mostrou impossível. Apesar de o llullismo não derivar da tradição retórica – como a arte clássica da memória – e apesar de seus procedimentos serem bem diferentes, em um de seus aspectos, também é uma arte da memória e, como tal, misturou-se à arte clássica da memória no Renascimento. A interpretação do llullismo no capítulo VIII é baseada em meus artigos "The Art of Ramon Lull: An Approach to it through Lull's Theory of the Elements" e "Ramon Lull and John Scotus Erigena" (Journal of the Warburg and Courtauld Institutes, XVII, 1954 e XXIII, 1960).

Em inglês, não há livro moderno sobre a história da arte da memória; e, em outras línguas, há somente poucos livros e artigos a esse respeito. Quando comecei meu trabalho, meus principais recursos foram algumas antigas monografias em alemão e estudos posteriores, também em alemão, de H. Hajdu, 1936, e L. Volkmann, 1937 (referências completas, p. 139). Em 1960, foi publicada a *Clavis universalis*, de Paolo Rossi. Esse livro italiano é um estudo histórico sério sobre a arte da memória e contém numerosas fontes de pesquisa, além de análises sobre o Teatro de Camillo, sobre os trabalhos de Giordano Bruno, de Ramon Llull e muito mais. O livro me foi precioso, particularmente para o século XVII, apesar de seu ponto de vista ser bem diferente do meu. Consultei também os numerosos artigos de Rossi e um de Cesare Vasoli (referências pp. 139, 231, 232, 245). Outros livros que me ajudaram muito foram: a edição de H. Caplan do *Ad Herennium* (1954); *Logic and Rhetoric in England, 1500-1700*

(1956), de W. S. Howell; *Ramus: Method and the Decay of Dialogue* (1958), de W. J. Ong; *English Friars and Antiquity* (1960), de Beryl Smalley.

Apesar de utilizar grande parte de trabalhos anteriores, este livro é, em sua forma atual, um trabalho novo, inteiramente reescrito e ampliado em novas direções nos últimos dois anos. Muitos dos pontos obscuros foram elucidados, particularmente as relações da arte da memória com o llullismo e o ramismo e o surgimento do "método". Além disso, o que talvez seja uma das partes mais estimulantes do livro apenas recentemente obteve destaque. Trata-se da descoberta de que o sistema de memória do Teatro de Fludd pode nos esclarecer algo a respeito do Globe Theatre de Shakespeare. A arquitetura imaginária da arte da memória preservou a lembrança de uma construção real, mas há muito tempo desaparecida.

Assim como o meu *Giordano Bruno and the Hermetic Tradition*, este livro pretende situar Bruno em um contexto histórico, mas também ser um levantamento de toda uma tradição. Ele procura esclarecer, por meio da história da memória, a natureza do impacto que Bruno pode ter exercido na Inglaterra elisabetana. Tentei abrir um caminho em meio a um vasto campo de estudos, mas em cada etapa o quadro traçado precisa ser complementado ou corrigido por outros estudos. Este é um campo de pesquisa rico e imenso, que exige a colaboração de especialistas de várias disciplinas.

Agora que o Livro da Memória foi finalmente concluído, a lembrança de Gertrud Bing parece-me mais presente do que nunca. Naqueles dias, ela lia e discutia meus rascunhos, observando meu progresso – ou a ausência dele –, o que às vezes era encorajador e outras vezes não, sempre me estimulando com seu grande interesse e senso crítico. Ela sentia que os problemas da imagem mental, da dramatização das imagens, da apreensão da realidade por meio de imagens – problemas sempre presentes na história da arte da memória – eram próximos daqueles de Aby Warburg, que somente conheci por meio dela. Se este livro é aquilo que ela esperava, jamais poderei saber. Ela não chegou a ver nem mesmo os três primeiros capítulos, que lhe estavam para ser entregues quando ficou doente. Dedico esta obra a sua memória, com profunda gratidão por sua amizade.

Como sempre, tenho uma dívida profunda com meus colegas e amigos do Warburg Institute e da Universidade de Londres. O diretor E. H. Gombrich sempre demonstrou um interesse estimulante por meus trabalhos, e devo muito a seus conselhos. Acredito ter sido ele quem primeiro colocou em minhas mãos *L'Idea del Theatro*, de Giulio Camillo. Foram muitas as valiosas conversas com D. P. Walker, cujo profundo conhecimento de certos aspectos do Renascimento sempre me ajudou. Ele leu os primeiros rascunhos e também o manuscrito do livro, conferindo cuidadosamente algumas de minhas traduções. Tive inúmeras conversas com J. Trapp sobre a tradição retórica, e ele se revelou uma mina de informação bibliográfica. Alguns problemas iconográficos foram submetidos a L. Ettlinger.

Todos os bibliotecários foram infinitamente pacientes com meus esforços em encontrar as obras. E a equipe do acervo de imagens demonstrou a mesma compreensão comigo.

Sou grata ao companheirismo de J. Hillgarth e R. Pring-Mill nos estudos sobre Llull. E a Elspeth Jaffé, conhecedor das artes da memória, pelas conversas que tivemos.

Minha irmã, R. W. Yates, leu os capítulos à medida que eram redigidos. Suas reações a eles foram um guia inestimável e suas dicas inteligentes ajudaram-me nas revisões. Com seu bom humor infalível, de inúmeras maneiras prestou assistência incansável. Ela contribuiu, sobretudo, para os projetos e esboços, traçou a planta do Teatro de Camillo e o esboço do Globe Theatre baseado em Fludd. A planta sugerida para o Globe é, em grande medida, trabalho seu. Partilhamos, durante semanas memoráveis de colaboração, do mesmo entusiasmo em reconstruir o Globe a partir de Fludd. Este livro tem com ela um de seus maiores débitos.

Sou profundamente grata à equipe da Biblioteca de Londres, que utilizei regularmente. E nem precisava dizer que o mesmo vale para o pessoal da biblioteca do British Museum. Também devo muito aos bibliotecários da Bodleian Library, da Biblioteca da Universidade de

Cambridge, da Biblioteca da Emmanuel College de Cambridge e das seguintes bibliotecas do exterior: Biblioteca Nazionale (Florença), Biblioteca Ambrosiana (Milão), Bibliothèque Nationale (Paris), Biblioteca Vaticana (Roma, Cidade do Vaticano), e Biblioteca Marciana (Veneza).

Agradeço a gentil permissão para reproduzir iluminuras e pinturas que obtive dos diretores da Biblioteca Nazionale Centrale di Firenze, da Badische Landesbibliothek (Karlsruhe), da Österreichische Nationalbibliothek (Viena), da Biblioteca Casanatense (Roma) e, também, aos proprietários suíços da pintura de Ticiano.

FRANCES A. YATES

Warburg Institute,
University of London

CAPÍTULO I

As Três Fontes Latinas da Arte Clássica da Memória[1]

Durante um banquete oferecido por um nobre da Tessália chamado Scopas, o poeta Simônides de Ceos entoou um poema lírico em honra de seu anfitrião, mas incluiu uma passagem em louvor a Castor e Pólux. De forma mesquinha, Scopas disse ao poeta que só pagaria a metade da soma combinada pelo panegírico e que ele cobrasse a diferença dos deuses gêmeos, a quem havia dedicado a metade do poema. Um pouco mais tarde, Simônides foi avisado de que dois jovens o aguardavam do lado de fora, para falar com ele. Retirou-se do banquete mas não encontrou ninguém. Durante sua ausência, o teto do salão desabou, matando Scopas e todos os convidados sob os escombros; os corpos estavam tão deformados que os parentes que vieram reconhecê-los para cumprir os funerais não conseguiram identificá-los. Mas Simônides recordava-se dos lugares dos convidados à mesa e assim pôde indicar aos parentes quais eram os seus mortos. Castor e

1. As traduções inglesas das três fontes latinas utilizadas são as da edição Loeb de clássicos: o *Ad Herennium* é traduzido por H. Caplan; o *De oratore* por E. W. Sutton e H. Rackham; a *Institutio oratoria* de Quintiliano, por H. E. Butler. Ao citar essas traduções, algumas vezes as modifico na direção da literalidade, particularmente, repetindo a terminologia real da mnemônica em vez de empregar perífrases dos termos. O melhor relato que conheço da arte da memória na Antiguidade é o de H. Hajdu, *Das Mnemotechnische Schrifttum des Mittelalters*, Viena, 1936. Propus um breve resumo dele em meu artigo "The Ciceronian Art of Memory", em *Medioevo e Rinascimento, Studi in onore di Bruno Nardi*, Florença, 1955, II, pp. 871 e ss. Em seu conjunto, o assunto foi curiosamente desconsiderado.

❖ 17 ❖

Pólux, os jovens invisíveis que haviam chamado Simônides, haviam pago generosamente sua parte do panegírico, tirando-o do banquete pouco antes do desabamento. E essa experiência sugeriu ao poeta os princípios da arte da memória, da qual se diz ser o inventor. Ao notar que fora devido a sua memória dos lugares onde os convidados se haviam sentado que pudera identificar os corpos, ele compreendeu que a disposição ordenada é essencial a uma boa memória.

Ele inferiu que pessoas que desejam treinar essa faculdade (da memória) precisam selecionar lugares e formar imagens mentais das coisas que querem lembrar, e guardar essas imagens nesses lugares, de modo que a ordem dos lugares preserve a ordem das coisas, e as imagens das coisas denotem as próprias coisas; e devemos empregar os lugares e as imagens assim como uma tábua de cera sobre a qual são inscritas letras[2].

Esta história exemplar de como Simônides inventou a arte da memória é contada por Cícero em seu *De oratore*, quando discute a memória como uma das cinco partes da retórica; a história introduz uma breve descrição do sistema mnemônico de lugares e imagens (*loci* e *imagines*) utilizado pelos retores romanos. Ao lado da de Cícero, duas outras descrições da mnemônica clássica chegaram até nós, ambas em tratados de retórica em que a memória é discutida como uma parte desta. A primeira encontra-se no anônimo *Ad C. Herennium libri iv*, a outra está na obra *Institutio oratoria*, de Quintiliano.

O estudioso da história da arte clássica da memória deve sempre lembrar que essa arte pertencia à retórica, como uma técnica que permitia ao orador aprimorar sua memória, o que o capacitava a tecer longos discursos de cor, com uma precisão impecável. E foi como parte da arte da retórica que a arte da memória viajou pela tradição européia, sem ter sido jamais esquecida – pelo menos até tempos recentes –, e que os antigos, guias infalíveis de todas as atividades humanas, traçaram regras e preceitos para aprimorar a memória.

2. Cícero, *De oratore*, ii, lxxxvi, pp. 351-4.

Não é difícil apreender os princípios gerais da mnemônica. O primeiro passo era imprimir na memória uma série de *loci*, lugares. O tipo mais comum de sistema mnemônico de lugares utilizado, embora não fosse o único, era o tipo arquitetônico. A melhor descrição do processo é dada por Quintiliano[3]. Segundo ele, para formar uma série de lugares na memória, deve-se recordar uma construção a mais ampla e variada possível, com o pátio, a sala de estar, os quartos, os salões, sem omitir as estátuas e outros ornamentos que decoram esses espaços. As imagens por meio das quais o discurso será lembrado – como um exemplo delas, Quintiliano diz que se pode utilizar uma âncora ou uma arma – são, então, colocadas pela imaginação em lugares da construção que foram memorizados. Isso feito, tão logo a memória dos fatos precise ser reavivada, percorrem-se todos esses lugares sucessivamente e pede-se a seus guardiões aquilo que foi depositado em cada lugar. Devemos pensar no orador antigo, movendo-se em imaginação, *durante* seu discurso, através de sua edificação construída na memória, extraindo dos lugares memorizados as imagens ali colocadas. O método garante que os pontos sejam lembrados na ordem certa, já que a ordem é fixada pela seqüência dos lugares na tal construção. Os exemplos de Quintiliano da âncora e da arma como imagens sugerem que ele tinha em mente um discurso que tratava, por um lado, de temas navais (âncora) e, por outro, de operações militares (arma).

Não há dúvida de que esse método funcionará para qualquer um que estiver preparado para trabalhar seriamente com tal ginástica mnemônica. Nunca tentei fazer isso pessoalmente, mas me contaram de um professor que costumava divertir seus alunos em festas, pedindo a cada um deles para nomear um objeto; um deles anotava todos os objetos na ordem em que eram nomeados. Mais tarde, o professor causava assombro ao repetir a lista de objetos na ordem correta. Ele realizava sua pequena proeza de memorização ao colocar mentalmente os objetos, à medida que eram citados, no peitoril da janela, sobre a mesa, no cesto de papéis e assim por diante. Então, como aconselhava Quintiliano, retornava a

---

3. Quintiliano, *Institutio oratoria*, XI, ii, pp. 17-22.

esses lugares na ordem estabelecida e deles requisitava o que neles fora depositado. Nunca tinha ouvido falar da mnemônica clássica e descobrira essa técnica quase por si mesmo. Se ele tivesse ampliado seus esforços, associando noções aos objetos de que se lembrava nos lugares fixados, teria causado um espanto ainda maior, dando suas aulas de memória, assim como o orador clássico fazia com os seus discursos.

É importante reconhecer que a arte clássica da memória baseia-se em princípios mnemotécnicos manipuláveis, mas poderia ser enganador menosprezá-la com a etiqueta de "mnemotécnica". As fontes clássicas parecem descrever técnicas que dependem de impressões visuais de uma intensidade inacreditável. Cícero enfatizava que a invenção da arte da memória por Simônides não radicava apenas na sua descoberta da importância da ordem seqüencial para a memória, mas também na de que o sentido da visão é o mais forte de todos os sentidos.

> Simônides (ou quem quer que tenha descoberto a arte da memória) percebeu de modo sagaz que as imagens das coisas que melhor se fixam em nossa mente são aquelas que foram transmitidas pelos sentidos, e que, de todos os sentidos, o mais sutil é o da visão e, conseqüentemente, as percepções recebidas pelos ouvidos ou concebidas pelo pensamento podem ser mais bem retidas se forem também transmitidas a nossas mentes por meio dos olhos[4].

A palavra "mnemotécnica" dificilmente transmite o que poderia se assemelhar à memória artificial de Cícero ao se mover entre as construções da Roma Antiga, *vendo* os lugares, *vendo* as imagens armazenadas nos lugares, com uma visão interior penetrante, que trazia imediatamente aos seus lábios os pensamentos e as palavras de seu discurso. Eu prefiro usar a expressão "arte da memória" para esse processo.

Nós – modernos que absolutamente não têm memórias – podemos empregar, às vezes, como o referido professor, alguma mnemotécnica particular, que não é de importância primordial em nossa vida privada e profissional. Mas, na Antiguidade, sem imprensa e sem papel no qual tomar

4. *De oratore*, II, lxxxvii, p. 357.

notas ou registrar as preleções, a memória treinada era de fundamental importância. E a memória dos antigos era treinada por uma arte que refletia a arquitetura e a arte do mundo antigo, e que poderia depender de faculdades de intensa memorização visual que perdemos. A palavra "mnemotécnica", embora não seja incorreta como descrição da arte clássica da memória, faz esse tema misterioso parecer mais simples do que realmente é.

EM ROMA[5], *ca.* 86-82 a.C., um professor de retórica desconhecido compilou, para seus alunos, um manual prático que imortalizou não o seu próprio nome, mas o do homem ao qual o dedicara. É lamentável que essa obra, tão importante para a história da arte clássica da memória e que ao longo deste livro será constantemente citada, não tenha outro título a não ser o pouco informativo *Ad Herennium*. O ocupado e eficiente professor trata das cinco partes da retórica (*inventio, dispositio, elocutio, memoria, pronuntiatio*) em um manual de estilo árido. Ao tratar da memória[6] como parte essencial do conhecimento do orador, inicia sua análise do tema com as seguintes palavras: "Agora, voltemo-nos para a sala do tesouro das invenções, a guardiã de todas as partes da retórica, a memória". Há dois tipos de memória, continua, uma natural e outra artificial. A natural é aquela inserida em nossas mentes, que nasce ao mesmo tempo que o pensamento. A memória artificial é aquela reforçada e consolidada pelo treinamento. Uma boa memória natural pode ser aprimorada por essa disciplina, e pessoas menos dotadas podem ter suas memórias fracas melhoradas por tal arte.

Depois dessa breve introdução, o autor anuncia abruptamente: "Agora falaremos da memória artificial".

O imenso peso da história está presente na seção do *Ad Herennium* sobre a memória. Ela remete a fontes gregas de ensino da memória, provavelmente tratados gregos de retórica já desaparecidos. É o único tratado latino conservado sobre o tema, já que os comentários de Cícero

5. Sobre a autoria e outras questões relativas ao *Ad Herennium*, ver a excelente introdução de H. Caplan à edição Loeb, 1954.
6. A seção sobre a memória está em *Ad Herennium*, III, pp. xvi-xxiv.

e Quintiliano não são tratados completos e pressupõem que o leitor está familiarizado com a memória artificial e sua terminologia. Desse modo, é realmente a principal fonte – na realidade a única completa – para a arte clássica da memória, tanto grega quanto romana. Seu papel na transmissão dessa arte clássica para a Idade Média e o Renascimento é de suma importância. O *Ad Herennium* era um texto muito conhecido e usado na Idade Média, quando adquiriu imenso prestígio por ser atribuído a Cícero. Acreditava-se, então, que os preceitos acerca da memória artificial ali expostos fossem obra de "Tullius" em pessoa.

Em resumo, todas as tentativas para reconstituir o que foi a arte clássica da memória têm de ser baseadas principalmente na seção sobre a memória do *Ad Herennium*. E qualquer tentativa de reconstituir a história dessa arte na tradição ocidental, como a que fazemos aqui, deve sempre se referir a esse texto como a principal fonte da tradição. Todo tratado de *Ars memorativa*, com suas regras para os "lugares", as "imagens", com sua discussão da "memória para as coisas" e "memória para as palavras", repete o plano, o tema e mesmo as palavras do *Ad Herennium*. E os incríveis progressos da arte da memória no século XVI, principal objeto deste livro, ainda preservam o esquema do *Ad Herennium* sob todos os complexos acréscimos feitos. Mesmo os vôos mais altos da fantasia, como os da obra de Giordano Bruno *De umbris idearum*, não podem ocultar o fato de que o filósofo do Renascimento ainda percorre o velho, o tão velho caminho das regras para os lugares, as imagens, a memória das coisas e a memória das palavras.

Portanto, é nossa a difícil tarefa de tentar compreender a seção do *Ad Herennium* sobre a memória. O que não contribui para amenizar a tarefa é que o professor de retórica não se dirige a nós e não tem a intenção de explicar o que era a memória artificial a pessoas que nada sabem a respeito. Ele fala aos alunos de retórica à sua volta, *ca.* 86-82 a. C., e *eles* sabiam do que o professor falava. Para *eles*, o mestre só precisava enunciar rapidamente as "regras" que já sabiam aplicar. Nós estamos em outra situação e por isso nos sentimos desconcertados pela estranheza de algumas das regras da arte da memória.

Nas páginas seguintes, tento expor o conteúdo da seção do *Ad Herennium* sobre a memória, seguindo o exemplo de estilo vigoroso do autor, mas com pausas para refletir sobre o que ele nos diz.

A MEMÓRIA artificial fundamenta-se em lugares e imagens (*Constat igitur artificiosa memoria ex locis et imaginibus*), definição básica que será seguida no transcorrer do tempo. Um *locus* é um lugar facilmente apreendido pela memória, como uma casa, um intercolúnio, um canto, um arco etc. Imagens são formas, signos distintivos, símbolos (*formae, notae, simulacra*) daquilo de que queremos nos lembrar. Por exemplo, se queremos nos lembrar do gênero de um cavalo, um leão, uma águia, precisamos colocar suas imagens em lugares (*loci*) definidos.

A arte da memória é como uma escrita interior. Os que conhecem as letras do alfabeto podem escrever o que lhes é ditado e ler o que escreveram. Do mesmo modo, aqueles que aprenderam a mnemônica podem colocar em lugares específicos aquilo que ouviram e falar de memória. "Porque os lugares são como tábuas de cera ou como papiros, as imagens são como letras, o arranjo e a disposição das imagens são como a escrita, e o fato de pronunciar é como a leitura."

Se queremos nos lembrar de muitas coisas, precisamos nos prover de um grande número de lugares. É essencial que esses lugares formem uma série e sejam lembrados em uma ordem determinada, de modo que se possa partir de qualquer *locus* da série e avançar e retroceder a partir dele. Se virmos um certo número de nossos conhecidos em fila, não fará diferença para nós se dissermos seus nomes começando com o primeiro, o do meio ou o último da fila. Assim também o é com os *loci* da memória. "Se os colocarmos em ordem, o resultado será que, ao relembrarmos algo por meio das imagens, poderemos repetir oralmente o que registramos nos *loci*, partindo do *locus* que quisermos para qualquer direção."

A formação dos *loci* é de grande importância, já que o mesmo conjunto de *loci* pode ser usado muitas vezes para lembrar das coisas as mais diversas. As imagens que depositamos neles para nos lembrarmos de um determinado conjunto de coisas enfraquecem e desaparecem quando não as usamos mais. Mas os *loci* permanecem na memória e podem ser utilizados novamente, ao depositarmos neles um novo conjunto de imagens correspondente a um novo conjunto de coisas. Os *loci* são como as tábuas de cera que permanecem, embora tenha sido apagado o que foi escrito sobre elas, e estão prontas para ser usadas novamente.

Para termos certeza de que não nos enganamos ao lembrarmos a ordem dos *loci*, é útil imprimir um signo distintivo a cada cinco *loci*. Por exemplo, podemos marcar o quinto *locus* por uma mão de ouro e colocar no décimo *locus* a imagem de um conhecido nosso chamado Decimus. E podemos então prosseguir, marcando sucessivamente, com outros signos distintivos, todos os quintos lugares.

É melhor formar os *loci* da memória em um local deserto e solitário, pois a presença de muita gente circulando tende a enfraquecer as impressões. Assim, o aluno interessado em adquirir um conjunto claro e bem definido de *loci* escolherá uma construção pouco freqüentada, da qual memorizará os lugares.

Os *loci* da memória não devem ser muito parecidos. Por exemplo, muitos espaços divididos por colunas não são bons, pois a semelhança entre eles pode gerar confusão. Eles devem ter um tamanho moderado – nem tão grandes que as imagens ali colocadas se tornem vagas nem tão pequenos que atrapalhem a disposição das imagens, ocorrendo sobreposição. Não devem ser muito iluminados, para que as imagens ali arrumadas não cintilem e ofusquem; nem devem ser muito escuros, ou as sombras encobrirão as imagens. Os intervalos entre os *loci* devem ser moderados, em torno de nove metros, "pois, assim como o olho exterior, o olho interior do pensamento é menos poderoso quando se coloca o objeto da visão muito perto ou muito longe".

Uma pessoa que tenha uma experiência relativamente grande pode facilmente munir-se de quantos *loci* desejar; e mesmo aquele que pensa não ter *loci* bons e suficientes pode corrigir isso. "Porque o pensamento pode abranger qualquer região e nela construir o conjunto de um *locus*." (Isso quer dizer que a mnemotécnica pode utilizar o que chamaremos de "lugares fictícios", em oposição aos "lugares reais" do método corrente.)

Ao fim dessas regras para os lugares, paremos para refletir. Eu diria que o que mais me impressiona é a assombrosa precisão visual que elas implicam. Para uma memória treinada nos moldes clássicos, o espaço entre os *loci* pode ser medido, a iluminação dos *loci* é levada em consideração. E as regras evocam a visão de um hábito social esquecido. Quem é aquele homem que se move lentamente na construção vazia, parando algumas vezes, com o semblante atento? É um aluno de retórica que cria um conjunto de *loci* de memória.

"Muito foi dito sobre os lugares" – continua o autor do *Ad Herennium* – "agora consideraremos a teoria das imagens". Inicia-se, assim, o estudo das regras para as imagens; a primeira é que há dois tipos de imagens, um para "coisas" (*res*) e o outro para "palavras" (*verba*). Isso quer dizer que a "memória para coisas" cria imagens para nos lembrarmos de um argumento, de uma noção, ou de uma "coisa", e a "memória para palavras" busca imagens para que nos recordemos de cada palavra.

Interrompo aqui o conciso autor por um momento e lembro ao leitor que, para o aluno de retórica daquela época, "coisas" e "palavras" tinham um sentido preciso, ligado às cinco partes da retórica. Essas cinco partes são assim definidas por Cícero:

> A invenção é o exame aprofundado de coisas verdadeiras (*res*) ou de coisas verossímeis para tornar uma causa plausível; a disposição é arranjar em ordem as coisas já descobertas; a elocução é adaptar as palavras (*verba*) convenientes às (coisas) inventadas; a memória é a percepção firme, pela alma, das coisas e das palavras; a pronunciação é o controle da voz e do corpo para se adequar à dignidade das coisas e das palavras[7].

As "coisas" são, portanto, o tema do discurso; as "palavras" são a linguagem que reveste esse tema. Você busca uma memória artificial para se lembrar apenas da ordem das noções, dos argumentos, das "coisas" de seu discurso? Ou você quer memorizar cada palavra desse discurso na ordem certa? O primeiro tipo de memória artificial é a *memoria rerum*; o segundo

---

7. *De inventione*, I, vii, p. 9 (tradução baseada na de H.M. Hubbell, da edição Loeb, mas tornada mais literal, reproduzindo os termos técnicos *res* e *verba*).

tipo é a *memoria verborum*. O ideal, como definido por Cícero na passagem acima, seria ter uma "firme percepção, pela alma", de ambas, coisas e palavras. Mas a "memória para palavras" é muito mais difícil de obter do que a "memória para coisas". Os mais fracos dentre os alunos de retórica do autor do *Ad Herennium*, é claro, recuavam diante da tarefa de memorizar uma imagem para cada palavra, e mesmo Cícero, como veremos mais adiante, aceitava que a "memória para coisas" era suficiente.

Voltemos às regras para as imagens. Já vimos as regras para os lugares, que tipo de lugar escolher para a memorização. Quais as regras sobre que tipo de imagens escolher para memorizar nos lugares? Chegamos a uma das mais curiosas e surpreendentes passagens do tratado, as razões psicológicas que o autor dá para a escolha das imagens mnemônicas. Por que, diz ele, algumas imagens são tão fortes, nítidas e adequadas ao despertar da memória, enquanto outras são tão fracas que dificilmente estimulam a memória? Devemos esclarecer essa questão para sabermos quais imagens evitar e quais buscar.

Agora a própria natureza nos ensina o que fazer. Quando vemos em nosso cotidiano coisas triviais, comuns, banais, geralmente falhamos em nos lembrar delas, porque a mente não é estimulada por algo novo ou excepcional. Mas se vemos ou ouvimos algo indigno, desonroso, incomum, grande, inacreditável, ou ridículo, disso conseguimos nos lembrar por muito tempo. Assim, coisas próximas de nossos olhos e ouvidos tendemos a esquecer; é freqüente nos lembrarmos melhor, por exemplo, de incidentes de nossa infância. Isso acontece porque coisas comuns facilmente fogem da memória, ao passo que as coisas surpreendentes e novas permanecem por mais tempo nela. O Sol nascente, seu curso ou o pôr do sol não impressionam porque acontecem diariamente. Mas os eclipses solares são fonte de admiração porque ocorrem raramente. E são ainda mais espetaculares do que os eclipses da Lua, pois esses últimos acontecem com mais freqüência. Portanto, a natureza mostra que ela não é afetada pelo acontecimento comum, mas é movida por uma nova ou surpreendente ocorrência. Deixemos, então, a arte imitar a natureza, encontrar o que deseja, e seguir suas próprias instruções. Porque, no que diz respeito à invenção, a natureza nunca vem em último lugar e nem a educação em primeiro; ao contrário, o início das coisas provém do talento natural e os fins são atingidos por meio da educação.

Devemos, então, criar imagens capazes de permanecer por mais tempo na memória. E conseguiremos isso se estabelecermos semelhanças as mais impressionantes possíveis; se não criarmos imagens em demasia ou vagas, mas ativas (*imagines agentes*); se atribuirmos a elas uma beleza excepcional ou uma feiúra singular; se enfeitarmos algumas, por exemplo, com coroas ou mantos púrpura, para que a semelhança se torne mais nítida para nós; ou se de algum modo as desfigurarmos, como, por exemplo, ao introduzir alguém manchado de sangue, enlameado ou sujo de tinta vermelha, de modo que sua forma seja mais impressionante; ou, ainda, atribuindo um efeito cômico às nossas imagens, o que também nos garantirá que lembraremos delas mais prontamente. As coisas das quais facilmente nos lembramos quando são reais, também as lembraremos sem dificuldade quando fictícias. Mas uma condição é essencial – percorrer mentalmente várias vezes todos os lugares originais para reavivar as imagens[8].

Nosso autor colocou de forma clara a idéia de ajudar a memória ao estimular reações emocionais por meio dessas imagens impressionantes e incomuns, belas ou hediondas, cômicas ou obscenas. E fica claro que ele pensa em imagens humanas, figuras humanas que usam coroas e vestem mantos púrpura, manchados de sangue ou tinta, figuras humanas empenhadas em alguma atividade – fazendo alguma coisa. Sentimo-nos transportados para um mundo extraordinário ao percorrermos esses lugares com o aluno de retórica, imaginando em tais lugares imagens tão peculiares. A âncora e a arma de Quintiliano enquanto imagens de memória, embora não tão intrigantes, são mais fáceis de compreender do que a memória tão misteriosamente povoada na qual o autor do *Ad Herennium* nos introduz.

Uma das muitas dificuldades encontradas por quem estuda a história da arte da memória é que um tratado sobre a *Ars memorativa*, apesar de sempre fornecer as regras, raramente oferece qualquer aplicação concreta delas; isto quer dizer que raramente propõe um sistema de imagens mnemônicas em seus lugares. Essa tradição se iniciou com o próprio au-

8. *Ad Herennium*, III, p. xxii.

tor do *Ad Herennium*, que dizia que a tarefa de um instrutor de mnemônica é ensinar o método de criar imagens, dar alguns poucos exemplos e, então, encorajar o aluno a formar as suas próprias. Quando se ensina a fazer uma "introdução", ele diz, não se reúne uma grande quantidade delas e se dá ao aluno para que as saiba de cor; ensina-se a ele o método e deixa-se que ele siga sua própria capacidade inventiva. É o que se deve fazer também ao ensinar as imagens mnemônicas[9]. Esse é um princípio pedagógico admirável, mas lamentamos que ele impeça o autor de nos apresentar todo um conjunto ou coleção de *imagines agentes* impressionantes e incomuns. Precisamos nos contentar com os três tipos de exemplo que ele nos dá.

O primeiro é um exemplo de uma imagem de "memória para coisas". Devemos imaginar que somos o advogado de defesa em um processo jurídico. "A acusação diz que o réu assassinou um homem por envenenamento, apresentou como motivo do crime o recebimento de uma herança e declarou que esse ato teve muitas testemunhas e cúmplices." Começamos a formar um sistema de memória sobre o caso como um todo e devemos colocar em nosso primeiro *locus* de memória uma imagem para nos lembrar da acusação contra nosso cliente. Esta é a imagem:

> Imaginaremos o homem em questão deitado na cama, doente, se o conhecemos pessoalmente. Se não o conhecemos, escolheremos alguém para ser nosso doente, mas não um homem de baixo estrato social, de modo que venha à mente de forma imediata. Colocaremos o acusado ao lado da cama, segurando em sua mão direita uma xícara e na esquerda comprimidos e, no dedo anular, testículos de carneiro. Desse modo, teremos na memória o homem envenenado, as testemunhas e a herança[10].

A xícara nos recordará do envenenamento; os comprimidos, do testamento e da herança; e os testículos de carneiro, por meio da sua seme-

9. Idem, III, xxiii, p. 39.
10. Idem, III, xx, p. 33. Sobre a tradução de *medico testiculos arietinos tenentem* como "no dedo anular testículos de carneiro", ver a nota do tradutor, edição Loeb, p. 214. O *digitus medicinalis* era o quarto dedo da mão esquerda. Leitores da Idade Média, incapazes de compreender o termo *medico*, introduziram um médico na cena; ver adiante, p. 90.

lhança verbal com *testes*, das testemunhas. O doente será parecido com a própria vítima ou com alguém que conhecemos (mas não alguém dos anônimos e baixos estratos sociais). Nos *loci* seguintes, poderemos colocar outros elementos da acusação ou os detalhes do resto do caso e, se gravarmos corretamente os lugares e as imagens, poderemos nos recordar de qualquer ponto que quisermos.

Esse é, portanto, um exemplo de uma imagem clássica de memória – composta de figuras humanas, ativas, dramáticas, impressionantes, com acessórios para nos lembrar da "coisa" toda que está sendo guardada na memória. Apesar de tudo parecer explicado, ainda acho essa imagem frustrante. Como muitos outros aspectos sobre a memória no *Ad Herennium*, ela parece pertencer a um mundo que nos é impossível compreender ou que não nos está sendo devidamente explicado.

Nesse exemplo, o autor não está preocupado em recordar os discursos, mas os detalhes ou "coisas" do caso. É como se ele fosse um advogado que montasse na memória um arquivo de seus casos. A imagem considerada é colocada como uma etiqueta no primeiro lugar do arquivo da memória, onde os registros sobre o acusado de envenenamento são guardados. Ele quer procurar algo sobre o caso: ele se volta para a imagem que foi composta, onde isso está gravado e, por trás daquela imagem, nos lugares subseqüentes, encontra o restante do caso. Se minha interpretação está correta, a memória artificial seria usada não somente para memorizar discursos, mas para guardar na memória uma massa de material que pode ser consultada quando se desejar.

As palavras de Cícero no *De oratore*, quando fala das vantagens da memória artificial, tendem a confirmar essa interpretação. Ele diz que os *loci* preservam a ordem dos fatos, as imagens designam os fatos em si; e que empregamos os lugares como tábuas de cera em que escrevemos e as imagens, como as letras escritas neles. Ele continua:

> Mas por que devo mostrar ao orador o valor, e a utilidade e efetividade da memória? De reter a informação que lhe foi transmitida e as opiniões que formou por si mesmo? De possuir todas as suas idéias firmadas na mente e todo o apa-

rato vocabular claramente ordenado; de prestar tal atenção nos relatos de seu cliente e no discurso do adversário ao qual deverá responder, de modo que o que dizem não apenas entre pelos ouvidos, mas fique impresso em sua mente? Assim, somente pessoas dotadas de uma memória poderosa sabem o que vão dizer, por quanto tempo falar e de que maneira; quais pontos já abordaram e o que ainda resta a responder; e também podem se lembrar de muitos argumentos de outros casos, expostos anteriormente, e de muitos que ouviram de outras pessoas[11].

Estamos em presença de surpreendentes poderes da memória. E, segundo Cícero, esses poderes naturais ainda eram aprimorados pelo treino do tipo descrito no *Ad Herennium*.

O tipo de imagem recém-descrito foi o de "memória para coisas"; servia para se recordar das "coisas" ou fatos do caso, e os *loci* subseqüentes do sistema continham, possivelmente, outras imagens de "memória para coisas", recordando outros fatos sobre o caso ou argumentos utilizados em discursos da defesa ou da acusação. Os outros dois tipos de imagem que aparecem no *Ad Herennium* são os de "memória para palavras".

O aluno que deseja adquirir "memória para palavras" começa como aquele da "memória para coisas", ou seja, memoriza os lugares que conterão suas imagens. Mas sua tarefa é mais difícil, já que para memorizar todas as palavras de um discurso serão necessários muito mais lugares do que seria preciso para memorizar somente as noções do discurso. O tipo de imagem da "memória para palavras" é igual ao da "memória para coisas", ou seja, os dois representam figuras humanas de caráter incomum e impressionante, em situações de grande força dramática – *imagines agentes*.

Propomo-nos memorizar este verso:

Iam domum itionem reges Atridae parant[12].
(E, agora, os reis, os filhos de Atreu, preparam o seu retorno.)

O verso só se encontra citado no *Ad Herennium* e ele foi ou inventado pelo autor para exemplificar sua técnica mnemônica ou extraído de

---

11. *De oratore*, II, lxxxvii, p. 355.
12. *Ad Herennium*, III, xxi, p. 34. Ver notas do tradutor, pp. 216-7, na edição Loeb.

alguma obra desaparecida. Será memorizado por meio de duas imagens fora do comum.

A primeira é a de "Domitius levantando as mãos para o Céu enquanto é açoitado pelos Marcii Reges". O tradutor e editor do texto da edição Loeb (H. Caplan) explica, em nota, que "Rex era o nome de uma das mais distintas famílias do clã (*gens**) Marcius; um clã igualmente reconhecido era o Domitius, de origem plebéia". A imagem pode refletir alguma cena de rua, em que um membro pertencente ao clã plebeu Domitius (talvez ensangüentado, para torná-lo mais fácil de memorizar) é surrado por alguns membros da célebre família Rex. Talvez fosse uma cena que o próprio autor tivesse testemunhado. Ou, talvez, de algum espetáculo teatral. De qualquer maneira, era uma cena impressionante e, por isso, adequada como imagem mnemônica. Ela era colocada em um lugar para lembrar esse verso. A imagem vívida evoca imediatamente Domitius-Reges e isso faz lembrar *"domum itionem reges"*, *por semelhança sonora*. Exibe, portanto, os princípios de uma imagem de "memória para palavras", que suscita a lembrança das palavras que a memória busca, por meio da semelhança sonora delas com a noção sugerida pela imagem.

Todos sabemos que, ao sondar a memória em busca de uma palavra ou de um nome, alguma associação quase absurda e fortuita, algo que se "enraizou" na memória, pode nos ajudar a trazer à tona o que procuramos. A arte clássica da memória sistematiza este processo.

A outra imagem para memorizar o restante do verso é a de "Esopo e Cimber sendo vestidos para atuar em seus papéis de Agamemnon e Menelau, em *Iphigenaia*". Esopo era um reconhecido ator trágico, amigo de Cícero; Cimber, certamente também ator, é mencionado apenas nesse texto[13]. A peça na qual eles se preparam para atuar não existe. Na imagem, esses atores se vestem para representar os papéis dos filhos de Atreu (Agamemnon e Menelau). Trata-se de um relance impressivo

---

*   *Gens*: era a denominação dada ao clã romano que reunia as famílias de mesma origem na linha masculina. Seus membros, além do nome em comum, estavam unidos no culto de seu antepassado comum (ver Dicionário *Webster*, ed. integral, verbete GENS) (N. da T.).

13. Edição Loeb, nota do tradutor, p. 217.

dos bastidores, de dois atores célebres sendo maquiados (manchar uma imagem com tinta vermelha facilita a sua memorização, de acordo com as regras) e sendo vestidos para atuar. Uma cena como essa tem todos os elementos de uma boa imagem mnemônica; por isso a utilizamos para lembrar *Atridae parant*, "os filhos de Atreu se preparam". Essa imagem recuperou imediatamente a palavra *Atridae* (embora não por semelhança sonora) e também sugeriu o "preparar-se" para o retorno ao lar, graças aos atores preparando-se para a cena.

Esse método para memorizar o verso não funcionará sozinho, diz o autor do *Ad Herennium*. Devemos repassar o verso três ou quatro vezes, isto é, aprendê-lo de cor, segundo o modo usual, e então representar as palavras por meio de imagens. "Dessa maneira, a arte complementa a natureza. Pois nenhuma das duas será suficiente sozinha, embora devamos observar que a teoria e a técnica são as mais confiáveis"[14]. O fato de que devamos aprender o poema também de cor torna a "memória para palavras" um pouco menos obscura.

Se refletirmos sobre as imagens de "memória para palavras", notaremos que nosso autor parece se ocupar, agora, não com o trabalho dos alunos de retórica visando a lembrar um discurso, mas com a memorização de versos de um poema ou peça teatral. Para se lembrar de todo um poema ou uma peça, desse modo, devem ser considerados "lugares" que se estendam, digamos assim, por muitos quilômetros na memória, "lugares" percorridos ao se recitar o texto, para extrair-lhes as indicações mnemônicas. E, talvez, a palavra "indicação" (*cue*) forneça a chave (*clue*) do possível funcionamento do método. Aprende-se o poema de cor, mas a intervalos estratégicos se estabelecem alguns lugares dotados de imagens "indicadoras"?

Nosso autor menciona que os gregos elaboraram um outro tipo de símbolo de "memória para palavras": "Sei que muitos gregos que escreveram sobre a memória escolheram o procedimento de listar imagens que correspondem a um grande número de palavras, de modo que as

14. *Ad Herennium*, loc. cit.

pessoas que quisessem aprender essas imagens de cor as teriam prontamente, sem consumir esforços em sua busca"[15]. É possível que essas imagens gregas para palavras fossem signos estenográficos ou *notae*, cujo uso se tornara moda no mundo latino daquela época[16]. Na mnemônica, isso supostamente significaria que, por um tipo de estenografia interna, os signos estenográficos eram inscritos interiormente e memorizados em lugares de memória correspondentes. Felizmente, nosso autor desaprova tal método, pois mesmo milhares desses signos pré-fabricados não dariam conta de abranger todas as palavras empregadas. De fato, ele se mostra reservado em relação à "memória para palavras" de qualquer tipo. É necessário abordá-la apenas por ela ser mais difícil do que a "memória para coisas". E deve ser utilizada como um exercício para fortalecer "aquele outro tipo de memória, a memória para coisas, que tem aplicação prática. Dessa maneira, esse treino difícil nos facilita o aprendizado da outra memória".

A seção sobre a memória é finalizada com uma exortação ao trabalho árduo.

> Em toda disciplina, a teoria da arte é de pouca valia sem o exercício constante; mas, especialmente na mnemônica, a teoria praticamente não tem valor, a menos que justificada pelo exercício, pela dedicação, pela labuta e pela atenção. Você deve se assegurar de possuir o maior número possível de lugares e que eles estejam bem de acordo com as regras; quanto à disposição das imagens, você deve exercitá-la todos os dias[17].

Tentamos compreender a ginástica interior, o trabalho invisível de concentração que nos são tão estranhos, embora as regras e os exemplos

15. Idem, III, xxiii, p. 38.
16. Plutarco atribui a Cícero a introdução da estenografia em Roma; Tiro, o nome de seu escravo liberto, ficou associado às chamadas "notas tironianas". Ver *The Oxford Classical Dictionary*, verbete TACHYGRAPHY (taquigrafia); H. J. M. Milne, "Introduction", *Greek Shorthand Manuals*, Londres, 1934. Pode existir uma relação entre a introdução da mnemônica grega no mundo latino, como retratado no *Ad Herennium*, e a importação da estenografia mais ou menos na mesma época.
17. *Ad Herennium*, III, xxiv, p. 40.

do *Ad Herennium* forneçam misteriosas percepções dos poderes e da organização da memória dos gregos e romanos. Pensamos nos feitos de memória alcançados pelos antigos; em como o velho Sêneca, um professor de retórica, podia repetir duas mil palavras na ordem em que haviam sido enunciadas e, quando em uma classe de duzentos ou mais alunos, cada qual por sua vez falou um verso de um poema, em como ele pôde recitar todos os versos de trás para frente, começando pelo último até chegar ao primeiro[18]. Ou lembramos de Agostinho, também treinado como professor de retórica, quando fala de um amigo chamado Simplicius, que podia recitar Virgílio de trás para frente[19]. Nosso manual nos ensinou que, se fixarmos adequada e firmemente nossos lugares de memória, poderemos percorrê-los em qualquer direção, para frente e para trás. A memória artificial pode explicar essa admirável habilidade de recitar de trás para frente que tinham o velho retórico Sêneca e o amigo de Agostinho. Por mais inúteis que tais feitos nos pareçam, eles podem ilustrar o respeito da Antiguidade pelo homem de memória treinada.

É singular a arte a que essa invisível arte da memória faz referência. Ela reflete a arquitetura antiga, mas em um espírito que não é clássico, escolhendo lugares irregulares e evitando as ordens simétricas. Está repleta de representações figurativas humanas de um tipo muito pessoal: marcamos o décimo lugar com um rosto semelhante ao de nosso amigo Decimus; vemos um determinado número de nossos conhecidos em fila; visualizamos um doente por sua própria pessoa; ou, se o desconhecemos, por meio de alguém conhecido. Essas figuras humanas são ativas e dramáticas, impressionam pela beleza ou pelo grotesco. Elas nos lembram mais as figuras de uma catedral gótica do que propriamente as da arte clássica. Parecem completamente amorais, tendo apenas a função de fornecer à memória um impulso emocional, devido a sua idiossincrasia ou estranheza. Contudo, esta impressão pode se dever ao fato de que não nos foi dado um exemplo de imagem para nos lembrarmos, por exemplo, de "coisas" como justiça, temperança e suas partes, que o autor do *Ad Heren-*

18. Marcus Annaeus Seneca, *Controversiarum Libri*, liv. I, *praef.* 2.
19. Santo Agostinho, *De anima*, liv. IV, cap. vii.

nium aborda, quando discute a invenção do tema de um discurso[20]. A intangibilidade da arte da memória é muito árdua para o seu historiador.

EMBORA A tradição medieval esteja errada ao atribuir a autoria do *Ad Herennium* a "Tullius", ela não o estava ao supor que a arte da memória era praticada e recomendada por ele. Em seu *De oratore* (que concluiu em 55 a.C.), Cícero trata das cinco partes da retórica com seu estilo elegante, discursivo e aristocrático – muito diferente daquele do nosso árido professor de retórica – e, nessa obra, refere-se a uma mnemônica claramente baseada nas mesmas técnicas descritas no *Ad Herennium*.

A primeira menção à mnemônica aparece no discurso de Crasso, no primeiro livro, em que ele diz não desmerecer inteiramente, como um auxílio à memória, "aquele método de lugares e imagens que é ensinado sob a forma de uma arte"[21]. Posteriormente, Antônio conta como Temístocles se recusou a aprender a arte da memória, "que era, então, introduzida pela primeira vez", dizendo preferir a ciência do esquecimento à da recordação. Antônio adverte que essa observação leviana não deve nos levar "a negligenciar o exercício da memória"[22]. Assim, o leitor é preparado para a posterior e brilhante apresentação, por Antônio, da história do banquete fatal, que ocasionou a invenção da arte da memória por Simônides – a história com a qual iniciei este capítulo. Na discussão da arte da memória que se segue, Cícero apresenta uma versão resumida das regras.

> Conseqüentemente (para não ser prolixo e entediante sobre um assunto que é bem conhecido e familiar a todos), deve-se empregar um grande número de lugares, que devem ser bem iluminados, claramente ordenados, a intervalos regulares (*locis est utendum multis, illustribus, explicatis, modicis intervallis*); e imagens ativas, nitidamente definidas, incomuns, que tenham a capacidade de rapidamente impressionar e penetrar a psique (*imaginibus autem agentibus, acribus, insignitis, quae occurrere celeriterque percutere animum possint*)[23].

20. *Ad Herennium*, III, p. iii.
21. *De oratore*, I, xxxiv, p. 157.
22. Idem, II, lxxiv, pp. 299-300.
23. Idem, II, lxxxvii, p. 358.

Ele condensou ao máximo as regras para os lugares e para as imagens, para não aborrecer o leitor com a repetição das instruções do manual, tão conhecidas, familiares a todos.

Em seguida, ele faz uma referência obscura a alguns tipos extremamente sofisticados de memória para palavras.

[...] a habilidade de usar essas (imagens) será complementada pela prática, que produz o hábito, e (por imagens) de palavras similares, com mudança ou não de caso, ou levadas (da denotação) da parte à denotação do gênero; e pela utilização da imagem de uma palavra para recordar toda uma sentença, assim como um pintor hábil define as posições dos objetos de uma composição ao modificar suas configurações[24].

Em seguida, ele fala do tipo de memória para palavras (tipo "grego", segundo o autor do *Ad Herennium*), que busca memorizar uma imagem para cada palavra; mas se convence (como o *Ad Herennium*) de que a memória para coisas é, dessa arte, o ramo mais útil para o orador.

A memória para palavras, que para nós é essencial, distingue-se por uma grande variedade de imagens (em oposição ao uso da imagem de uma palavra para toda uma oração ou período, sobre o que ele acabou de falar); pois há muitas palavras que servem como articuladoras, ligando as orações de um período, e estas não podem ser construídas a partir de qualquer uso das similitudes – destas, temos de moldar imagens que sirvam para um emprego constante. Mas a memória para coisas é a propriedade especial do orador – esta nós podemos gravar em nossas mentes, por meio de um engenhoso arranjo das várias máscaras (*singulis personis*) que representam as coisas, de modo que possamos apreender as idéias por meio de imagens e a sua ordem por meio de lugares[25].

O uso da palavra *persona*, a propósito da imagem de memória para coisas, é interessante e curioso. Será que esse uso implica que a imagem de memória obtém um efeito impressionante ao exagerar seu aspecto

24. Ibidem, loc. cit.
25. Idem, ii, lxxxviii, p. 359.

trágico ou cômico, assim como faz o ator ao utilizar uma máscara? Esse uso sugere que a cena teatral era uma fonte verossímil de imagens de memória impressionantes? Ou a palavra significa, neste contexto, que a imagem de memória é como um indivíduo que conhecemos, como adverte o autor do *Ad Herennium*, mas que veste aquela máscara pessoal apenas para estimular a memória?

Cícero nos forneceu um pequeno tratado de *Ars memorativa* altamente condensado, em que abordou todos os pontos na sua ordem usual. Iniciou com a afirmação, introduzida pela história de Simônides, de que a arte da memória consiste em lugares e imagens e é como uma escrita interior sobre a cera; ele prossegue e discute as memórias natural e artificial, com a conclusão de praxe de que a natureza pode ser aprimorada pela arte. Então, vêm as regras para lugares e imagens; depois, a discussão sobre a diferença entre a memória para coisas e para palavras. Embora admita que apenas a memória para coisas é essencial ao orador, Cícero testou consigo mesmo a memória para palavras, na qual as imagens para palavras se deslocam (?), mudam de caso (?), levam toda uma sentença a uma única imagem verbal, de uma maneira extraordinária, que ele visualiza interiormente, como se fosse a arte de algum pintor habilidoso.

> Nem é verdade, como asseguram pessoas inábeis (*quod ab inertibus dicitur*), que a memória é esmagada sob o peso de muitas imagens e que até mesmo o que foi retido de forma natural se torna obscuro, pois eu mesmo encontrei pessoas ilustres dotadas de poderes de memória quase divinos (*summos homines et divina prope memoria*): Charmadas, em Atenas, e Metrodoro de Scepsis, na Ásia, do qual se diz que ainda está vivo, cada qual costumava dizer que, por meio de imagens, do mesmo modo que se gravam caracteres sobre a cera, escrevia, em lugares determinados por ele, aquilo que queria lembrar. Assim, essa prática não serve para extrair a memória se nenhuma memória foi dada pela natureza, mas pode, sem dúvida, chamar tal memória a aparecer, se ela estiver presente mas oculta[26].

Dessas últimas palavras de Cícero sobre a arte da memória, aprendemos que a objeção à arte clássica da memória, que sempre apareceu na

26. Idem, p. 360.

sua história subseqüente e que é sempre levantada quando se fala dela, já fora expressa na Antiguidade. Na época de Cícero, havia pessoas preguiçosas ou inábeis, que adotavam o ponto de vista do senso comum, com o qual concordo plenamente – como já explicado, sou apenas uma historiadora dessa arte e não sua praticante –, de que todos esses lugares e imagens apenas enterrariam sob um monte de entulho o pouco daquilo de que alguém poderia se lembrar naturalmente. Cícero acredita nessa arte e é dela um defensor. Ele possuía, por natureza, uma fantástica e aguda memória visual.

E o que pensar dos eminentes Charmadas e Metrodoro, cujos poderes da memória eram "quase divinos"? Cícero era um orador dotado de uma memória treinada fenomenal, mas era também um filósofo platônico e, para o platonismo, a memória tem implicações muito especiais. O que um orador platônico quer dizer com memória "quase divina"?

O nome do misterioso Metrodoro de Scepsis ressoará mais adiante, em muitas outras páginas deste livro.

A primeira obra de Cícero sobre retórica foi *De inventione*, escrita trinta anos antes de *De oratore*, mais ou menos na mesma época em que o desconhecido autor do *Ad Herennium* compilava seu manual. No *De inventione* não aprendemos nada de novo sobre as idéias de Cícero a respeito da memória artificial, já que o livro se refere apenas à primeira parte da retórica, a *inventio*: descoberta ou constituição do tema do discurso, a reunião das "coisas" de que vai tratar. No entanto, *De inventione* iria desempenhar um papel muito importante na posterior história da arte da memória, porque foi por meio das definições das virtudes – que Cícero traça nesse livro – que a memória artificial se tornou, na Idade Média, uma parte essencial da virtude da Prudência.

Ao final de *De inventione*, Cícero define virtude como "uma disposição do espírito em harmonia com a razão e a ordem da natureza", uma definição estóica da virtude. E afirma, então, que a virtude tem quatro partes: Prudência, Justiça, Constância e Temperança. Cada uma dessas quatro virtudes principais é por ele subdividida em partes independentes. A seguir, define a Prudência e suas partes:

A Prudência é o conhecimento daquilo que é bom, daquilo que é mau e daquilo que não é nem bom e nem mau. Suas partes são a memória, a inteligência, a providência (*memoria, intelligentia, providentia*). A memória é a faculdade pela qual a mente relembra o que aconteceu. A inteligência é a faculdade pela qual a mente averigua aquilo que é. A providência é a faculdade pela qual se vê que algo acontecerá antes que ocorra[27].

As definições de Cícero das virtudes e suas partes em *De inventione* foram uma fonte importante para a formulação do que ficou depois conhecido como as quatro virtudes cardeais. A definição de "Tullius" das três partes da Prudência é citada por Alberto Magno e Tomás de Aquino, quando discutem as virtudes nas *Summae*. E o fato de "Tullius" fazer da memória uma parte da Prudência foi o fator principal para ambos recomendarem a memória artificial. O argumento possuía uma beleza simétrica relacionada ao fato de, na Idade Média, *Ad Herennium* e *De inventione* serem associadas a Tullius. As duas obras eram conhecidas, respectivamente, como a Primeira e a Segunda Retórica de Tullius. Na Primeira Retórica, ele afirma que a memória é uma parte da Prudência; na Segunda, diz existir uma memória artificial que pode aprimorar a memória natural. Assim, a prática da memória artificial é uma parte da virtude da Prudência. É considerando a memória como parte da Prudência que Alberto Magno e Tomás de Aquino citam e discutem as regras da memória artificial.

O processo pelo qual a escolástica transferiu a memória artificial do domínio da retórica para o da ética será mais bem discutido em um capítulo posterior[28]. Eu antecipo a questão brevemente, porque se pode perguntar se o uso prudencial ou ético da memória artificial foi inteiramente inventado na Idade Média ou também teria uma raiz na Antiguidade. Os estóicos, como sabemos, atribuíam grande importância ao controle moral da imaginação como parte fundamental da ética. Como já mencionado, não temos como saber de que modo as "coisas"

27. *De inventione*, II, liii, p. 160 (trad. de H. M. Hubbell, edição Loeb).
28. Ver cap. III adiante.

chamadas de Prudência, Justiça, Constância, Temperança e suas partes teriam sido representadas na memória artificial. Teria a Prudência, por exemplo, assumido uma forma mnemônica impressionantemente bela, uma *persona* semelhante a alguém que conhecemos, mantendo ou tendo agrupado à sua volta imagens secundárias para fazer lembrar de suas partes – de forma semelhante ao modo como as partes daquele caso contra o homem acusado de envenenamento formavam uma imagem mnemônica composta?

EM ROMA, no século I d.C., Quintiliano, um homem muito sensível e grande educador, era o principal professor de retórica. Mais de um século depois do *De oratore*, de Cícero, ele escreveu *Institutio oratoria*. Apesar do grande peso que se dava ao fato de Cícero recomendar a memória artificial, parece que seu valor não é tido como algo estabelecido nos principais círculos retóricos em Roma. Quintiliano, então, diz que algumas pessoas dividem a retórica em apenas três partes, baseando-se no fato de que *memoria* e *actio* nos são dadas "pela natureza e não pela arte"[29]. Sua própria atitude em relação à memória artificial é ambígua; apesar disso, ele lhe dá grande importância.

Como Cícero, ele introduz sua exposição sobre a memória artificial com a história de sua invenção por Simônides, cuja versão, fora alguns detalhes, é essencialmente a mesma de Cícero. Acrescenta que havia entre os gregos uma boa quantidade de versões da história, e que se devia a Cícero sua grande difusão em sua própria época.

> Essa realização de Simônides parece ter originado a observação de que ela é uma ajuda à memória, se lugares forem fixados na mente, no que cada um pode acreditar a partir de sua própria experiência. Porque quando retornamos a um lugar após uma longa ausência, não nos recordamos apenas do lugar em si, mas das coisas que fizemos ali, das pessoas que encontramos e até dos pensamentos não expressos que passaram por nossas mentes quando ali estivemos anteriormente. Assim, como em muitos casos, a arte nasce da experiência.

29. *Institutio oratoria*, III, iii, p. 4.

Os lugares são escolhidos e marcados segundo a maior variedade possível, como uma casa espaçosa dividida em um certo número de ambientes. Tudo o que ali dentro é digno de nota é cuidadosamente gravado na mente, de modo que o pensamento possa percorrer todas as partes sem hesitação ou impedimento. A primeira tarefa é assegurar-se de que não haverá dificuldade em percorrê-las, pois a memória que ajuda uma outra memória deve ser firmemente fixada. Aquilo que foi escrito, ou pensado, deve ser marcado por um signo para lembrá-lo. Esse signo pode ser retirado do conjunto de uma determinada "coisa", como a navegação ou a arte da guerra, ou de alguma "palavra"; pois aquilo que escapa à memória é recuperado pela evocação de uma única palavra. Mas vamos supor que o signo seja retirado do campo da navegação, como, por exemplo, uma âncora; ou da arte da guerra, como, por exemplo, uma arma. Esses signos são, então, ordenados como segue. A primeira noção é colocada no vestíbulo e a segunda, digamos, no átrio; o restante é disposto, em ordem, em volta do implúvio e não se limita aos quartos e salas, mas engloba estátuas e coisas semelhantes. Isto feito, quando se deve reavivar a memória, parte-se do primeiro lugar para percorrer todos os outros, buscando aquilo que foi confiado a cada um e que a imagem ajudará a recordar. Assim, por numerosos que sejam os detalhes de que se quer lembrar, todos estão ligados entre si, como em um coro, o que segue não pode se desviar daquilo que veio antes, ao qual está ligado; é necessário apenas o aprendizado preliminar.

Aquilo que falei em relação a uma casa também pode ser feito em edifícios públicos, em uma longa viagem, em um passeio pela cidade, ou com quadros. Ou nós mesmos podemos imaginar esses lugares.

O que precisamos é de lugares, imaginários ou reais, e de imagens ou símbolos a serem inventados. As imagens são como palavras com as quais marcamos as coisas que devemos aprender, como diz Cícero, "utilizamos os lugares como a cera e as imagens como as letras". Ele diz, ainda: "Deve-se empregar um grande número de lugares, bem iluminados, claramente ordenados em intervalos regulares; e usar imagens operantes, engenhosas, incomuns, que tenham o poder de rapidamente impressionar e penetrar a alma". O que mais me surpreende é como Metrodoro pôde encontrar trezentos e sessenta lugares nos doze signos pelos quais o Sol se move. Sem dúvida, tratava-se da vaidade e do orgulho de um homem que se vangloriava de uma memória cuja força provinha mais da arte do que da natureza[30].

30. Idem, XI, ii, pp. 17-22.

O perplexo aprendiz da arte da memória é grato a Quintiliano. Não fossem suas diretrizes claras de como devemos percorrer os cômodos de uma casa ou de um edifício público, ou andar pelas ruas de uma cidade e memorizar nossos lugares, jamais compreenderíamos o que significam "regras para lugares". Ele dá uma razão absolutamente racional do motivo pelo qual os lugares podem ajudar a memória: porque, pela experiência, sabemos que um lugar traz associações à memória. Ao usar signos como uma âncora ou uma arma para as "coisas", ou ao evocar uma única palavra como um signo por meio do qual a frase como um todo virá à mente, o sistema que ele descreve torna-se plausível e compreensível. É o que, de fato, poderíamos chamar de mnemônica. Portanto, havia na Antiguidade uma prática com esse nome, que pode ser utilizado com o sentido que nós lhe damos.

Quintiliano não menciona as peculiares *imagines agentes*, apesar de conhecê-las, já que cita a versão abreviada, de Cícero, das regras que eram, elas próprias, baseadas no *Ad Herennium*, ou no tipo de prática da memória dotada de imagens estranhas que o *Ad Herennium* descreve. Mas, depois de citar a versão de Cícero das regras, Quintiliano ousa contradizer, de forma repentina, aquele retórico reverenciado, pelo modo completamente diferente como julga Metrodoro de Scepsis. Para Cícero, a memória de Metrodoro era "quase divina". Para Quintiliano, esse homem era quase um charlatão. E ainda diz – fato interessante a ser discutido posteriormente – que o sistema de memória divino, ou pretensioso (segundo o ponto de vista de cada um), de Metrodoro de Scepsis baseava-se nos doze signos do zodíaco.

As últimas palavras de Quintiliano sobre a arte da memória foram:

> Não pretendo negar que tais sistemas podem ser úteis para determinados objetivos, como, por exemplo, quando precisamos redizer os nomes de muitas coisas na ordem em que foram ditos. Os que empregam tal ajuda colocam as coisas em seus lugares de memória; põem, por exemplo, uma mesa no vestíbulo, um estrado no átrio, e assim por diante, e então, ao percorrerem os lugares novamente, encontram esses objetos onde os colocaram. Tal prática pode ter sido útil àqueles que, depois de um leilão, tiveram sucesso ao dizer qual objeto havia sido vendido

a cada comprador, sendo suas afirmações comprovadas pelos registros dos tesoureiros – um feito atribuído a Hortênsio. Entretanto, esses sistemas seriam de menor utilidade para a recordação das partes de um discurso. Porque as noções não evocam imagens como o fazem as coisas materiais, e algo diferente tem de ser inventado para elas, apesar de, mesmo nesse caso, um lugar definido servir para nos lembrarmos, por exemplo, de alguma conversa que ali tivemos. Mas, como tal arte pode apreender toda uma série de palavras ligadas entre si? Falo da existência de certas palavras impossíveis de serem representadas por meio de qualquer semelhança, como, por exemplo, as conjunções. Podemos, é verdade, como os estenógrafos, ter imagens definidas para tudo e usar um número infinito de lugares para nos recordarmos de todas as palavras contidas nos cinco livros de *Actio secunda in Verrem*, e podemos até nos lembrar de todas elas como se fossem coisas guardadas em cofres. Mas o fluxo de nosso discurso não será alterado pela dupla tarefa imposta a nossa memória? Pois, se precisamos nos voltar para formas separadas para cada palavra em si, como as nossas palavras podem fluir em um discurso coeso? Por isso, Charmadas e Metrodoro de Scepsis, a quem me referi, e que Cícero diz terem usado esse método, devem guardar seus sistemas para si mesmos; meus preceitos serão mais simples[31].

O método do leiloeiro que dispõe em lugares de memória as imagens dos objetos reais que vendeu é, precisamente, o método citado anteriormente, no exemplo do professor que divertia seus alunos em festas. Quintiliano diz que esse método funciona e pode ser útil para certos propósitos. Mas aplicá-lo para lembrar um discurso por meio de imagens para "coisas" seria, segundo ele, mais problemático do que vantajoso, já que todas essas imagens para "coisas" precisam ser inventadas. Mesmo no caso mais simples, do tipo de imagem da âncora e da arma, ele parece não recomendá-lo. E não menciona as estranhas *imagines agentes*, nem para coisas nem para palavras. Interpreta as imagens para palavras como *notae* mnemônicas abreviadas, dispostas nos lugares de memória. Esse era o método grego descartado pelo autor do *Ad Herennium*, mas Quintiliano acha que Cícero o admirava em Charmadas e Metrodoro de Scepsis.

31. Idem, pp. 23-6.

Os "preceitos simples" para o exercício da memória que Quintiliano professa para substituir a arte da memória consistem essencialmente na dura e intensiva memorização de discursos e de outros itens, da maneira tradicional, mas admite que alguém pode ser ajudado por adaptações simples de alguns dos usos da mnemônica. Podem-se criar signos pessoais para evocar a lembrança de uma passagem difícil; esses signos podem até mesmo ser adaptados à natureza dos pensamentos. "Apesar de retirado do sistema mnemônico", o uso desses signos não deixa de ter seu valor. Mas há, sobretudo, algo que será de grande ajuda ao aluno.

> Isto é, aprender uma passagem de cor a partir das tábuas nas quais a escrevemos. Pois terá certos traços para guiá-lo em busca do que quer se lembrar, e o olho da mente não se fixará apenas nas páginas onde as palavras estão escritas, mas em cada linha e, por vezes, ele falará como se estivesse lendo em voz alta [...] Esse método se parece um pouco com o do sistema mnemônico que mencionei antes, mas, se minha experiência tem algum valor, é ao mesmo tempo mais simples e eficaz[32].

Acredito que ele queira dizer que esse método adota do sistema mnemônico o hábito de visualizar a escrita em "lugares", mas, em vez de tentar visualizar *notae* abreviadas em algum vasto sistema de lugares, ele visualiza a escrita normal, do modo como foi colocada na tábua ou na página.

Seria interessante saber se Quintiliano prepara sua tábua ou página para memorização adicionando-lhe signos, *notae*, ou mesmo *imagines agentes* elaboradas de acordo com as regras, para marcar os lugares pelos quais a memória passa ao percorrer as linhas escritas.

Há, portanto, uma grande diferença entre a atitude de Quintiliano quanto à memória artificial e aquela do autor do *Ad Herennium* e de Cícero. Evidentemente, as *imagines agentes*, que gesticulam de forma fantástica de seus lugares e que despertam a memória por meio de seu apelo emocional, pareciam-lhe tão esquisitas e inúteis para a prática

---

32. Idem, pp. 32-3.

mnemônica como o são para nós. Será que a sociedade romana caminhou para uma maior sofisticação, tendo perdido essa intensa, arcaica, quase mágica e imediata associação da memória com as imagens? Ou a diferença é só aparente? Será que a memória artificial não funcionava para Quintiliano porque faltava-lhe a percepção visual aguda necessária para a memorização visual? Ele não menciona, como faz Cícero, que a invenção de Simônides dependia da primazia do sentido da visão.

Das três fontes da arte clássica da memória estudadas neste capítulo, não é na exposição racional e crítica de Quintiliano que a posterior tradição da memória ocidental irá se basear, nem nas formulações elegantes mas obscuras de Cícero. Ela foi fundada nos preceitos estabelecidos pelo professor de retórica desconhecido.

CAPÍTULO 2

A Arte da Memória na Grécia: A Memória e a Alma

A história de Simônides, com sua evocação macabra dos rostos das pessoas ocupando seus lugares no banquete pouco antes de sua morte horrível, pode sugerir que as imagens de seres humanos eram parte integrante da arte da memória que a Grécia transmitiu a Roma. De acordo com Quintiliano, havia várias versões gregas dessa história[1], e pode-se supor que ela constituía a introdução comum à seção sobre memória artificial de um manual de retórica. Com certeza, havia muitos manuais em grego, mas eles não chegaram a nós, daí dependermos das três fontes latinas para qualquer conjectura sobre a memória artificial grega.

Simônides de Ceos[2] (*ca.* 556-468 a.C.) pertence à era pré-socrática. Em sua juventude, é possível que Pitágoras ainda estivesse vivo. Era um dos mais admiráveis poetas gregos (muito pouco restou de sua poesia) – tendo sido chamado de o homem "da língua de mel", nome latinizado como Simônides Melicus – e sobressaía-se particularmente na criação de belas imagens. Muitas inovações foram creditadas a esse homem bri-

---

1. Quintiliano diz (*Institutio oratoria*, XI, ii, pp. 14-6) que entre as fontes gregas há divergências a respeito de onde o banquete aconteceu: "Em Pharsalus, como o próprio Simônides parece indicar em uma certa passagem, e como relatam Apolodoro, Eratóstenes, Eufórion e Eurípilo de Larissa, ou em Cranon, como afirma Apollas Callimachus, seguido por Cícero".
2. Um conjunto de referências relativas a Simônides na literatura antiga foi compilado em *Lyra Graeca*, ed. e trad. de J. M. Edmonds, Loeb Classical Library, vol. II, 1924, pp. 246 e ss.

lhantemente dotado e original. Dizem ter sido o primeiro a exigir paga‑
mento pelos poemas; sua faceta sagaz aparece na história de sua invenção
da arte da memória e diz respeito a um contrato para uma ode. Plutarco
atribui‑lhe uma outra inovação: achava que fora Simônides o primeiro a
comparar os métodos da poesia com os da pintura, tendo sua teoria sido
posteriormente resumida por Horácio na célebre frase *ut pictura poesis*.
Plutarco diz que "Simônides chamava a pintura de poesia silenciosa e a
poesia, de pintura que fala, pois as ações são pintadas enquanto ocorrem,
já as palavras as descrevem depois de terem acontecido"[3].

É significativo ser atribuída a Simônides a comparação da poesia com
a pintura, já que isso apresenta um denominador comum com a inven‑
ção da arte da memória. De acordo com Cícero, esta última repousa na
descoberta por Simônides da superioridade do sentido da visão sobre os
outros sentidos. A teoria da comparação da poesia com a pintura também
repousa na supremacia do sentido visual. O poeta e o pintor pensam por
meio de imagens visuais, sendo que o primeiro as expressa em versos e
o segundo, em pinturas. As vagas relações entre as outras artes e a arte
da memória, que percorrem sua história, já se encontram presentes na
fonte lendária, nas histórias sobre Simônides, que via poesia, pintura e
mnemônica em termos de visualização intensa. Antecipando brevemente
aquele que será nosso objetivo fundamental, Giordano Bruno, veremos
que, em uma de suas obras sobre mnemônica, ele trata do princípio do
uso de imagens na arte da memória sob os títulos de "Fídias, o Escultor"
e "Zeuxis, o Pintor", e sob esses mesmos títulos discute também a teoria
do *ut pictura poesis*[4].

Simônides é o herói cultuado, o fundador de nosso objeto de pes‑
quisa, cuja invenção é atestada não somente por Cícero e Quintiliano,
mas também por Plínio, Eliano, Ammiano Marcellino, Suidas e outros.
Uma inscrição também atesta o fato. Trata‑se da *Crônica de Paros*, uma
placa de mármore de aproximadamente 264 a.C., encontrada em Paros

3. Plutarco, *Glória de Atenas*, p. 3; cf. R.W. Lee, "*Ut pictura poesis*: The Humanistic Theory of
    Painting", *Art Bulletin*, XXII, 1940, p.197.
4. Ver, adiante, p. 317.

no século XVII, que relembra datas lendárias de descobrimentos como a invenção da flauta, a introdução dos grãos por Ceres e Triptólemo, a publicação das poesias de Orfeu; e ao tratar dos tempos históricos é dada ênfase a festivais e seus prêmios. A inscrição que nos interessa é a seguinte: "Do tempo em que Simônides de Ceos, filho de Leoprepes e inventor do sistema de auxílio à memória, ganhou o prêmio do coro em Atenas e quando foram erguidas as estátuas para Harmódio e Aristógiton, 213 anos (isto é, 477 a.C.)"[5].

Sabe-se de outras fontes que Simônides recebeu o prêmio do coro já em idade avançada; o mármore de Paros relata o acontecimento, chamando o vencedor de "o inventor do sistema de auxílio à memória".

Pode-se pensar, creio eu, que Simônides realmente fez com que a mnemônica avançasse, ensinando ou publicando regras que, apesar de derivarem de uma tradição oral mais antiga, apresentavam o tema de forma nova. Não vamos tratar aqui das origens da arte da memória anteriores a Simônides; alguns dizem que elas são pitagóricas, outros sugerem influências egípcias. Pode-se imaginar que alguma forma dessa arte fosse uma técnica muito antiga, utilizada por aedos e narradores. As invenções supostamente introduzidas por Simônides podem ter sido sintomas da emergência de uma sociedade mais complexa. A partir de então, os poetas teriam uma posição econômica definida; uma mnemônica praticada nos tempos da memória oral, anterior à escrita, é agora codificada em regras. Em uma época de transição a novas formas culturais, é comum que um personagem eminente seja classificado como inventor.

O fragmento conhecido como *Dialexeis* (*ca.* 400 a.C.) contém uma pequena seção sobre a memória:

> Uma bela e grande invenção é a memória, sempre útil para o aprendizado e a vida.
>
> Primeira coisa: se você prestar atenção (direcionar sua mente), o juízo perceberá melhor as coisas que passam por ela (pela mente).

---

5. Citado como traduzido em *Lyra Graeca*, II, p. 249. Ver F. Jacoby, *Die Fragmente der Griechischen Historiker*, Berlim, 1929, II, p. 1000; e *Fragmente, Kommentar*, Berlim, 1930, II, p. 694.

Segunda, repita o que você diz, pois, ao ouvir e repetir as mesmas coisas várias vezes, aquilo que você aprendeu vem como um todo em sua memória.

Terceira, aquilo que você ouve, identifique com aquilo que conhece. Por exemplo, Χρύσιππος (Chrysippo) deve ser lembrado; nós o localizamos a partir da semelhança com χρυσὸς (ouro) e ἵππὸς (cavalo). Outro exemplo: localizamos πυριλάμπης (pirilampo) a partir de sua semelhança com πῦρ (fogo) e λάμπηιν (brilho).

O mesmo para os nomes.

Para as coisas, proceda da seguinte maneira: localize a coragem a partir de Marte e Aquiles; o trabalho a partir de Vulcano; a covardia a partir de Epeu[6].

Memória para coisas, memória para palavras (ou nomes)! Aqui estão os termos técnicos para os dois tipos de memória artificial já em uso em 400 a.C. Ambas as memórias usam imagens: a primeira para representar coisas; a outra, palavras. Isso também diz respeito às regras usuais. É verdade que as regras para os lugares não são dadas, mas a prática aqui descrita, de localizar a noção ou palavra a ser lembrada a partir de sua semelhança com certas imagens, será recorrente em toda a história da arte da memória, e tem raízes evidentemente na Antiguidade.

Assim, a estrutura das regras da memória artificial já existia meio século após a morte de Simônides. Isso sugere que o que ele "inventou", ou codificou, pode bem ter sido as regras, da forma como as encontramos no *Ad Herennium*, embora tenham sido apuradas e ampliadas em textos posteriores, desconhecidos até chegarem, quatro séculos depois, ao professor latino.

No tratado remoto, *Ars memorativa*, as imagens para palavras são formadas a partir da dissecação etimológica da palavra. Nos exemplos de imagens para coisas, as "coisas", isto é, as virtudes e os vícios, são representadas (o valor e a covardia); também é representada uma arte (a metalurgia). Elas são guardadas na memória por meio de imagens de deuses e homens (Marte, Aquiles, Vulcano, Epeu). Talvez possamos perceber aqui,

---

6. H. Diels, *Die Fragmente der Vorsokratiker*, Berlim, 1922, II, p. 345. Cf. H. Gomperz, *Sophistik und Rhetorik*, Berlim, 1912, p. 149, onde é apresentada uma tradução alemã.

sob uma forma arcaica simples, aquelas figuras humanas que representam "coisas" que, eventualmente, desenvolvem-se como *imagines agentes*.

Pensa-se que a *Dialexeis* reflete o ensinamento sofista e que sua seção sobre a memória se refira à mnemônica do sofista Hípias de Elis[7], do qual se diz – nos diálogos pseudoplatônicos que o satirizam e trazem seu nome – que possuía uma "ciência da memória" e vangloriava-se de poder recitar cinqüenta nomes após tê-los ouvido uma única vez, assim como genealogias de heróis e homens, fundações de cidades e muitas outras coisas[8]. É provável, ainda, que Hípias fosse um praticante da memória artificial. Podemos começar a nos perguntar se o sistema educacional sofista, que Platão rejeitava de modo enfático, fez um uso excessivo da nova "invenção", para memorizar superficialmente um grande número de informações as mais diversas. Nota-se o entusiasmo com que se inicia o tratado sofista da memória : "Uma bela e grande invenção é a memória, sempre útil para o aprendizado e a vida". Seria a bela e nova invenção da memória artificial um elemento importante da nova técnica de sucesso dos sofistas?

ARISTÓTELES CONHECIA, com certeza, a memória artificial, a que se refere quatro vezes. Ele não a expõe (apesar de, segundo Diógenes Laércio[9], ter escrito um livro sobre mnemônica, que desapareceu), mas a emprega para ilustrar pontos que discute. Uma dessas referências está nos *Tópicos*, quando adverte que se deveria confiar à memória os argumentos sobre questões recorrentes:

> Assim como em uma pessoa de memória treinada a memória das coisas em si é suscitada pela mera menção de seus lugares (τόποι), esses hábitos também tornam um homem mais apto à argumentação, porque terá suas premissas classificadas e visíveis em sua mente, cada qual sob seu número[10].

7. Ver Gomperz, pp. 179 e ss.
8. *Hípias Maior*, 285D-286A; *Hípias Menor*, 368D.
9. Diógenes Laércio, *Vida de Aristóteles* (em seu *Vidas dos Filósofos*, vol. 26). Na lista das obras de Aristóteles aqui apresentada, a obra referida pode ser, contudo, *De memoria et reminiscentia*, que ficou conservada.
10. *Tópicos*, 163[b], pp. 24-30 (trad. inglesa por W. A. Pickard-Cambridge em *Works of Aristotle*, Oxford, W. D. Ross, 1928, vol. I).

Não há dúvida de que esses *topoi* utilizados por pessoas com uma memória treinada têm de ser *loci* mnemônicos, e também é provável que a própria palavra "tópico", como usada na dialética, provenha dos lugares da mnemônica. Os tópicos são as "coisas" ou o assunto que é objeto da dialética, denominados como *topoi* a partir dos lugares onde foram depositados.

No *De insomnis*, Aristóteles diz que algumas pessoas têm sonhos em que parecem "ordenar objetos diante de si, de acordo com seu sistema mnemônico"[11] – quase um aviso, poder-se-ia pensar, contra o uso exagerado da memória artificial, embora a alusão não seja usada por ele nesse sentido. Em *De anima* há uma passagem semelhante: "É possível dispor as coisas diante de nossos olhos, como aqueles que inventam sistemas de memória e constroem imagens"[12].

Mas a mais importante das quatro alusões, e a que mais influenciou a história posterior da arte da memória, aparece em *De memoria et reminiscentia*. Os grandes escolásticos, Alberto Magno e Tomás de Aquino, com suas mentes aguçadas, perceberam que o Filósofo, em seu *De memoria et reminiscentia*, refere-se a uma arte da memória que é a mesma que Tullius ensina em sua Segunda Retórica (o *Ad Herennium*). Assim, a obra de Aristóteles tornou-se para eles um tipo de tratado sobre a memória, a ser aproximado das regras de Tullius, e fornecia justificativas filosóficas e psicológicas para essas regras.

A teoria de Aristóteles sobre a memória e a reminiscência baseia-se na teoria do conhecimento que ele expõe em *De anima*. As percepções trazidas pelos cinco sentidos são, primeiro, tratadas ou trabalhadas pela faculdade da imaginação, e são as imagens assim formadas que se tornam o material da faculdade intelectual. A imaginação é a intermediária entre percepção e pensamento. Assim, apesar de todo o conhecimento derivar, em última instância, de impressões sensoriais, não é a partir delas em estado bruto que o pensamento funciona, mas após tais impres-

---

11. *De insomnis*, 458^b, pp. 20-2 (trad. inglesa por W. S. Hett, no volume da edição Loeb que contém *De anima, Parva naturalia* etc., 1935).
12. *De anima*, 427^b, pp. 18-22 (trad. de Hett).

sões terem sido tratadas pela faculdade da imaginação ou absorvidas por ela. É a parte da alma que produz as imagens que torna possível o trabalho dos processos mais elevados do pensamento. É por isso que "a alma nunca pensa sem uma imagem mental"[13]; "a faculdade do pensamento pensa suas formas como imagens mentais"[14]; e "ninguém poderia aprender ou entender algo, se não possuísse a faculdade da percepção; até quando se pensa de modo especulativo é necessária alguma imagem mental com a qual pensar"[15].

Para a escolástica e a posterior tradição da memória, havia um ponto de contato entre a teoria mnemônica e a teoria aristotélica do conhecimento. Esse ponto de contato consiste justamente na importância dada por ambas à imaginação. A afirmação de Aristóteles de que é impossível pensar sem uma imagem mental sempre é citada para sustentar o uso das imagens na mnemônica. E o próprio Aristóteles emprega as imagens da mnemônica como uma ilustração do que diz sobre imaginação e pensamento. Pensar, diz ele, é algo que podemos fazer sempre que quisermos, "já que é possível dispor as coisas diante de nossos olhos, como aqueles que inventam sistemas de memória e constroem imagens"[16]. Ele compara a seleção deliberada de imagens mentais sobre as quais pensar com a construção deliberada, na mnemônica, de imagens por meio das quais se pode lembrar de algo.

O *De memoria et reminiscentia* é um apêndice a *De anima* e começa com uma citação dessa obra: "Como já foi dito antes, em meu tratado *De anima*, a respeito da imaginação, até mesmo pensar é impossível sem uma imagem mental"[17]. Ele continua, dizendo que a memória pertence à mesma parte da alma que a imaginação; é um conjunto de imagens mentais a partir de impressões sensoriais, mas com um elemento temporal adicionado, pois as imagens mentais da memória não provêm da

13. Idem, 432ª, p. 17.
14. Idem, 431ᵇ, p. 2.
15. Idem, 432ª, p. 9.
16. Já citado anteriormente.
17. *De memoria et reminiscentia*, 449ᵇ, p. 31 (traduzido para o inglês, como um dos *Parva naturalia*, por W. S. Hett, no volume já citado da edição Loeb).

percepção das coisas presentes, mas das coisas passadas. Já que, desse modo, a memória depende da impressão sensorial, ela não é exclusiva do ser humano; alguns animais também podem lembrar-se de algo. Contudo, a faculdade intelectual age na memória, já que o pensamento atua sobre as imagens nela armazenadas a partir da percepção sensorial.

Ele compara a imagem mental derivada da impressão sensorial com um tipo de retrato pintado, "cuja duração descrevemos como memória"[18]; e ele vê a formação da imagem mental como um movimento, comparável ao movimento de imprimir um selo na cera com um sinete. Se a impressão permanecerá por longo tempo na memória ou será rapidamente apagada, depende da idade e do temperamento da pessoa.

> Algumas pessoas, devido à idade ou a alguma doença, não terão memória, mesmo em presença de um forte estímulo; é como se um estímulo ou um selo fossem impressos em água corrente. Nelas, o desenho não é impresso, ou porque elas estão gastas como velhas paredes de construções, ou devido à resistência daquilo que deverá receber a impressão. Por essa razão, os muito jovens e os idosos têm memória fraca; eles estão em constante transformação, o jovem devido ao crescimento e o velho por sua decadência. Por motivo semelhante, nem os muito vivazes e nem os de espírito vagaroso têm boas memórias; os primeiros são muito sentimentais e os segundos muito austeros; nos primeiros a imagem não permanece, aos segundos ela não impressiona[19].

Aristóteles distingue entre memória e reminiscência ou lembrança. A lembrança é a recuperação do conhecimento ou da sensação ocorrida. É um esforço deliberado para encontrar seu caminho entre os conteúdos da memória, perseguindo aquilo de que se quer lembrar. Nesse esforço, Aristóteles enfatiza dois princípios interligados: o da associação, embora ele não utilize essa palavra, e o da ordem. Partindo de "algo semelhante, oposto ou interligado"[20] àquilo que buscamos, acabaremos por encontrá-lo. Essa passagem foi descrita como a primeira formulação das leis

18. Idem, 450ª, p. 30.
19. Idem, 450 b, pp. 1-10.
20. Idem, 451 b, pp. 18-20.

de associação por semelhança, dessemelhança e contigüidade[21]. Devemos também procurar recuperar uma ordem de eventos ou de impressões, o que nos levará ao objeto de nossa procura, pois os movimentos da lembrança seguem a mesma ordem dos eventos originais, e as coisas mais fáceis de serem lembradas são aquelas que têm uma ordem, como as proposições matemáticas. Mas precisamos de um ponto de partida para iniciarmos o esforço de rememoração.

> Ocorre com freqüência que alguém não consiga lembrar-se de algo imediatamente, mas que possa procurar pelo que quer e encontrar. Isso acontece quando alguém dá início a vários impulsos, até que um deles seja finalmente o que leva ao objeto da busca. Porque a lembrança depende realmente da existência potencial da causa estimulante... Mas é necessário se apoderar do ponto de partida. Por essa razão, alguns utilizam lugares (τόπων) para rememorar algo. O motivo disso é que as pessoas passam rapidamente de um a outro ponto; por exemplo, de leite para branco, de branco para ar, de ar para umidade; depois, a pessoa lembra-se de outono, supondo-se que quisesse recordar essa determinada estação do ano[22].

O certo, aqui, é que Aristóteles introduz os lugares de memória artificial para ilustrar suas observações sobre associação e ordem no processo de rememoração. Fora isso, o significado da passagem é difícil de ser seguido, como os editores e comentadores admitem[23]. É possível que os passos pelos quais se passa rapidamente de leite para outono – supondo que se queira lembrar dessa estação – dependam da associação cósmica dos elementos com as estações. Ou a passagem pode ter sido alterada e ser fundamentalmente incompreensível tal como está.

A ela se segue uma outra passagem, em que Aristóteles fala da lembrança a partir de qualquer ponto de uma série.

---

21. Ver W. D. Ross, *Aristotle*, London, 1949, p. 144; ver, também, a nota de Ross sobre esta passagem, em sua edição de *Parva Naturalia*, Oxford, 1955, p. 245.
22. *De memoria et reminiscentia*, 452ª, pp. 8-16.
23. Para uma análise dessa passagem, ver a nota de Ross em sua edição de *Parva naturalia*, p. 246.

De modo geral, o ponto central parece ser bom para o início; pois, ao atingi-lo, aquilo que se quer será lembrado, se já não o foi, ou não será lembrado a partir de qualquer outro ponto. Por exemplo, imagine-se uma série representada pelas letras ABCDEFGH; se não se consegue lembrar do que se quer no ponto E, consegue-se em H; daquele ponto, pode-se ir para as duas direções, D ou F. Supondo-se que se busque G ou F, isso será lembrado em C, caso se queira G ou F. Ou, então, será lembrado em A. Assim, o sucesso é garantido. Às vezes, é possível recordar o que se busca e outras vezes não; a razão é que se pode ir em mais de uma direção a partir do mesmo ponto de partida; por exemplo, de C pode-se ir direto a F ou apenas até D[24].

Depois que o ponto de partida de uma cadeia de lembranças já foi comparado ao lugar mnemônico, podemos recordar, em relação a esta passagem bastante confusa, que uma das vantagens da memória artificial era o seu possuidor poder começar sua busca por qualquer um dos lugares e percorrê-los em qualquer direção.

A escolástica provou, para sua própria satisfação, que o *De memoria et reminiscentia* justificava filosoficamente a memória artificial. Contudo, é bastante duvidoso ser exatamente isso o que Aristóteles queria dizer. Ele parecia fazer referência à técnica mnemônica apenas como ilustração de seu argumento.

A METÁFORA utilizada em todas as nossas três fontes latinas sobre a mnemônica, que compara a escrita interior – ou impressão das imagens de memória nos lugares – à escrita em uma tábua de cera, é obviamente sugerida pelo uso, naquela época, da tábua de cera para a escrita. Contudo, ela também liga a mnemônica à antiga teoria da memória, como Quintiliano colocou na introdução de sua exposição da mnemônica, ao salientar que não tinha a intenção de se estender sobre as funções precisas da memória, "apesar de muitos considerarem que certas impressões são formadas na mente, de forma análoga à de um sinete sobre a cera"[25].

---

24. *De memoria et reminiscentia*, 452ª, pp. 16-25. Para as correções sugeridas à confusa série de cartas, das quais há muitas versões nos manuscritos, ver a nota de Ross em sua edição de *Parva naturalia*, pp. 247-8.
25. *Institutio oratoria*, XI, ii, p. 4.

O uso que Aristóteles faz dessa metáfora das imagens a partir de impressões sensoriais, que são como a impressão de um selo na cera, já foi mencionado. Para ele, tais impressões são a fonte básica de todo o conhecimento; apesar de serem apuradas e tornadas abstratas pelo pensamento intelectual, não poderia haver pensamento ou conhecimento sem elas, já que todo conhecimento depende de impressões sensoriais.

Platão também usa a metáfora da impressão do selo na conhecida passagem do *Teeteto*, em que Sócrates propõe que há um bloco de cera em nossas almas – de diferentes qualidades, de acordo com os indivíduos – e isso é "o dom da Memória, a mãe das Musas". Quando vemos, ouvimos ou pensamos em algo, submetemos essa cera às percepções e aos pensamentos, e os imprimimos nela, assim como imprimimos com sinetes[26].

Mas Platão, diferentemente de Aristóteles, acredita que há um conhecimento não derivado das impressões sensoriais, que há, latentes em nossas memórias, as formas ou moldes das Idéias, das realidades que a alma conheceu antes de descer aqui embaixo. O verdadeiro conhecimento consiste em experimentar as marcas das impressões sensoriais nos moldes ou impressos da realidade superior, da qual as coisas aqui embaixo são reflexos. O *Fédon* desenvolve o argumento de que todos os objetos sensíveis podem ser relacionados a determinados tipos, dos quais são simples aparências. Nesta vida, não vimos ou aprendemos os tipos, mas os vimos antes de nossa vida ter começado e o conhecimento deles é inato em nossas memórias. O exemplo que ele apresenta é o da referência a nossas percepções sensoriais de objetos iguais à Idéia de Igualdade, que nos é inata. Percebemos a igualdade em objetos iguais, como pedaços de madeira iguais, porque a Idéia da Igualdade foi impressa em nossas memórias, o selo dela está latente na cera de nossa alma. O conhecimento verdadeiro consiste em experimentar as marcas das impressões sensoriais no molde fundamental, ou selo da Forma ou Idéia à qual os objetos dos sentidos correspondem[27]. Em *Fedro*, ao expor sua visão da verdadeira função da retórica – que é a de persuadir os homens

26. *Teeteto*, 191 C-D.
27. *Fédon*, p. 75 B-D.

a conhecerem a verdade –, Platão novamente desenvolve o tema de que o conhecimento da verdade e da alma consiste na rememoração, na lembrança das Idéias já vistas por todas as almas, e das quais todas as coisas terrenas são cópias infiéis. Todo conhecimento e todo aprendizado são tentativas de recordação das realidades, a reunião, em uma unidade, das muitas percepções dos sentidos, por meio de suas correspondências com essas realidades. "Nas cópias terrenas da justiça e da temperança, e das outras idéias que são preciosas para as almas, não há luz; somente alguns poucos, aproximando as imagens por meio dos obscuros órgãos dos sentidos, contemplam nelas a natureza daquilo que imitam[28]."

FEDRO É um tratado de retórica em que esta é vista não como uma arte da persuasão, a ser utilizada para se obter vantagens políticas ou pessoais, mas como uma arte de dizer a verdade e persuadir os ouvintes disso. O poder de conseguir esse efeito depende de um conhecimento da alma e o conhecimento verdadeiro da alma consiste na rememoração das Idéias. A memória não é uma "seção" desse tratado, como uma parte da arte da retórica; a memória, no sentido platônico, é o fundamento do todo.

Do ponto de vista de Platão, fica claro que a memória artificial, da maneira utilizada por um sofista, seria um anátema, uma profanação da memória. É possível, ainda, que parte da sátira de Platão aos sofistas, como o uso sem sentido de etimologias, possa explicar-se pelo modo como eles, em seus tratados sobre a memória, as utilizam para memorizar palavras. Uma memória platônica deveria ser organizada em relação às realidades superiores e não à maneira trivial da mnemotécnica sofista.

Dentro dos parâmetros da arte da memória, foram os neoplatônicos do Renascimento que realizaram essa tentativa grandiosa. Uma das manifestações mais impressionantes do uso dessa arte no Renascimento é o Teatro da Memória de Giulio Camillo. Ao utilizar imagens dispostas em lugares específicos de um teatro neoclássico – ou seja, ao empregar a

28. *Fedro*, pp. 249 E-250 D.

técnica da memória artificial de modo ortodoxo –, o sistema de memória de Camillo baseia-se (assim acreditava ele) em arquétipos da realidade, dos quais dependem imagens secundárias que cobrem todo o domínio da natureza e do homem. A visão de Camillo da memória é fundamentalmente platônica (apesar de o hermetismo e a cabala serem influências presentes no seu Teatro) e ele pretende construir uma memória artificial baseada na verdade. Ele diz:

> Ora, se os oradores da Antiguidade, em seu desejo de situar dia a dia as partes do discurso a ser pronunciado, as confiavam a lugares tão frágeis quanto as próprias coisas, é justo que nós, em nosso desejo de guardarmos para sempre a natureza eterna de todas as coisas que podem ser expressas pelo discurso [...] queiramos atribuir-lhes lugares eternos[29].

Em *Fedro*, Sócrates conta a seguinte história:

> Ouvi, então, que em Naucratis, no Egito, estava um dos mais antigos deuses daquele país, Thot, aquele, cujo pássaro sagrado é chamado de íbis. Foi ele quem inventou os números, a aritmética, a geometria e a astronomia, também, o jogo de damas e os dados e, o mais importante, as letras. O rei de todo o Egito naquele tempo era o deus Thamus, que morava em uma grande cidade da região alta, que os gregos chamavam de Tebas do Egito, e ao próprio deus eles denominavam Amon. Thot foi a este último mostrar suas invenções, dizendo que deveriam ser compartilhadas com os outros egípcios. Mas Thamus perguntou-lhe qual a serventia de cada uma e, quando Thot enumerou seus usos, ele expressou apreço ou desprezo pelas várias artes, o que levaria muito tempo para ser repetido; mas, quando chegaram às letras, "Ó rei", disse Thot, "essa invenção fará os egípcios mais sábios e melhorará suas memórias, pois é um elixir da memória e da sabedoria o que descobri". Mas Thamus retrucou: "Muito engenhoso, Thot, um homem tem a habilidade de criar artes, mas a de julgar sua utilidade ou prejuízo aos usuários pertence a outro; e você, o pai das letras, por sua afeição a elas, atribuiu-lhes poderes contrários aos que realmente possuem. Pois essa invenção causará o esquecimento nas mentes daqueles que a usarão, porque não praticarão a memória. Sua confiança na escrita, produzida por caracteres

29. Ver, adiante, pp. 180-1.

externos que não são parte deles mesmos, desencorajará o uso de suas próprias memórias interiores. Você não inventou um elixir da memória mas da rememoração; e você oferece a seus alunos a aparência da sabedoria e não a verdadeira sabedoria, pois eles lerão muitas coisas sem instrução e, por isso, parecerá que sabem muito, quando, na verdade, são ignorantes da maior parte e dificilmente farão progressos, já que não são sábios, apenas aparentam sê-lo"[30].

Foi sugerido que essa passagem poderia representar uma sobrevivência das tradições da memória oral, dos tempos antes de a escrita ter se tornado de uso comum[31]. Mas, como Sócrates diz, as memórias dos mais antigos egípcios são aquelas de homens verdadeiramente sábios em contato com as realidades. A antiga prática egípcia da memória é apresentada como uma disciplina muito profunda[32]. A passagem foi usada por um discípulo de Giordano Bruno ao divulgar, na Inglaterra, a versão hermética e "egípcia", de Bruno, da memória artificial, como uma "escrita interior" de significação misteriosa[33].

Como o leitor já terá percebido, faz parte deste capítulo seguir o tratamento que os gregos davam à memória, considerando-se o que será importante para a história subseqüente da arte da memória. Aristóteles é essencial para a escolástica e a arte da memória medieval; Platão é fundamental para essa arte no Renascimento.

E, AGORA, um nome recorrente em nossa história, Metrodoro de Scepsis, que, segundo Quintiliano, baseou sua memória no zodíaco[34]. Todos os que usarem, a partir dele, um sistema celeste de memória, irão invocá-lo como a autoridade clássica que introduziu as estrelas nesse sistema. Quem foi Metrodoro de Scepsis?

---

30. *Fedro*, pp. 274 c-275 b (citado na tradução inglesa de H. N. Fowler, na edição Loeb).
31. Ver J. A. Notopoulos, "Mnemosyne in Oral Literature", *Transactions and Proceedings of the American Philological Association*, LXIX, 1938, p. 476.
32. E. R. Curtius (*European Literature in the Latin Middle Ages*, London, 1953, p. 304) toma essa passagem como uma depreciação "tipicamente grega" da escrita e dos livros, quando comparados a uma sabedoria mais profunda.
33. Ver, adiante, p. 334.
34. Ver, anteriormente, p. 41.

Ele pertence ao período tardio da história da retórica grega, contemporâneo do grande desenvolvimento da retórica latina. Cícero nos informa que, em sua época, Metrodoro ainda estava vivo. Ele era um dos homens gregos de letras que Mitridates de Pontus trouxe para sua corte[35]. Ao tentar guiar o Oriente contra Roma, Mitridates assumiu ares de um novo Alexandre e tentou dar um verniz de cultura helenística à mistura orientalista de sua corte. Metrodoro parece ter sido sua principal ferramenta grega nesse processo, e parece ter desempenhado um considerável papel político e cultural na corte de Mitridates, que por algum tempo o teve em alta conta, apesar de Plutarco sugerir que ele foi tirado do caminho pelo seu brilhante mas cruel mestre.

Sabemos, por meio de Estrabão, que Metrodoro foi o autor de uma ou de várias obras de retórica. Diz Estrabão: "De Scepsis, vem Metrodoro, um homem que trocou a filosofia pela vida política e ensinou retórica na maior parte de seus escritos, além de utilizar um novíssimo estilo que fascinou a muitos"[36]. Podemos pensar que a retórica de Metrodoro foi a do rebuscado tipo "asiático", e pode ser que ele tenha exposto sua mnemônica em seus escritos sobre retórica, tendo a memória como uma de suas partes. As obras perdidas de Metrodoro poderiam estar entre os escritos gregos sobre a memória consultados pelo autor do *Ad Herennium*; Cícero e Quintiliano podem tê-las lido. Mas tudo o que temos para nos apoiar é a afirmação de Quintiliano de que Metrodoro "encontrou trezentos e sessenta lugares nos doze signos através dos quais o Sol se move". Um autor moderno, L. A. Post, discutiu a natureza do sistema mnemônico de Metrodoro:

Suspeito que Metrodoro fosse versado em astrologia, pois os astrólogos dividiam o zodíaco não apenas em doze signos, mas também em 36 decanos, cada um cobrindo dez graus; a cada decano estava associada uma figura. Metrodoro, provavelmente, agrupava dez segundos planos artificiais (*loci*) subordinados a cada figura de decano. Ele teria, assim, uma série de *loci* numerados de 1 a 360,

---

35. A principal fonte sobre a vida de Metrodoro é a *Vida de Lucullus*, de Plutarco.
36. Estrabão, *Geografia*, XIII, i, p. 55 (citado a partir da tradução inglesa da edição Loeb).

que ele poderia usar em suas operações. Com um cálculo rápido, ele poderia encontrar qualquer segundo plano (*locus*) por seu número, e garantia-se contra a perda de um deles, já que todos estavam arranjados em ordem numérica. Por isso, seu sistema era adequado ao desempenho de grandes feitos de memória[37].

Post acha que Metrodoro utilizava as imagens astrológicas como lugares que garantiam ordem à memória, assim como os lugares de determinadas construções memorizados garantiam a rememoração, na ordem correta, das imagens neles depositadas, e das coisas e palavras a elas associadas. A ordem dos signos, Áries, Touro, Gêmeos e os demais, oferece de imediato uma ordem facilmente memorizável; e se Metrodoro também tivesse em sua memória as imagens do decano – três para cada signo –, ele teria na memória uma ordem de imagens astrológicas que, se usadas como lugares, lhe dariam um conjunto de lugares em uma ordem fixa.

Essa é uma sugestão plausível, e não há motivo para uma ordem de imagens astrológicas não poder ser usada de forma absolutamente racional, como uma ordem de lugares numerados e de fácil recordação. Essa interpretação pode até mesmo fornecer uma pista para o que sempre me pareceu um aspecto inexplicável da imagem de memória relativa à lembrança de um processo judicial que aparece no *Ad Herennium* – quero dizer, os testículos do *carneiro* (Áries). Se alguém tem de se lembrar que havia muitas testemunhas no tal caso, por meio da semelhança sonora de *testes* e testículos, por que estes últimos tinham de ser os testículos de um carneiro? Seria uma explicação disso o fato de Áries ser o primeiro dos signos e a introdução de uma alusão a um carneiro na imagem a ser colocada no primeiro lugar – para se recordar o caso judicial – ajudar a enfatizar a ordem do lugar, ou seja, que seria o primeiro lugar? É possível que, sem as obras de Metrodoro e de outros autores gregos sobre a memória, não conseguíssemos entender quase nada do *Ad Herennium*.

Quintiliano parece afirmar que, quando Cícero diz que Metrodoro "registrou" na memória tudo aquilo que queria lembrar, isso significa que o fez interiormente, ao memorizar signos estenográficos em seus lugares.

37. L. A. Post, "Ancient Memory Systems", *Classical Weekly*, New York, XV, 1932, p. 109.

Se isso é verdade, e se Post está certo, devemos imaginar que Metrodoro utilizava, como elementos ordenadores de seus lugares de memória, signos estenográficos para escrever interiormente sobre as imagens dos signos e decanos que ele ali havia fixado. Isso abre uma perspectiva um pouco alarmante; lembremo-nos de que o autor do *Ad Herennium* desaprova o método grego de memorizar signos para cada palavra.

Plínio, o Velho, cujo filho freqüentava a escola de retórica de Quintiliano, reúne uma pequena antologia de histórias de memória em sua *História Natural*. Ciro conhecia os nomes de todos os homens de seu exército; Lucius Scipio, o nome de todos os romanos; Cinéas repetia os nomes de todos os senadores; Mitridates de Pontus conhecia a língua de todos os 22 povos de seu domínio; o grego Charmadas conhecia o conteúdo de todos os volumes de uma biblioteca. E, depois desta lista de *exempla* (constantemente retomados nos posteriores tratados sobre a memória), Plínio afirma que a arte da memória "Foi inventada por Simônides Melicus e aperfeiçoada (*consummata*) por Metrodoro de Scepsis, que podia repetir o que ouvira, exatamente com as mesmas palavras"[38].

É evidente que, como Simônides, Metrodoro deu um novo passo na arte. Tal passo relacionava-se à memória para palavras, implicava possivelmente a memorização das *notae* ou de símbolos estenográficos e estava ligado ao zodíaco. Isso é tudo o que se sabe.

A mnemônica de Metrodoro não foi, necessariamente, irracional, sob nenhum aspecto. Entretanto, uma memória baseada no zodíaco certamente soa incrível e pode suscitar rumores de poderes mágicos da memória. E, se ele usou as imagens de decanos em seu sistema, certamente elas eram tidas como imagens mágicas. O sofista tardio Dionísio de Mileto, que ficou conhecido no reinado de Adriano, foi acusado de treinar seus alunos na mnemônica utilizando as "artes caldéias". Filostrato, que conta a história, rejeita a acusação[39], mas isso mostra que à mnemônica poderiam ser atribuídas suspeitas desse tipo.

38. Plínio, *História Natural*, VII, cap. 24.
39. Filostrato e Eunápio, *A Vida dos Sofistas* (Vida de Dionísio de Mileto), trad. inglesa por W. C. Wright, Loeb Classical Library, pp. 91-3.

O treinamento da memória por motivos religiosos era comum na retomada do pitagorismo na Antiguidade tardia. Jâmblico, Porfírio e Diógenes Laércio referem-se a esse aspecto do ensinamento de Pitágoras, mas não especificamente à arte da memória. Filostrato, entretanto, ao falar da memória do grande sábio, ou mago, do neopitagorismo – Apolônio de Tyana – cita o nome de Simônides.

> Euxemo perguntou a Apolônio por que ele ainda não havia escrito nada, apesar de seus inúmeros pensamentos nobres e de sua tão clara e pronta expressão, ao que o segundo respondeu: "Porque até o presente momento eu não pratiquei o silêncio". Daquele dia em diante ele resolveu emudecer, e não disse mais uma única palavra, apesar de seus olhos e sua mente apreenderem e guardarem tudo na memória. Mesmo depois de se tornar centenário, ele ainda tinha uma memória melhor do que a de Simônides e costumava cantar um hino em louvor à memória, no qual dizia que todas as coisas se apagam com o tempo, mas o tempo em si é perene e imortal por causa da lembrança[40].

Em suas viagens, Apolônio visitou a Índia, onde conversou com um brâmane que lhe disse: "Percebo que você tem uma excelente memória, Apolônio, e essa é a deusa que mais adoramos". Os estudos de Apolônio com o brâmane eram muito obscuros, particularmente direcionados para a astrologia e a arte divinatória. O brâmane lhe deu sete anéis, gravados com os nomes dos sete planetas, e Apolônio costumava usá-los, cada um em seu dia da semana correspondente[41].

Pode ter provindo desse ambiente uma tradição que, permanecendo oculta por séculos e transformando-se ao longo desse processo, reapareceu na Idade Média como *Ars Notoria*[42], uma arte mágica da memória, atribuída a Apolônio ou, às vezes, a Salomão. O praticante da *Ars Notoria*, ao recitar invocações mágicas, observava figuras ou diagramas

40. Filostrato, *Vida de Apolônio de Tiana*, I, p. 14 (trad. inglesa de C. P. Ealls, Stanford University Press, 1923, p. 15).
41. Idem, III, 16, 41; trad. citada, pp. 71, 85-6.
42. Sobre a *Ars notoria*, ver Lynn Thorndike, *History of Magic and Experimental Science*, II, cap. 49.

curiosamente marcados, chamados de *"notae"*. Dessa maneira, esperava obter o conhecimento ou a memória de todas as artes e ciências, com uma "nota" diferente para cada disciplina. Talvez a *Ars Notoria* seja uma filha ilegítima da arte clássica da memória ou daquela sua complexa ramificação que usava *notae* estenográficas. Era vista como magia negra e severamente condenada por Tomás de Aquino[43].

Nos TEMPOS mais remotos, o período da história da arte da memória que mais de perto diz respeito à sua história subseqüente no Ocidente latino é o de seu uso na grande época da oratória latina, como refletido nas regras do *Ad Herennium* e na sua recomendação por Cícero. Devemos tentar imaginar a memória de um orador treinado daquele período como uma construção arquitetônica dotada de séries ordenadas de lugares memorizados, nos quais, de um modo para nós inconcebível, são estocadas imagens. Vimos, pelos exemplos de memória citados, quão admirados eram os feitos da memória treinada. Quintiliano fala do assombro causado pelos poderes da memória dos oradores. E chega a sugerir que foi o fenomenal desenvolvimento da memória pelos oradores que atraiu a atenção dos pensadores latinos para os aspectos filosóficos e religiosos da memória. As palavras de Quintiliano a esse respeito são bem marcantes: "Não teríamos compreendido a grandeza do poder (da memória), nem quão divina ela é, não fosse o fato de a memória ter alçado a oratória à sua posição de glória atual"[44].

Essa IDÉIA, de que a mente prática latina começou a refletir sobre a memória por meio de seu desenvolvimento em uma das mais importantes carreiras oferecidas a um romano, pode não ter recebido a devida atenção. A idéia não deve ser exagerada, mas pode ser interessante olhar para a filosofia de Cícero a partir desse ponto de vista.

Cícero não foi apenas a figura mais importante na transmissão da retórica grega para o mundo latino; provavelmente foi, também, mais

43. Ver adiante pp. 256-7.
44. *Institutio oratoria*, XI, ii, p. 7.

importante do que qualquer outro para a divulgação da filosofia platônica. Nas *Tusculanas* – um dos textos escritos após seu retiro, com a intenção de divulgar o conhecimento da filosofia grega entre seus compatriotas –, Cícero adota a posição platônica e pitagórica de que a alma é imortal e de origem divina. Uma prova disso é que a alma possui memória, "que Platão quer tornar a rememoração de uma vida anterior". Depois de finalmente aderir à visão platônica da memória, o pensamento de Cícero volta-se para aqueles que se tornaram famosos por causa de seus poderes de memória:

> Pessoalmente, tenho uma admiração ainda maior pela memória. O que ela é, que nos permite rememorar algo, ou qual seu caráter, qual sua origem? Não falo dos poderes da memória que, conforme se diz, Simônides ou Teódoto possuíam, ou os poderes de Cinéas, enviado por Pirro como representante ao Senado, ou, mais recente, os poderes de Charmadas, ou de Metrodoro de Scepsis, até pouco tempo ainda vivo, ou os poderes de nosso Hortênsio. Falo da memória comum dos homens, especialmente daqueles que se dedicam a algum ramo especializado do saber e da arte, cuja capacidade mental é difícil de estimar, tão rica é a sua memória[45].

Ele examina, então, as psicologias não platônicas da memória, a aristotélica e a estóica, e conclui que não explicam os poderes prodigiosos da alma na memória. Em seguida, questiona qual o poder existente no homem, que resulta em todas as suas descobertas e invenções, e as enumera[46]: o homem que primeiro nomeou as coisas; o homem que primeiro unificou os grupos humanos, antes espalhados, e os organizou socialmente; o homem que inventou caracteres escritos para representar os sons da voz na língua; o homem que anotou as trajetórias das estrelas errantes. Antes ainda, havia "os homens que descobriram os frutos da terra, o vestuário, a moradia, uma forma ordenada de vida, a proteção contra animais selvagens – homens cuja influência civilizadora e aprimoradora nos levou gradualmente das atividades manuais indispensáveis às artes

45. *Tusculanas*, I, xxiv, p. 59 (citadas no inglês a partir da edição Loeb).
46. Idem, I, xxv, pp. 62-4.

as mais refinadas". À arte da música, por exemplo, e a suas "combinações harmoniosas de sons musicais". E à descoberta da revolução dos céus, como fez Arquimedes quando "firmou em um globo os movimentos da Lua, do Sol e de cinco estrelas errantes". Há outros campos de atividade ainda mais conhecidos: poesia, eloqüência, filosofia.

> Uma força capaz de causar tal número de resultados importantes é para mim inteiramente divina. E o que é a memória das coisas e das palavras? O que é, ainda, a invenção? (*Quid est enim memoria rerum et verborum? quid porro inventio?*) Seguramente nada de maior valor pode ser apreendido, nem mesmo na divindade, do que isso [...] Por isso, a alma é, como digo, divina, como Eurípides ousa dizer, Deus...[47]

Memória para coisas; memória para palavras! É significativo que os termos técnicos da memória artificial venham à mente do orador quando, como filósofo, ele demonstra a divindade da alma. Essa prova é incluída nos cabeçalhos das partes da retórica, *memoria* e *inventio*. A força marcante da alma, de recordar coisas e palavras, é prova de sua divindade; outra prova é o seu poder de invenção, não no sentido de inventar os argumentos ou coisas de um discurso, mas no sentido geral da invenção ou descoberta. As coisas que Cícero enumera como invenções representam uma história da civilização humana dos tempos mais primitivos aos mais desenvolvidos. (A habilidade de fazer isso seria, em si, evidência do poder da memória; na teoria retórica, as coisas inventadas são guardadas na sala do tesouro da memória.) Assim, *memoria* e *inventio*, no sentido usado nas *Tusculanas*, transformam-se de partes da retórica em divisões onde a divindade da alma é provada, de acordo com as pressuposições platônicas da filosofia do orador.

Nessa obra, Cícero provavelmente teria em mente o orador perfeito, como definido pelo seu mestre Platão em *Fedro*, o orador que conhece a verdade, e a natureza da alma, e assim, é capaz de persuadir as almas da verdade. Ou podemos dizer que o orador romano, quando pensa nos

47. Idem, I, xxv, p. 65.

poderes divinos da memória, não pode deixar de lembrar também a memória treinada, com sua ampla arquitetura repleta de lugares, em que são guardadas as imagens de coisas e palavras. A memória do orador, treinada com rigidez para seus fins práticos, tornou-se a memória do filósofo platônico, em que ele encontra sua evidência da divindade e imortalidade da alma.

Poucos pensadores meditaram tão profundamente sobre a questão da memória e da alma como o fez Agostinho, o professor pagão de retórica, cuja conversão ao cristianismo é relatada em suas *Confissões*. Nessa obra, na belíssima passagem sobre a memória, acredito, tem-se a forte impressão de que Agostinho possuía uma memória treinada segundo os padrões da mnemônica clássica.

> Chego aos domínios e vastos palácios da memória (*campos et lata praetoria memoriae*), onde estão os tesouros (*thesauri*) de inumeráveis imagens, introduzidos nela a partir de coisas de todos os tipos, percebidas pelos sentidos. Ali está guardado tudo o que pensamos, seja ampliando, reduzindo ou modificando, de qualquer outro modo, as coisas apreendidas pelos sentidos; e tudo o mais que tenha sido gravado e armazenado, que o esquecimento ainda não tenha tragado ou enterrado. Quando entro ali, evoco de imediato o que quero que venha à luz, e prontamente algo aparece; outras coisas precisam ser procuradas por mais tempo, como se estivessem em algum refúgio mais secreto. Enquanto uma coisa é requerida e desejada, outras acorrem, avançando, como quem diz: "Não seria, por acaso, eu?" Essas eu afasto prontamente, com a mão de meu espírito, da face de minha lembrança, até que o que desejo apareça sem véu, surja de dentro de seu lugar secreto. Outras coisas vêm prontamente, em uma ordem ininterrupta, ao serem chamadas; as da frente dando lugar às seguintes e, ao darem passagem, somem de vista, prontas a reaparecer quando eu quiser. Tudo isso acontece quando recito algo de cor[48].

Assim, abre-se a meditação sobre a memória. No início, como uma série de construções, "vastos palácios", com o uso da palavra *thesaurus* para seu conteúdo, recordando a definição de memória do orador, como "*thesaurus* de invenções e de todas as partes da retórica".

48. *Confissões*, x, p. 8 (tradução inglesa de Pusey).

Nesses parágrafos de abertura, Agostinho fala de imagens vindas de impressões sensoriais, guardadas no "vasto paço" da memória (*in aula ingenti memoriae*), em sua "vasta e ilimitada câmara" (*penetrale amplum et infinitum*). Olhando dentro de si, ele vê todo o Universo refletido em imagens que reproduzem não só os objetos em si, mas até mesmo os espaços entre eles, com admirável precisão. Contudo, isso não esgota a capacidade da memória, pois ela contém, além disso, "tudo o que aprendi das artes liberais e ainda não esqueci; distante, como que retirado em algum lugar mais íntimo, que não é um lugar; assim como não são as imagens mas as coisas mesmas que ali estão"[49]. E há, também, preservados na memória, os afetos, as disposições de ânimo da mente.

O problema das imagens atravessa todo o discurso. Quando são nomeados uma rocha ou o Sol, e as coisas não estão presentes aos sentidos, suas imagens encontram-se na memória. Mas, quando "saúde", "memória", "esquecimento" são nomeados, estão, ou não, também presentes na memória como imagens? Ele parece distinguir entre memória de impressões sensoriais e memória das artes e dos afetos:

> Nas inumeráveis planícies, grutas e cavernas de minha memória, infinitamente cheia de inumeráveis tipos de coisas: sejam imagens, como todos os corpos; ou presença real, como as artes; ou certas noções e impressões, como os afetos do espírito que, mesmo quando o espírito não os sente, a memória os retém, ainda que o que está na memória esteja também no espírito – por tudo isso eu passo, vôo; mergulho, profundamente, desse lado e do outro, e não há fim[50].

Agostinho vai ainda mais longe para encontrar Deus na memória, mas não como uma imagem nem em algum lugar determinado:

> Destes à minha memória a honra de habitá-la; mas onde nela habitais, isto é o que eu considero. Pois, ao pensar em Vós, ultrapassei as regiões da memória que os animais também possuem, porque não pude encontrá-Lo ali, em meio às imagens das coisas corpóreas; e cheguei às regiões onde guardei os afetos de

49. Idem, x, p. 9.
50. Idem, x, p. 17.

meu espírito, mas também ali não Vos encontrei. Penetrei no âmago de meu espírito [...] mas também aí não Vos achei [...] E por que ainda procuro o lugar que nela habitais, como se houvesse um tal lugar? [...] Não há lugar algum; vamos adiante e retrocedemos e não há lugar algum[51].

É como cristão que Agostinho procura Deus na memória, e como cristão platônico, acreditando que o conhecimento do divino é inato à memória. Mas essa vasta memória cheia de ecos, na qual ele conduz sua busca, não é a de um orador treinado? Para alguém que viu as construções da Antiguidade em seu pleno esplendor, pouco antes de sua destruição, quantos magníficos lugares de memória estavam à disposição! "Quando evoco algum arco, feito de uma beleza simétrica, como o que vi em Cartago, digamos" – diz Agostinho em outra obra e outro contexto –, "uma determinada realidade que a mente conheceu por meio da visão, e transferiu à memória, causa a visão imaginária"[52]. Além disso, o refrão de "imagens" perpassa toda a meditação sobre a memória nas *Confissões*, e a questão sobre se as noções são relembradas por meio de imagens, ou não, pode ter sido suscitada pelo esforço de encontrar na mnemônica do orador as imagens para noções.

A transição de Cícero, o retórico treinado e platônico religioso, para Agostinho, o retórico treinado e cristão platônico, foi feita gradualmente, e há afinidades visíveis entre o que diz Agostinho sobre a memória e o que sobre isso diz Cícero em suas *Tusculanas*. Além disso, o próprio Agostinho diz que foi a leitura da obra perdida de Cícero, *Hortênsio* (que tem o nome do amigo de Cícero, de memória prodigiosa), que primeiro o levou a formular pensamentos mais sérios sobre religião, que "alterou meus afetos e voltou minhas orações para Ti, ó Senhor"[53].

Agostinho não discute ou recomenda a memória artificial nas passagens citadas. Ela está implicada, quase de forma inconsciente, em suas investigações, em uma memória que difere da nossa por sua extraordinária capacidade e organização. Essas breves observações quanto à memó-

51. Idem, x, pp. 25-6.
52. *De Trinitate*, ix, 6, p. xi.
53. *Confissões*, iii, p. 4.

ria do mais influente dos fundadores latinos da Igreja levam a especulações sobre o que teria sido uma memória artificial cristianizada. Será que as imagens humanas de "coisas" como Fé, Esperança e Caridade, e de outras virtudes e vícios, ou das artes liberais, teriam sido "ordenadas" em tal memória? E teriam os lugares, então, sido memorizados como lugares realmente existentes nas igrejas?

Essas questões perseguem os que estudam a obscura arte da memória ao longo de sua história. Tudo o que se pode dizer é que essas observações indiretas, que nos foram concedidas antes que ela mergulhasse com toda a civilização da Antiguidade na Idade das Trevas, são vistas em um contexto certamente elevado. Também não devemos esquecer que Agostinho conferia à memória a honra suprema de ser um dos três poderes da alma: Memória, Intelecto e Vontade, que são a imagem da Trindade no ser humano.

CAPÍTULO 3

A Arte da Memória na Idade Média

Alarico saqueou Roma em 410, e os vândalos conquistaram o Norte da África em 429. Agostinho morreu em 430, durante o cerco de Hipona pelos vândalos. Em algum momento dessa era de colapso, Marciano Capella escreveu sua *De nuptiis Philologiae et Mercurii*, uma obra que preservou, para a Idade Média, a estrutura do sistema educacional da Antiguidade, baseado nas sete artes liberais (gramática, retórica, dialética, aritmética, geometria, música e astronomia). Em sua exposição das partes da retórica, na seção sobre a memória, Marciano fornece uma breve descrição da memória artificial. Assim, ele transmitiu à Idade Média essa arte, solidamente instalada em seu nicho adequado, dentro do esquema das artes liberais.

Marciano era de Cartago, onde ficavam as grandes escolas de retórica e onde, antes de sua conversão, Agostinho ensinara. O *Ad Herennium* era certamente conhecido no círculo dos retóricos do Norte da África e levantou-se a hipótese de que o tratado teria ressurgido ali, posteriormente, de onde tornara a se difundir pela Itália[1]. Jerônimo conhecia o tratado – menciona-o duas vezes – e, como de hábito na Idade Média, atribuía-o a "Tullius"[2]. Contudo, para os padres da Igreja cristã que tinham for-

---

1. F. Marx, introdução à edição do *Ad Herennium*, Leipzig, 1894, p. 1; H. Caplan, introdução à edição Loeb do *Ad Herennium*, p. xxxiv.
2. *Apologia adversus libros Rufini*, I, p. 16; Em *Abdiam Prophetam* (Migne, *Pat. lat.*, XXIII, p. 409; XXV, p. 1.098).

mação em retórica, como Agostinho e Jerônimo, ou para o pagão Marciano Capella, o conhecimento da memória artificial não dependia do conhecimento desse texto em si. Suas técnicas eram conhecidas de todos os que estudavam a retórica, como no tempo de Cícero, e chegaram a Marciano pelo contato existente com a vida civilizada comum da Antiguidade, ainda não totalmente destruída pelas hordas bárbaras.

Revendo, na ordem, as cinco partes da retórica, no devido tempo, Marciano chega à quarta parte, que é a *memoria*, da qual diz o seguinte:

Agora, a ordem traz os preceitos da memória, que é certamente (um dom) natural, mas não há dúvida de que ela pode ser auxiliada pela arte. Essa arte fundamenta-se em algumas poucas regras, mas requer muito treino. Sua vantagem é permitir que palavras e coisas venham à mente de forma rápida e precisa. Não são apenas os argumentos que inventamos que devem ser guardados (na memória), mas também aqueles que nosso adversário apresenta no decorrer do debate. Simônides, poeta e também filósofo, é tido como o inventor das regras dessa arte quando, em um banquete, o teto do salão veio abaixo de repente e os parentes das vítimas não puderam reconhecer (os corpos). Ele recriou a ordem em que cada convidado estava sentado à mesa do banquete e recordou seus nomes, que havia guardado na memória. Ele aprendeu, com essa (experiência), que é a ordem que está na base dos preceitos da memória. Esses (preceitos) devem ser considerados em lugares bem iluminados (*in locis illustribus*), onde devem ser colocadas as imagens das coisas (*species rerum*). Por exemplo, (para recordar) um casamento, você pode guardar em sua mente uma jovem envolta em um véu; para lembrar um assassinato, poderia ser uma espada, ou outra arma qualquer. Essas imagens, da forma como foram depositadas (em um lugar), o lugar as devolverá à memória. Da mesma maneira que o escrito está fixado pelas letras na cera, o que foi confiado à memória está impresso nos lugares, assim como na cera ou em uma página; e as imagens guardam a lembrança das coisas, como se fossem letras.

Mas, como dito acima, essa matéria requer muita prática e esforço; por isso, é costume aconselhar que se escreva aquilo que se deseja lembrar com facilidade, de modo que, se a matéria é extensa, possamos subdividi-la em partes e fixá-las mais facilmente (na memória). É útil dispor *notae* para cada ponto que queremos reter. (Ao memorizar, a matéria) não precisa ser lida em voz alta, mas meditada em murmúrio. É obviamente melhor exercitar a memória à noite do que durante o dia, pois é à noite que o profundo silêncio à nossa volta ajuda-nos a não dispersar nossa atenção com os sentidos.

Há memória para coisas e memória para palavras, mas palavras nem sempre devem ser memorizadas. A menos que haja (muito) tempo para a meditação, será suficiente guardar as coisas em si na memória, sobretudo se a memória não é naturalmente boa[3].

Podemos reconhecer claramente os temas familiares da memória artificial, apesar de ser um relato muito condensado. As regras para os lugares são reduzidas a uma única (a boa iluminação); não são dadas regras para as *imagines agentes* impressionantes, apesar de uma das imagens ser humana (a jovem envolta no véu do casamento); a outra (a arma) é do mesmo tipo dado por Quintiliano. Ninguém conseguiria praticar essa arte a partir de instruções tão reduzidas, mas é dito o suficiente para reconhecermos do que se fala, caso se disponha da descrição fornecida pelo *Ad Herennium*, como era o caso na Idade Média.

Marciano, contudo, parece recomendar o método de Quintiliano: memorizar por meio da visualização da tábua de cera ou da página do manuscrito, onde o material a ser confiado à memória, em suave murmúrio, está escrito – dividido em partes claramente definidas e com alguns signos distintivos ou *notae* para destacar pontos específicos. Nós o vemos, concentrado sobre suas páginas cuidadosamente preparadas, e o ouvimos fracamente interrompendo o silêncio da noite com seu murmúrio.

O sofista Hípias de Elis era visto na Antiguidade como o criador do sistema de educação geral baseado nas artes liberais[4]. Marciano Capella as conhecia em sua última forma latina, pouco antes do colapso de toda a educação organizada, no momento da queda do mundo antigo. Ele apresenta sua obra a respeito delas sob uma forma romântica e alegórica, o que a tornava muito atraente na Idade Média. Nas "núpcias de Filologia e Mercúrio", a noiva recebia como presente de casamento as sete

3. Marciano Capella, *De nuptiis Philologiae et Mercurii*, A. Dick (ed.), Leipzig, 1925, pp. 268-70.
4. Ver Curtius, *European Literature in the Latin Middle Ages*, p. 36.

artes liberais personificadas por mulheres. A Gramática era uma severa e velha senhora, carregando uma faca e uma lima para eliminar os erros gramaticais das crianças. A Retórica era uma mulher alta e bela, usando um rico vestido adornado com as figuras do discurso e carregando armas para ferir seus adversários. As artes liberais personificadas correspondem bem às regras para as imagens de memória artificial – impressionantes, belas ou horríveis, tendo perto de si imagens secundárias para relembrar suas partes, como o homem na imagem do processo judicial já citado. O estudioso medieval, ao comparar o *Ad Herennium* com o que diz Marciano sobre a memória artificial, poderia pensar que lhe haviam apresentado as verdadeiras imagens clássicas da memória correspondentes àquelas "coisas", ou seja, as artes liberais.

No mundo invadido pelos bárbaros, as vozes dos oradores foram silenciadas. Quando não há segurança, as pessoas não podem reunir-se em paz para ouvir discursos. O aprendizado ficou restrito aos monastérios e tornou-se desnecessária a arte da memória com objetivos retóricos, embora ainda pudesse ter sido útil a memorização, pelo método de Quintiliano, de uma página escrita. Cassiodoro, um dos fundadores do monasticismo, não menciona a memória artificial na seção retórica de sua enciclopédia sobre as artes liberais. Ela também não é mencionada por Isidoro de Sevilha ou por Beda, o Venerável.

Um dos momentos mais pungentes na história da civilização ocidental foi quando Carlos Magno pediu a Alcuíno que viesse à França para ajudar a restaurar o sistema educacional da Antiguidade no novo império carolíngio. Alcuíno escreveu, para o seu mestre real, um diálogo *Sobre a Retórica e as Virtudes*, em que Carlos Magno busca se instruir sobre as cinco partes da retórica. Na parte correspondente à memória, o diálogo é o seguinte:

Carlos Magno: O que você dirá, agora, a respeito da Memória, que creio ser a parte mais nobre da retórica?

Alcuíno: O que, senão repetir as palavras de Marcus Tullius de que "a Memória é a sala do tesouro de todas as coisas e, a menos que se torne a guardiã das coisas e das palavras bem pensadas, sabemos que todas as outras partes da retórica, por mais excelentes que sejam, serão reduzidas a nada".

Carlos Magno: Não há outros preceitos que nos digam como ela pode ser obtida ou melhorada?

Alcuíno: Não há outros preceitos sobre isso, a não ser o exercício da memorização, a prática da escrita, a dedicação aos estudos e a evitação da embriaguez, que faz o maior mal a todo estudo sério...[5]

A memória artificial desapareceu! Suas regras não existem mais, foram substituídas por "evitar a embriaguez". Alcuíno tinha poucas obras a sua disposição; ele compilou sua retórica de duas fontes apenas, o *De inventione* de Cícero e a retórica de Julius Victor, completadas com Cassiodoro e Isidoro[6]. Desses, apenas Julius Victor menciona a memória artificial, de modo superficial e com desprezo[7]. Por isso é que foi frustrada a esperança de Carlos Magno de que poderia haver outros preceitos para a memória. Mas ele foi informado das virtudes, Prudência, Justiça, Constância e Temperança. E quando perguntou quantas partes tinha a Prudência, recebeu a resposta correta: "Três: *memoria, intelligentia, providentia*"[8]. Alcuíno usou, naturalmente, a obra de Cícero, *De inventione*, sobre as virtudes; mas ele parecia não conhecer o segundo cavalo da carruagem, o *Ad Herennium*, que alçaria a memória às alturas, como uma parte da Prudência.

O desconhecimento de Alcuíno do *Ad Herennium* é, certamente, curioso, porque a obra é mencionada desde 830 por Lupus de Ferrières, e existiam muitos manuscritos dele do século IX. Os manuscritos mais antigos não estão completos; faltam partes do primeiro livro, que não é aquele que contém a seção sobre a memória. Manuscritos completos são encontrados a partir do século XII. A popularidade do texto é con-

5. W. S. Howell, *The Rhetoric of Charlemagne and Alcuin* (texto latino, com tradução e introdução em inglês), Princeton e Oxford, 1941, pp. 136-9.
6. Ver a introdução de Howell, pp. 22 e ss.
7. "Para aprimorar a memória, muitas pessoas apresentam observações sobre lugares e imagens, o que não me parece ter nenhuma utilidade" (Carolus Halm, *Rhetores latini*, Leipzig, 1863, p. 440).
8. Alcuíno, *Retórica*, ed. cit., p. 146.

firmada pelo excessivo número de manuscritos que chegaram até nós; a maioria deles data do século XII ao XIV, auge do sucesso da obra[9].

Todos os manuscritos atribuem a obra a "Tullius", e ela se torna associada, também, a *De inventione*, realmente escrita por Cícero. Certamente foi no século XII que se estabeleceu o hábito de relacionar as duas obras nos manuscritos[10]. *De inventione*, descrita como a "Primeira Retórica" (*Prima Rhetorica*) ou "Antiga Retórica" (*Rhetorica vetus*), aparece primeiro, seguida por *Ad Herennium*, chamada de "Segunda Retórica" (*Seconda Rhetorica*) ou "Nova Retórica" (*Nova Rhetorica*)[11]. Existem muitas provas de como essa classificação foi universalmente aceita. Dante, por exemplo, reconhece-a, quando apresenta a *prima rhetorica* como referência para uma citação de *De inventione*[12]. A poderosa ligação entre as duas obras ainda existia quando a primeira edição impressa de *Ad Herennium* apareceu em Veneza em 1470. Ela foi publicada junto com *De inventione* e ambas receberam seu nome tradicional na página de rosto: *Rhetorica nova et vetus*.

Para a compreensão da forma medieval da memória artificial, a importância de tal associação é muito grande, porque Tullius, na Primeira Retórica, deu muita atenção à ética e às virtudes, compreendidas como "invenções" ou "coisas" com as quais o orador deveria lidar em seu discurso. E, em sua Segunda Retórica, ele apresentou as regras de como as "coisas" inventadas deveriam ser guardadas na sala do tesouro da memória. Quais eram as coisas que a devota Idade Média queria lembrar? Certamente, aquelas relacionadas à salvação e à danação, os artigos da fé,

9. Ver as introduções de Marx e Caplan a suas edições do *Ad Herennium*. A tese não publicada de D. E. Grosser, *Studies in the Influence of the Rhetorica ad Herennium and Cicero's De inventione* (tese de doutorado em filosofia, Cornell University, 1953), constitui um estudo admirável sobre a difusão do *Ad Herennium*. Tive a oportunidade de ver essa tese em microfilme, pelo que agradeço aqui.

10. Marx, op. cit., pp. 51 e ss. A tese de D. E. Grosser, referida na nota anterior, estuda a associação entre o *Ad Herennium* e *De inventione* na tradição manuscrita.

11. Curtius (op. cit., p. 153) compara o agrupamento das duas retóricas em "velha" e "nova" a correspondências semelhantes entre os *Digestum vetus* e *novus*, a *Metaphysica vetus* e a *Metaphysica nova* de Aristóteles, que remetem todos, em última análise, ao Velho e Novo Testamentos.

12. *Monarchia*, II, cap. 5, no qual ele cita a partir do *De inventione*, I, 38, 68; cf. Marx, op. cit., p. 53.

os caminhos para o Paraíso, por meio das virtudes, e para o Inferno, por meio dos vícios. Essas eram as coisas esculpidas nas igrejas e catedrais, pintadas nos vitrais e nos afrescos. E eram sobretudo essas que queria lembrar pela arte da memória, que seria utilizada para fixar, na memória, o material complexo do pensamento didático medieval. A palavra "mnemotécnica", com suas modernas associações, é inadequada para descrever esse processo, que é mais bem representado como a transformação medieval da arte clássica da memória.

É importante enfatizar que a memória artificial medieval assenta-se totalmente, pelo que sei, na seção sobre a memória de *Ad Herennium*, estudada sem o auxílio das outras duas fontes da arte clássica. Talvez seja errado dizer que as outras duas fontes eram completamente desconhecidas na Idade Média; *De oratore* era obra conhecida de muitos estudiosos medievais, especialmente no século XII[13], apesar das cópias incompletas; contudo, pode ser arriscado dizer que, até sua descoberta em Lodi em 1422[14], a obra completa fosse desconhecida. O mesmo se pode dizer de *Institutio*, de Quintiliano; essa obra era conhecida na Idade Média, ainda que em cópias incompletas. Provavelmente a passagem sobre a mnemônica não era acessível antes da tão anunciada descoberta do texto completo por Poggio Bracciolini, em St. Gallen, em 1416[15]. Apesar de não se poder excluir a possibilidade de que alguns poucos sábios, aqui e ali, na Idade Média, conhecessem os textos de mnemônica de Cícero e Quintiliano[16], é verdadeiro que essas fontes não se tornaram

13. Era uma obra conhecida por Lupus de Ferrières, no século IX; ver C. H. Beeson, "Lupus of Ferrières as Scribe and Text Critic", *Mediaeval Academy of America*, 1930, pp. 1 e ss.
14. Sobre a transmissão de *De oratore*, ver J. E. Sandys, *History of Classical Scholarship*, I, pp. 648 e ss.; R. Sabbadini, *Storia e Critica di Testi Latini*, pp. 101 e ss.
15. Sobre a transmissão de Quintiliano, ver Sandys, op. cit., I, pp. 655 e ss.; Sabbadini, op. cit., p. 381; Priscilla S. Boskoff, "Quintilian in the Late Middle Ages", *Speculum*, XXVII, 1952, pp. 71 e ss.
16. Um deles pode ter sido John of Salisbury, que possuía um excepcional conhecimento dos clássicos, entre os quais, o *De oratore*, de Cícero e o *Institutio*, de Quintiliano (ver H. Liebeschütz, *Mediaeval Humanism in the Life and Writings of John Salisbury*, London, Warburg Institute, 1950, pp. 88 e ss.).
Em *Metalogicon* (liv. I, cap. XI), John of Salisbury discute a "arte" e, ao introduzir a memória artificial, repete algumas das frases que aparecem nas fontes clássicas (ele cita o

amplamente conhecidas na tradição da memória até o Renascimento. O estudante medieval, desorientado em meio às regras para os lugares e as imagens no *Ad Herennium*, não podia voltar-se à clara descrição do processo mnemônico dada por Quintiliano; também ignorava a discussão ponderada dele sobre vantagens e desvantagens de tal processo. Para o estudante medieval, as regras do *Ad Herennium* eram as de Tullius, a quem se deve obedecer mesmo sem compreender. A única outra fonte de que se poderia dispor era Marciano Capella, com sua versão incompreensível das regras, dentro de um quadro alegórico.

Alberto Magno e Tomás de Aquino certamente não conheciam outra fonte para as regras a não ser a referida por eles como a "Segunda Retórica de Tullius". Ou seja, sobre a memória artificial conheciam apenas *Ad Herennium*, e viam-na por meio de uma tradição já bem estabelecida no início da Idade Média, no contexto da "Primeira Retórica de Tullius", *De inventione*, com suas definições das quatro virtudes cardeais e de suas partes. Por isso, conclui-se que os tratados escolásticos de *ars memorativa* – aqueles de Alberto Magno e Tomás de Aquino – não são parte de um tratado de retórica, como era o caso das fontes da Antiguidade. A memória artificial passara da retórica à ética. É como uma parte da Prudência que Alberto e Aquino tratam a memória; e esse fato, por si só, indica que a memória artificial medieval não é o que poderíamos chamar de "mnemotécnica", que, embora útil por vezes, hesitaríamos classificar como uma parte das virtudes cardeais.

É pouco provável que Alberto Magno e Tomás de Aquino sejam os responsáveis por essa transformação. É mais plausível que a interpretação ética ou prudente da memória artificial já existisse no início

De oratore e, talvez, também o *Ad Herennium*), mas não menciona lugares ou imagens nem fornece as regras sobre eles. Em um capítulo posterior (liv. IV, cap. XII), ele diz que a memória é uma parte da Prudência (obviamente citando o *De inventione*), mas aqui não há nada de memória artificial. A abordagem que John of Salisbury faz da memória parece-me diferente da principal tradição medieval inspirada no *Ad Herennium*, e mais próxima do que mais tarde viria a ser a visão de Llull a respeito da arte da memória. A obra de Llull, *Liber ad memoriam confirmandam* (sobre ela, ver adiante pp. 191 e ss.), parece ecoar algo da terminologia de *Metalogicon*.

da Idade Média. Isso é fortemente indicado pelo conteúdo peculiar de um tratado pré-escolástico sobre a memória, que consideraremos antes de falarmos da escolástica, pois ele nos fornece uma idéia do que era a memória medieval antes que a escolástica a absorvesse.

Como é sabido, no início da Idade Média, a tradição retórica clássica tomou a forma de *Ars dictaminis*, uma arte epistolar e estilística a ser utilizada em procedimentos administrativos. Um dos centros mais importantes dessa tradição encontrava-se em Bolonha e, entre o final do século XII e início do XIII, a escola bolonhesa de *dictamen* tornou-se renomada em toda a Europa. Um membro conhecido dessa escola era Boncompagno da Signa, autor de duas obras sobre a retórica, das quais a segunda, *Rhetorica Novissima*, foi escrita em Bolonha, em 1235. Em seu estudo sobre Guido Faba, outro membro da escola de Bolonha no mesmo período, E. Kantorowicz chamou a atenção para a veia de misticismo que atravessava a escola, sua tendência de situar a retórica em um cenário cósmico, de elevá-la a uma "esfera de quase-santidade, em que compete com a teologia"[17]. Essa tendência está bem marcada na *Rhetorica Novissima*, na qual origens sobrenaturais são sugeridas; por exemplo, para a *persuasio*, que existia com certeza nos céus, pois, sem ela, Lúcifer não teria sido capaz de persuadir os anjos a unirem-se a ele em sua queda. E a metáfora, ou *transumptio*, deve sem dúvida ter sido inventada no Paraíso terrestre.

Ao passar pelas partes da retórica nesse quadro mental de exaltação, Boncompagno chega à memória e diz que ela pertence não apenas à retórica mas a todas as artes e profissões, e que todas precisam dela[18]. O tema é introduzido assim:

> *O que é a memória*. A memória é um glorioso e admirável dom da natureza, pelo qual recordamos as coisas passadas, compreendemos as presentes e contemplamos as futuras, por meio de sua semelhança com as coisas passadas.

17. E.H. Kantorowicz, "An 'Autobiography of Guido Faba", *Mediaeval and Renaissance Studies*, I, (Warburg Institute) 1943, pp. 261-2.
18. Boncompagno, *Rhetorica Novissima*, A. Gaudentio (ed.), *Bibliotheca Iuridica Medii Aevi*, II, Bologna, 1891, p. 255.

O que é a memória natural. A memória natural provém apenas do dom da natureza, sem qualquer ajuda artificial.

O que é a memória artificial. A memória artificial é a auxiliar e assistente da memória natural [...] e a chamamos "artificial" devido ao termo "arte", porque ela é encontrada artificialmente, pela sutileza da mente[19].

A definição de memória pode evocar as três partes da Prudência; as definições de memória artificial e natural certamente são ecos do início da seção sobre a memória em *Ad Herennium*, bem conhecida na tradição da *Ars dictaminis*. Parece que encontramos aqui uma prefiguração do que a escolástica dirá sobre a Prudência e a memória artificial, e esperamos ouvir como Boncompagno dará as regras para a memória.

Esperamos em vão, pois aquilo que Boncompagno trata como memória parece ter pouca relação com a memória artificial como exposta em *Ad Herennium*.

A natureza humana, ele nos diz, foi corrompida pela queda e perdeu sua forma original angelical e isso corrompeu a memória. De acordo com a "disciplina filosófica", antes de habitar o corpo, a alma conhecia todas as coisas e lembrava-se delas, mas, a partir de sua entrada no corpo, seu conhecimento e sua memória confundiram-se; no entanto, essa opinião precisa ser rejeitada de imediato, pois contraria o "ensinamento teológico". Dos quatro humores, o sanguíneo e o melancólico são os mais aptos para a memória; os melancólicos em especial, devido à sua constituição dura e seca, retêm melhor as coisas. O autor crê que existe uma influência das estrelas na memória; mas somente Deus sabe como isso funciona e não devemos questionar tal assunto com demasiada proximidade[20].

Contra os argumentos daqueles que dizem "que a memória natural não pode contar com o auxílio de artifícios", pode-se alegar que nas Escrituras há inúmeras menções de auxiliares artificiais da memória. Por exemplo, o canto do galo lembra Pedro de algo, e isso era um "signo

19. Idem, p. 275.
20. Idem, pp. 275-6.

da memória". Esse é apenas um dos "signos da memória" nas Escrituras, dos quais Boncompagno fornece uma longa lista[21].

No entanto, no texto de Boncompagno sobre a memória, o que mais impressiona, de longe, é o fato de ele incluir a memória do Paraíso e do Inferno, ligando-a à memória e à memória artificial.

> *Sobre a memória do Paraíso.* Os homens santos [...] afirmam que a majestade divina reside no mais alto trono, diante do qual estão os Querubins, Serafins e todas as ordens de anjos. Lemos, também, que há ali glória inefável e vida eterna [...] A memória artificial não ajuda o homem quanto a essas coisas inefáveis [...].
>
> *Sobre a memória das regiões infernais.* Lembro-me de ter visto a montanha que a literatura chama de Etna e as pessoas conhecem como Vulcano. Ao navegar perto dela, vi esferas sulfurosas sendo lançadas, ardentes e brilhantes; dizem que isso ocorre o tempo todo. Por isso, muitos acreditam ser ali a boca do Inferno. Contudo, seja o Inferno onde for, acredito firmemente que Satanás, o príncipe dos demônios, é torturado nesse abismo junto com seus mirmídones.
>
> *Sobre certos hereges que afirmam serem o Paraíso e o Inferno uma questão de opinião.* Alguns atenienses que estudam disciplinas filosóficas, e perdem-se em sutilezas, negam a ressurreição do corpo [...] Tal heresia ainda é imitada hoje por algumas pessoas [...] Contudo, nós devemos crer na fé católica sem qualquer dúvida, E DEVEMOS NOS LEMBRAR SEMPRE DAS ALEGRIAS INVISÍVEIS DO PARAÍSO E DOS ETERNOS TORMENTOS DO INFERNO[22].

Não há dúvida de que a lista de virtudes e vícios de Boncompagno está ligada à necessidade primeira de lembrar-se do Paraíso e do Inferno como o principal exercício da memória. Ele chama essa lista de "notas mnemônicas que se pode chamar de indicações ou *signacula*, pelas quais dirigimos nossos passos pelos caminhos da rememoração". Entre tais "notas mnemônicas" estão as seguintes: "[...] sabedoria, ignorância, sagacidade, imprudência, santidade, perversidade, bondade, crueldade, gentileza, fúria, astúcia, simplicidade, orgulho, humildade, audácia, medo, magnanimidade, pusilanimidade"[23].

21. Idem, p. 277.
22. Idem, p. 278.
23. Idem, p. 279.

Embora Boncompagno seja uma figura um pouco excêntrica e não deva ser tomado como totalmente representativo de seu tempo, certas considerações levam a pensar que essa interpretação tão religiosa e moralista da memória (e de seu uso) possa ser o pano de fundo sobre o qual Alberto Magno e Tomás de Aquino formularam suas cuidadosas revisões das regras da memória. É provável que Alberto Magno tenha tomado conhecimento da retórica mística da escola de Bolonha, já que um dos centros mais importantes estabelecidos pelos dominicanos para o treinamento de seus frades ficava nessa cidade. Após ter se tornado um membro da Ordem Dominicana, em 1223, Alberto estudou no convento dominicano em Bolonha. É improvável que não tenha havido contato entre os dominicanos de Bolonha e a escola de *dictamen* da mesma cidade. Boncompagno certamente apreciava os frades, pois, em seu *Candelabrium eloquentiae*, ele elogia os pregadores dominicanos e franciscanos[24]. Na retórica de Boncompagno, a seção sobre a memória prenuncia, talvez, a grande propagação do exercício da memória como a atividade virtuosa que Alberto e Aquino (que foi, é claro, treinado por Alberto) recomendavam em suas *Summae*. Pode-se supor que Alberto e Aquino davam por certo – algo já admitido por uma tradição medieval anterior – que a "memória artificial" está relacionada à rememoração do Paraíso e do Inferno, e às virtudes e vícios como "signos mnemônicos".

Além disso, veremos que, nos tratados posteriores sobre a memória – que dentro da tradição certamente derivam da ênfase escolástica na memória artificial –, o Paraíso e o Inferno são tratados como "lugares de memória" e, em alguns casos, com os diagramas de tais "lugares" para serem usados na "memória artificial"[25]. Boncompagno também prenuncia outras características da posterior tradição da memória, como veremos adiante.

Portanto, devemos precaver-nos da afirmação de que Alberto e Aquino, quando defendem firmemente o exercício da "memória artificial" como parte da Prudência, estejam necessariamente se referindo

24. Ver R. Davidsohn, *Firenze ai tempi di Dante,* Firenze, 1929, p. 44.
25. Ver adiante pp. 124-6, 142-6, 152-4, 161 (Pr. 7).

a uma "mnemotécnica". Eles podem estar falando, entre outras coisas, sobre a impressão na memória de imagens de virtudes e vícios, tornadas vívidas e impressionantes segundo as regras clássicas, como "signos mnemônicos" para ajudar-nos a alcançar o Céu e evitar o Inferno.

Os escolásticos provavelmente enfatizavam, ou reorganizavam e reexaminavam, os conceitos já existentes sobre a "memória artificial", como um aspecto de sua reorganização de todo o esquema das virtudes e dos vícios. Essa revisão geral era necessária devido à redescoberta de Aristóteles, cujas contribuições inovadoras para o conjunto do conhecimento – e que precisavam ser absorvidas dentro da estrutura católica – eram importantes tanto no campo da ética quanto em outros campos. A *Ética a Nicômaco* tornara mais complexos os vícios, as virtudes e suas partes; e a nova avaliação da Prudência por Alberto e Aquino é parte de seu esforço geral de atualização das virtudes e dos vícios.

Também era surpreendente e nova a investigação, feita por ambos, dos preceitos da memória artificial em função da psicologia aristotélica presente em *De memoria et reminiscentia*. Sua conclusão de que Aristóteles confirma as regras de Tullius coloca a memória artificial em uma nova posição. A retórica é geralmente rebaixada pela perspectiva escolástica, que dá as costas ao humanismo do século XII. Mas a memória artificial que é parte da retórica deixa seu lugar no esquema das artes liberais para se tornar parte de uma virtude cardeal e um objeto digno da análise dialética.

Voltemo-nos, agora, para a investigação feita por Alberto Magno e Tomás de Aquino a respeito da memória artificial.

Como o seu título indica, o *De Bono*, de Alberto Magno, é um tratado "sobre o bem", ou sobre ética[26]. O núcleo do livro é formado pelas seções sobre as quatro virtudes cardeais: Constância, Temperança, Justiça e Prudência. Essas virtudes são abordadas por meio das definições que lhes são dadas na Primeira Retórica de Tullius, e suas partes e subdivi-

---

26. Alberto Magno, *De bono*, em *Opera omnia*, H. Kühle, C. Feckes, B. Geyer, W. Kübel (eds.), Monasterii Westfalorum in aedibus Aschendorff, XXVIII, 1951, pp. 82 e ss.

sões são tiradas também do *De inventione*. São também citadas outras autoridades, tanto as bíblicas e patrísticas como as pagãs – Agostinho, Boécio, Macróbio e Aristóteles –, mas é do *De inventione* que dependem a estrutura e as principais definições das quatro seções do livro sobre as quatro virtudes. Alberto Magno parece ansioso por alinhar a ética do novo Aristóteles tanto com a da Primeira Retórica de Tullius quanto com as dos Padres da Igreja.

Ao analisar as partes da Prudência, Alberto Magno anuncia que seguirá as divisões estabelecidas por Tullius, Macróbio e Aristóteles, começando pelas de "Tullius, no final da Primeira Retórica, onde ele diz que as partes da Prudência são *memoria, intelligentia* e *providentia*"[27]. Ele continua: primeiro, devemos questionar o que é a memória, que Tullius diz ser parte da Prudência. Segundo, devemos pesquisar o que é a *ars memorandi* de que fala Tullius. A discussão que segue organiza-se em torno desses dois articuladores de capítulo, ou *articuli*.

O primeiro *articulus* refuta as objeções que poderiam ser feitas à inclusão da memória na Prudência. Há essencialmente duas – embora elas sejam redigidas em cinco capítulos. Primeiro, a memória está na parte sensorial da alma, enquanto a Prudência, na racional. Resposta: a reminiscência, como definida pelo Filósofo (Aristóteles), localiza-se na parte racional e é o tipo de memória que faz parte da Prudência. Segundo, a memória, lembrança de impressões e de eventos passados, não é um *habitus*, enquanto a Prudência é um *habitus* moral. Resposta: a memória pode ser um *habitus* moral quando é utilizada para a rememoração de coisas passadas visando a uma conduta prudente, no presente, e a um olhar prudente sobre o futuro.

Solução: são parte da Prudência tanto a memória como reminiscência, como aquela utilizada para tirar lições úteis do passado[28].

O segundo *articulus* discute "a *ars memorandi* que Tullius apresenta na Segunda Retórica". Ele esboça 21 pontos, no decorrer dos quais as regras para os lugares e as imagens são citadas, literalmente, do *Ad He-*

27. Idem, p. 245.
28. Idem, pp. 245-6.

rennium, com críticas e comentários. A solução perpassa os 21 pontos, soluciona os problemas, destrói todas as críticas e confirma as regras[29].

A discussão abre com a definição de memória natural e artificial. A memória artificial, agora afirmada, é um *habitus* e pertence à parte racional da alma, relacionando-se com o que Aristóteles chama de reminiscência. "O que ele [Tullius] diz da memória artificial, que é confirmada pela indução e pelo preceito racional [...], vincula-se não à memória mas à reminiscência, como Aristóteles afirma em sua obra *De memoria et reminiscentia*"[30]. Assim, temos desde o início a combinação entre o que diz Aristóteles sobre a reminiscência e a seção do *Ad Herennium* sobre o exercício da memória. Pelo que sei, Alberto Magno foi o primeiro a realizar tal combinação.

Seguem-se, então, os preceitos, que começam com as regras para os lugares. Ao discutir a proposição do *Ad Herennium*, de que bons lugares de memória devem se destacar "*breviter, perfecte, insigniter aut natura aut manu*", Alberto pergunta como pode um lugar ser ao mesmo tempo *brevis* e *perfectus*. Tullius parece se contradizer aqui[31]. A solução é que, para Tullius, lugar *brevis* significa que ele não deve "expandir a alma", transportando-a por "espaços imaginários como um campo ou uma cidade"[32]. Pode-se deduzir daí que Alberto recomenda exclusivamente o uso de lugares de memória "reais", memorizados a partir de construções existentes, e não a produção de sistemas imaginários na memória. E, já que, em sua solução, ele mencionou que os lugares de memória mais "solenes e raros" são os mais "eficazes"[33], talvez possamos deduzir que o melhor tipo de construção onde criar lugares de memória seja uma igreja.

Quando Tullius diz que os lugares deveriam ser memoráveis *aut natura aut manu*, o que significa isso?[34] Ele deveria ter definido o que queria dizer com isso, mas não o fez. A solução é que um lugar memorável

29. Idem, pp. 246-52.
30. Ponto 3, Idem, p. 246.
31. Ponto 8, Idem, p. 247.
32. Solução, ponto 8, Idem, p. 250.
33. Solução, ponto 7, Idem, loc. cit.
34. Ponto 10, Idem, p. 247.

"por natureza" é, por exemplo, um campo; um lugar memorável "por mão" é um edifício[35].

As cinco regras para a escolha dos lugares são citadas: 1. locais tranqüilos, para que não seja atrapalhada a concentração intensa necessária à memorização; 2. que não sejam muito semelhantes, como, por exemplo, muitos intercolúnios idênticos; 3. nem tão amplos nem tão pequenos; 4. nem tão iluminados nem tão escuros; 5. com intervalos moderados entre si, cerca de nove metros[36]. Alega-se que esses preceitos não abrangem a prática mnemônica corrente, pois "muitas pessoas lembram-se por meio de disposições de lugares contrárias às descritas"[37]. Mas Tullius quer dizer que, apesar de pessoas diferentes escolherem lugares diferentes – algumas um campo, outras um templo, outras, ainda, um hospital –, de acordo com o que as "incita" mais, os cinco preceitos permanecem válidos, seja qual for a natureza do sistema de lugares escolhido pelo indivíduo[38].

Como filósofo e teórico da alma, Alberto Magno precisa parar e perguntar a si mesmo o que está fazendo. Estes lugares, que devem ser tão fortemente impressos na memória, são lugares corporais (*loca corporalia*[39]) e se encontram, portanto, na imaginação – que recebe as formas corporais da impressão sensorial – e não na parte intelectual da alma. Certo, mas não estamos falando da memória, e sim da reminiscência, que usa os *loca imaginabilia* para fins racionais[40]. Alberto precisa se justificar sobre isso antes de prosseguir e recomendar uma arte que parece impor a força da imaginação, que é inferior, à parte racional da alma, que é superior.

Mas, antes de chegar, como está a ponto de fazer, aos preceitos para as imagens – segundo ramo da memória artificial –, ele precisa esclarecer uma outra dificuldade. Como diz em seu *De anima* (a que se refere aqui), a memória não é somente o repositório das formas ou imagens (como

35. Solução, ponto 10, Idem, p.251.
36. Ponto 11, Idem, p. 247.
37. Ponto 15, Idem, p. 247.
38. Solução, ponto 15, Idem, p. 251.
39. Ponto 12, Idem, p. 247.
40. Solução, ponto 12, Idem, p. 251.

a imaginação), mas também das *intentiones* tiradas dessas imagens pela faculdade avaliadora. Na memória artificial, portanto, precisa-se de imagens suplementares para a rememoração das *intentiones*?[41] A resposta, felizmente, é negativa, pois a imagem de memória já inclui a *intentio*[42].

Toda essa minuciosidade tem um lado importante, porque significa que a imagem de memória ganha em potência. Uma imagem que lembre a forma de um lobo conterá igualmente a *intentio* de que o lobo é um animal perigoso, do qual seria prudente fugir; no nível animal da memória, por exemplo, a imagem mental que um cordeiro faz do lobo contém essa *intentio*[43]. E, no plano superior da memória de um ser racional, isto quer dizer que uma imagem escolhida, digamos, para rememorar a virtude da Justiça, conterá a *intentio* de buscar adquirir essa virtude[44].

Alberto Magno volta-se então para os preceitos relativos às "imagens a serem colocadas nos lugares mencionados". Tullius diz que há dois tipos de imagens, um para coisas e outro para palavras. A memória para coisas busca rememorar noções recorrendo apenas a imagens; a memória para palavras busca rememorar cada palavra por meio de uma imagem. O conselho de Tullius parecerá mais um impedimento do que uma ajuda à memória. Primeiro, porque seriam necessárias tantas imagens quanto há noções e palavras, e esse número exagerado confundiria a memória; segundo, porque as metáforas representam as coisas com menos precisão do que a descrição da coisa material em si (*metaphorica minus repraesentant rem quam propria*). Mas Tullius gostaria que traduzíssemos *propria* em *metaphorica*, com o intuito de rememoração. Ele diz, por exemplo, que, para se lembrar de um caso judicial em que um homem é acusado de envenenar um outro por causa de herança, havendo muitas testemunhas contra seu crime, devem situar-se na memória as imagens de um homem doente sobre uma cama, com o acusado ao lado do

41. Ponto 13, Idem, p. 247.
42. Solução, ponto 13, Idem, p. 251.
43. Este exemplo é dado por Alberto Magno, ao discutir as *intentiones* em seu *De anima*; ver Alberto Magno, *Opera omnia*, v, A. Borgnet (ed.), Paris, 1890, p. 521.
44. Esta dedução é minha; esse exemplo não é dado por Alberto.

doente, segurando uma xícara e um documento, e um médico segurando os testículos de um carneiro. (Alberto Magno, traduziu *medicus*, o dedo anular, por "médico", introduzindo, assim, uma terceira pessoa na cena). Mas não teria sido mais fácil relembrar tudo isso por meio dos fatos em si (*propria*) do que por meio dessas metáforas (*metaphorica*)?[45]

Saudamos Alberto Magno, através dos séculos, por ter tido as mesmas preocupações que nós sobre a arte clássica da memória. Mas sua solução anula essa crítica pelas seguintes razões: 1. as imagens são um auxílio para a memória; 2. muitas *propria* podem ser relembradas por meio de poucas imagens; 3. apesar de as *propria* fornecerem uma informação mais exata sobre a coisa em si, as *metaphorica* "sensibilizam mais a alma e, por isso, auxiliam melhor a memória"[46].

Ele luta então com as imagens da memória para palavras: Domitius sendo vencido pelos Reges; Esopo e Cimber vestindo-se para seus papéis na peça *Ifigênia*[47]. Sua tarefa era ainda mais difícil do que a nossa, porque usou um texto adulterado do *Ad Herennium*. Ele teria em mente duas imagens muito confusas, a de alguém sendo vencido pelos filhos de Marte, e a de Esopo e Cimbre com a errante Ifigênia[48]. Ele faz o melhor que pode para adequá-las à fala que deve ser lembrada, mas observa de forma patética: "Estas palavras metafóricas são obscuras e difíceis de serem lembradas". No entanto, tal era sua fé em Tullius que ele se decide pela solução de que *metaphorica* como essas devem ser usadas como imagens de memória, pois o extraordinário sensibiliza a memória mais do que o banal. Isso explica por que os primeiros filósofos expressavam-se pela poesia, pois, como diz o Filó-

---

45. Ponto 16, *De bono*, ed. cit., pp. 247-8.
46. Solução, pontos 16 e 18, Idem, p. 251.
47. Ponto 17, Idem, p. 248.
48. Alberto Magno utilizou um texto em que *itionem* (no verso a ser memorizado) era lido como *ultionem* (vingança); e, em vez de *in altero loco Aesopum et Cimbrum subornari ut ad Iphigeniam in Agamemnonem et Menelaum – hoc erit "Atridae parant"*, lia-se *in altero loco Aesopum et Cimbrum subornari vagantem Iphigeniam, hoc erit "Atridae parant"*. As notas de Marx para a sua edição do *Ad Herennium* (p. 282) mostram que alguns manuscritos apresentam tal versão do texto.

sofo (Aristóteles, na *Metafísica*), a fábula, composta pelo maravilhoso, impressiona mais[49].

O que lemos aí é realmente incrível. A escolástica, em sua devoção ao racional, ao abstrato, como a verdadeira busca da alma racional, baniu a metáfora e a poesia por associá-las ao nível inferior da imaginação. A Gramática e a Retórica, que se ocupavam dessas matérias, deviam recuar diante da regra da Dama Dialética. E essas fábulas sobre os deuses antigos, das quais a poesia se ocupava, eram altamente repreensíveis em termos morais. Sensibilizar, estimular a imaginação e as emoções com as *metaphorica* parece uma sugestão que contradiz totalmente o puritanismo escolástico, que fixava sua atenção no outro mundo, no Inferno, no Purgatório e no Céu. Entretanto, embora devêssemos praticar a memória artificial como parte da Prudência, suas regras sobre as imagens admitem a metáfora e o fabuloso, devido a seu poder sensibilizador.

Surgem agora as *imagines agentes*, integralmente extraídas de Tullius[50]. Belíssimas ou horríveis, vestidas de púrpura e usando coroas, deformadas ou manchadas de sangue e lama, sujas de tinta vermelha, cômicas ou ridículas, elas, como atores, passam misteriosamente da Antiguidade para os tratados escolásticos sobre a memória, como parte da Prudência. A resposta enfatiza que a razão da escolha de tais imagens é que "sensibilizam fortemente" e, assim, aderem à alma[51].

O veredicto, a favor e contra a memória artificial, conduzido de acordo com as regras da análise escolástica, é o seguinte:

> Concluímos que a *ars memorandi* ensinada por Tullius é a melhor, em particular para as coisas a serem lembradas que dizem respeito à vida e ao julgamento (*ad vitam et iudicium*), e tais memórias (isto é, memórias artificiais) referem-se, particularmente, ao homem moral e ao orador (*ad ethicum et rhetorem*), pois, já que o ato da vida humana (*actus humanae vitae*) é feito de coisas particulares, é necessário que esteja presente na alma por meio de imagens corporais; ele não

---

49. Solução, ponto 17, *De bono*, ed.cit., p. 251. Cf. Aristóteles, *Metafísica*, 982[b], pp. 18-9.
50. Ponto 20, *De bono*, ed. cit., p. 248.
51. Solução, ponto 20, Idem, p. 252.

permanecerá na memória salvo em tais imagens. Por isso, dizemos que a memória é a mais necessária de todas as coisas que pertencem à Prudência, porque nos dirigimos das coisas passadas às presentes e, dessas, às futuras, e não o inverso[52].

Assim, a memória artificial alcança um triunfo moral. Juntamente com a Prudência, ela sobe em uma carruagem cujo condutor é Tullius, que dirige seus dois cavalos, a Primeira e a Segunda Retóricas. E, se vemos a Prudência como uma imagem corporal incomum e impressionante – uma mulher com três olhos, por exemplo, para lembrarmo-nos de sua visão de coisas passadas, presentes e futuras –, isso estará de acordo com as regras da memória artificial, que recomenda as *metaphorica* para a rememoração das *propria*.

Como pudemos perceber no *De bono*, em seus argumentos a favor da memória artificial, Alberto Magno apóia-se na distinção de Aristóteles entre memória e reminiscência. Ele estudou cuidadosamente o *De memoria et reminiscentia*, sobre o qual escreveu um comentário, e nele detectou o que via como referências ao mesmo tipo de memória artificial descrita por Tullius. E é verdade, como vimos no capítulo anterior, que Aristóteles se refere à memória para ilustrar seus argumentos.

Em seu comentário a *De memoria et reminiscentia*[53], Alberto expõe sua "psicologia da faculdade" (descrita em detalhes em seu *De anima* e desenvolvida, certamente, a partir de Aristóteles e Avicena), por meio da qual as impressões sensoriais passam por várias etapas, do *sensus communis* à *memoria*, desmaterializando-se gradualmente nesse processo[54]. Da distinção aristotélica entre memória e reminiscência, ele desenvolve uma divisão entre a memória, que – apesar de mais espiritual do que as faculdades preliminares – ainda pertence à parte sensorial da alma, e a reminiscência, que – apesar de ainda reter traços das formas corporais – pertence à parte intelectual da alma. Por isso, o processo da rememoração exige que a coisa

---

52. Idem, p. 249. Essas são as primeiras palavras da Solução.
53. Alberto Magno, *De memoria et reminiscentia*, *Opera omnia*, Borgnet (ed.), IX, pp. 97 e ss.
54. Para uma descrição da "psicologia das faculdades" de Alberto Magno, ver M. W. Bundy, *The Theory of Imagination in Classical and Mediaeval Thought*, University of Illinois Studies, XII, 1927, pp. 187 e ss.

da qual se quer lembrar tenha ultrapassado as sucessivas faculdades da parte sensível da alma e tenha atingido, com a reminiscência, o domínio do intelecto diferenciador. Nesse ponto de seu raciocínio, Alberto Magno introduz a surpreendente alusão à memória artificial:

> Aqueles que desejam rememorar algo (*reminisci*, isto é, querem fazer algo mais espiritual e intelectual do que simplesmente lembrar) retiram-se das luzes públicas para a sombra da intimidade: porque, à luz pública, as imagens das coisas sensíveis (*sensibilia*) estão dispersas e seu movimento é confuso. À sombra, contudo, elas se unem e se movem em uma ordem determinada. Por isso, Tullius, na *ars memorandi* apresentada na Segunda Retórica, prescreve que imaginemos e busquemos lugares escuros, com pouca luz. E porque a reminiscência requer muitas imagens, e não uma única, ele recomenda que representemos para nós mesmos, por meio de semelhanças, e unamos em figuras aquilo que queremos reter e rememorar (*reminisci*). Por exemplo, se queremos gravar as acusações contra nós em um processo, devemos imaginar um carneiro, com fortes chifres e testículos, vindo em nossa direção, no escuro. Os chifres trarão à memória nossos adversários e os testículos os depoimentos das testemunhas[55].

Esse carneiro é impressionante! Como ele escapou da imagem do processo judicial para correr solto, perigosamente, no escuro? E por que a regra sobre os lugares que não devem ser nem muito escuros nem muito claros se combinou com aquela sobre memorização em lugares tranqüilos[56], para produzir essa obscuridade mística e esse isolamento em que as *sensibilia* se unem e sua ordem implícita é percebida? Se estivéssemos no Renascimento, e não na Idade Média, poderíamos perguntar-nos se Alberto Magno via, nesse carneiro, Áries, o signo do zodíaco, e utilizava as imagens mágicas das estrelas para unir os conteúdos da memória. Mas ele talvez estivesse simplesmente trabalhando muito com a memória durante a noite, quando o silêncio se espalha por todos os lugares, como dizia Marciano Capella, e suas preocupações com a imagem do caso judicial começaram, então, a assumir estranhas formas!

55. Borgnet, IX, p. 108.
56. Ambas as regras foram corretamente citadas por Alberto Magno, em *De bono*, ed. cit., p. 247.

Outra característica do comentário de Alberto Magno sobre *De memoria et reminiscentia* é a referência que ele faz à relação entre melancolia e memória. De acordo com a usual teoria dos humores, a melancolia, seca e fria, ajudaria a produzir boas memórias, porque o melancólico receberia as impressões das imagens de forma mais intensa e as reteria por mais tempo do que pessoas com outros temperamentos[57]. Mas Alberto não fala da melancolia comum quando se refere ao tipo de melancolia que é o temperamento da *reminiscibilitas*. A faculdade da reminiscência, diz ele, pertencerá, sobretudo, aos melancólicos de que Aristóteles fala "no livro dos *Problemata*", que têm uma espécie de melancolia *fumosa et fervens*.

> São aqueles que possuem uma melancolia acidental, causada por uma adustão com o sanguíneo e o colérico (temperamentos). Os *phantasmata* impulsionam esses homens mais do que os outros, pois estão mais fortemente impressos no lugar seco da parte posterior do cérebro: e o calor da *melancolia fumosa* impele esses *phantasmata*. A reminiscência, que é uma forma de investigação, confere essa mobilidade. A conservação no seco retém numerosos *phantasmata*, por meio dos quais a reminiscência é ativada[58].

Assim, o temperamento da reminiscência que fornece uma boa memória não é a melancolia usual, seca-fria; é a melancolia seca-quente, intelectual, inspirada.

Já que Alberto Magno insiste tanto que a memória artificial pertence à reminiscência, seria sua *ars reminiscendi* uma prerrogativa de melancólicos inspirados? Tal parece ser a suposição.

Os PRIMEIROS biógrafos de Tomás de Aquino dizem que ele possuía uma memória fenomenal. Quando criança, na escola em Nápoles, ele

---

57. Sobre a melancolia como o temperamento da boa memória, ver R. Klibansky, E. Panofsky e F. Saxl, *Saturn and Melancholy*, Nelson, 1964, pp. 69, 337. A definição usual é dada por Alberto em *De bono*, ed. cit., p. 240: "a excelência da memória está no seco e no frio, razão pela qual os melancólicos são tidos como os de melhor memória". Cf., também, Boncompagno, a respeito de melancolia e memória, anterior, p. 59.

58. Borgnet, IX, p. 117. Sobre Alberto Magno e a melancolia "inspirada" dos *Problemata* pseudo-aristotélicos, ver *Saturn and Melancholy*, pp. 69 e ss.

guardava na memória tudo o que o mestre dizia; mais tarde, ele treinou sua memória com Alberto Magno, em Colônia. "Sua compilação de citações dos Padres sobre os quatro Evangelhos, preparada para o papa Urbano, era composta pelo que havia *visto*, e não *copiado*, em vários monastérios" e dizia-se que sua memória tinha tal capacidade de retenção, que sempre guardava tudo o que ele lia[59]. Cícero teria chamado tal memória de "quase divina".

Como Alberto Magno, Tomás de Aquino, na *Summa Theologiae*, trata da memória artificial sob influência da virtude da Prudência. Como Alberto, ele também escreveu um comentário sobre o aristotélico *De memoria et reminiscentia*, onde há alusões à arte de Tullius. Consideraremos, primeiro, essas alusões presentes no comentário, já que ajudam a explicar os preceitos da memória na *Summa*.

Tomás de Aquino introduz o que tem a dizer sobre Aristóteles e suas idéias acerca da memória e da reminiscência[60] com uma lembrança da Primeira Retórica, onde a memória é parte da Prudência. Assim, ele inicia o comentário com a observação de que a afirmação do filósofo em sua *Ética*, de que a razão (própria do ser humano) é a mesma coisa que a virtude da Prudência, pode ser comparada à afirmação de Tullius de que as partes da Prudência são *memoria, intelligentia* e *providentia*[61]. Encontramo-nos em terreno conhecido e esperamos com tranqüilidade pelo que virá a seguir. Pela análise da imagem tirada da impressão sensorial, considerada como fundamento do conhecimento, Tomás de Aquino chega ao material sobre o qual trabalha o intelecto. "O homem não pode compreender sem as imagens (*phantasmata*); a imagem é um simulacro de uma coisa corporal, mas a compreensão é a dos universais, que devem ser abstraídos dos particulares"[62]. Isso demonstra a posição fundamental da teoria do conhecimento de Aristóteles e Tomás

59. E. K. Rand, *Cicero in the Courtroom of St. Thomas Aquinas*, Milwaukee, 1946, pp. 72-3.
60. Edição utilizada: Tomás de Aquino, *In Aristotelis libros De sensu et sensato, De memoria et reminiscentia commentarium*, Turim-Roma, R. M. Spiazzi, 1949, pp. 85 e ss.
61. Idem, p. 87.
62. Idem, p. 91.

de Aquino. É sempre repetida nas primeiras páginas do comentário: "*Nihil potest homo intelligere sine phantasmate*"[63]. O que é, então, a memória? Ela está na parte sensorial da alma que recebe as imagens das impressões dos sentidos; ela pertence, portanto, à mesma parte da alma que a imaginação, mas encontra-se, também, *per accidens*, na parte intelectual, na medida em que o intelecto abstraidor trabalha nela a partir de *phantasmata*.

> Fica claro, pelo que se disse antes, à qual parte da alma a memória pertence, isto é, à mesma a que pertence a fantasia. E as coisas que possuem uma imagem derivada dos sentidos são *per si* apreensíveis, isto é, as coisas sensoriais (*sensibilia*). Mas as coisas inteligíveis (*intelligibilia*) só podem ser apreendidas *per accidens*, pois não podem ser retidas sem um *phantasma*. Por isso nos lembramos com menos facilidade das coisas que têm uma significação sutil e espiritual; e nos lembramos mais facilmente daquelas que são mais grosseiras, sensoriais. E se queremos nos lembrar de noções inteligíveis, devemos ligá-las a algum tipo de *phantasmata*, como nos ensina Tullius em sua Retórica[64].

Aparece a inevitável referência a Tullius sobre a memória artificial na Segunda Retórica. E essas afirmações, curiosamente deixadas de lado pelos tomistas modernos, mas muito respeitadas e citadas na antiga tradição da memória, fornecem a justificativa tomista para o uso de imagens na memória artificial. É uma concessão à fraqueza humana, à natureza da alma, que apreende mais facilmente e lembra as imagens das coisas sensoriais e toscas, mas não consegue lembrar "coisa sutis e espirituais" sem uma imagem. Por isso, devemos fazer como Tullius recomenda, ligar tais "coisas" a imagens, se quisermos lembrá-las.

63. Idem, p. 92. Ao ser lido, o comentário deveria ser relacionado à psicologia exposta por Tomás de Aquino em seu comentário sobre *De anima*. Aquino usou a tradução latina de Aristóteles feita por William de Moerbeke, em que as afirmações de Aristóteles são interpretadas como *Numquam sine phantasmate intelligit anima* ou *intelligere non est sine phantasmate*. Uma tradução inglesa da tradução em latim que Tomás de Aquino utilizou é dada em *Aristotle's "De anima" with the Commentary of St. Thomas Aquinas*, trad. de Kenelm Foster e Sylvester Humphries, Londres, 1951.
64. Tomás de Aquino, *De memoria et reminiscentia*, ed. cit., p. 93.

Na parte final de seu comentário, Tomás de Aquino discute os dois pontos principais da teoria da reminiscência de Aristóteles, ou seja, que ela depende de associação e ordem. De Aristóteles, ele repete as três leis da associação, dá exemplos, e enfatiza a importância da ordem. Ele cita Aristóteles, de acordo com quem os teoremas matemáticos são mais fáceis de recordar quando se segue sua ordem; e sobre a necessidade de encontrar na memória um ponto de partida, do qual a reminiscência avançará através de uma ordem associativa até encontrar o que busca. Nesse ponto, em que Aristóteles se refere aos τόποι da mnemônica grega, Tomás de Aquino introduz os *loci* de Tullius.

> É necessário um ponto de partida para se iniciar o processo da reminiscência. Por esse motivo, alguns rememoram a partir de lugares onde algo foi dito, feito ou pensado, utilizando o lugar como se fosse o ponto de partida da reminiscência; pois o acesso ao lugar é como um ponto de partida para todas as coisas que ali se passaram. Assim, Tullius ensina em sua Retórica que para se recordar algo facilmente, deve-se imaginar uma disposição determinada de lugares, onde imagens (*phantasmata*) de todas essas coisas são distribuídas em uma ordem certa[65].

Os lugares de memória artificial encontram, assim, um fundamento racional na teoria aristotélica da reminiscência, baseada na ordem e na associação.

Assim, Tomás de Aquino continua, de modo mais explícito e preciso, a fusão entre Tullius e Aristóteles realizada por Alberto Magno. E temos liberdade para imaginar os lugares e as imagens de memória artificial como, de certa maneira, o mobiliário "sensorial" de uma mente e de uma memória voltadas ao mundo inteligível.

No entanto, Tomás de Aquino não faz a distinção precisa entre a memória pertencente à parte sensorial e a reminiscência – que inclui a memória artificial como uma arte da reminiscência – pertencente à parte intelectual da alma, e Alberto Magno havia insistido nisso. A re-

---

65. Idem, p. 107. Imediatamente após essa passagem, Tomás de Aquino apresenta uma interpretação da passagem de Aristóteles sobre a transição do leite ao branco, ao ar, ao outono (ver anteriormente, p. 55), como ilustração das leis da associação.

miniscência é própria do ser humano, ainda que os animais também tenham memória, e seu método de avançar a partir de um ponto inicial pode ser comparado ao método do silogismo na lógica, *"syllogizare est actus rationis"*. Contudo, o fato de as pessoas, ao tentarem lembrar-se de algo, baterem na cabeça e agitarem seus corpos (Aristóteles menciona isso) mostra que o ato é parcialmente corporal. O caráter superior e parcialmente racional do ato de lembrar se deve não ao fato de ele não estar de modo algum na parte sensorial, mas, sim, à superioridade que a parte sensorial tem no ser humano, em relação àquela nos animais. Isso porque a racionalidade humana é utilizada nessa parte sensorial.

Essa preocupação mostra que Tomás de Aquino não cai na armadilha em que Alberto Magno ameaçava cair, de ver a memória artificial com uma reverência supersticiosa. Em Aquino não há nada comparável à transformação, em Alberto, de uma imagem de memória em uma visão noturna misteriosa. Embora ele também se refira à relação entre memória e melancolia, não se refere à melancolia dos *Problemata* nem afirma que esse tipo "inspirado" de melancolia pertence à reminiscência.

Na segunda seção da segunda parte – a *Secunda Secundae* – da *Summa*, Aquino trata das quatro virtudes cardeais. Como fez Alberto Magno, ele toma as definições e os nomes dessas virtudes do *De inventione*, sempre chamado de Retórica de Tullius. Cito, sobre isso, E.K. Rand: "Ele (Aquino) começa com a definição de Cícero das virtudes e trata-as na mesma ordem [...] Seus títulos são os mesmos: *Prudentia* (e não *Sapientia*), *Justitia*, *Fortitudo*, *Temperantia*"[66]. Como Alberto, Aquino usa muitas outras fontes para as virtudes, mas é *De inventione* que fornece sua estrutura básica.

Ao discutir as partes da Prudência[67], ele menciona as três primeiras partes dadas por Tullius; em seguida, as seis partes fornecidas por Macróbio; depois, uma outra parte, mencionada por Aristóteles, mas não por suas outras fontes. Como base, ele toma as seis partes dadas por Macróbio; junta a elas a *memoria*, apresentada por Tullius como uma parte,

66. Rand, op. cit., p. 26.
67. *Summa Theologiae*, ii, ii, *quaestio* xlviii, *De partibus Prudentiae*.

e *solertia*, mencionada por Aristóteles. Ele conclui disso que a Prudência tem oito partes: *memoria, ratio, intellectus, docilitas, solertia* (habilidade), *providentia, circumspectio* e *cautio.* Dentre elas, *memoria* é considerada como uma parte somente por Tullius, e o conjunto de oito partes pode ser reagrupado nas três partes de Tullius: *memoria, intelligentia* e *providentia.*

Ele inicia sua discussão das partes com a *memoria*[68]. Primeiro, precisa decidir se a memória é parte da Prudência. Os argumentos contrários são:

1. A memória se localiza na parte sensorial da alma, diz o Filósofo. A Prudência, na parte racional. Portanto, a memória não é parte da Prudência.
2. A Prudência é adquirida pelo exercício e pela experiência; a memória está em nós naturalmente. Portanto, a memória não é parte da Prudência.
3. A memória pertence ao passado; a Prudência ao futuro. Portanto, a memória não é parte da Prudência.

MAS CONTRA ISSO HÁ O FATO DE QUE TULLIUS INCLUI A MEMÓRIA ENTRE AS PARTES DA PRUDÊNCIA.

Para concordar com Tullius, as três objeções anteriores recebem como resposta:

1. A Prudência aplica o conhecimento dos universais aos particulares, derivados dos sentidos. Por isso, muito do que pertence à parte sensorial pertence à Prudência, e isso inclui a memória.
2. Assim como a Prudência, também a memória é uma aptidão tanto natural quanto aprimorada pelo exercício. "Tullius (e outra autoridade no assunto) diz em sua Retórica que a memória não é aperfeiçoada apenas pela natureza, mas tem muito de arte e fabricação."
3. A Prudência usa a experiência do passado como preparação para o futuro. A memória é, portanto, parte da Prudência.

Tomás de Aquino segue, em parte, Alberto Magno, mas com certas diferenças. Como poderíamos esperar, ele não baseia o lugar da memória na Prudência em uma distinção entre memória e reminiscência.

---

68. *Quaestio* XLIX, *De singulis Prudentiae partibus:* articulus I, *Utrum memoria sit pars Prudentiae.*

Contudo, ainda mais claramente do que Alberto, afirma que é justamente a memória artificial, aquela treinada e melhorada pela arte, que representa uma das provas de que a memória é parte da Prudência. As palavras citadas a esse respeito são uma paráfrase de *Ad Herennium* e são apresentadas como derivadas de "Tullius (*alius auctor*)". A "outra autoridade" se refere provavelmente a Aristóteles, cujas recomendações quanto à memória são incorporadas àquelas dadas por "Tullius" nas regras da memória como formuladas por Tomás de Aquino.

É em sua réplica ao segundo ponto que Tomás de Aquino oferece seus próprios quatro preceitos para a memória:

> Tullius (e outra autoridade no assunto) diz em sua Retórica que a memória não é aperfeiçoada apenas pela natureza, mas tem muito de arte e fabricação: e há quatro (preceitos) dos quais um homem pode tirar proveito a fim de bem recordar.

1. O primeiro é que deve utilizar alguns traços similares entre as coisas das quais se quer lembrar; esses traços não devem ser muito conhecidos, porque somos mais impressionados por coisas incomuns e a alma fica mais absorvida por elas; é por isso que nos lembramos melhor de coisas vistas na infância. Assim, é necessário inventar similitudes e imagens, pois as *intentiones* simples e espirituais escapam facilmente à alma, a menos que estejam ligadas a similitudes corporais, pois a cognição humana é mais forte no que diz respeito às *sensibilia*. Por isso, a (faculdade) da memória é situada na (parte) sensorial da alma.

2. Segundo, é necessário dispor as coisas das quais se quer lembrar em uma ordem determinada, de modo que a partir de um determinado ponto lembrado se possa facilmente atingir o seguinte. Por isso, o Filósofo diz em seu livro *De memoria*: "Algumas pessoas se lembram a partir de lugares. Assim conseguem passar rapidamente de um a outro ponto".

3. Terceiro, deve-se demorar com atenção nas coisas das quais se quer lembrar, e se apegar a elas com sentimento; pois o que é fortemente impresso na alma não escapa tão facilmente dela. Por isso, Tullius diz em sua Retórica que "a atenção conserva as figuras completas dos simulacros".

4. Quarto, é necessário meditar com freqüência naquilo que se quer lembrar. Por isso, o Filósofo diz no livro *De memoria* que "a meditação preserva a memória", porque, como ele diz, "o hábito é como a natureza. Por isso, nos lembramos

facilmente das coisas nas quais pensamos com freqüência, passando de uma a outra, como se existisse uma ordem natural".

Consideremos cuidadosamente os quatro preceitos de Tomás de Aquino para a memória. Eles seguem, em linhas gerais, os dois princípios da memória artificial, os lugares e as imagens.

Ele fala em primeiro lugar das imagens. Sua primeira regra lembra o *Ad Herennium*, quando propõe escolher imagens incomuns e impressionantes para sua melhor fixação na memória. Mas as imagens de memória artificial transformaram-se em "similitudes corporais", por meio das quais se evita que "*intentiones* simples e espirituais" escapem da alma. E ele dá novamente aqui o motivo para o emprego de "similitudes corporais", como já o fizera no comentário sobre Aristóteles: porque a cognição humana é mais forte em relação às coisas sensíveis (*sensibilia*) e, por isso, a alma se lembra melhor das "coisas sutis e espirituais" quando estão em uma forma corporal.

Sua segunda regra é tirada do que diz Aristóteles sobre a ordem. Sabemos, de seu comentário sobre Aristóteles, que ele associou a passagem sobre o "ponto de partida", citada aqui, ao que Tullius diz sobre os lugares. Sua segunda regra é, portanto, sobre "lugares", embora concluída a partir do que Aristóteles diz sobre ordem.

A terceira regra é muito interessante, pois baseia-se em uma citação errônea de uma das regras do *Ad Herennium* para os lugares, aquela segundo a qual os lugares deveriam ser escolhidos em regiões desertas, "porque o vai-e-vem de uma multidão confunde e enfraquece a impressão das imagens, enquanto o lugar ermo mantém seus contornos nítidos (*solitudo conservat integras simulacrorum figuras*)"[69]. Tomás de Aquino cita essa passagem da seguinte forma: *sollicitudo conservat integras simulacrorum figuras*, transformando "lugar ermo, solitário" (*solitudo*) em "solicitude, atenção" (*sollicitudo*). Assim, transforma a regra da memória que recomenda lugares ermos, desertos, onde o esforço de memorizar lugares não seja atrapalhado por distrações, em "solicitude". Poderíamos

69. *Ad Herennium*, III, xix, p. 31. Ver, anteriormente, pp. 23-4.

dizer que isso daria no mesmo, já que o objetivo da solidão (*solitudo*) era ter solicitude (*sollicitudo*) para com a memorização. Mas eu *não* penso que isso resulte na mesma coisa, porque a "solicitude" de Tomás de Aquino implica "apegar-se com sentimento" às coisas a serem lembradas, criar um ambiente de devoção que está inteiramente ausente da regra clássica da memória.

A tradução incorreta de Aquino – e sua interpretação equivocada da regra sobre os lugares – é interessante sobretudo porque houve um tipo semelhante de interpretação equivocada em Alberto Magno, que transformou as regras do lugar "nem tão escuro nem tão iluminado" e do lugar "solitário" em um tipo de retiro místico.

A quarta regra provém da obra de Aristóteles, *De memoria*, sobre a meditação e a repetição freqüentes, recomendação também feita no *Ad Herennium*.

Para resumir, pode parecer que as regras de Tomás de Aquino estão baseadas nos lugares e nas imagens da memória artificial, mas que foram transformadas. Na arte do orador romano, as imagens escolhidas, por serem de fácil memorização, foram transformadas pela crença medieval em "similitudes corporais" de "*intentiones* sutis e espirituais". Também as regras para os lugares podem ter sido relativamente mal interpretadas. Parece que o caráter mnemotécnico das regras para os lugares – escolhidos por sua dissimilaridade, boa iluminação, em áreas silenciosas, todos visando ajudar a memorização – pode não ter sido inteiramente compreendido por Alberto Magno, nem por Tomás de Aquino. Eles interpretam as regras dos lugares em um sentido devocional. Em Aquino, principalmente, tem-se a impressão de que o importante é a ordem. Suas similitudes corporais talvez fossem dispostas em uma ordem regular, "natural", e não de acordo com a irregularidade calculada das regras, cujo sentido ele transformou – no caso de *solitudo-sollicitudo* – com intensa devoção.

O que devemos pensar, então, de uma memória artificial escolástica, uma memória que, em certa medida, seguia as regras de Tullius, mas transformava-as segundo intenções morais e piedosas? Nesse quadro da memória, que transformação ocorreu com as impressionantes e belas, ou horríveis, *imagines agentes*? A memória de Boncompagno, pouco anterior à escolástica, sugere uma resposta a essa questão, vendo as virtudes e os vícios como "signos da memória", por meio dos quais nos guiamos nas trilhas da lembrança, rememorando os caminhos para o Paraíso e o Inferno. As *imagines agentes* precisaram adquirir um cunho moral, transformando-se em belas ou horríveis figuras humanas, concebidas como "similitudes corporais" dotadas de *intentiones* espirituais – ganhar o Paraíso e evitar o Inferno –, e memorizadas por meio de uma disposição ordenada em alguma construção "solene".

Como disse no primeiro capítulo, é útil a leitura da seção sobre a memória do *Ad Herennium* para que possamos referir-nos à clara descrição de Quintiliano do processo mnemotécnico – o passeio através de uma determinada construção para escolher os lugares, e as imagens rememoradas nesses lugares que trazem a lembrança dos pontos do discurso. O leitor medieval do *Ad Herennium* não tinha essa vantagem. Ele lia essas regras bizarras para lugares e imagens sem a ajuda de qualquer outro texto sobre a arte clássica da memória e, além do mais, em uma época na qual a arte clássica da oratória havia desaparecido, não era mais praticada. Ao lê-las, não as associava a alguma prática da oratória em uso, mas relacionava-as com o ensinamento da ética por Tullius em sua Primeira Retórica. Assim, entende-se quantos enganos puderam surgir. E há ainda a possibilidade, como sugerido, de que um uso ético, didático ou religioso da arte clássica da memória possa ter surgido muito antes, ter sofrido, nos primórdios da cristandade, alguma transformação que não chegou até nós, mas que pode ter sido legada à Alta Idade Média. Por isso, é provável que o fenômeno que classifiquei como "transformação medieval da arte clássica da memória" não tenha sido inventado por Alberto Magno e Tomás de Aquino, mas que já estivesse presente muito antes de eles o retomarem com cuidado e zelo renovados.

A renovação escolástica dessa arte e sua calorosa recomendação é um marco em sua história, um dos pontos culminantes de sua influência. E pode-se perceber como tal fato pertence ao quadro geral de esforços do século XIII em seu conjunto. A intenção dos eruditos dominicanos, dos quais Alberto Magno e Tomás de Aquino foram notáveis representantes, era utilizar o novo ensinamento aristotélico para preservar, defender a Igreja e reexaminar, à sua luz, o corpo doutrinário existente. O imenso esforço dialético de Aquino visava, como se sabe, a responder aos argumentos dos hereges. De inimigo potencial da Igreja, Aristóteles foi por ele transformado em aliado da Igreja. O outro grande esforço escolástico de incorporar a ética aristotélica ao sistema já existente de virtudes e vícios não é muito analisado nos dias atuais, mas pode ter sido tão ou mais importante para os que viviam naquela época. As partes das virtudes, sua incorporação ao esquema já existente de Tullius, sua análise à luz do que diz Aristóteles sobre a alma – tudo isso é parte da *Summa Theologiae*, do esforço de assimilar os ensinamentos do Filósofo, como o são os aspectos mais familiares da filosofia e dialética tomistas.

Tanto as virtudes de Tullius quanto sua memória artificial precisariam ser revisadas com a ajuda da psicologia e ética aristotélicas. Ao apreenderem as referências à arte da memória em *De memoria et reminiscentia*, os frades fizeram dessa obra a base de sua justificação para o uso dos lugares e das imagens de Tullius, por meio da reavaliação do *rationale* psicológico dos lugares e das imagens, com a ajuda do que diz Aristóteles sobre a memória e a reminiscência. Tal esforço era paralelo à nova análise das virtudes à luz de Aristóteles. E ambos os esforços estavam intimamente ligados, porque a memória artificial era realmente parte de uma das virtudes cardeais.

A época da escolástica é, por vezes, alvo de comentários admirados, pois, apesar de sua insistência na abstração, sua pouca estima pela poesia e pela metáfora, ela também foi uma época que viu um florescimento extraordinário de imagens, de um novo repertório imagético, na arte religiosa. Buscamos nas obras de Tomás de Aquino uma explicação para essa aparente anomalia e, para isso, citamos a passagem onde ele justifica o uso da metáfora e das imagens nas Escrituras. Ele pergunta por que as Escrituras utilizam imagens, já que "o uso de similitudes e representações pertence à poesia, que é a mais inferior de todas as formas do saber". Ele se refere ao fato de a poesia fazer parte da Gramática, a forma inferior das artes liberais, e questiona por que as Escrituras se valem desse ramo inferior do conhecimento. A resposta é que as Escrituras falam das coisas espirituais por meio de sua semelhança com as coisas corporais, "porque é natural do ser humano alcançar as *intelligibilia* por meio das *sensibilia*, pois todo o nosso conhecimento se inicia com os sentidos"[70]. O argumento que justifica o uso de imagens na memória artificial é de natureza similar. É muito curioso que aqueles que buscam a justificação escolástica para o uso de imagens na arte religiosa tenham deixado escapar as análises minuciosas de Alberto Magno e Tomás de Aquino sobre as razões em favor do uso de imagens na memória.

Algo foi deixado de lado ao longo de todo o percurso – a Memória, que, para os homens da Antiguidade, teve não apenas uma imensa importância prática, mas também ética e religiosa. Agostinho, o grande retórico cristão, fez da Memória uma das três faculdades da alma. Tullius – essa alma cristã antes do cristianismo – fez dela uma das três partes da Prudência e indicou ainda como tornar as "coisas" fáceis de serem lembradas. Atrevo-me a sugerir que a arte didática cristã – que precisa expor seu ensinamento de modo memorável, e que, portanto, deve impressionar quando mostra as "coisas" que levam a conduta virtuosa ou desvirtuosa – talvez deva mais do que podemos imaginar às regras clássicas, que nunca foram levadas em consideração nesse contexto, e às *imagines agentes* impressionantes, que vimos passar do manual de retórica para um tratado escolástico sobre a ética.

Como E. Panofski sugeriu, a grande catedral gótica assemelha-se a um conjunto de tratados escolásticos organizados segundo um "sistema de partes homólogas e de partes de partes"[71]. Aparece, então, um pensamento extraordinário: se Tomás de Aquino memorizou sua própria *Summa* por meio de "similitudes corporais" dispostas em lugares que seguiam a ordem de suas partes, a *Summa* abstrata pode ter sido ma-

---

70. *Summa theologiae*, I, I, *quaestio* I, *articulus* 9.
71. E. Panofsky, *Gothic Architecture and Scholasticism*, Pennsylvania, Latrobe, 1951, p. 45.

I

1. A Sabedoria de Tomás de Aquino
Afresco de Andrea da Firenze, Casa do Capítulo de Santa Maria Novella,
Florença (*foto: Alinari*).

2

2. A Justiça e a Paz (detalhe)
Afresco de Ambrogio Lorenzetti, Palazzo Pubblico, Siena (*foto: Alinari*).

terializada na memória sob a forma de uma catedral gótica, cheia de imagens ordenadas em lugares determinados. Não devemos fazer tantas suposições, mas é um fato inquestionável que a *Summa* continha, em uma de suas partes menos reconhecidas, a justificação e o encorajamento para o uso de repertório imagético e da criação de um novo sistema de imagens, ao recomendar a memória artificial.

Nas paredes da Casa do Capítulo do convento dominicano de Santa Maria Novella, em Florença, há um afresco do século XIV (Pr. 1), que glorifica a sabedoria e a virtude de Tomás de Aquino. Ele está sentado em um trono rodeado por figuras aladas: as três virtudes teológicas e as quatro virtudes cardeais. À sua direita e à sua esquerda sentam-se santos e patriarcas; a seus pés estão os hereges, humilhados por sua doutrina.

No nível inferior, sentadas em nichos ou estalas, estão quatorze figuras femininas, que simbolizam o vasto conhecimento do santo. As sete à direita representam as artes liberais. A começar pela extrema direita, tem-se a mais inferior das sete, a Gramática; ao seu lado está a Retórica, depois a Dialética, a Música (com o órgão), e assim por diante. Cada uma das artes tem diante de si um representante conhecido. Diante da Gramática, por exemplo, está Donato; diante da Retórica, Tullius, um homem idoso segurando um livro e com a mão direita levantada; em frente da Dialética está Aristóteles, com um grande chapéu e uma barba branca bifurcada; e assim por diante. Seguem-se outras sete figuras femininas que supostamente representam as disciplinas teológicas ou o aspecto teológico do ensinamento de Tomás de Aquino, embora nenhuma tentativa sistemática tenha sido feita para interpretá-las. À sua frente sentam-se representantes dessa área do saber, bispos e outros, que mais uma vez não foram completamente identificados.

O esquema está longe de ser totalmente original. O que poderia ser menos novo do que as sete virtudes? As sete artes liberais e seus representantes eram um tema antigo (o leitor pode pensar no conhecido pórtico de Chartres) e as sete figuras adicionais, que simbolizam as outras disciplinas, também com seus representantes, são apenas uma extensão disso. E os que desenharam esse esquema, em meados do século XIV, não pretendiam ser originais. Tomás defende e sustenta as tradições da Igreja e utiliza para tal objetivo o seu vasto conhecimento.

Depois de, neste capítulo, termos estudado Tullius na Idade Média, podemos observá-lo com um interesse renovado, sentado modestamente, junto com a Retórica, no lugar que lhe foi reservado no esquema das coisas, na parte inferior da escala das artes liberais, acima apenas da Gramática, e abaixo da Dialética e de Aristóteles. Contudo, seria ele, talvez, mais importante do que aparenta? E as quatorze figuras femininas sentadas em ordem em seus lugares, como em uma igreja, talvez simbolizem não apenas o saber de Tomás de Aquino, mas também seu método para rememorar este saber? Em resumo, são elas "similitudes corporais", compostas parcialmente de figuras bem conhecidas – as artes liberais, adaptadas ao uso pessoal –, e parcialmente de figuras recém-inventadas?

Lanço a idéia apenas como uma pergunta, uma sugestão, apenas para enfatizar que a figura de Tullius na Idade Média tem uma considerável importância no esquema escolástico das coisas. É certamente, no período medieval, um personagem de grande importância para a transformação da arte clássica da memória. E embora se deva ter cuidado ao distinguir entre a arte propriamente dita e a arte da memória, que é uma arte invisível, ainda assim suas fronteiras devem certamente ter se imbricado. Pois, quando as pessoas eram ensinadas a formar imagens para melhor se lembrarem das coisas, é difícil supor que tais imagens interiores não tenham encontrado, algumas vezes, um caminho para a expressão exterior. Ou, inversamente, quando as "coisas" a serem lembradas por meio de imagens interiores eram do mesmo tipo daquelas que a arte didática cristã ensinava por meio de imagens, é possível que os lugares e as imagens daquela arte tenham elas mesmas sido refletidas na memória e se tornado, assim, uma "memória artificial".

CAPÍTULO 4

A Memória Medieval e a Formação de um Sistema de Imagens

A enfática recomendação da arte da memória sob a forma de similitudes corporais dispostas em ordem feita pelo grande santo da escolástica, produziria resultados de longo alcance. Se Simônides foi o inventor e "Tullius" foi o professor da arte da memória, Tomás de Aquino tornou-se de algum modo seu patrono. Os exemplos seguintes são apenas alguns, de um grande número, a ilustrar o modo como o nome de Aquino dominou o campo da memória nos séculos posteriores.

Na metade do século xv, Jacopo Ragone escreveu um tratado de *Ars memorativa*; as palavras que abrem sua dedicatória a Francesco Gonzaga são: "Ilustríssimo príncipe, a memória artificial é aperfeiçoada por duas coisas, os *loci* e as *imagines*, como ensina Cícero e confirma Tomás de Aquino"[1]. Posteriormente, no mesmo século, em 1482, apareceu em Veneza um dos primeiros e belos exemplares do livro impresso; era um trabalho de retórica de Jacobus Publicius, que continha como apêndice o primeiro tratado impresso de *Ars memorativa*. Embora esse livro pareça um produto do Renascimento, ele está impregnado da influência da memória artificial tomista; as regras para as imagens começam com as seguintes palavras: "*Intentiones* simples e espirituais escapam facilmente à memória, a menos que estejam ligadas a similitudes corporais"[2].

---

1. Jacopo Ragone, *Artificialis memoriae regulae*, escrito em 1434. Citado a partir do manuscrito do British Museum, suplemento 10, p. 438, folio 2, *verso*.
2. Jacobus Publicius, *Oratoriae artis epitome*, Venezia, 1482 e 1485; ed. de 1485, sig. G 4 *recto*.

Um dos tratados impressos sobre a memória mais completos e citados é o publicado em 1520 pelo dominicano Johannes Romberch. Em suas regras para as imagens, ele ressalta que "Cícero, no *Ad Herennium*, diz que a memória é aperfeiçoada não apenas pela natureza, mas também pelos vários auxílios de que dispõe. Tomás dá um motivo para isso em II, II, 49 (isto é, nessa seção da *Summa*), onde diz que *intentiones* simples e espirituais escapam facilmente à memória, a menos que estejam ligadas a certas similitudes corporais"[3]. As regras de Romberch para os lugares baseiam-se na síntese de Tullius e Aristóteles feita por Tomás de Aquino. Ele faz citações do comentário de Aquino sobre *De memoria et reminiscentia*[4]. É de esperar que um dominicano como Romberch se baseie em Aquino, mas a associação entre este último e a memória era amplamente conhecida fora da tradição dominicana. A *Piazza Universale*, publicada por Tommaso Garzoni em 1578, é uma obra de vulgarização do conhecimento geral; contém um capítulo sobre a memória, em que, como não poderia deixar de ser, Tomás de Aquino é mencionado entre os conhecidos mestres[5]. Em sua *Plutosofia*, de 1592, F. Gesualdo associa Cícero e Tomás a propósito da memória[6]. Se passarmos ao início do século XVII, encontraremos um livro, cujo título latino poderia ser assim traduzido: *Os Fundamentos da Memória Artificial por Aristóteles, Cícero e Tomás de Aquino*[7]. Mais ou menos na mesma época, um autor que defendia a memória artificial contra os ataques que lhe eram feitos relembra o que Cícero, Aristóteles e Tomás de Aquino diziam a respeito, enfatizando que Tomás, em II, II, 49, chamou-a uma parte da Prudência[8]. Em 1562, em uma obra traduzida para o inglês por William Fulwood, sob o título de *The Castel of Memory*, Gratarolo observa que Tomás de Aquino

3. J. Romberch, *Congestorium artificiosa memoriae*, ed. de Venezia, 1533, p. 8.
4. Idem, pp. 16 e ss.
5. T. Garzoni, *Piazza universale*, Venezia, 1578, Discorso LX.
6. F. Gesualdo, *Plutosofia*, Pádua, 1592, p. 16.
7. Johannes Paepp, *Artificiosae memoriae fundamenta ex Aristotele, Cicerone, Thomae Aquinatae, aliisque praestantissimis doctoribus*, Lyon, 1619.
8. Lambert Schenkel, *Gazophylacium*, Estrasburgo, 1610, pp. 5, 38 e ss; trad. francesa: *Le Magazin de Sciences*, Paris, 1623, pp. 180 e ss.

recomendava o uso de lugares de memória[9], e isso foi mencionado por Fulwood em um *Art of Memory* publicado em 1813[10].

Assim, mesmo no início do século XIX, uma das dimensões de Tomás de Aquino, venerado nas eras da memória, ainda não fora esquecida. Pelo que sei, é um lado seu nunca mencionado pelos filósofos tomistas modernos. E, embora os livros sobre a arte da memória tenham consciência da importância do texto II, II, 49[11] para a sua história, nenhuma pesquisa muito profunda foi realizada sobre a natureza da influência das regras tomistas da memória.

Quais foram os resultados da significativa recomendação por Alberto Magno e por Tomás de Aquino de suas revisões das regras da memória como parte da Prudência? Uma pesquisa a esse respeito deve se iniciar perto da fonte desta influência. Foi no século XIII que as regras escolásticas foram promulgadas, e devemos constatar que sua influência começa de imediato, com força total, e prolonga-se pelo século XIV. Proponho, neste capítulo, levantar a questão de qual era a natureza dessa influência imediata e de onde devemos procurar seus efeitos. Não pretendo responder a isso completamente, mas apenas esboçar possíveis respostas, ou, antes, possíveis linhas de pesquisa. Se algumas de minhas hipóteses parecem audaciosas, podem pelo menos suscitar reflexões sobre um tema não muito comentado. Esse tema é o papel da arte da memória na formação das imagens.

Na época da escolástica, o conhecimento foi aprimorado. Foi também uma época de Memória e, assim, um novo repertório imagético precisou ser criado visando à rememoração dos novos conhecimentos. Apesar de os grandes temas da doutrina cristã e de seu ensinamento moral permanece-

---

9. W. Fulwood, *The Castle of Memorie*, London, 1562, sig. Gv, 3 *recto*.
10. Gregor von Feinaigle, *The New Art of Memory*, 3.ª ed., London, 1813, p. 206.
11. Por exemplo, H. Hajdu, *Das Mnemotechnische Schrifttum des Mittelalters*, Viena/Amsterdã/Leipzig, 1936, pp. 68 e ss.; Paolo Rossi, *Clavis Universalis*, Milano/Napoli, 1960, pp. 12 e ss. Rossi analisa o que Alberto Magno e Tomás de Aquino dizem a respeito da memória em suas *Summae* e em seus comentários sobre Aristóteles. Até o momento o seu estudo é o melhor disponível, mas não examina as *imagines agentes* nem coloca a questão de como eram interpretadas na Idade Média.

rem, é claro, essencialmente os mesmos, tornaram-se mais complexos. Em especial, o esquema de virtudes e vícios tornou-se mais detalhado e mais estritamente definido e organizado. O homem moral que desejasse seguir o caminho da virtude, lembrando-se do vício e evitando-o, teria mais coisas a gravar na memória do que em tempos anteriores menos complexos.

Os FRADES reviviam a oratória na forma de sermão, e a pregação era, de fato, o principal objetivo pelo qual a Ordem Dominicana, ou *Ordo Praedicatorum*, havia sido criada. Foi sobretudo para a rememoração de sermões (a transformação medieval da oratória) que a transformação medieval da memória artificial foi utilizada.

O esforço dominicano de aprendizado para reformar a pregação é paralelo ao grande esforço filosófico e teológico dos professores dessa Ordem. A obra *Summae* de Alberto Magno e de Tomás de Aquino fornece as definições filosóficas e teológicas abstratas e, no domínio da ética, os claros enunciados abstratos, como, por exemplo, as divisões das virtudes e dos vícios em suas partes. Mas o pregador precisava de outro tipo de *Summae* para ajudá-lo, *Summae* de exemplos e similitudes[12] graças aos quais pudesse encontrar facilmente formas corporais que revestissem as *intentiones* espirituais que desejava imprimir nas almas e memórias de seus ouvintes.

O principal esforço dessa pregação visava a inculcar os artigos da fé, juntamente com uma ética severa, na qual virtude e vício eram claramente delineados e opostos e uma grande ênfase era colocada nas recompensas e punições que os esperavam no além[13]. Tal era a natureza das "coisas" que o pregador-orador tinha de memorizar.

A mais antiga das citações conhecidas das regras de memória de Tomás de Aquino encontra-se em uma suma de similitudes para o uso dos pregadores. É a *Summa de exemplis ac similitudinibus rerum*, de Giovanni di San Gimignano, da *Ordo Praedicatorum*, escrita no início do século

12. Havia muitas compilações desse gênero, destinadas ao uso dos pregadores; ver J. T. Welter, *L'exemplum dans la littérature religieuse et didactique du Moyen Âge*, Paris/Toulouse, 1927.
13. Ver G. R. Owst, *Preaching in Mediaeval England*, Cambridge, 1926.

xiv[14]. Embora ele não mencione o nome de Tomás, San Gimignano dá uma versão abreviada das regras tomistas da memória.

> Há quatro coisas que ajudam um homem a lembrar-se com facilidade.
> A primeira é que ele deve dispor aquelas coisas das quais quer se lembrar em uma ordem determinada.
> A segunda é que ele deve apegar-se a elas com sentimento.
> A terceira é que ele deve convertê-las em similitudes incomuns.
> A quarta é que ele deve repeti-las com freqüência, meditando-as[15].

Devemos estabelecer uma clara distinção. Em certo sentido, o livro de San Gimignano como um todo está baseado no princípio da memória, com sua provisão cuidadosa de similitudes para cada "coisa" de que o pregador poderá tratar. Para fazer as pessoas se lembrarem de certas coisas, o pregador deve fazer-lhes o sermão recorrendo a similitudes "incomuns", pois elas aderem melhor à memória do que as *intentiones* espirituais, a menos que estas estejam revestidas por tais semelhanças. Contudo, a similitude feita no sermão não é, estritamente falando, aquela usada na memória artificial. Pois a imagem de memória é invisível e permanece oculta na memória de seu utilizador, na qual, contudo, ela pode tornar-se a geradora oculta das imagens mentais externalizadas.

O próximo a citar a memória tomista é Bartolomeo de San Concordio (1262-1347), que entrou muito jovem para a Ordem Dominicana e passou a maior parte de sua vida no convento de Pisa. Ele é conhecido como o autor de um compêndio jurídico, mas o que nos interessa aqui é seu *Ammaestramenti degli antichi*[16], ou "ensinamentos dos antigos", so-

---

14. Ver A. Dondaine, "La vie et les œuvres de Jean de San Gimignano", *Archivum Fratrum Praedicatorum*, ii, 1939, p. 164. A obra deve ser posterior a 1298 e, provavelmente, anterior a 1314. Era tremendamente popular (ver Idem, pp. 160 e ss.).
15. Giovanni di San Gimignano, *Summa de exemplis ac similitudinibus rerum*, liv. vi, cap. xlii.
16. Utilizei a edição de Milão, 1808. A primeira edição é de Florença, 1585. A edição, também de Florença, de 1734, editada por D. M. Manni, da Academia della Crusca, influenciou edições posteriores. Ver adiante, p. 118, nota 20.

bre a vida moral. Foi escrito no início do século XIV, antes de 1323[17]. O método de Bartolomeo consiste em fazer uma afirmação edificante e, então, sustentá-la por uma série de citações dos antigos e dos padres da Igreja. Embora isso dê um tom discursivo, quase pré-humanista, a seu tratado, sua base é escolástica; Bartolomeo move-se pela ética de Aristóteles guiado pela ética de Tullius em *De inventione*, na direção aberta por Alberto Magno e Tomás de Aquino. A memória é o objeto de um conjunto de citações, e a arte da memória, o de outro. E, já que as seções seguintes do livro dizem respeito à *intelligentia* e *providentia*, é com certeza na *memoria* como parte da Prudência que o devoto autor dominicano está pensando.

Tem-se a impressão de que esse monge erudito está próximo à fonte do entusiasmo pela memória artificial que se espalha pela Ordem Dominicana. Suas oito regras para a memória baseiam-se principalmente em Tomás e ele recorre tanto a "Tommaso nella seconda della seconda" (ou seja, *Summa Theologiae*, II, II, 49) como a "Tommaso d'Aquino sopra il libro de memoria" (isto é, o comentário de Tomás de Aquino sobre *De memoria et reminiscentia*). O fato de ele não chamar Tomás de santo mostra que o livro foi escrito antes da canonização em 1323. A seguir está minha tradução das regras de Bartolomeo, com as fontes no italiano original:

(Sobre a ordem).

Aristotele in libro memoria. Lembram-se melhor as coisas que têm em si uma ordem. Sobre o que Tomás comenta: As coisas bem ordenadas são mais facilmente lembradas, e as que são mal ordenadas não são fáceis de lembrar. Por isso, aquilo que se quer reter deve ser colocado em uma ordem determinada.

Tommaso nella seconda della seconda. É necessário que se considere como ordenar as coisas que se quer fixar na memória, de modo que da lembrança de uma coisa decorra a de outra.

17. Essa obra poderia ser perfeitamente contemporânea da *Summa* de San Gimignano, e não posterior a ela.

(Sobre as semelhanças).

Tommaso nella seconda della seconda. Das coisas que se quer lembrar devem-se escolher similitudes (semelhanças) convenientes, não muito comuns, pois somos mais impressionados pelas coisas incomuns, e a mente é mais sensibilizada por elas.

Tommaso quivi medesimo (*i.e.*, *loc.cit.*). A invenção de imagens é útil e necessária à memória; pois as *intentiones* puras e espirituais escapam da memória, a menos que estejam como que ligadas a similitudes corporais.

Tullio nel terzo della nuova Rettorica. Das coisas que queremos lembrar, devemos dispor imagens e similitudes em lugares determinados. E Tullius acrescenta que os lugares são como tábuas de cera, ou papel, e as imagens são como letras, e dispor as imagens é como escrever, e falar é como ler[18].

Bartolomeo, é claro, tem plena consciência de que a recomendação de Tomás de Aquino sobre a ordem na memória baseia-se em Aristóteles, e de que, quando este recomenda o uso de similitudes (semelhanças) e imagens, baseia-se no *Ad Herennium*, ao qual faz referência como sendo "Tullius no terceiro livro da Nova Retórica".

O que deveríamos fazer, na condição de leitores devotos da obra ética de Bartolomeo? Ela foi organizada segundo as divisões e subdivisões escolásticas. Para sermos prudentes, não deveríamos memorizar em sua ordem, por meio da memória artificial, as "coisas" com as quais ela lida, as intenções espirituais que ela suscita, isto é, buscar virtudes e evitar vícios? Não deveríamos exercitar nossa imaginação por meio da criação de similitudes corporais, por exemplo, para a Justiça e suas subdivisões, ou para a Prudência e suas partes? E também para as "coisas" a serem evitadas, como a Injustiça, a Inconstância e os outros vícios examinados? A tarefa não será fácil, pois vivemos em uma nova época, em que o antigo sistema de virtudes e vícios tornou-se mais complexo com a descoberta de novos ensinamentos dos antigos. No entanto, nosso dever é relembrar esses ensinamentos por meio da arte da memória da Antiguidade.

18. Bartolomeo da San Concordio, *Ammaestramenti degli antichi*, ix, viii (ed. cit., pp. 85-6).

Talvez nos lembremos mais facilmente das muitas citações dos antigos e dos padres da Igreja, ao memorizá-las como se estivessem inscritas nas similitudes corporais (ou a seu lado) que formamos na memória.

A compilação dos ensinamentos morais dos antigos por Bartolomeo era tida como altamente adequada à memorização, o que é confirmado por dois *codex*[19] do século xv, em que sua obra é associada a um "Trattato della memoria artificiale". Esse tratado passou a fazer parte das edições impressas dos *Ammaestramenti degli antichi* e foi atribuído ao próprio Bartolomeo[20]. Isso foi um erro, pois o "Trattato della memoria artificiale" não é uma obra original, mas uma tradução italiana da seção da memória do *Ad Herennium*, que foi daí desmembrada, provavelmente por Bono Giamboni, no século XIII[21]. Nessa tradução, conhecida como *Fiore di Rettorica*, a seção da memória foi colocada no final da obra, sendo assim facilmente desmembrável. Sua posição dentro da obra foi, possivelmente, influência de Boncompagno, que afirmava não pertencer a memória apenas à retórica, mas ser útil em todos assuntos[22]. Ao ser colocada no final da tradução italiana da retórica, a seção sobre a memória tornou-se facilmente desmembrável e, assim, aplicável a outros assuntos como, por exemplo, à ética e à memorização de virtudes e ví-

19. J. I. 47 e Pal. 54, ambos da Biblioteca Nazionale Centrale di Firenze. Cf. Rossi, *Clavis universalis*, pp. 16-7, 271-5.
20. Manni foi o primeiro a imprimir o "Trattato della memoria artificiale" junto com os *Ammaestramenti*, em sua edição de 1734. Posteriormente, outros editores cometeram o mesmo erro que ele ao presumirem que o "Trattato" era de Bartolomeo; em todas as edições posteriores ele era impresso depois dos *Ammaestramenti* (na edição de Milão, 1808, está nas páginas 343-56).
21. As duas retóricas (*De inventione* e *Ad Herennium*) estavam entre as primeiras obras clássicas a serem traduzidas para o italiano. O mestre de Dante, Brunetto Latini, fez uma tradução livre de partes da Primeira Retórica (*De inventione*). Há uma versão da Segunda Retórica (*Ad Herennium*) feita entre 1254 e 1266, por Guidotto de Bologna, com o título *Fiore di Rettorica*. Essa versão omite a seção sobre a memória. Mas uma outra tradução, também chamada *Fiore di Rettorica*, feita mais ou menos ao mesmo tempo por Bono Giamboni, contém a seção sobre a memória, no final da obra.
    Sobre as traduções italianas das duas retóricas, ver F. Maggini, *I primi volgarizzamenti dei classici latini*, Firenze, 1952.
22. Essa é a minha hipótese. Reconhece-se, contudo, que há uma influência da escola bolonhesa de *dictamen* sobre as primeiras traduções das retóricas; ver Maggini, op. cit., p. 1.

cios. A seção sobre a memória, que na tradução de Giamboni circulava destacada[23] do *Ad Herennium*, é uma antecessora do tratado autônomo *Ars memorativa*.

Um traço notável dos *Ammaestramenti degli antichi*, por sua data muito antiga, é que foi escrito em língua vulgar (*volgare*). Por que o erudito dominicano apresentou seu tratado semi-escolástico sobre ética em italiano? Certamente porque se dirigia mais aos leigos do que aos clérigos, a devotos que ignoravam o latim mas queriam conhecer os ensinamentos morais dos antigos. Essa obra em *volgare* foi associada à de Tullius sobre a memória, também traduzida para o vernáculo[24]. Isso sugere que a memória artificial se difundia pelo mundo, era recomendada a leigos como exercício de devoção. E isso condiz com a observação de Alberto Magno, ao concluir triunfantemente em favor da *Ars memorandi* de Tullius, de que a arte da memória pertence a ambos, "ao homem moral e ao orador"[25]. Não apenas o pregador deveria usá-la, mas qualquer "homem moral" que, impressionado pelo sermão dos frades, quisesse evitar a todo custo os vícios que levam ao Inferno e atingir o Paraíso por meio das virtudes.

Há um outro tratado ético, certamente destinado a ser memorizado por meio da memória artificial, escrito em italiano. É o *Rosaio della vita*[26], de 1373, provavelmente de Matteo de'Corsini. Ele se inicia com alguns traços místico-astrológicos curiosos, mas consiste basicamente em longas listas de virtudes e vícios, acompanhadas de breves definições. É uma compilação heterogênea de tais "coisas", provenientes

23. Pode ser encontrada isolada, em um manuscrito do Vaticano, do século xv (Barb. Lat. 3929, f. 52), em que uma nota moderna a atribui, erroneamente, a Brunetto Latini.
    A situação que envolve Brunetto Latini e as traduções das retóricas não é clara. O certo é que ele fez uma versão livre de *De inventione*, mas não traduziu o *Ad Herennium*. Mas certamente conhecia a memória artificial, à qual se refere no terceiro livro do *Trésor*: "memore artificiel que l'en aquiert par ensegnement des sages" (B. Latini, *Li Livres dou Tresor*, Berkeley, F. J. Carmody, 1948, p. 321).
24. Encontra-se essa associação em apenas dois códices, ambos do século xv. O manuscrito mais antigo dos *Ammaestramenti* (Bibl. Naz., ii. ii. 319, datado de 1342) não contém o "Trattato".
25. Ver, anteriormente, pp. 91-2.
26. A. Matteo de'Corsini, *Rosaio della vita*, ed. F. Polidori, Firenze, 1845.

de fontes aristotélicas, ciceronianas, patrísticas e bíblicas, entre outras. Escolhi algumas ao acaso: Sabedoria, Prudência, Conhecimento, Crença, Amizade, Animosidade, Guerra, Paz, Orgulho, Vanglória. Uma *Ars memorie artificialis* é fornecida, para ser usada em conjunto, e começa com as palavras: "Agora que fornecemos o livro a ser lido, resta guardá-lo na memória"[27]. O livro fornecido é, certamente, o *Rosaio della vita*, nomeado posteriormente no texto das regras da memória; temos, assim, uma prova de que aqui as regras da memória destinavam-se à memorização de listas de virtudes e vícios.

A *Ars memorie artificialis* fornecida para a memorização das virtudes e dos vícios do *Rosaio* baseia-se muito no *Ad Herennium*, mas com acréscimos. O autor chama de "lugares naturais" aqueles memorizados no campo, como as árvores; os "lugares artificiais" são os memorizados em construções, como um gabinete, uma janela, um cofre e outros semelhantes[28]. Isso mostra uma compreensão real dos lugares tal como eram utilizados na mnemotécnica. Mas a técnica estaria sendo empregada com os propósitos – moral e devocional – de memorizar nesses lugares similitudes corporais relativas a virtudes e vícios.

Provavelmente, há relação entre o *Rosaio* e os *Ammaestramenti degli antichi*; o primeiro pode ser quase um resumo ou uma simplificação do segundo. E as duas obras e suas regras da memória encontram-se nos mesmos dois *codex*[29].

---

27. A *Ars memorie artificialis*, utilizada para memorizar o *Rosaio della vita*, foi impressa por Paolo Rossi, *Clavis universalis*, pp. 272-5.

28. Rossi, *Clavis*, p. 272.

29. Pal. 54 e J. I. 47 (idênticos, exceto pela adição de algumas obras de são Bernardo no final de J. I. 47). Eles contêm os seguintes textos:

1. O *Rosaio della vita*.

2. O *Trattato della memoria artificiale*, isto é, a tradução de Bono Giamboni da seção sobre a memória do *Ad Herennium*.

3. A vida de Jacopone da Todi.

4. Os *Ammaestramenti degli antichi*.

5. A *Ars memorie artificiali*, que começa com as palavras "Poi che hauiamo fornito il libro di leggere resta di potere tenere a mente" e, depois, menciona o *Rosaio della Vita* como o livro a ser lembrado.

Podemos imaginar leigos exercitando, por meio da memória artificial, a memorização desses dois tratados sobre ética, escritos em italiano. Possivelmente as pessoas faziam grandes esforços em sua imaginação e memória para a formação de um sistema de imagens. A memória artificial começa a aparecer como uma disciplina de devoção laica, promovida e recomendada pelos frades. Quantas coleções repletas de similitudes incomuns e impressionantes – correspondentes a virtudes e vícios novos e não habituais, e também àqueles já conhecidos – devem ter permanecido invisíveis para sempre na memória de pessoas devotas e, talvez, artisticamente dotadas! A arte da memória era um criador de sistemas de imagens que, certamente, devem ter brotado e desaguado em obras criativas de arte e literatura.

Deve-se ter sempre em mente que uma representação visual exteriorizada na arte propriamente dita deve ser diferenciada das pinturas invisíveis da memória – o simples fato de a representação ser exterior promove tal distinção; mas pode ser uma experiência nova observar algumas obras de arte do início do século XIV do ponto de vista da memória. Tomemos, por exemplo, a fila de figuras virtuosas (Pr. 2) da representação, por Lorenzetti, do Bom e do Mau Governo (comissionado entre 1337 e 1340), no Pallazzo Comunale, em Siena[30]. A Justiça senta-se à esquerda, com figuras secundárias representando as suas "partes", seguindo o modelo de uma imagem de memória complexa. No divã, à

Em outros códices, o *Rosaio della Vita* encontra-se associado a um ou a ambos os tratados sobre a memória, mas sem os *Ammaestramenti* (ver, por exemplo, Riccardiana 1157 e 1159). Outra obra que pode ter sido considerada adequada à memorização é a seção sobre ética do *Trésor* de Brunetto Latini. O curioso volume, intitulado *Ethica d'Aristotele, ridotta, in compendio da ser Brunetto Latini*, publicado em Lyon, em 1568, por Jean de Tournes, foi impresso a partir de um velho volume manuscrito, de qualquer forma, desaparecido. Ele contém oito itens, entre os quais:

1. Uma *Ethica*, que é a seção sobre ética do *Trésor*, na tradução italiana;

4. Um fragmento que parece uma tentativa de colocar sob a forma de imagens os vícios que finalizam a *Ethica*;

7. A *Fiore di Rettorica*, isto é, a tradução de Bono Giamboni do *Ad Herennium*, com a seção sobre a memória no final, em uma versão bastante corrompida.

30. Sobre a iconografia dessa pintura, ver N. Rubinstein, "Political Ideas in Sienese Art", *Journal of the Warburg and Courtauld Institutes*, XXI, 1958, pp. 198-227.

direita, senta-se a Paz (acompanhada da Constância, Prudência, Mag-nanimidade, Temperança, que não aparecem no detalhe). Do lado mau da série, não reproduzido aqui, ao lado da figura da Tirania, diabólica e dotada de chifres, sentam-se as formas hediondas dos vícios tirânicos, enquanto a Guerra, a Avareza, a Vanglória e o Orgulho pairam como morcegos sobre a multidão grotesca e medonha.

Tais imagens, é claro, têm origens mais complexas, e uma tal pintura pode ser analisada de várias maneiras por iconógrafos, historiadores e historiadores da arte. Eu gostaria de propor uma outra aproximação. Há toda uma discussão por trás desse afresco a respeito da Justiça e da Injustiça, cujos temas estão dispostos em uma ordem determinada e revestidos por similitudes corporais. Será que a sua significação não seria aprofundada, se imaginássemos os esforços da memória artificial tomista para formar similitudes corporais correspondentes aos "ensina-mentos" de moral dos antigos? Será que poderíamos ver nessas figuras monumentais uma tentativa de recuperar as formas da memória clássica, daquelas *imagines agentes* – excepcionalmente belas, coroadas, ricamente vestidas, ou hediondas e grotescas – moralizadas pela Idade Média sob as formas das virtudes e dos vícios, das similitudes que exprimiam *intentiones* espirituais?

Sejamos ainda mais audaciosos. Agora, convido o leitor a ver com os olhos da memória estas figuras sagradas para os historiadores da arte: as virtudes e os vícios de Giotto, pintados por volta de 1306, na Cappella Arena, em Pádua (Pr. 3). Essas figuras são conhecidas justamente por sua singularidade e seu efeito de animação – nelas introduzidos pelo grande artista – e pelo modo como se destacam de seus fundos, dando a ilusão de profundidade a uma superfície plana, algo inovador na época. Eu levan-taria a hipótese de que ambas as representações devem algo à memória.

O esforço de empregar similitudes para auxiliar a memória encorajou a diversidade e a invenção individual, pois – não dizia Tullius? – cada um deve formar para si próprio suas imagens de memória. A insistência da escolástica na memória artificial provocou uma retomada do texto do *Ad Herennium*, que recomendava um caráter dramático às imagens, o que estimularia um artista genial. É o que Giotto mostra de forma tão brilhante, por exemplo, no movimento da Caridade (Pr. *3a*), com sua beleza atraente; ou na gesticulação exaltada da Inconstância. O grotesco e o absurdo, úteis em uma imagem de memória, não foram negligenciados na Inveja (Pr. *3b*) nem na Loucura. E a ilusão de profundidade depende do extremo cuidado com que as imagens foram situadas em relação ao seu fundo ou, em termos de mnemônica, em seus *loci*. Um dos traços mais marcantes da memória clássica, como revelado no *Ad Herennium*, é o sentido de espaço, de profundidade, de iluminação na memória, tal como sugerido pelas regras dos lugares; trata-se, também, do cuidado para que as imagens se destaquem claramente de seus *loci*, ao se recomendar, por exemplo, que os lugares não sejam nem muito escuros – para que as imagens não fiquem obscurecidas – nem muito iluminados – para que as imagens não sejam ofuscadas. É verdade que as imagens de Giotto estão dispostas regularmente nas paredes, e não de modo irregular, como recomendavam as diretrizes clássicas. Mas a ênfase tomista na ordem regular da memória modificou essa regra. E Giotto interpretou a seu modo a recomendação sobre a variedade dos *loci*, pintando de maneira diferente cada um dos fundos das imagens. Acho que ele fez um esforço supremo para que as imagens se destacassem dos *loci* cuidadosamente variados, por acreditar que, assim, seguia a recomendação clássica relativa à fabricação de imagens para a memória.

DEVEMO-NOS LEMBRAR SEMPRE DAS ALEGRIAS INVISÍVEIS DO PARAÍSO E DOS TORMENTOS ETERNOS DO INFERNO, diz Boncompagno, com terrível ênfase, na seção sobre a memória em sua retórica. E fornece listas de virtudes e vícios como "signos de memória [...] por meio dos quais, com freqüência, podemos dirigir-nos pelos caminhos da lembrança"[31].

As paredes laterais da Cappella Arena, onde foram pintadas as virtudes e os vícios, emolduram o Juízo Final na parede ao fundo, que domina a pequena construção. Em meio à intensidade da atmosfera criada pelos frades e suas pregações, de que Giotto estava impregnado,

31. Ver, anteriormante, p. 83.

as imagens das virtudes e dos vícios adquirem uma significação rica, e recordá-las, tomar conhecimento de suas advertências a tempo, é uma questão de vida ou morte. Daí a necessidade de criar na memória essas imagens que se possam realmente recordar de acordo com as regras da memória artificial. Mais ainda, a necessidade de criar similitudes corporais realmente memoráveis das virtudes e dos vícios, impregnadas de *intentiones* espirituais, de acordo com o propósito da memória artificial na interpretação de Tomás de Aquino.

O novo tipo e o efeito de animação das imagens de Giotto, o modo novo como se destacam do plano de fundo, sua intensidade espiritual nova – todos esses traços brilhantes e originais podem ter sido estimulados pela influência da memória artificial escolástica e a recomendação de seu uso como parte da Prudência.

A lembrança do Paraíso e do Inferno, como Boncompagno enfatiza ao falar da memória, está por trás da interpretação escolástica da memória artificial. Isso é indicado pelo fato de tratados posteriores que seguem a tradição escolástica sobre a memória incluírem, usualmente, a lembrança do Paraíso e do Inferno, muitas vezes por meio de diagramas desses lugares, compreendidos no âmbito da memória artificial. Encontraremos exemplos disso no próximo capítulo, no qual foram reproduzidos alguns dos diagramas[32]. Mas menciono-o já aqui, devido à sua relação, no período discutido, com as observações do dominicano alemão Johannes Romberch a esse respeito. Como já foi dito, as regras de memória de Romberch baseiam-se nas de Tomás de Aquino e, como dominicano, ele seguia, naturalmente, a tradição tomista da memória.

Em seu *Congestorium artificiose memoriae* (primeira edição em 1520), Romberch introduz a lembrança do Paraíso, do Purgatório e do Inferno. Este último, ele diz, está dividido em muitos lugares, dos quais nos lembramos graças a inscrições neles feitas.

E já que a religião ortodoxa sustenta que as punições dos pecados estão de acordo com a natureza dos crimes, aqui os Orgulhosos são crucificados [...] lá os Ga-

32. Ver, adiante, pp. 142-6, 152-4, 161 (Pr. 7).

nanciosos, os Avarentos, os Coléricos, os Indolentes, os Invejosos, os Luxuriosos (são punidos) pelo enxofre, o fogo, o breu e outras variações dessas punições[33].

Isso introduz a idéia inusitada de que os lugares do Inferno, variáveis de acordo com a natureza dos pecados a serem ali punidos, poderiam ser vistos como *loci* de memória diversificados. E as imagens impressionantes naqueles lugares seriam, é claro, as imagens dos condenados. Agora, podemos olhar com os olhos da memória para o afresco do Inferno na igreja dominicana de Santa Maria Novella (Pr. 8*a*). O Inferno está dividido em lugares dotados de inscrições (como Romberch recomenda), que mostram quais pecados estão sendo punidos em cada um, e eles contêm, ainda, as imagens aí esperadas. Se projetássemos tal pintura em nossa memória, como um cauteloso lembrete, estaríamos praticando o que na Idade Média seria chamado de memória artificial? Acredito que sim.

Ao traduzir para o italiano o tratado de Romberch (publicado em 1562), Ludovico Dolce fez um leve acréscimo ao texto, no ponto em que Romberch trata dos lugares do Inferno, como segue: "Para isso (ou seja, para relembrar os lugares do Inferno), a invenção engenhosa de Virgílio E DE DANTE muito nos ajudará. Isto é, para distinguir as punições de acordo com a natureza dos pecados. De forma exata"[34].

O *Inferno* de Dante poderia ser visto como uma espécie de sistema de memória, destinado à memorização do Inferno e de suas punições, a partir de imagens impressionantes colocadas em uma série ordenada de lugares. Essa idéia provocará um grande choque, que não poderei abrandar. Seria necessário todo um livro para analisar as implicações de uma tal abordagem do poema de Dante. Não é uma interpretação grosseira, de modo algum, e nem impossível. Se considerarmos que o poema se baseia em séries ordenadas de lugares no Inferno, Purgatório e Paraíso, e como uma ordem cósmica de lugares, nos quais as esferas

---

33. Johannes Romberch, *Congestorium artificiose memoriae*, ed. de Veneza, 1533, p. 18.
34. L. Dolce, *Dialogo nel quale si ragiona del modo di accrescere et conservar la memoria* (1.ª ed., 1562), ed. de Veneza, 1586, p. 15, *verso*.

do Inferno são as esferas do Céu invertidas, ele começa a surgir como uma soma de similitudes e exemplos, dispostos em ordem e firmados no Universo. E caso se considere que a Prudência, sob suas várias formas de similitude, é um tema simbólico condutor do poema[35], suas três partes podem ser vistas como: *memoria*, ao relembrar vícios e suas punições no Inferno; *intelligentia*, ao utilizar o presente para fazer penitência e aprimorar virtudes; e *providentia*, ao visar ao Paraíso. Nessa interpretação, os princípios da memória artificial, como entendidos na Idade Média, estimulariam a visualização intensa de muitas similitudes, no grande esforço de fixar na memória o esquema da salvação e a complexa rede de virtudes e vícios, com suas recompensas e punições – o resultado obtido pelo homem prudente, que usa a memória como parte da Prudência.

Assim, a *Divina Comédia* tornar-se-ia o exemplo supremo da transformação de uma soma (*summa*) abstrata em uma soma de similitudes e exemplos, tendo a Memória como faculdade operadora dessa transformação, a ponte entre abstração e imagem. Mas, para o uso das similitudes corporais (além de seu uso pela memória), a outra razão dada por Tomás de Aquino na *Summa* também teria seu papel, isto é, o fato de que as Escrituras utilizam metáforas poéticas e falam de coisas espirituais a partir de similitudes com as coisas materiais. Se considerássemos a arte da memória em Dante como uma arte mística ligada a uma retórica mística, as imagens de Tullius tornar-se-iam metáforas poéticas para coisas espirituais. É preciso lembrar que Boncompagno, em sua retórica mística, afirmava que a metáfora fora inventada no Paraíso terrestre.

Minhas sugestões – de que o emprego de imagens no uso devocional da arte da memória poderia ter suscitado obras criativas na literatura e na arte – não explicam de que maneira a arte medieval poderia ser utilizada como mnemônica, no sentido mais usual do termo.

Como, por exemplo, o monge memorizava os pontos de um sermão, utilizando-se dessa arte? Ou como um estudioso memorizava textos

---

35. Isso pode ser visto a partir das similitudes da Prudência, dadas na *Summa* de San Gimignano. Espero publicar um estudo sobre esta obra como um guia para o repertório imagético da *Divina Comédia*.

que desejava fixar na memória? Beryl Smalley propõe uma interpretação desse problema, em seu estudo a respeito dos frades ingleses no século XIV[36], ao dirigir sua atenção para um traço curioso nas obras de John Ridevall (franciscano) e Robert Holcot (dominicano), a saber, suas descrições de "pinturas" elaboradas, que não eram destinadas a serem representadas, mas que eles usavam com o objetivo de memorização. Essas "pinturas" invisíveis fornecem-nos exemplos de imagens de memória invisíveis, fixadas na memória, e que não são utilizadas para serem exteriorizadas, mas apenas para fins práticos de memorização.

Por exemplo, Ridevall descreve a imagem de uma prostituta, cega, com as orelhas mutiladas, anunciada (como criminosa) por toques de clarim, com o rosto deformado, cheia de doenças[37]. Ele chama isso de "o retrato da Idolatria segundo os poetas". Não se conhece a fonte dessa imagem e Smalley acredita que Ridevall a inventou. Não resta dúvida de que o fez, pois trata-se de uma imagem de memória que segue as regras – ao ser impressionantemente hedionda e assustadora – e é usada para relembrar aspectos do pecado da Idolatria. Esta última é pintada como prostituta porque os idólatras abandonam o verdadeiro Deus para fornicar com ídolos; é mostrada como cega e surda, pois tem origem na adulação que cega e ensurdece suas vítimas; é proclamada como criminosa porque os malfeitores esperam conseguir perdão adorando ídolos; de rosto triste e desfigurado, porque uma das causas da idolatria é a aflição sem limites; é cheia de doenças porque a idolatria é um tipo de amor desregrado. Um verso mnemônico resume os traços característicos da imagem:

> Mulier notata, oculis orbata,
> aure mutilata, cornu ventilata,
> vultu deformata et morbo vexata.

Isso pode seguramente ser identificado como uma imagem de memória – concebida, por seu aspecto impressionante, para estimular a

---

36. Beryl Smalley, *English Friars and Antiquity in the Early Fourteenth Century*, Oxford, 1960.
37. Smalley, op. cit., pp. 114-5.

3a   3b

3a. A Caridade
3b. A Inveja
Afrescos de Giotto, Cappella Arena, Pádua (*fotos: Alinari*).

4a

4b

4c

4a. A Temperança e a Prudência
4b. A Justiça e a Constância
Manuscrito italiano do século xiv. Biblioteca Nacional, Viena (ms. 2639).
4c. A Penitência
Manuscrito alemão do século xv. Biblioteca Casanatense, Roma (ms. 1404).

memória, destinada a ser representada exclusiva e invisivelmente na memória (e para cuja memorização contribui o verso mnemônico), utilizada com o autêntico objetivo mnemônico de recordar os pontos de um sermão a respeito da idolatria.

A "imagem" da idolatria aparece na introdução a *Fulgentius metaforalis*, de Ridevall, uma moralização da mitologia de Fulgêncio utilizada pelos pregadores[38]. Essa obra é muito conhecida, mas pergunto-me se compreendemos completamente como os pregadores usavam esses "retratos" não ilustrados dos deuses pagãos[39]. Eles pertencem, quase com certeza, ao domínio da memória artificial medieval, pois à primeira imagem descrita, a de Saturno, atribui-se a representação da virtude da Prudência; a ela segue-se Juno, como *memoria*; Netuno, como *intelligentia*, e Plutão, como *providentia*. Agora estamos aptos a compreender que a memória, sendo parte da Prudência, justifica o uso da memória artificial como dever ético. Alberto Magno nos ensinou que as metáforas poéticas, inclusive as fábulas dos deuses pagãos, podem ser empregadas pela memória em razão de seu poder "sugestivo"[40]. Pode-se propor que Ridevall ensina ao pregador como utilizar imagens de memória – interiores e "sugestivas" – dos deuses pagãos, para memorizar um sermão sobre as virtudes e suas partes. Cada imagem, como a da Idolatria, tem características e atributos cuidadosamente descritos e memorizados em um verso mnemônico, que serve para ilustrar – ou, mais que isso, a meu ver, para memorizar – pontos em um discurso sobre determinada virtude.

As *Moralitates*, de Holcot, são uma coleção de assuntos para os pregadores, onde a técnica do "retrato" é usada irrestritamente. Esforços para encontrar as fontes desses "retratos" falharam, e isso não surpreende, pois é claro que, como no caso de Ridevall, trata-se de imagens de

---

38. J. Ridevall, *Fulgentius Metaforalis*, Leipzig, H. Liebeschütz, 1926. Cf. J. Seznec, *The Survival of the Pagan Gods*, trad. B. Sessions, Bollingen Series, 1953, pp. 94-5.
39. Embora a obra tenha sido, finalmente, ilustrada (ver Seznec, Pr. 30), isso não havia sido originalmente previsto (ver Smalley, pp. 121-3).
40. Ver, anteriormente, p. 90-1.

memória inventadas. Holcot lhes dá, com freqüência, aquilo que Smalley chama de um sabor de "falso antigo", como no "retrato" da Penitência.

> A aparência da Penitência, como pintaram os sacerdotes da deusa Vesta, de acordo com Remigius. A Penitência costumava ser pintada na forma de um homem, inteiramente nu, segurando um chicote de cinco correias. Cinco versos ou sentenças estavam escritos nele[41].

As inscrições sobre a Penitência são desenhadas no chicote de cinco correias. Esse uso de inscrições sobre a imagem e ao seu redor é característico do método de Holcot. O "retrato" da Amizade, por exemplo, um jovem com roupas verdes chamativas, tem em si e à sua volta inscrições sobre a amizade[42].

Nenhum dos numerosos manuscritos de *Moralitates* é ilustrado; os "retratos" que descreve não foram pensados para serem representados materialmente. Eles eram imagens de memória invisíveis. Contudo, Saxl encontrou algumas representações das imagens de Holcot em dois manuscritos do século XV, incluindo uma representação de sua "Penitência" (Pr. 4c)[43]. Quando vemos aquele homem com um chicote coberto de inscrições, reconhecemos uma técnica quase banal nos manuscritos medievais nessa imagem envolta por palavras escritas. Mas a questão é que não deveríamos vê-la como sendo, de fato, representada. Era uma imagem invisível da memória. E isso me sugere que a memorização de palavras ou frases, como se estivessem dispostas ou escritas sobre as imagens de memória, era o que, na Idade Média, fosse talvez entendido por "memória para palavras".

Holcot descreve um outro uso curioso das imagens de memória. Na imaginação, ele dispõe tais imagens sobre as páginas de um texto das Escrituras, para relembrá-lo de como comentará esse texto. Em uma

---

41. Smalley, op. cit., p. 165.
42. Idem, pp. 174, 178-80.
43. F. Saxl, "A Spiritual Encyclopaedia of the Later Middle Ages", *Journal of the Warburg and Courtauld Institutes*, V, 1942, p. 102, Pr. 23a.

página do profeta Oséias, ele imagina a figura da Idolatria (emprestada de Ridevall), para relembrá-lo de como desenvolverá o que diz o profeta sobre esse pecado[44]. E até coloca sobre o texto do profeta uma imagem completa de Cupido, com arco e flechas![45] O deus do amor e seus atributos são moralizados pelo monge, que usa a imagem pagã "sugestiva" como imagem de memória para o desenvolvimento de seu comentário moralizador do texto.

A preferência desses frades ingleses pelas fábulas dos poetas como imagens de memória, como afirmado por Alberto Magno, sugere que a memória artificial talvez fosse um meio, até então insuspeitado, que permitiu a sobrevivência das imagens pagãs na Idade Média.

APESAR DE fornecerem instruções de como dispor um "retrato" de memória sobre um texto, os frades não parecem ter indicado como devem ser dispostas as suas imagens compostas, criadas para lembrar os sermões. Como sugeri anteriormente, a Idade Média parece ter modificado as regras dos lugares de memória do *Ad Herennium*. A ênfase das regras tomistas é sobre a ordem, que é a ordem da argumentação. Dado que o material foi ordenado, ele deve ser memorizado nessa seqüência, por meio de séries ordenadas de similitudes. Para reconhecer a memória artificial tomista, não é necessário procurar por figuras dispostas em lugares diferenciados, segundo o modo clássico; podem-se encontrar tais figuras colocadas em uma ordem regular de lugares.

Um manuscrito italiano ilustrado do início do século XIV mostra representações das três virtudes teologais, e das quatro cardeais, assentadas em uma seqüência, assim como as figuras das sete artes liberais[46].

---

44. Smalley, op. cit., pp. 173-4.
45. Idem , p. 172.
46. Biblioteca Nacional de Viena, ms. 2639, f. 33 *recto* e *verso*. Para uma análise dessas iluminuras (que talvez reflitam um afresco perdido de Pádua), ver Julius von Schlosser, "Giusto's Fresken in Padua und die Vorläufen der Stanza della Segnatura", *Jahrbuch der Kunsthistorischen Sammlungen der Allerhöchsten Kaiserhauses*, XVII, 1896, pp. 19 e ss. Elas estão relacionadas àquelas que ilustram um poema mnemônico sobre as virtudes e as artes liberais e se encontram em um manuscrito em Chantilly (ver L. Dorez, *La canzone*

As virtudes, vitoriosas, são representadas dominando os vícios, que se curvam a seus pés. As artes liberais têm representantes sentados a sua frente. Como Schlosser apontou, as figuras sentadas das virtudes e das artes liberais relembram a fileira das disciplinas teológicas e das artes liberais na glorificação de são Tomás, no afresco da sala da capela de Santa Maria Novella (Pr. 1). Reproduzi aqui (Pr. 4*a,b*) as figuras das quatro virtudes cardeais, como mostradas nesse manuscrito. Alguém as utilizou para memorizar as partes das virtudes, como definidas na *Summa Theologiae*[47]. A Prudência segura um círculo, símbolo do tempo, em que estão gravadas as oito partes dessa virtude, como definidas por Tomás de Aquino. Ao lado da Temperança há uma árvore complexa, na qual estão inscritas as partes dessa virtude, como estabelecida na *Summa*. As partes da Constância estão inscritas em seu castelo, e o livro que a Justiça segura contém as definições dessa virtude. As figuras e seus atributos foram elaborados para se fixar – ou memorizar – todo esse complexo material.

O iconógrafo verá nessas iluminuras muitos dos atributos comuns das virtudes. O historiador da arte busca decifrar seu possível reflexo em um afresco de Pádua e a relação que parecem ter com a fileira de figuras que simbolizam as disciplinas teológicas e as artes liberais na glorificação de são Tomás de Aquino, na capela de Santa Maria Novella. Convido o leitor a vê-las como *imagines agentes*, ativas e impressionantes, ricamente vestidas e coroadas. As coroas simbolizam, é claro, a vitória das virtudes sobre os vícios, mas essas coroas enormes são também, certamente, mais fáceis de relembrar. E quando nos damos conta de que as seções sobre as virtudes da *Summa Theologiae* são memorizadas por meio das inscrições (do mesmo modo que Holcot memorizava as frases sobre a Penitência sob a autoridade de sua imagem de memória), perguntamo-nos se essas figuras são algo como uma memória artificial tomista – ou se estão pró-

delle virtu e delle scienze, Bergamo, 1894). Há uma outra cópia delas na Biblioteca Nazionale, em Florença, II, I, 27.

47. Schlosser aponta (p. 20) que as inscrições feitas sobre as figuras recordam as partes das virtudes, como definidas na *Summa*.

ximas disso, como uma representação exterior pode estar em relação a uma arte interna, invisível e pessoal.

Uma memória fenomenal pode estar fundada sobre séries de figuras que expressam as classificações da *Summa* e de toda a enciclopédia medieval do conhecimento (as artes liberais, por exemplo), ordenadas em uma vasta memória e cobertas por inscrições remetendo aos assuntos de que tratam. O método não seria estranho ao de Metrodoro de Scepsis, do qual se diz ter escrito tudo o que queria recordar, seguindo a ordem das imagens do zodíaco. Tais imagens seriam, ao mesmo tempo, similitudes corporais dotadas de potência artística, capazes de suscitar *intentiones* espirituais e, também, verdadeiras imagens mnemônicas, utilizadas por um gênio dotado de uma memória natural incrível e de grandes poderes de visualização interna. Outras técnicas, mais próximas da memorização de lugares específicos de determinadas construções, podem também ter sido usadas junto com esse método. Mas a tendência é pensar que o método tomista fundamental tenha sido o das séries de imagens dotadas de inscrições e memorizadas segundo a ordem de uma argumentação cuidadosamente articulada[48].

Pode ter sido assim que as vastas catedrais interiores da memória foram construídas na Idade Média.

É DE Petrarca que seguramente podemos esperar o início de uma transição da memória medieval para a do Renascimento. Na tradição da memória, seu nome era constantemente citado como o de uma autoridade importante no tema da memória artificial. Não é surpresa que Romberch, o dominicano, cite em seu tratado da memória as regras e formulações de Tomás; mas o surpreendente é que mencione também Petrarca como uma autoridade nesse assunto e o associe, às vezes, a Tomás de Aquino. Ao discutir as regras para os lugares, Romberch afirma que, para Petrarca, nenhuma perturbação deveria desarranjar a ordem dos lugares. No que diz respeito à regra de que os lugares não devem ser muito grandes ou pe-

48. Ver, mais adiante, pp. 158-9.

quenos, mas proporcionais às imagens que devem conter, Petrarca, "imitado por muitos", disse que os lugares deveriam ter tamanho mediano[49]. E sobre quantos lugares deveriam ser empregados, é dito que: "*Divus Aquinas* aconselha utilizar muitos lugares, em II, II, 49, e foi posteriormente seguido por muitos, inclusive Franciscus Petrarcha"[50].

Isso é bem curioso, já que, em II, II, 49, Tomás nada diz a respeito de quantos lugares deveriam ser utilizados. Além disso, de Petrarca não restou nenhuma obra em que ele formule regras para a memória artificial, com detalhes sobre os lugares, como lhe é atribuído por Romberch.

Talvez, por influência do livro de Romberch, o nome de Petrarca sempre apareça nos tratados do século XVI sobre a memória. Gesualdo fala de "Petrarca, a quem Romberch segue quanto à memória"[51]. Garzoni inclui Petrarca entre os famosos "Professores de Memória"[52]. Henry Cornelius Agrippa, após apresentar as fontes clássicas da arte da memória, menciona Petrarca como a primeira das autoridades modernas no assunto[53]. No início do século XVII, Lambert Schenkel afirma que a arte da memória foi "retomada intensamente" e "cuidadosamente cultivada" por Petrarca[54]. E o nome de Petrarca é citado até na *Enciclopédia*, no artigo de Diderot sobre a memória[55].

Deve ter existido um aspecto pelo qual Petrarca foi admirado nos tempos da arte da memória, o qual foi totalmente esquecido, porém, pelos especialistas modernos desse autor – uma situação paralela à do esquecimento do trabalho de Tomás de Aquino sobre a memória. Qual a fonte, nas obras de Petrarca, que promoveu essa tradição persistente? É possível que ele tenha escrito algum tratado de *Ars memorativa* que não chegou até nós. Contudo, não é necessário supô-lo. Deve-se buscar essa

49. Romberch, *Congestorium*, pp. 27verso-28.
50. Idem , pp. 19verso-20.
51. Gesualdo, *Plutosofia*, p. 14.
52. Garzoni, *Piazza universale*, Discorso LX.
53. H. C. Agrippa, *De vanitate scientiarum*, cap. X, "De arte memorativa", 1530.
54. Lambert Schenkel, *Gazophylacium*, Strasburg, 1610, p. 27.
55. Na nota de Diodati ao verbete MÉMOIRE na edição de Lucca, 1767, X, p. 263. Ver Rossi, *Clavis*, p. 294.

origem em uma de suas obras existentes que não lemos, entendemos e memorizamos como deveríamos ter feito.

Petrarca escreveu um livro intitulado *Coisas a Serem Lembradas* (*Rerum memorandum libri*), provavelmente entre 1343 e 1345. Esse título é sugestivo, e quando o texto dá a entender que a principal "coisa" a ser lembrada é a virtude da Prudência, em suas três partes, *memoria, intelligentia* e *providentia*, o estudioso da memória artificial sabe que pisa em terreno conhecido. O plano da obra, do qual apenas uma parte foi realizada, baseia-se nas definições de Prudência, Justiça, Constância e Temperança de *De inventione*, de Cícero[56]. Ela se inicia com "princípios para a virtude" que são: tempo disponível, solidão, estudo e doutrina. Vêm, então, a Prudência e suas partes, a começar pela *memoria*. Faltam as seções sobre a Justiça e a Constância, ou nunca foram escritas. Sobre a seção da Temperança, tem-se apenas um fragmento de uma de suas partes. Livros sobre os vícios devem ter seguido àqueles sobre as virtudes.

Acredito que ainda não havia sido notada a forte semelhança entre essa obra e o texto "Ensinamentos dos Antigos", de Bartolomeo de San Concordio. Os *Ammaestramenti degli antichi* começa exatamente com os mesmos "princípios para a virtude". Revisa, então, as virtudes de Cícero, de forma discursiva e ampliada e, por fim, chega aos vícios. Talvez fosse esse o plano do livro de Petrarca, caso o autor o tivesse completado.

Há uma semelhança ainda mais significativa – a saber, o fato de que tanto Bartolomeo quanto Petrarca referem-se à memória artificial quando falam de *memoria*. Como vimos, o primeiro apresentava as regras tomistas da memória com esse título. O segundo refere-se a essa arte ao introduzir exemplos de homens da Antiguidade reconhecidos por suas boas memórias, associadas à arte clássica da memória. Seu parágrafo sobre a memória de Lucullus e de Hortênsio começa assim: "Há dois tipos de memória, uma para coisas e outra para palavras"[57]. Ele fala de como Sêneca podia recitar de trás para frente e repete a afirmação deste último

56. F. Petrarca, "Introdução", *Rerum memorandarum libri*, Firenze, G. Billanovich, 1943, pp. cxxiv-cxxx.
57. Idem, p. 44.

de que a memória de Latro Portius era "boa tanto por natureza quanto pela arte"[58]. E, sobre a memória de Temístocles, repetia a história contada por Cícero no *De oratore*, de como aquele se recusara a aprender a "memória artificial" porque sua memória natural era muito boa[59]. Petrarca sabia, é claro, que Cícero não aprovava, nessa obra, a atitude de Temístocles, e nela descrevia o modo como ele próprio utilizava a memória artificial.

Acredito que as referências à memória artificial, em uma obra em que as "coisas a serem lembradas" são as partes da Prudência e de outras virtudes, são suficientes para situar Petrarca na tradição da memória[60] e classificar os *Rerum memorandarum libri* como um tratado de ética destinado à memorização, assim como os *Ammaestramenti degli antichi*. E, provavelmente, é dessa maneira que Petrarca entendia o tema. Apesar do tom humanista da obra – e do uso do *De oratore* e não somente do *Ad Herennium* quanto à memória artificial –, o livro de Petrarca provém diretamente da escolástica, com seu uso religioso da memória artificial como parte da Prudência.

Como seriam as similitudes corporais, os "retratos" invisíveis que Petrarca teria disposto em sua memória para a Prudência e suas partes? Se, devido à sua intensa devoção aos antigos, ele tivesse escolhido imagens pagãs para utilizá-las na memória, imagens que o "impulsionariam" fortemente, pelo seu entusiasmo em relação à Antiguidade, então, ele seria justificado pela autoridade de Alberto Magno.

Indagamo-nos, aqui, se as virtudes atravessaram a memória de Petrarca em carruagens, com seus famosos "exemplos" seguindo-lhes o curso, como em *Trionfi*.

NESTE CAPÍTULO, busquei evocar a memória medieval. Como disse no início, esta tentativa é parcial e inconclusiva, são sugestões de reflexão

---

58. Idem, p. 45.
59. Idem, p. 60.
60. Ainda que o *Rerum memorandarum libri* seja, das obras de Petrarca, aquela que pode ser mais obviamente interpretada como portadora de referências à memória artificial, é possível que outras obras suas tenham sido interpretadas da mesma maneira.

sobre um assunto muito amplo, a serem aprofundadas por outros. Meu tema é a arte da memória em relação à formação de um sistema de imagens. Essa arte interior, que encorajou o uso da imaginação como um dever, deve ter sido, certamente, um fator preponderante na evocação das imagens. Seria a memória uma explicação do apreço medieval pelo grotesco, pela idiossincrasia? Seriam as estranhas figuras nas páginas dos manuscritos e em todas as formas de arte medieval não tanto a revelação de uma psicologia torturada, mas antes a evidência de que a Idade Média, quando importava aos homens recordar, seguia regras clássicas, a fim de criar imagens memoráveis? Estaria a expansão deste conjunto de novas imagens, nos séculos XIII e XIV, relacionada ao interesse renovado da escolástica pela memória? A minha hipótese é de que o caso seria esse. O fato de o historiador da arte da memória não poder deixar de lado Giotto, Dante e Petrarca é evidência clara da extrema importância desse tema de pesquisa.

Do ponto de vista deste livro, relativo principalmente à história posterior dessa arte, é fundamental ressaltar que a arte da memória proveio da Idade Média. Suas raízes mais profundas estavam em um passado venerável. De tais origens, profundas e misteriosas, ela se propagou pelos séculos seguintes, ostentando a marca de um fervor religioso estranhamente combinado com a particularidade da mnemotécnica que lhe foi impingida na Idade Média.

CAPÍTULO 5

Os Tratados sobre a Memória

O período tratado nos dois últimos capítulos foi escasso de obras sobre a memória artificial. Já nos séculos xv e xvi, que abordaremos agora, ocorre o contrário. O material é abundante, sendo necessária a seleção dos tratados sobre a memória[1], para que a nossa história não seja soterrada sob tantos detalhes.

Do grande número de manuscritos de *Ars memorativa* que consultei em bibliotecas na Itália, França e Inglaterra, nenhum é anterior ao século xv. Alguns, é verdade, podem ser cópias de originais mais antigos. Por exemplo, do tratado atribuído a Thomas Bradwardine, arcebispo de Canterbury, há duas cópias do século xv[2], mas devem ter sido escritas no

---

1. As principais obras modernas em que se pode encontrar material a respeito dos tratados sobre a memória são: H. Hajdu, *Das Mnemotechnische Schrifftum des Mittelalters*, Viena, 1936; Ludwig Volkmann, "Ars Memorativa", *Jahrbuch der Kunsthistorischen Sammlungen in Wien*, Neue Folge [nova série], Sonderheft 30 [caderno especial, 30], Viena, 1929, pp. III-203 (a única obra ilustrada sobre o assunto); Paolo Rossi, "Immagini e memoria locale nei secoli xiv e xv", *Rivista critica di storia della filosofia*, facs. II, 1958, pp. 149-91, e "La costruzione delle immagini nei trattati di memoria artificiale del Rinascimento", em *Umanesimo e Simbolismo*, Pádua, E. Castelli, 1958, pp. 161-78 (ambos os artigos publicam, em apêndices, alguns tratados manuscritos de *Ars memorativa*); Paolo Rossi, *Clavis universalis*, Milano, 1960 (também traz impresso tratados manuscritos de *Ars memorativa* em apêndices e citações no texto).
2. British Museum, Sloane 3744, ff. 7*verso*-9 *recto*; Fitzwilliam Museum, Cambridge, McClean Ms. 169, ff. 254-6.

século XIV, já que o autor morreu em 1349. Em 1482, aparece o primeiro dos tratados impressos sobre a memória, inaugurando o que se tornou um gênero popular nos séculos XVI e XVII. Praticamente todos os tratados sobre a memória, manuscritos ou impressos, seguem o esquema do *Ad Herennium*: regras para os lugares, as imagens e assim por diante. A questão é como as regras são interpretadas.

Nos tratados que seguem a linha principal da tradição escolástica, as interpretações estudadas no último capítulo continuam valendo. Esses tratados também descrevem técnicas mnemônicas de caráter clássico, que são mais mecânicas do que o uso das "similitudes corporais" e que, é quase certo, remontam a raízes medievais anteriores. Ao lado dos tratados sobre a memória que provêm diretamente da tradição escolástica, há outros tipos, provavelmente de procedência diversa. Por fim, nesse período, a tradição da memória sofreu mudanças devido à influência do humanismo e ao desenvolvimento dos tipos de memória do Renascimento.

O assunto de que tratamos torna-se muito complexo, e suas questões não podem ser elucidadas até se ter realizado uma catalogação completa e uma análise sistemática de todo o material. Meu objetivo, neste capítulo, é sugerir a complexidade da tradição da memória e daí extrair certos temas que me parecem importantes, por exprimirem continuidade ou mudança.

Um tipo de tratado sobre a memória pode ser chamado "Demócrito", pois atribui a invenção da arte da memória a ele e não a Simônides. Em suas regras para as imagens, tais tratados não mencionam as figuras humanas impressionantes do *Ad Herennium*, mas concentram-se nas leis aristotélicas da associação. Também não citam, habitualmente, Tomás de Aquino, nem as formulações tomistas das regras. Um bom exemplo desse tipo é o de Lodovico da Pirano[3], um franciscano que ensinava em

---

3. O tratado de Lodovico da Pirano foi impresso acompanhado de uma introdução de Baccio Ziliotto, "Frate Lodovico da Pirano e le sue *regulae memoriae artificialis*", *Atti e memorie della società istriana di archeologia e storia patria*, XLIX, 1937, pp. 189-224. Ziliotto imprime o tratado a partir da versão em Marciana, VI, 274, que não contém os curiosos diagramas das séries de torres a serem utilizadas para a "multiplicação dos lugares", que

Pádua (*ca.* 1422) e tinha um certo conhecimento de grego. Uma origem provável do desvio do tipo de tratado "Demócrito" em relação à tradição medieval – coloco isso apenas como hipótese – pode ter sido a influência bizantina no século xv. A memória artificial era certamente conhecida em Bizâncio[4], onde pode ter tido contato com as tradições gregas desaparecidas no Ocidente. Sejam quais forem suas fontes, os ensinamentos do tipo "Demócrito" misturaram-se com outros tipos, em uma combinação geral da tradição da memória.

Características de tratados anteriores são as longas listas de objetos, que, com freqüência, se iniciam com um "Padre-nosso", seguido de objetos usuais, como uma bigorna, um elmo, uma lanterna, um tripé, etc. Lodovico da Pirano dá uma lista assim, e elas podem ser encontradas no tipo de tratado que se inicia com as palavras *Ars memorie artificialis, pater reuerende*, de que se têm muitas cópias[5]. O reverendo ao qual se dirige é aconselhado a utilizar tais objetos na memória artificial. Acredito que fossem imagens de memória pré-fabricadas, a serem memorizadas em sistemas de lugares determinados. É quase certo que seja uma velha tradição medieval, pois semelhantes miscelâneas de objetos, ditas úteis para a memória, são dadas por Boncompagno no século xiii[6]. No livro

aparecem em outros manuscritos do tratado como, por exemplo, em Marciana, xiv, 292, f. 182 e ss., e no manuscrito do Vaticano Lat. 5347, ff. 1 e ss. Somente Marciana vi, 274, cita o nome de Lodovico da Pirano como autor. Cf. F. Tocco, *Le Opere Latine di Giordano Bruno*, Firenze, 1889, pp. 28 e ss.; Rossi, *Clavis*, pp. 31-2.

Um outro tratado que menciona Demócrito é o de Luca Braga, escrito em Pádua, em 1477, do qual existe uma cópia no British Museum, Additional 10, 438, ff. 19 e ss. Mas Braga também menciona Simônides e Tomás de Aquino.

4. Há uma tradução grega da seção sobre a memória do *Ad Herennium*, talvez feita por Maximus Planudes (início do século xiv) ou por Teodoro de Gaza (século xv). Ver a introdução de H. Caplan à edição Loeb do *Ad Herennium*, p. xxvi.

5. Rossi (*Clavis universalis*, pp. 22-23) cita regras para os lugares e as imagens tiradas de um tratado "*pater reuerende*". As regras para as imagens enfatizam que elas devem refletir pessoas que conhecemos. Rossi não cita as listas de objetos de memória, do que, contudo, pode encontrar-se um exemplo no tratado de Pirano, impresso por Ziliotto no artigo citado. Muitos outros manuscritos que contêm o tratado "*Pater reuerende*" podem ser acrescentados aos mencionados na nota de Rossi (*Clavis*, p. 22).

6. Boncompagno, *Rhetorica Novissima*, ed. A. Gaudencio, *Bibliotheca Iuridica Medii Aevi*, ii, Bologna, 1891, pp. 277-8.

de Romberch, podem ser vistas tais imagens em ação nas ilustrações que mostram uma abadia, as construções associadas a ela (Pr. 5*a*) e séries de objetos a serem memorizados no pátio, na biblioteca e na capela da abadia (Pr. 5*b*). Cada quinto lugar é marcado com a figura de uma mão e cada décimo lugar, com uma cruz, para distinguir o quinto e décimo lugares, de acordo com as instruções do *Ad Herennium*. Obviamente, tem-se aqui uma associação com os cinco dedos da mão. À medida que a Memória percorria os lugares, eles eram apontados pelos dedos.

Em sua teoria das imagens como "similitudes corporais", Romberch segue à risca a tradição escolástica. A inclusão em seu tratado desse tipo de memorização mais mecânico, em que os objetos da memória agem como imagens, sugere que anteriormente isso era usual e entendido como memória artificial, assim como os tipos mais sofisticados, que utilizavam imagens humanas espiritualizadas. O que Romberch descreve como praticado na abadia é o uso clássico e mnemotécnico dessa arte, embora utilizado principalmente com propósitos religiosos, possivelmente para a memorização de salmos e orações.

Entre os manuscritos da tradição escolástica estão os de Jacopo Ragone[7] e do dominicano Mateus de Verona[8]. Um tratado anônimo[9], provavelmente, também de um dominicano, fornece uma descrição mais solene de como se lembrar de toda a ordem do Universo e dos caminhos para o Paraíso e o Inferno por meio da memória artificial[10]. Partes desse

7. Sobre o tratado de Ragoni, ver Rossi, *Clavis universalis*, pp. 19-22, e o artigo de M. P. Sheridan, "Jacopo Ragone and his Rules for Artificial Memory", em *Manuscripta* (publicado pela St. Louis University Library), 1960, pp. 131 e ss. A cópia do tratado de Ragone que se encontra no British Museum (Additional, 10, 438) contém o desenho de um *palazzo* utilizado na fabricação dos lugares de memória.

8. *Marciana*, XIV, 292, ff. 195 *recto*-209 *recto*.

9. *Marciana*, VI, 238, ff. 1 e ss. "De memoria artificiali". Esse tratado importante, e interessante, pode ser anterior ao século XV, data dessa cópia. O autor enfatiza que a arte deve ser empregada em meditações devotas e consolações espirituais; e que, em sua arte, só se servirá de "imagens devotas" e "histórias sagradas" e não de fábulas ou "*vana phantasmata*" (ff. 1 *recto* e ss.). Ele parece considerar as imagens de santos e seus atributos como imagens a serem gravadas pelo devoto em *loci* de memória (f. 7 *verso*).

10. Idem, ff. 1 *recto* e ss.

tratado apresentam, em assuntos similares, abordagens quase idênticas às dadas por Romberch em seu tratado impresso. Tratados como esse derivam de uma tradição manuscrita que remonta à Idade Média.

É raro que um tratado sobre a memória, manuscrito ou impresso, tenha alguma ilustração de figura humana utilizada como imagem de memória. Isso estaria de acordo com os preceitos do autor do *Ad Herennium*, que diz que o aluno deve formar suas próprias imagens. Uma exceção provém de um manuscrito de Viena, de meados do século xv[11], que busca de forma grosseira desenhar uma série de imagens de memória. Volkmann reproduziu essas figuras, sem tentar explicar o que significam, ou como estão sendo usadas, exceto que se trata de "memória artificial". Isso é comprovado pela inscrição na última figura: "Ex locis et imaginibus ars memorativa constat Tullius ait"[12]. A série começa com uma senhora que é, quase com certeza, a Prudência[13]; as outras figuras provavelmente representam virtudes e vícios. Sem dúvida, as figuras foram concebidas para serem notavelmente belas ou hediondas (uma é um demônio), de acordo com as regras; infelizmente, o autor as fez todas incrivelmente horrorosas. Por meio dessas figuras, percebe-se que o discurso a ser memorizado diz respeito aos caminhos para o Paraíso e o Inferno; a figura de Cristo no centro da imagem, com a "boca" do Inferno a seus pés, demonstra-o[14]. Sobre as figuras e a sua volta estão outras imagens secundárias, com a função, sem dúvida, de imagens de "memória para palavras". De qualquer maneira, nos é dito que "coisas" e "palavras" podem ser relembradas por meio dessas figuras, que represen-

11. Biblioteca Nacional de Viena, cód. 5395; ver Volkmann, artigo citado, pp. 124-31, Pr. 115-24.
12. Idem, p.128, Pr. 123.
13. Idem, Pr. 113. Além de ser coroada e, supostamente, muito bela, esta senhora segue uma outra regra de memória: ela é feita de modo a se parecer com uma pessoa conhecida do praticante da memória artificial. O rosto dessa imagem de memória, diz o autor do tratado, pode ser lembrado como o de "Margarida, Dorotéia, Apolônia, Lúcia, Anastácia, Inês, Benigna, Beatriz ou qualquer outra donzela que você conheça, como Ana, Marta, Maria, Elizabete etc.", idem, p. 130. Uma das figuras masculinas (Pr. 116) é intitulada "Brueder Ottell", provavelmente um enclausurado do monastério, que um de seus companheiros utiliza em seu sistema de memória!
14. Idem, Pr. 119.

tam, talvez, uma sobrevivência adulterada da memória artificial medieval por meio de inscrições sobre as figuras.

Esse manuscrito também mostra planos de salas de memória, com cinco lugares em destaque, um em cada canto e outro no centro, onde se deve memorizar as imagens. Tais diagramas de salas de memória podem ser vistos em outros manuscritos e em tratados impressos. A disposição regular dos lugares nessas salas de memória (lugares esses escolhidos não por sua irregularidade, nem pela dessemelhança entre eles, como recomendavam as normas clássicas) era, acredito, uma interpretação usual dos lugares, tanto na Idade Média quanto posteriormente.

A obra *Oratoriae artis epitome*, de Jacobus Publicius, foi impressa em Veneza, em 1482[15]; como apêndice, a retórica anexou-lhe uma *Ars memorativa*. Esse belo e pequeno livro impresso levar-nos-á, sem dúvida, a um mundo novo, o do Renascimento próximo, que apresentou um interesse renovado pela retórica clássica. Mas Publicius é assim tão moderno? O fato de sua seção sobre a memória se localizar no final da retórica nos remete à posição ocupada por essa mesma seção na obra do século XIII, *Fiore di Rettorica*, ou seja, também no final e separável do restante. E a introdução mística à *Ars memorativa* é, em certa medida, resquício do tipo de retórica mística de Boncompagno, do século XIII.

Se, como Publicius nos informa em sua introdução, a mente perdeu sua agudeza ao ser circunscrita a seus limites terrestres, os "novos preceitos" que seguem irão ajudá-la a se libertar disso. Esses "novos preceitos" são as regras para os lugares e as imagens. A interpretação que Publicius lhes dá inclui a construção de *ficta loca*, ou lugares imaginários, que são nada menos do que as esferas do Universo – as esferas dos elementos, dos planetas, das estrelas fixas e das esferas superiores – coroadas pelo *Paradisus*, tudo isso mostrado num diagrama (Fig. 1). Em suas regras para as imagens, que começam assim: "As *intentiones* simples e espirituais escapam facilmente da memória, a menos que ligadas a uma similitude corporal", ele segue Tomás de Aquino. Estende-se no caráter impressio-

15. 2.ª ed., Veneza, 1485.

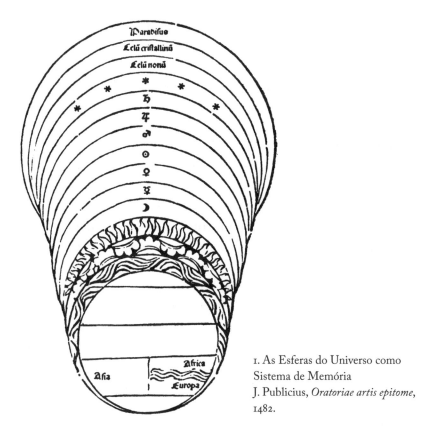

1. As Esferas do Universo como
Sistema de Memória
J. Publicius, *Oratoriae artis epitome*,
1482.

nante que o *Ad Herennium* exige das imagens de memória. Elas devem
apresentar movimentos ridículos, gestos surpreendentes ou estar plenas
de uma tristeza ou severidade irresistíveis[16]. A Inveja Infeliz, descrita por
Ovídio, de tez lívida, dentes negros e cabelos cheios de serpentes, é um
bom exemplo de como deveria ser uma imagem de memória.

Longe de introduzir-nos em um mundo moderno que retoma a retórica clássica, a seção de Publicius sobre a memória parece, antes, trans-
portar-nos de volta a um mundo dantesco, no qual o Inferno, o Purgatório e o Paraíso são relembrados nas esferas do Universo; ao mundo de
Giotto, com suas figuras de memória para as virtudes e os vícios dotadas

16.   Ed. de Veneza, 1485, sig. G 8 *recto*. Cf. Rossi, *Clavis universalis*, p. 38.

de expressividade intensa. Usar a Inveja de Ovídio como uma estimulante imagem de memória tomada aos poetas não é um traço clássico novo e surpreendente, mas pertence à tradição da memória anterior, aquela interpretada por Alberto Magno. Em resumo, esse primeiro tratado impresso sobre a memória não mostra a retomada da arte clássica da memória como parte da recuperação da retórica pelo Renascimento; ele procede diretamente da tradição medieval.

É significativo que essa obra, que apresenta um ar renascentista e italiano em sua forma impressa, fosse conhecida por um frade inglês muitos anos antes de sua impressão. Um manuscrito, que Volkmann descobriu no British Museum, foi escrito em 1460, por Thomas Swatwell, provavelmente monge em Durham; é uma cópia da *Ars oratoria* de Jacobus Publicius[17]. O monge inglês transcreveu cuidadosamente a seção sobre a memória, desenvolvendo de modo engenhoso, na quietude de seu claustro, algumas das fantasias de Publicius[18].

No entanto, a época é de mudança e os humanistas já compreendem melhor a civilização da Antiguidade clássica; os textos clássicos circulam em edições impressas. Agora, o aluno de retórica tem mais textos disponíveis do que apenas a Primeira e a Segunda Retóricas, sobre as quais estabeleceu-se a aliança da memória artificial com a Prudência. Em 1416, Poggio Bracciolini descobriu uma versão completa do texto de Quintiliano *Institutio oratoria*, que teve sua *editio princeps* em Roma, em 1470, logo seguida de outras edições. Como já enfatizei, das três fontes latinas da arte clássica da memória, é Quintiliano quem apresenta o relato mais claro dessa arte como mnemotécnica. Nele, a arte pode agora ser estudada como uma mnemotécnica laica, quase separada das associações que cresceram em torno das regras do *Ad Herennium* durante a Idade Média. O caminho estava livre para que um espírito empreendedor ensinasse a arte da memória de modo novo, como uma técnica de sucesso. Os antigos, que tudo sabiam, também sabiam treinar

17. B. M. Additional [suplemento] 28, 805; cf. Volkmann, pp. 145 e ss.
18. Um dos diagramas mnemônicos do monge inglês (reproduzido por Volkmann, Pr. 145) é, provavelmente, mágico.

a memória, e um homem com a memória treinada tem vantagem sobre os demais, o que lhe ajudará a sair na frente em um mundo competitivo. Haverá uma demanda pela memória artificial dos antigos, agora que é mais bem compreendida. Uma pessoa de iniciativa viu aqui uma oportunidade e a aproveitou. Seu nome era Pedro de Ravena.

O *Phoenix, sive artificiosa memoria* (primeira edição em Veneza, 1491), de Pedro de Ravena, tornou-se o mais conhecido de todos os manuais de memória. Teve muitas edições, em diversos países[19], foi traduzido[20], incluído no popular compêndio de conhecimentos gerais de Gregor Reisch[21], e suas edições impressas foram copiadas por entusiastas[22]. Pedro fazia intensamente a sua própria propaganda, o que ajudou a disseminar seus métodos, mas sua fama como professor de memória provinha, em grande parte, do fato de ter trazido a mnemotécnica para o mundo laico. Quem quisesse a arte da memória para usos práticos, e não para relembrar o Inferno, podia valer-se do *Phoenix* de Pedro de Ravena.

Ele dá conselhos práticos. Ao discutir a regra de que os *loci* devem ser formados em lugares tranqüilos, diz que o melhor tipo de construção a se utilizar é uma igreja não freqüentada. Ele descreve como passeia pela igreja três ou quatro vezes, fixando-lhe os lugares na memória. Escolhe seu primeiro lugar perto da porta; o próximo, dois metros adentro, e assim por diante. Ainda jovem, inicia com milhares de lugares memorizados, tendo-lhes acrescentado muitos mais desde então. Em suas viagens, não cessa de fabricar novos lugares em algum monastério ou igreja, relembrando por meio deles histórias, fábulas ou sermões da Quaresma. É nesse método que se baseia sua memória das Escrituras, do direito canônico e de muitas outras matérias. Consegue repetir de cor todo o direito canônico, texto e

19. Entre elas as de: Bolonha, 1492; Colônia, 1506, 1608; Veneza, 1526, 1533; Viena, 1541, 1600; Vicenza, 1600.
20. A tradução inglesa é de Robert Copland, *The Art of Memory that is otherwise called the Phoenix*, London, *ca.* 1548. Ver, adiante, p. 260.
21. Gregor Reisch, *Margarita philosophica*, 1.ª ed., 1496, muitas outras edições posteriores. A arte da memória de Pedro de Ravena está no liv. III, trat. II, cap. XXIII.
22. Cf. Rossi, *Clavis*, p. 27, nota. Às cópias manuscritas da obra de Pedro de Ravena mencionadas por Rossi pode-se acrescentar: Vat. Lat. 5347, f. 60 e, em Paris, Lat. 8747, f. 1.

5a

5a. Sistema de Memória de uma Abadia
5b. Imagens para serem usadas no Sistema Mnemônico da Abadia
Johannes Romberch, *Congestorium Artificiose Memoriae*, Veneza, 1533.

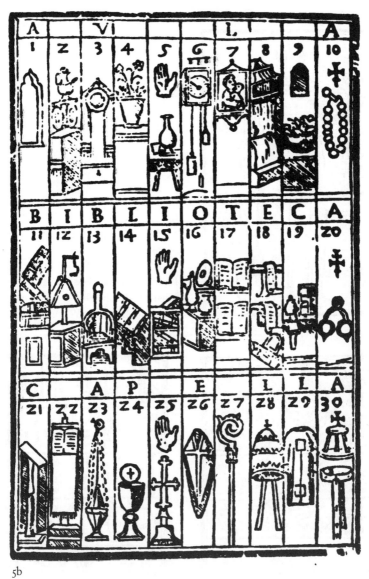

5b

6a. A Gramática como uma Imagem de Memória
6b. *e* 6c. Alfabetos Visuais usados para as Inscrições sobre a Gramática
Johannes Romberch, *Congestorium Artificiose Memoriae*, Veneza, 1533.

6a

6b

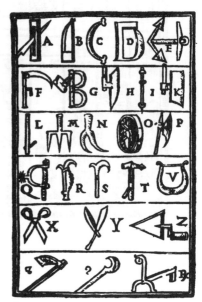

6c

glosa (era um jurista formado em Pádua), duzentos discursos ou citações de Cícero, três mil citações de filósofos, vinte mil pontos de legislação[23]. Pedro era provavelmente uma dessas pessoas dotadas de excelente memória natural, que se exercitaram tanto na técnica clássica, a ponto de realmente realizar surpreendentes feitos de memória. Acho que se pode notar uma influência de Quintiliano no relato de Pedro sobre o vasto número de lugares à sua disposição, pois, das fontes clássicas, apenas Quintiliano diz que se podem formar lugares de memória quando se viaja.

Quanto às imagens, Pedro faz uso do princípio clássico de que as imagens de memória devem, quando possível, assemelhar-se a pessoas que conhecemos. Ele apresenta o nome de uma senhora, Ginevra da Pistoia, que lhe era cara na juventude e cuja imagem estimulava sua memória! Possivelmente isso tenha algo a ver com uma variação de Pedro sobre a imagem clássica de um caso judicial. Para se lembrar de que um testamento não é válido sem apresentar sete testemunhas, Pedro diz que devemos formar uma imagem de uma cena onde "o testante apresenta seu testamento na presença de duas testemunhas e, então, uma menina o rasga"[24]. Como no caso da clássica imagem de um processo judicial, perguntamo-nos por que esta última imagem, mesmo que Ginevra represente a menina destruidora, ajudaria Pedro a relembrar o simples aspecto das testemunhas.

Pedro laicizou e popularizou a memória; enfatizou seu lado puramente mnemotécnico. Contudo, em sua mnemônica, há muitas confusões inexplicáveis e detalhes curiosos, e isso indica que ele não está totalmente desligado da tradição medieval. Seus livros foram absorvidos pela tradição geral da memória, que segue seu curso. Muitos autores posteriores que escreveram sobre a memória citam-no, sem excluir Romberch, o dominicano, que menciona "Petrus Ravennatis" como uma autoridade, assim como Tullius e Quintiliano, ou Tomás de Aquino e Petrarca.

Não pretendo pesquisar aqui toda a família dos tratados impressos sobre a memória. Muitos serão mencionados em capítulos posteriores,

23. Petrus Tommai (Pedro de Ravena), *Foenix*, ed. de Veneza, 1491, sigs. b iii-b iv.
24. Idem, sig. c iii *recto*.

na ocasião certa. Alguns ensinam o que, de agora em diante, chamarei de "mnemotécnica pura", mais bem compreendida, talvez, depois da retomada de Quintiliano. Em muitos tratados, a mnemotécnica enreda-se nas influências sobreviventes do uso medieval dessa arte. Em outros, há traços da infiltração de formas medievais de memória mágica nessa arte, como em *Ars notoria*[25]. Em outros, ainda, aparecem influências da transformação hermética e ocultista sofrida por essa arte no Renascimento, que será o assunto da maior parte do que segue neste livro.

No entanto, é importante abordarmos mais de perto como eram os tratados sobre a memória escritos pelos dominicanos, no século XVI, já que, em minha opinião, a principal linha – que provém da ênfase dada pela escolástica à memória – é também a mais importante na história do nosso tema. Os dominicanos estavam naturalmente no centro dessa tradição. Em Johannes Romberch, alemão, e Cosmas Rossellius, florentino, temos dois de seus representantes que escreveram livros sobre a memória, pequenos no formato, mas detalhados, concebidos ao que parece para tornar a arte dominicana da memória amplamente conhecida. Romberch diz que seu livro será útil para teólogos, pregadores, confessores, juristas, advogados, doutores, filósofos, professores das artes liberais e embaixadores. Rossellius faz uma afirmação semelhante. O livro de Romberch foi publicado perto do início do século XVI e o de Rossellius, no final. Juntos, eles cobrem o século, como influentes professores de memória, freqüentemente citados. De fato, Publicius, Pedro de Ravena, Romberch e Rossellius podem ser considerados os principais nomes dentre os autores que trataram a memória.

O nome do *Congestorium artificiose memoriae* (1520)[26], de Johannes Romberch, é apropriado, pois trata-se de um estranho "congestionamento" de material sobre a memória. Romberch conhece as três fontes

---

25. Exemplos possíveis: Jodocus Weczdorff, *Ars memorandi nova secretissima, ca.* 1600, e Nicolas Simon, de Weida, *Ludus artificialis oblivionis*, Leipzig, 1510. Os frontispícios e diagramas dessas obras carregadas de magia são reproduzidos por Volkmann, Pr. 168-171.
26. Utilizei a edição de Veneza, 1533. Romberch pode ser estudado sem tanto esforço, a partir da tradução italiana de Lodovico Dolce (ver adiante pp. 208-10, e anteriormente pp. 125-6).

clássicas; não apenas o *Ad Herennium,* mas também Quintiliano e o *De oratore,* de Cícero. Ao citar com freqüência o nome de Petrarca[27], absorve o poeta na tradição dominicana da memória; Pedro de Ravena e outros também são introduzidos nesse "amontoado". Mas sua base é Tomás de Aquino, cujas formulações – da *Summa* e do comentário sobre Aristóteles – são citadas quase a cada página.

O livro tem quatro partes: a primeira, introdutória; a segunda, sobre os lugares; a terceira, sobre as imagens; e a quarta, que esboça um sistema de memória enciclopédico.

Romberch considera três diferentes tipos de sistemas para os lugares, todos pertencentes à memória artificial.

No primeiro tipo, o cosmos é utilizado como sistema de lugares, como ilustrado em seu diagrama (Fig. 2). Vemos aí as esferas dos elementos, as dos planetas, as das estrelas fixas e, acima delas, as esferas celestes e as das nove ordens dos anjos. A partir dessas ordens cósmicas devemos nos lembrar do quê? Na parte inferior do diagrama, vemos escritas as letras L·PA; L·P; PVR; IN. Elas indicam os lugares do Paraíso, do Paraíso terrestre, do Purgatório e do Inferno[28]. Na visão de Romberch, relembrar lugares como esses é função da memória artificial. Ele chama tais domínios de "lugares imaginários" (*ficta loca*). Para as coisas invisíveis do Paraíso, formamos em nossa memória lugares onde colocamos os coros dos anjos, os assentos dos santos, dos patriarcas, profetas, apóstolos, mártires. O mesmo deve ser feito para o Purgatório e o Inferno, que são "lugares comuns" ou inclusivos, a serem ordenados em vários lugares particulares, que serão lembrados na ordem estabelecida, acompanhados de inscrições. Os lugares do Inferno contêm imagens dos pecadores sendo ali punidos, de acordo com a natureza do pecado cometido, como explicado nas inscrições memorizadas[29].

Esse tipo de memória artificial pode ser chamado de dantesco; não porque o tratado dominicano seja influenciado pela *Divina Comédia,*

27. Romberch, pp. 2 *verso,* 12 *verso,* 14 *recto,* 20 *recto,* 26 *verso* etc.
28. Idem, pp. 17 *recto* e ss., 31 *recto* e ss.
29. Idem, pp. 18 *recto* e *verso.* Ver, anteriormente, pp. 124-5.

mas porque Dante foi influenciado por tal interpretação da memória artificial, como sugerido no último capítulo.

Como um outro tipo de sistema para os lugares da memória, Romberch propõe utilizar os signos do zodíaco, porque fornecem uma sucessão ordenada de lugares fáceis de memorizar. Ele cita o nome de Metrodoro de Scepsis como autoridade nesse assunto[30]. Foi no *De oratore* de Cícero e em Quintiliano que ele encontrou a informação sobre o sistema de memória zodiacal de Metrodoro. E acrescenta que, se houver a necessidade de uma ordem sideral mais extensa, pode-se recorrer às imagens de todas as constelações celestes dadas por Higino[31].

Mas não diz qual tipo de material imagina memorizado nas imagens das constelações. Em virtude da natureza predominantemente teológica e didática de sua concepção de memória, pode-se supor que a ordem das constelações, enquanto sistema de lugares de memória, deveria ser utilizada por pregadores para lembrar a ordem de seus sermões sobre as virtudes e os vícios no Paraíso e Inferno.

Seu terceiro tipo de sistema de lugares é o método mnemotécnico mais usual de memorizar lugares reais em construções também reais[32], como na abadia e em seus anexos, ilustrados em uma gravura (Pr. 5*a*). As imagens que ele coloca nos lugares dessa construção (Pr. 5*b*) são as de "objetos de memória", como os já referidos. Aqui, estamos no nível da "mnemotécnica pura". Das instruções dadas nessa parte do livro sobre a memorização de lugares em construções, o leitor poderia ter aprendido o uso da arte da memória como pura mnemotécnica, do tipo mais mecânico, como descrito por Quintiliano. Mas, mesmo aqui, há abordagens curiosas e não-clássicas sobre "ordens alfabéticas". É útil ter listas de animais, pássaros e nomes dispostos em ordem alfabética, para utilizá-los com o sistema.

Entre as adições feitas por Romberch às regras dos lugares de memória, há uma que originalmente não é dele, mas de Pedro de Ravena,

30. Idem, pp. 25 *recto* e ss.
31. Idem, p. 33 *verso*.
32. Idem, pp. 35 *recto* e ss.

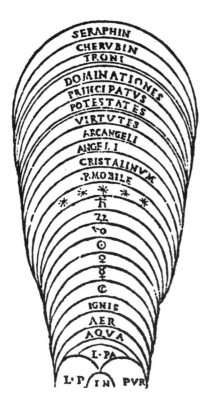

2. As Esferas do Universo como
Sistema de Memória
J. Romberch, *Congestorium artificiose
memoriae*, 1533.

e pode ter vindo de épocas bem anteriores. Um *locus* de memória, que
deve conter uma imagem de memória, não deve ser maior do que a
extensão que um homem pode atingir[33]; isso é ilustrado pela gravura de
uma imagem humana em um *locus* (Fig. 3), que estende um braço para
cima e outro para o lado, para mostrar as proporções certas do *locus* em
relação à imagem. Tal regra provém do sentimento artístico em relação
ao espaço, à iluminação e à distância na memória, que se encontra nas
regras clássicas para os lugares, o que poderia ter influenciado os *loci*
pintados por Giotto, como já sugeri. Essa regra se aplica evidentemente
às imagens humanas, não a objetos de memória tomados como imagens,
e pode implicar uma interpretação de mesmo tipo para a regra sobre os

33. Idem, p. 28 *verso*.

3. Imagem Humana em
um *Locus* de Memória
J. Romberch, *Congestorium
artificiose memoriae*, 1533.

lugares (ou seja, fazer com que as imagens dispostas em séries regulares sobressaiam de seus fundos).

Quanto às imagens[34], Romberch detalha as regras clássicas sobre as imagens impressionantes, fazendo muitas considerações, e citações de Tomás de Aquino sobre similitudes corporais. Como de hábito, as imagens de memória não são ilustradas nem descritas claramente. Devemos construí-las por nós mesmos, a partir das regras.

Nessa seção do livro, há, contudo, algumas ilustrações, mas são "alfabetos visuais". Os alfabetos visuais são modos de representar as letras do alfabeto por meio de imagens. São formados de várias maneiras, por exemplo, com imagens de objetos cujas formas se assemelham às das letras em questão (Pr. 6*c*), como um compasso ou uma escada para a letra A; ou uma enxada para a letra N. Outra maneira é por meio de animais ou pássaros ordenados a partir da primeira letra de seus nomes (Pr. 6*b*), como A para *Anser* e B para *Bubo*. Alfabetos visuais são muito comuns nos tratados sobre a memória e é quase certo que provenham de uma

34. Idem, pp. 39 *verso* e ss.

antiga tradição. Boncompagno fala de um "alfabeto imaginário" a ser utilizado para a lembrança de nomes[35]. Tais alfabetos são freqüentemente descritos nos tratados manuscritos. Já o primeiro tratado impresso a ilustrá-los é o de Publicius[36]; daí em diante, serão um elemento comum em tratados impressos sobre a memória. Volkmann reproduziu um certo número deles, tirados de vários tratados[37], mas sem discutir sua provável origem ou os objetivos com que eram utilizados.

O alfabeto visual provavelmente deriva de tentativas para compreender, no *Ad Herennium*, como os especialistas na memória artificial escrevem com imagens em suas memórias. De acordo com os princípios gerais da memória artificial, deveríamos colocar tudo aquilo que desejamos fixar na memória sob a forma de uma imagem. Isso, aplicado às letras do alfabeto, significa que nos recordamos melhor delas ao representá-las como imagens. A noção aplicada aos alfabetos visuais é de uma simplicidade infantil, como ensinar uma criança a se lembrar da letra c por meio da imagem de um cão. Rossellius, aparentemente de forma séria, sugere lembrarmos a palavra AER por meio das imagens de um Asno, um Elefante e um Rinoceronte![38]

Acredito que, no *Ad Herennium*, uma variação dos alfabetos visuais aparece quando sugere a lembrança de um certo número de conhecidos nossos colocados em uma seqüência; para isso, o praticante da memória artificial arranjaria as pessoas pela ordem alfabética de seus nomes. Pedro de Ravena dá um excelente exemplo do uso desse método ao dizer que, para se lembrar da palavra ET, ele visualiza Eusébio diante de Tomás de Aquino; e que ele precisa apenas colocar o primeiro atrás do segundo para se lembrar da palavra TE![39]

---

35. Boncompagno, "De alphabeto imaginario", *Rhetorica novissima*, ed. cit., p. 278.
36. Volkmann reproduziu (Pr. 146) o alfabeto de "objetos" de Publicius que serve de base para o de Romberch.
37. Volkmann, Pr. 146-147, 150-151, 179-188, 194, 198. A partir de objetos, também se podiam formar imagens para os números; exemplos de Romberch, Rossellius e Porta estão reproduzidos por Volkmann (Pr. 183-185, 188, 194).
38. Cosmas Rossellius, *Thesaurus artificiosae memoriae*, Veneza, 1579, p. 119 *verso*.
39. Petrus Tommai (Pedro de Ravena), *Foenix*, ed. cit., sig. c i *recto*.

Os alfabetos visuais ilustrados nos tratados sobre a memória eram utilizados, creio, para fabricar inscrições na memória. De fato, isso pode ser comprovado pelo exemplo ilustrado na terceira parte do livro de Romberch, de uma imagem de memória coberta por inscrições relacionadas com alfabetos visuais (Pr. 6*a*). Esse é um dos raros casos em que uma imagem de memória é ilustrada; e ela se apresenta como a conhecida figura da velha Gramática, a primeira das artes liberais, com alguns de seus atributos familiares, o escalpelo e a escada. Aqui, ela não é apenas a tão conhecida personificação da arte liberal da Gramática, mas uma imagem de memória utilizada na rememoração de elementos pertencentes a esse universo, por meio das inscrições que ela carrega. A inscrição sobre seu peito e as imagens à sua volta ou sobre sua figura derivam dos alfabetos visuais de Romberch – o de "objetos" e o de "pássaros" –, que ele usa em combinação, e explica que, assim, memoriza a resposta para a questão se a Gramática é uma ciência geral ou particular; a resposta envolve o uso dos termos *predicatio, applicatio, continentia*[40]. *Predicatio* é memorizado por meio do nome de um pássaro que se inicia com P (*Pica* ou pega), que a Gramática segura, assim como por seus objetos associados tirados do alfabeto de objetos. *Applicatio* é lembrado pela águia (*Aquila*)[41] sobre seu braço e pelos objetos associados. *Continentia* é um termo lembrado pela inscrição que ela traz sobre o peito, feita com a ajuda do alfabeto de objetos (ver os objetos que representam C, O, N, T no alfabeto de objetos, Pr. 6*b*).

Embora desprovida de charme estético, a Gramática de Romberch é importante para quem estuda a memória artificial. Ela demonstra que, quando refletidas na memória, personificações como as figuras familiares das artes liberais tornam-se imagens de memória. E que devem ser feitas na memória inscrições sobre essas figuras para se memorizar elementos referentes ao assunto da personificação. O princípio exemplificado pela

---

40. Romberch, pp. 82 *verso*-83 *recto*.
41. Se Romberch se prendeu a seu próprio alfabeto de "pássaros", o pássaro A seria um *Anser* (ganso, ver Pr. 6*c*); mas o texto (p. 83 *recto*) afirma que o pássaro sobre o braço da Gramática é uma *Aquila* (águia).

Gramática de Romberch poderia ser aplicado a todas as outras personificações, como aquelas das virtudes e dos vícios, quando utilizadas como imagens de memória. É disso que suspeitávamos no capítulo anterior, quando nos demos conta de que as inscrições relativas à Penitência – desenhadas sobre o chicote da imagem de memória sobre a Penitência, de Holcot – eram provavelmente "memória para palavras". E também quando pensamos que, como definido na *Summa* de Tomás de Aquino, as inscrições que recordavam as partes das virtudes cardeais, colocadas sobre as imagens dessas virtudes, também constituíam, talvez, uma "memória para palavras". As imagens em si recordam a memória das "coisas", enquanto as inscrições memorizadas sobre essas imagens constituem a "memória para palavras" sobre as "coisas". Isso é o que eu sugeriria.

A Gramática de Romberch é utilizada aqui, sem dúvida, como imagem de memória. Ela mostra o método em ação, com o requinte adicional de que as inscrições são melhor memorizadas ao não serem escritas do modo usual, mas sob a forma de imagens para as letras, tiradas dos alfabetos visuais.

A discussão sobre como memorizar a Gramática, suas partes, e as questões que lhe dizem respeito, aparece na última parte do livro de Romberch, onde ele esboça um programa extremamente ambicioso, visando fixar todas as ciências na memória: a ciência teológica, a metafísica, a moral, assim como as sete artes liberais. O método empregado para a Gramática (cuja complexidade reduzi ao extremo na descrição dada) pode ser usado, segundo ele, para todas as ciências e artes liberais. Para a Teologia, por exemplo, podemos imaginar um teólogo perfeito e eminente. Ele terá sobre sua cabeça imagens de *cognitio, amor, fruitio*; sobre seus membros, as de *essentia divina, actus, forma, relatio, articuli, precepta, sacramenta* e tudo o que pertence à Teologia[42]. Então, Romberch faz listas, distribuindo em colunas as partes e subdivisões da Teologia, Metafísica (incluindo a filosofia e a filosofia moral), Direito, Astronomia, Geometria, Aritmética, Música, Lógica, Retórica e Gramática. Para a

42. Romberch, p. 84 *recto*.

memorização de todos esses assuntos, é necessário fabricar imagens, adicionando-lhes outras imagens associadas e inscrições. Cada assunto deve ser disposto em uma sala de memória[43]. As instruções dadas para a fabricação das imagens são muito complicadas, e é proposta a memorização dos temas metafísicos mais abstratos e, até, de argumentos lógicos. Tem-se a impressão de que Romberch apresenta, de forma muito resumida – e, sem dúvida, corrompida e alterada (o uso dos alfabetos visuais faz parte dessa alteração) –, um sistema utilizado por alguma mente poderosa do passado e que chegou até ele por intermédio da tradição dominicana. Considerando-se a recorrente citação de Tomás de Aquino a propósito das similitudes corporais e da questão da ordem no livro de Romberch, surge a possibilidade de, nesse tratado dominicano tardio sobre a memória, termos um eco distante do sistema de memória do próprio Tomás.

Voltando ao afresco da capela de Santa Maria Novella, nossos olhos repousam mais uma vez sobre as quatorze similitudes corporais, sete das artes liberais e sete outras figuras adicionadas, para representar o conhecimento de Tomás de Aquino a respeito de esferas muito superiores do saber. Depois de nosso estudo do sistema de memória de Romberch, no qual são formadas figuras de memória para as ciências mais elevadas, assim como para as artes liberais, em uma tentativa extraordinária de fixar na memória uma vasta soma de conhecimento por meio de imagens, podemos nos perguntar se não é algo dessa natureza que está representado pelas figuras do afresco. Já levantamos a hipótese, neste livro, de que essas figuras podem não apenas simbolizar a extensão do conhecimento de Tomás de Aquino, mas também aludir a seu método de memorização de todo esse saber, pela arte da memória, da forma como ele a entendia. Romberch pode ter confirmado essa hipótese.

O *Thesaurus artificiosae memoriae*, de Cosmas Rosellius, foi publicado em Veneza, em 1579. A página de rosto diz que seu autor é florentino e membro da Ordem dos Pregadores. O livro segue a mesma linha do

43. Idem, p. 81 *recto*.

de Romberch, e aí podem ser reconhecidos os principais tipos de interpretação da memória artificial.

O tipo dantesco é fortemente enfatizado. Rossellius divide o Inferno em onze lugares, conforme ilustrado em seu diagrama do Inferno como um sistema de lugares de memória (Pr. *7a*). No centro há um terrível poço, ao qual se chega por degraus onde estão assentados os lugares das punições dos hereges, judeus, infiéis idólatras e hipócritas. Em torno dos degraus, encontram-se sete outros lugares consagrados aos sete pecados capitais ali punidos. Como observa Rossellius jocosamente: "a variedade das punições, infligidas de acordo com a natureza diversa dos pecados, as diferentes situações dos pecadores e seus diversos gestos ajudarão muito a memória e a formação de um grande número de seus lugares"[44].

O lugar do Paraíso (Pr. *7b*) deve ser imaginado cercado por um muro faiscante de pedras preciosas. Em seu centro está o Trono de Cristo; abaixo, dispostos em ordem, estão os lugares das hierarquias celestes, dos apóstolos, patriarcas, profetas, mártires, confessores, virgens, santos hebreus e da multidão dos santos. Não há nada de extraordinário no Paraíso de Rossellius, exceto que é classificado como "memória artificial". Com arte, treino e uma imaginação intensa, podemos imaginar esses lugares. Devemos imaginar o Trono de Cristo de modo que ele possa causar forte impressão e instigar nossa memória. Podemos imaginar as ordens dos espíritos como os pintores as pintam[45].

Rossellius também vê as constelações como sistemas de lugares de memória e menciona, é claro, Metrodoro de Scepsis, juntamente com um sistema de lugares baseado no zodíaco[46]. Uma característica do livro de Rossellius são os versos mnemônicos que servem de ajuda para memorizar as ordens dos lugares, tanto as ordens dos lugares do Inferno quanto a ordem dos signos do zodíaco. Esses versos são de um outro dominicano, que também é um Inquisidor. Esses *carmina*, feitos por um Inquisidor, dão à memória artificial um ar solene de grande ortodoxia.

44. Rossellius, *Thesaurus*, p. 2 *verso*.
45. Idem, p. 33 *recto*.
46. Idem, p. 22 *verso*.

Rossellius descreve a fabricação de lugares "reais" nas abadias, igrejas e em outras construções do mesmo gênero. E discute as imagens humanas, analisando-as como lugares que nos fazem lembrar de imagens secundárias. Em relação às imagens, ele apresenta regras gerais e um alfabeto visual do mesmo tipo dos de Romberch.

O aprendiz da memória artificial que utilizava livros como esses podia neles aprender a "mnemotécnica pura", graças às descrições de como memorizar lugares "reais" nas construções. Mas aprendê-lo-ia no contexto de traços remanescentes da tradição medieval de lugares no Paraíso e no Inferno, das "similitudes corporais" da memória tomista. Mas, mesmo se ecos do passado sobrevivem nos tratados, ainda assim eles pertencem a sua própria época. O nome de Petrarca, entrelaçado na tradição dominicana da memória, revela a crescente influência humanista. E, ao mesmo tempo que novas influências se fazem sentir, há na tradição da memória uma deterioração em curso. As regras da memória tornam-se cada vez mais detalhadas; as listas alfabéticas e os alfabetos visuais encorajam seu uso trivial. Sente-se com freqüência, ao ler os tratados, que a memória degenerou em uma espécie de palavras cruzadas, uma distração para as longas horas do claustro; muitos de seus conselhos podem não ter tido qualquer utilidade prática; letras e imagens tornam-se jogos infantis. No entanto, é possível que esse tipo de uso estivesse de acordo com o gosto do Renascimento e sua paixão pelo mistério. Se não conhecêssemos a explicação mnemônica para a Gramática de Romberch, esta poderia passar por algum emblema impenetrável.

A arte da memória, sob essas formas tardias, ainda atuava como forjadora misteriosa das imagens mentais. Que perspectiva para a imaginação a de memorizar a *Consolatio Philosophiae*[47], de Boécio, como recomendado em um manuscrito do século XV! Será que a Senhora Filosofia recobrava a vida nessa tentativa e começava a vagar, como alguma Prudência animada, através dos palácios da memória? Talvez uma memória artificial descontrolada e entregue ao deleite imaginativo e selvagem

47. Códice 5393, de Viena, citado por Volkmann, p. 130.

pudesse ser um dos *stimuli* por trás de uma obra como *Hypnerotomachia Polyphili*, escrita por um dominicano antes de 1500[48]. Nela encontramos não apenas os triunfos de Petrarca e uma arqueologia curiosa, mas também o Inferno, dividido em lugares adequados aos pecados e a suas punições, sobre os quais há inscrições explicativas. Essa sugestão, da arte da memória como parte da Prudência, leva a indagar se as misteriosas inscrições, tão características nessa obra, não devem algo aos alfabetos visuais e às imagens de memória, isto é, se o sonho arqueológico de um humanista não se mistura aos sonhos de sistemas de memória para formar a estranha fantasia.

Entre os exemplos mais característicos do gosto renascentista pelas imagens estão o emblema e a *impresa*. Esses fenômenos nunca foram analisados do ponto de vista da memória, ao qual claramente pertencem. A *impresa*, em particular, é uma tentativa para recordar uma *intentio* espiritual por meio de uma similitude; as palavras de Tomás de Aquino definem bem isso.

Os tratados sobre a memória são cansativos de ler, como Cornelius Agrippa sugere no capítulo que dedica à vaidade da arte da memória[49]. Essa arte, diz ele, foi inventada por Simônides e aperfeiçoada por Metrodoro de Scepsis, que Quintiliano afirma ser um homem vão e jactancioso. Agrippa arrola, então, um conjunto de tratados modernos sobre a memória e descreve-os como "um catálogo sem valor, feito por homens obscuros", e quem precisou passar penosamente por um bom número dessas obras endossará suas palavras. Esses tratados não podem recuperar o funcionamento de vastas memórias do passado, pois as condições de sua época, quando surgiu o livro impresso, destruíram as condições que tornavam possíveis tais memórias. O esboço esquemático dos manuscritos, visando à memorização, e a articulação de uma *summa* em partes ordenadas, tudo isso desaparece com o livro impresso, que não precisa ser memorizado, uma vez que existem inúmeros exemplares.

48. Ficou estabelecido que o autor desta obra, Francesco Colonna, era um dominicano; ver M. T. Casella e G. Pozzi, *Francesco Colonna, Biografia e Opere*, Pádua, 1959, I, pp. 10 e ss.
49. *De vanitate scientiarum*, cap. X.

Em *Notre Dame de Paris*, de Victor Hugo, um estudioso, em plena meditação em seu gabinete no alto da catedral, olha atenciosamente o primeiro livro impresso que veio perturbar sua coleção de manuscritos. Então, abre a janela e observa a vasta catedral, cuja silhueta se destaca contra o céu estrelado, curvando-se como uma enorme esfinge no meio da cidade. "Ceci tuera cela", diz. O livro impresso destruirá a construção. A parábola de Hugo, ao comparar a construção, repleta de imagens, com a chegada de um livro impresso em sua biblioteca, pode ser aplicada ao efeito da expansão da imprensa sobre as catedrais invisíveis da memória existentes no passado. O livro impresso tornará desnecessárias tais construções da memória, cheias de imagens. Acabará com hábitos de imemorável antiguidade, que revestiam imediatamente uma "coisa" com uma imagem e armazenavam-na nos lugares de memória.

Um duro golpe foi desfechado contra a arte da memória, como entendida na Idade Média, por uma moderna cultura filológica humanista. Em 1491, Raphael Regius relacionou as novas técnicas de estudo crítico com o *Ad Herennium* e sugeriu Cornificius como seu autor[50]. Pouco antes, Lorenzo Valla levantara essa questão, colocando todo o peso de sua grande reputação de filólogo contra a atribuição dessa obra a Cícero[51]. A atribuição errada subsistiu por algum tempo nas edições impressas[52], mas progressivamente difundiu-se o conhecimento de que o *Ad Herennium* não era da autoria de Cícero.

Tal fato rompeu a antiga aliança entre a Primeira e a Segunda Retóricas de Tullius. Permaneceu como verdade que Tullius era realmente o autor de *De inventione*, a Primeira Retórica, em que disse que a memória é uma parte da Prudência; mas desapareceu a nítida conseqüência, que o autor ensina na Segunda Retórica, de que a memória pode

50. Raphael Regius, *Ducenta problemata in totidem institutionis oratoriae Quintiliani depravationes*, Veneza, 1491. Aqui se encontra incluído um ensaio sobre "Utrum ars rhetorica ad Herennium Ciceroni falso inscribatur". Cf. a introdução de Marx à sua edição do *Ad Herennium*, p. lxi. Cornificius é, com freqüência, um candidato à autoria, embora hoje isso não seja aceito; ver a introdução de Caplan à edição Loeb, pp. ix e ss.
51. L. Valla, *Opera*, ed. de Bâle, 1540, p. 510; cf. Marx, *loc.cit.*; Caplan, *loc. cit.*
52. Ver, anteriormente, p. 78.

ser treinada pela memória artificial, já que Tullius não havia escrito a Segunda Retórica. A importância da falsa atribuição para a tradição da memória provinda da Idade Média é mostrada pelo fato de que a descoberta feita por filólogos humanistas tenha sido sistematicamente ignorada por autores daquela tradição. Romberch sempre atribui suas citações do *Ad Herennium* a Cícero[53], e Rossellius também o faz[54]. Nada torna mais claro que Giordano Bruno provém da tradição dominicana da memória do que o fato de esse ex-frade, em uma obra sobre a memória, publicada em 1582, ignorar firmemente a crítica dos estudiosos humanistas ao introduzir uma citação do *Ad Herennium* com as seguintes palavras: "Ouçam o que Tullius diz"[55].

Com o ressurgir da oratória laica no Renascimento, esperaríamos encontrar um culto renovado da arte da memória como uma técnica leiga, despida das associações medievais. Notáveis feitos de memória eram admirados tanto no Renascimento como na Antiguidade; surge uma nova demanda pela arte como técnica mnemônica, e autores que trataram a memória, como Pedro de Ravena, vêm suprir essa necessidade. Uma carta de Albrecht Dürer a seu amigo Willibald Pirckheimer permite-nos apreender um exemplo divertido, de um orador humanista que prepara um discurso a ser memorizado segundo os princípios da arte da memória:

> Um aposento deve ter mais de quatro cantos para abrigar todos os deuses da memória. Não vou abarrotar minha mente com eles; deixo isso a você; pois acredito que não importa o número de aposentos na mente, sempre você teria algo em cada um deles. O Margrave não concederia uma audiência tão longa![56]

Para o imitador renascentista do Cícero orador, a perda do *Ad Herennium* como uma obra genuinamente ciceroniana não enfraquecia ne-

53. Romberch, pp. 26 *verso*, 44 *recto* e ss.
54. Rossellius, prefácio, p. 1 *verso* e ss.
55. G. Bruno, *Opere Latine*, II (i), p. 251.
56. *Literary Remains of Albrecht Dürer*, Cambridge, W.M. Conway, 1899, pp. 54-55 (carta de set. 1506). Devo esta referência a O. Kurz.

cessariamente sua crença na memória artificial, pois em *De oratore*, obra muito admirada, Cícero faz referência à memória artificial e afirma que ele próprio a praticava. O culto a Cícero como orador poderia, então, encorajar um interesse renovado pela arte em questão, agora entendida no sentido clássico, como uma parte da retórica.

Contudo, ao mesmo tempo em que as condições sociais exigiam dos oradores muitos discursos e uma boa memória, e que havia uma demanda crescente por ferramentas de auxílio à memória, no humanismo renascentista atuavam outras forças, não favoráveis à arte da memória. Entre elas, é importante destacar o estudo intensivo de Quintiliano pelos estudiosos e educadores humanistas, pois sua recomendação da memória artificial não era irrestrita. Ele expõe claramente tal arte como pura mnemotécnica, e fala a seu respeito em um tom de superioridade e crítico, diferente do entusiasmo de Cícero em *De oratore*; bem distante da aceitação inquestionável de tal arte no *Ad Herennium* e mais distante ainda da fé medieval devotada aos lugares e às imagens de Tullius. Um humanista sensato e moderno, mesmo sabendo que o próprio Cícero recomenda essa curiosa arte, tenderá a ouvir a voz moderada e racional de Quintiliano, que, embora admita a utilidade de lugares e imagens de memória para determinados propósitos, recomenda, em geral, métodos mais diretos de memorização. "Embora não negue que a memória possa ser ajudada por lugares e imagens, ainda assim a melhor memória está baseada em três coisas mais importantes, isto é, estudo, ordem e cuidado"[57].

A citação é de Erasmo, mas por trás das palavras do grande estudioso e crítico podemos ouvir as de Quintiliano. Nos influentes educadores humanistas que virão, a atitude fria e influenciada por Quintiliano em relação à memória artificial transforma-se em desaprovação.

---

57. Erasmo, *De ratione studii*, 1512 (na ed. Froben das *Opera*, 1540, I, p.466). Cf. Hajdu, p. 116; Rossi, *Clavis universalis*, p. 3.
   É desnecessário dizer que Erasmo era totalmente contra qualquer expediente mágico para estimular a memória, contra o que ele adverte seu afilhado, no Diálogo sobre *Ars Notoria*; ver *The Colloquies of Erasmus*, trad. de Craig R. Thompson, Chicago University Press, 1965, pp. 458-61.

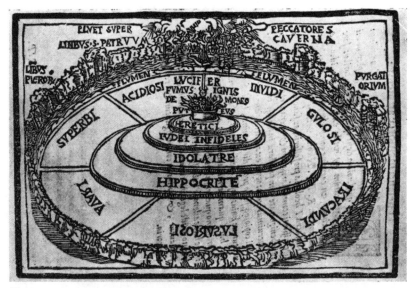

7a

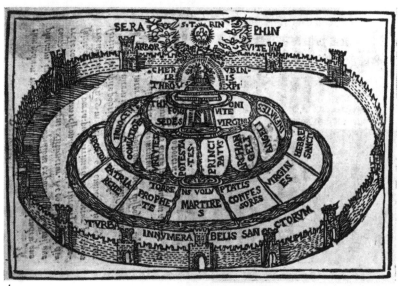

7b

7a. O Inferno como Memória Artificial
7b. O Paraíso como Memória Artificial
Cosmas Rossellius, *Thesaurus Artificiosae Memoriae*, Veneza, 1579.

8a

8a. Os Lugares do Inferno (detalhe)
Afresco de Nardo di Cione:
Santa Maria Novella, Florença
(foto: Alinari).
8b. A Alegoria das Três Partes da
Prudência
Ticiano (proprietário suíço)

8b

Melanchton proíbe os alunos de recorrerem a expedientes mnemotécnicos e estimula-os a aprender de cor pela maneira usual, vendo apenas nela a única arte da memória[58].

Temos de lembrar que, para Erasmo, que entrava confiante em um novo e vigoroso mundo da cultura humanista moderna, a arte da memória teria um ar medieval. Ela pertencia à época da barbárie. Seus métodos em decadência eram exemplo daquelas teias de aranha em mentes monásticas, que novas correntes iriam varrer. Erasmo não apreciava a Idade Média – uma aversão que se transformaria em antagonismo violento na época da Reforma –, e a arte da memória era uma arte medieval e escolástica.

Portanto, no século XVI, a arte da memória parece estar em declínio. O livro impresso destrói os velhos hábitos da memória. A transformação medieval que essa arte sofreu, apesar de ainda sobreviver e ser requerida, como atestam os tratados, pode ter comprometido sua antiga força e tê-la feito degenerar em curiosos jogos de memória. Tendências modernas da cultura e da educação humanistas são reservadas ou mesmo hostis em relação a essa arte clássica. Apesar de na época serem populares livros do tipo *"Como Aprimorar sua Memória"* – como ainda hoje o são –, a arte da memória pode estar saindo dos grandes centros nervosos da tradição européia para se tornar marginal.

Contudo, longe de declinar, a arte da memória realmente entrara em uma nova e estranha fase de sua vida, pois ela havia sido integrada à principal corrente filosófica do Renascimento, o movimento neoplatônico inaugurado por Marsilio Ficino e Pico della Mirandola, no final do século XV. Os neoplatônicos renascentistas não eram tão avessos à Idade Média como certos humanistas nem pactuavam com a depreciação da antiga arte da memória. A escolástica medieval havia absorvido a arte da memória, assim como o fez o neoplatonismo, principal movimento filosófico do Renascimento. Pelo neoplatonismo renascentista, que tinha no hermetismo a sua essência, a arte da memória foi mais uma

---

58. F. Melanchton, *Rhetorica elementa*, Veneza, 1534, p. 4 *verso*. Cf. Rossi, *Clavis universalis*, p. 89.

vez transformada, dessa vez em uma arte hermética ou oculta e, sob essa forma, continuou a ocupar um lugar destacado em uma tradição européia central.

Estamos prontos, finalmente, para iniciar o estudo da transformação da arte da memória no Renascimento, e tomaremos o Teatro da Memória, de Giulio Camillo, como nosso primeiro exemplo dessa mudança essencial.

CAPÍTULO 6

A Memória no Renascimento[1]:
O Teatro da Memória de Giulio Camillo

G iulio Camillo ou Giulio Camillo Delminio, seu nome completo, foi um dos homens mais famosos do século XVI[2]. Era uma
daquelas pessoas que seus contemporâneos viam com admiração, atribuindo-lhe grandes poderes. Em toda a Itália e a França falava-se de seu Teatro; sua fama misteriosa parecia aumentar com o passar
dos anos. Mas o que era, exatamente? Um teatro de madeira, coberto de
imagens, como Camillo o apresentou, pessoalmente, em Veneza, a um
correspondente de Erasmo; posteriormente, pôde ver-se algo parecido
em Paris. O segredo de seu funcionamento seria revelado a uma única
pessoa no mundo: o rei da França. Camillo jamais redigiu o grande

1. A arte da memória entra, agora, em uma fase em que recebe as influências ocultas do Re-
    nascimento. Nos dez primeiros capítulos de meu livro *Giordano Bruno and the Hermetic
    Tradition*, Londres e Chicago, 1964, esbocei a história da tradição hermético-cabalista do
    Renascimento, de Marsilio Ficino e Pico della Mirandola até o surgimento de Giordano
    Bruno. Embora não mencione Camillo, esse livro estabelece a base a partir da qual se
    destaca a perspectiva expressa em seu Teatro da Memória. De agora em diante, ele será
    referido sob a abreviação *G. B. and H. T.*
    Uma abordagem completa sobre a magia em Ficino e sua base na obra hermética *Aesclepius*
    será encontrada em D. P. Walker, *Spiritual and Demonic Magic from Ficino to Campanella*,
    Londres, Warburg Institute, 1958, a partir daqui referido apenas como Walker, *Magic*.
    A melhor edição moderna dos tratados herméticos utilizados por Camillo é a de A. D.
    Nock e A. J. Festugière, *Corpus Hermeticum*, Paris, 1945 e 1954, 4 vols. (tradução francesa).
2. Esta não é uma afirmação exagerada. Ela se encontra na *Enciclopedia italiana* no verbete
    DELMINIO, GIULIO CAMILLO.

livro que sempre esteve prestes a iniciar, no qual seus planos grandiosos seriam preservados para a posteridade. Portanto, não é surpresa que a posteridade tenha se esquecido desse homem chamado por seus contemporâneos de "o divino Camillo". O século XVIII ainda se lembrava dele[3] com certa condescendência, mas, depois disso, ele desapareceu, e apenas recentemente algumas pessoas[4] voltaram a falar a seu respeito.

Nasceu por volta de 1480. Ensinou por algum tempo em Bolonha, mas a maior parte de sua vida foi consagrada à obscura construção de seu Teatro, para a qual ele sempre precisou de ajuda financeira. Francisco I sabia disso – aparentemente por meio de Lázaro de Baïf[5], embaixador da França em Veneza – e, em 1530, Camillo foi para a França. O rei deu-lhe dinheiro para a sua obra, prometendo-lhe mais. Ele voltou à Itália para completá-la e, em 1532, Viglius Zuichemus, então em Pádua, escreveu a Erasmo a respeito de um tal Giulio Camillo, de quem todos falavam.

Dizem que esse homem construiu um certo anfiteatro, uma obra de habilidade maravilhosa; lá, qualquer um que vá como espectador será capaz de discursar sobre qualquer tema, com a fluência de Cícero. Primeiro, achei que isso fosse lenda, até ser melhor informado a respeito por Baptista Egnatio. Diz-se que esse arquiteto ordenou, em lugares determinados, tudo o que se encontra em

3. No século XVIII foram publicados dois estudos biográficos sobre Camillo: F. Altani di Salvarolo, "Memorie intorno alla vitta ed opere di G. Camillo Delminio", em *Nuova raccolta d'opuscoli scientifici e filologici*, vol. XXII, Veneza, A. Calogiera e F. Mandelli, 1755-1784; G. G. Liruti, *Notizie delle vite ed opere... da'letterati del Friuli*, Veneza, 1760, vol. III, pp. 69 e ss.; cf., também, Tiraboschi, *Storia della letteratura italiana*, VII (4), pp. 1.513 e ss.

4. E. Garin, em *Testi umanistici sulla retorica*, Roma-Milano, 1953, pp. 32-5; R. Bernheimer, "Theatrum Mundi", *Art Bulletin*, XXVIII, 1956, pp. 225-31; Walker, *Magic*, 1958, pp. 141-2; F. Secret, "Les cheminements de la Kabbale à la Renaissance; le Théâtre du Monde de Giulio Camillo Delminio et son influence", *Rivista critica di storia della filosofia*, XIV, 1959, pp. 418-36 (ver também, de F. Secret, *Les Kabbalistes Chrétiens de la Renaissance*, Paris, 1964, pp. 186, 291, 302, 310, 314, 318); Paolo Rossi, "Studi sul llullismo e sulliarte della memoria: I teatri del mondo e il llullismo di Giordano Bruno", *Rivista critica di storia della filosofia*, XIV, 1959, pp. 28-59; Paolo Rossi, *Clavis universalis*, Milano, 1960, pp. 96-100.
Em uma conferência no Warburg Institute, em janeiro de 1955, em diapositivo, mostrei o plano do Teatro de Giulio Camillo aqui reproduzido e comparei-o com os sistemas de memória de Bruno, Campanella e Fludd.

5. Liruti, p. 120.

Cícero sobre qualquer coisa [...] Certas ordenações ou categorias de figuras são dispostas [...] com minuciosidade e habilidade divinas[6].

Diz-se que Camillo fez uma cópia dessa esplêndida invenção para o rei da França, a quem ela havia sido recentemente oferecida, e que este último tinha dado quinhentos ducados para que ela fosse terminada.

Ao escrever a próxima carta a Erasmo, Viglius havia estado em Veneza e encontrado Camillo, que lhe permitiu ver o Teatro (era um teatro, não um anfiteatro, como aparecerá posteriormente). "Agora você deve saber", ele escreve, "que Viglius esteve no anfiteatro e inspecionou tudo cuidadosamente". O objeto referido era, então, mais do que uma pequena maquete; era uma construção ampla o suficiente para abrigar pelo menos duas pessoas ao mesmo tempo; Viglius e Camillo estiveram nela juntos.

A construção é de madeira [continua Viglius], marcada por muitas imagens e cheia de pequenas caixas; ali se encontram ordens e categorias variadas. Ele dá um lugar próprio a cada figura individual e ornamento, e mostrou-me tal quantidade de papéis que, apesar de eu ter ouvido que Cícero era a maior fonte de eloqüência, dificilmente eu teria pensado que um autor pudesse conter tanto ou que se pudesse reunir vários volumes a partir de seus escritos. Já lhe contei que o nome do autor é Julius Camillus. Ele gagueja muito e fala o latim com dificuldade, desculpando-se, dizendo que por utilizar com freqüência a pena, quase perdeu o uso da fala. Dizem, no entanto, que pronuncia bem o italiano e que ensinou por algum tempo em Bolonha. Quando lhe perguntei sobre o significado de sua obra, de seu plano e resultados – falei religiosamente e como que assombrado pelo milagre da coisa –, ele me apresentou uns papéis e recitou-os, expressando os números, as cláusulas e todos os artifícios do estilo italiano, ainda que irregularmente, devido ao seu problema de fala. Dizem que o rei insta-o a voltar à França com a obra magnífica. Mas como o rei quis que todos os escritos fossem traduzidos para o francês – para o que ele buscou um intérprete e escriba –, ele disse que preferia adiar sua viagem a exibir uma obra imperfeita. Ele dá muitos nomes ao seu teatro. Algumas vezes, diz tratar-se de mente e alma em forma de edifício, outras, diz que é a mesma mente e alma dotadas

6. Erasmo, *Epistolae*, ed. de P. S. Allen et al., IX, p. 479.

de janelas. Ele alega que todas as coisas que a mente humana pode conceber, mas que não podemos enxergar com nossos olhos corporais, depois de serem reunidas por meio de uma meditação profunda, podem ser expressas por certos signos corporais, de modo que o espectador pode imediatamente perceber com seus olhos tudo o que, de outra forma, permaneceria oculto nas profundezas da mente humana. E é devido a essa visão física, corporal, que ele chama sua obra de teatro.

Quando lhe perguntei se havia escrito algo em defesa de sua opinião, já que muitos hoje desaprovam esse empenho em imitar Cícero, respondeu-me que havia escrito muito mas publicado pouco, salvo algumas coisas em italiano dedicadas ao rei. Ele pretende publicar suas opiniões sobre o assunto quando tiver mais tempo e tranqüilidade, quando sua obra estiver perfeita, para o que ele despende toda a sua energia. Disse já ter gasto com ela mil e quinhentos ducados, apesar de o rei ter fornecido apenas quinhentos dessa soma. Mas espera uma grande recompensa do rei, quando este experimentar os frutos de seu trabalho[7].

Pobre Camillo! Seu Teatro nunca foi totalmente realizado; sua grande obra jamais foi escrita. Mesmo em circunstâncias normais, essa é uma situação angustiante. Como deve pesar o fardo de um homem divino de quem se esperam coisas divinas! E quando o objetivo secreto da obra é mágico, místico, pertinente à filosofia oculta, impossível de explicar a um questionador racional, como esse amigo de Erasmo, para quem a idéia do Teatro da Memória dissolve-se até a incoerência.

Para Erasmo, a arte clássica da memória era uma mnemotécnica racional, útil quando utilizada com moderação; mas, outros métodos mais comuns de memorização deviam ter preferência. Ele se opunha fortemente a qualquer recurso mágico facilitador da memória. O que ele pensará desse sistema de memória hermético? Viglius tinha consciência de qual seria a atitude de seu culto amigo em relação ao Teatro de Camillo, tanto que se desculpa no início da carta por ofender os ouvidos sérios de Erasmo com tais insignificâncias.

7. Idem, x, pp. 29-30.

Camillo retornou à França algum tempo depois da entrevista em Veneza descrita por Viglius. As datas exatas de suas viagens a esse país não foram determinadas[8], mas certamente ele estava em Paris em 1534, quando Jacques Bording, em uma carta a Etienne Dolet, diz que ele tinha chegado havia pouco para informar o rei, e que "ele está construindo aqui um anfiteatro para o rei, com o objetivo de demarcar as divisões da memória"[9]. Em uma carta de 1558, Gilbert Cousin diz ter visto o Teatro de Camillo, uma estrutura feita de madeira, na corte francesa. Cousin escreve mais de dez anos após a morte de Camillo e sua descrição do Teatro é copiada das cartas de Viglius, à época ainda não publicadas, mas a que ele tinha acesso como secretário de Erasmo[10]. Isso certamente diminui o valor da carta de Cousin como documento de primeira mão sobre o que ele viu na França, mas é provável que o Teatro construído na França seguisse de perto o modelo que Viglius havia visto em Veneza. A versão francesa do Teatro parece ter desaparecido rapidamente. No século XVII, o grande especialista na Antiguidade, Montfaucon, fez pesquisas sobre ele, mas dele não encontrou qualquer resquício[11].

Falava-se de Camillo e seu Teatro tanto na corte francesa quanto na Itália, e são conhecidas várias histórias sobre sua estadia na França. A mais curiosa delas é a do leão, da qual uma versão é contada por Betussi, em seus diálogos, publicados em 1544. Ele diz que um dia, em Paris, Giulio Camillo foi ver alguns animais selvagens, juntamente com o cardeal de Lorena, Luigi Alamanni, e outros fidalgos, incluindo o próprio Betussi. Um leão escapou e foi ao encontro do grupo.

Os fidalgos ficaram muito alarmados e esconderam-se aqui e ali, exceto Messer Giulio Camillo, que ficou parado onde estava, sem se mover. Ele agiu assim

---

8. Na nota a Erasmo, *Epistolae*, IX, p. 479, pode-se encontrar um resumo do que se sabe a respeito das viagens de Camillo.
9. R. C. Christie, *Etienne Dolet*, London, 1880, p. 142.
10. Ver a nota a Erasmo, *Epistolae*, IX, p. 475. As citações de Viglius por Cousin sobre o Teatro estão em *Cognati opera*, Bâle, 1562, I, pp. 217-8, 302-4, 317-9. Cf., também, Secret, art. cit., p. 420.
11. Liruti, p. 129.

não para provar sua coragem, mas pelo seu peso, que o tornava mais lento do que os outros. O rei dos animais começou a andar em sua volta e a acariciá-lo, sem machucá-lo, até ser levado de volta ao seu lugar. O que dizer disso? Por que ele não foi morto? Pensaram que ele permaneceu a salvo porque estava sob influência planetária do Sol[12].

A história do leão é repetida com satisfação por Camillo[13], como prova de sua posse da "virtude solar", embora ele não mencione a razão por que, de acordo com Betussi, ele não correu tão rápido como os outros. O comportamento do animal solar na presença do Mago – cujo sistema de memória hermético, como veremos adiante, tinha o Sol como centro – era evidentemente uma valiosa promoção pessoal.

De acordo com o amigo e discípulo de Camillo, Girolamo Muzio, o grande homem retornou à Itália em 1543[14]. Uma referência em uma carta de Erasmo a Viglius poderia indicar que o rei da França não liberou dinheiro com a facilidade que Camillo havia esperado[15]. De qualquer forma, em seu retorno à Itália, Camillo não tinha trabalho nem patrono. O marquês Del Vasto (Alfonso Davalos, o governador espanhol de Milão e patrono de Ariosto) perguntou a Muzio se as expectativas de Camillo em relação ao rei da França haviam se realizado. Se não, ele lhe daria uma pensão em troca do conhecimento do "segredo"[16]. Essa oferta foi aceita e Camillo recebeu pelo resto de sua vida uma pensão de Del Vasto, pronunciando conferências em sua presença e em várias academias. Ele morreu em Milão, em 1544.

Em 1559, foi publicado um pequeno guia sobre as *ville* perto de Milão e as coleções de seus ricos proprietários. Lemos aqui que um nobre muito virtuoso, Pomponio Cotta, fugia às vezes do "nocivo aprisionamento" de Milão (em outras palavras, da pressão da vida na cidade) para o retiro de sua *villa*, para escapar da vida em sociedade e encontrar-se

---

12. G. Betussi, *Il Raverta* (Veneza, 1544), Bari, G. Zonta, 1912, p. 133.
13. Ver, adiante, p. 197.
14. G. Muzio, *Lettere*, Firenze, 1590, pp. 66 e ss.; cf. Liruti, pp. 94 e ss.
15. Erasmo, *Epistolae*, X, p. 226.
16. Muzio, *Lettere*, pp. 67 e ss.; cf. Liruti, loc. cit.

consigo mesmo. Ali ele empregava seu tempo, por vezes na caça, outras na leitura de livros sobre agricultura, outras, ainda, em fazer pintar *imprese*, a partir de motes plenos, de uma sutilidade que indicava sua notável inteligência, "E, entre as maravilhosas pinturas (*pitture*) que ali se encontram, pode ser visto o grandioso e incomparável edifício do maravilhoso Teatro do esplêndido Giulio Camillo"[17].

Infelizmente, a descrição do Teatro que se segue consiste em citações literais da obra impressa *Idea del Theatro*, publicada em 1550; assim, não nos podemos basear nela para ter uma descrição do que realmente existia na *villa*. Teria o seu proprietário assimilado o próprio Teatro, ou uma de suas versões, para somar à sua coleção de raridades? Tiraboschi pensava que as *pitture* eram afrescos pintados a partir de temas do repertório figurativo do Teatro[18], mas não acreditava que este tivesse realmente existido como objeto, conforme sabemos que foi o caso. Entretanto sua interpretação das *pitture* pode estar correta, já que se afirma, no prefácio da *Idea del Teatro*, que "agora não se pode encontrar o conjunto de tão soberbo edifício"[19], o que parece indicar que, na Itália, por volta de 1550, perdeu-se qualquer traço do Teatro como objeto físico.

Apesar da natureza fragmentária de sua realização, ou mesmo por causa disso, a fama de Giulio Camillo não diminuiu após sua morte, pelo contrário, brilhou mais forte do que nunca. Em 1552, Ludovico Dolce, um escritor popular dotado de um sentido aguçado a respeito do que interessaria ao público, escreveu um prefácio para uma compilação das obras um tanto escassas de Camillo, em que ele lamenta a morte prematura desse gênio que, como Pico della Mirandola, não completou sua obra e nem deu à luz o fruto maduro de sua "inteligência mais divina que humana"[20]. Em 1588, Girolamo Muzio, em um discurso em Bolonha, exal-

17. Bartolomeo Taegio, *La Villa*, Milano, 1559, p. 71.
18. Tiraboschi, VII (4), p. 1.523.
19. O autor do prefácio, L. Dominichi, afirma que está publicando essa descrição do Teatro "non potendosi anchora scoprire la macchina intera di si superbo edificio".
20. G. Camillo, *Tutte le opere*, Veneza, 1552, prefácio de Ludovico Dolce. Houve, pelo menos, nove outras edições de *Tutte le opere*, entre 1554 e 1584, todas de Veneza. Ver C.W.E. Leigh, *Catalogue of the Christie Collection*, Manchester University Press, 1915, pp. 97-80.

tou as filosofias de Mercúrio Trismegisto, Pitágoras, Platão, Pico della Mirandola, às quais acrescentou o Teatro de Giulio Camillo[21]. Em 1578, J. M. Toscanus publicou em Paris seu *Peplus Italiae*, uma série de poemas latinos sobre italianos conhecidos, entre os quais está um sobre Camillo e seu maravilhoso Teatro, ao qual as sete maravilhas do mundo devem prestar homenagem. Em uma nota ao poema, Camillo é descrito como grande conhecedor das tradições místicas dos hebreus denominadas cabala e profundamente versado nas filosofias dos egípcios, dos pitagóricos e dos platônicos[22].

No Renascimento, "as filosofias dos egípcios" significam principalmente os supostos escritos de Hermes ou Mercúrio Trismegisto, ou seja, o *Corpus Hermeticum* e o *Asclepius*, profundamente estudados por Ficino. A esses, Pico della Mirandola somou os mistérios da cabala judaica. Não é por acaso que o nome de Camillo é, com freqüência, associado por seus admiradores ao de Pico della Mirandola, já que ele pertence totalmente, e efusivamente, à tradição hermético-cabalista fundada por Pico[23]. O grande trabalho de sua vida foi adaptar essa tradição à arte clássica da memória.

Quando, no final de sua vida, Camillo encontrava-se em Milão a serviço de Del Vasto, durante sete manhãs ditou a Girolamo Muzio uma descrição de seu Teatro[24]. Após sua morte, o manuscrito passou a outras mãos e foi publicado em Florença e Veneza, em 1550, sob o título *L'Idea del Theatro dell'eccellen. M. Giulio Camillo*[25]. É essa obra que permite reconstruir o Teatro em alguma medida, e nosso plano é baseado nela (ver encarte, p. 188).

O Teatro eleva-se em sete graus ou andares, separados por sete passagens de acesso, representando os sete planetas. Seu estudioso seria como um espectador diante do qual estão dispostas as sete medidas do

21. Liruti, p. 126.
22. J. M. Toscanus, *Peplus italiae*, Paris, 1578, p. 85.
23. Ver *G. B. and H. T.*, pp. 84 e ss.
24. Muzio, *Lettere*, p. 73; Liruti, p. 104; Tiraboschi, vol. cit., p. 1.522.
25. As referências a *L'Idea del Theatro*, neste capítulo, são da edição florentina. *L'Idea del Theatro* também está publicada em todas as edições de *Tutte le opere*.

mundo *in spettaculo*, ou em um teatro. E, assim como nos teatros antigos as pessoas de categoria social mais elevada se sentavam nos lugares mais baixos, também neste Teatro as coisas mais importantes estarão dispostas nos lugares mais baixos[26].

Vimos alguns contemporâneos de Camillo descreverem sua obra como um anfiteatro, mas essas indicações praticamente confirmam que ele pensava no teatro romano, do modo descrito por Vitrúvio. Este diz que, no *auditorium* do Teatro, os lugares estão separados por sete passagens de acesso e também menciona que as classes superiores sentavam-se nos lugares mais baixos[27].

O Teatro da Memória de Camillo é, no entanto, uma distorção do projeto do verdadeiro teatro de Vitrúvio. Em cada uma das sete passagens há sete portões ou portas. Esses portões estão decorados com muitas imagens. Em nosso plano, os portões estão representados de forma esquemática e neles estão escritas traduções das descrições das imagens. O fato de que não havia espaço para o público se sentar entre esses portões enormes e extremamente decorados tem pouca importância, já que o Teatro de Camillo inverte a função normal do teatro: não há público sentado nos lugares assistindo a uma peça no palco. O "espectador" solitário do Teatro fica no lugar onde deveria estar o palco e olha em direção ao *auditorium*, contemplando as imagens nos portões – sete multiplicado por sete – dispostas nos sete graus ascendentes.

Camillo nunca menciona o palco e, por isso, omiti esse item no plano. Em um teatro vitruviano normal, o fundo do palco, *frons scaenae*, possui cinco portas decoradas[28], através das quais os atores entram e saem de cena. Camillo transfere a idéia da porta decorada, como aquelas do *frons scaenae*, para essas portas imaginárias decoradas que ficam aci-

---

26. *L'Idea del Theatro*, p. 14.
27. Vitrúvo, *De architectura*, liv. v, cap. 6. No plano do Teatro de Camillo, o corredor de acesso central é mais largo do que os outros. Camillo não afirma que isso deve ser assim, mas há um precedente no desenho do teatro da Antiguidade que permite tal hipótese. L. B. Alberti, em seu *De re aedificatoria* (liv. VIII, cap. 7), chama o largo acesso central de *via regia*.
28. Ver mais adiante, pp. 217-8.

ma dos corredores de acesso que dividem o *auditorium*, o que tornaria impossível fazer um público se sentar ali. Ele utiliza o plano de um verdadeiro teatro vitruviano da Antiguidade, mas adaptando-o a seus objetivos mnemônicos. Os portões imaginários são os seus lugares de memória, providos de imagens.

Ao observar nosso plano, podemos ver que o sistema do Teatro como um todo assenta-se basicamente sobre sete pilares, aqueles da Casa da Sabedoria de Salomão.

> No capítulo nono dos Provérbios, Salomão diz que a sabedoria construiu para si uma casa e fundou-a sobre sete pilares. Essas colunas, que significam a eternidade mais estável, devem ser interpretadas como as sete Sefirot do mundo sobreceleste, que são as sete medidas da estrutura dos mundos celeste e inferior, em que estão contidas as Idéias de todas as coisas de ambos os mundos, celeste e inferior[29].

Camillo fala dos três mundos dos cabalistas, tal como Pico della Mirandola os explicou. O mundo sobreceleste das Sefirot ou emanações divinas, o mundo celeste intermediário das estrelas e o mundo subceleste ou elementar. As mesmas "medidas" perpassam os três mundos, embora suas manifestações sejam diferentes em cada um deles. Presentes como Sefirot no mundo sobreceleste, identificam-se aqui com as Idéias platônicas. Camillo baseia seu sistema de memória nas causas primeiras, nas Sefirot, nas Idéias; estas serão os "lugares eternos" de sua memória.

> Se os oradores da Antiguidade, ao desejarem localizar, dia a dia, as partes dos discursos a serem pronunciadas, as confiaram a lugares frágeis como coisas frágeis, é certo que nós, desejando armazenar para a eternidade a natureza eterna de todas as coisas que podem ser expressas pelo discurso [...] deveríamos encontrar para elas lugares eternos. Nosso maior esforço, portanto, foi o de encontrar uma ordem nessas sete medidas, vastas e distintas entre si, e que manterá a mente desperta e estimulará a memória[30].

29. *L'Idea del Theatro*, p. 9.
30. Idem, pp. 10-1.

Como mostram essas palavras, Camillo nunca perdeu de vista o fato de que seu Teatro é baseado nos princípios da arte clássica da memória. Mas sua construção da memória serve para representar a ordem da verdade eterna; nela, o Universo será lembrado por meio de uma associação orgânica de todas suas partes, com sua ordem eterna subentendida.

Já que, como Camillo explica, nosso conhecimento não consegue atingir a mais elevada das medidas universais, as Sefirot – que são apenas misteriosamente tocadas de leve pelos profetas –, então Camillo coloca os sete planetas, e não as Sefirot, no primeiro grau do Teatro, já que os planetas estão mais próximos de nós e suas imagens são mais bem apreendidas como imagens de memória, sendo claramente diferenciadas entre si. Mas as imagens dos planetas, e as características deles, colocadas no primeiro grau, não devem ser compreendidas como limites além dos quais não podemos ir, mas representam – como o fazem nas mentes dos sábios – as sete medidas celestes acima deles[31]. Indicamos essa idéia no encarte, ao mostrarmos – nos portões do primeiro grau, ou grau mais baixo – as características dos planetas, seus nomes (no lugar de suas imagens) e, então, os nomes das Sefirot e dos anjos aos quais Camillo associa cada planeta. Para destacar a importância do Sol, ele varia o arranjo, nesse caso, ao representar o Sol, no primeiro grau, pela imagem de uma pirâmide, e dispondo a imagem do planeta, um Apolo, acima dessa pirâmide, no segundo grau.

Assim, seguindo o costume dos teatros da Antiguidade – nos quais as pessoas de condição social mais elevada sentavam-se nos lugares mais baixos – Camillo colocou no seu grau mais baixo as sete medidas essenciais – os sete planetas –, das quais, segundo a teoria mágico-mística, todas as coisas aqui embaixo dependem. Uma vez que eles foram apreendidos organicamente, impressos na memória com suas imagens e características, a mente pode deslocar-se deste mundo celeste intermediário em duas direções: para cima, rumo ao mundo sobreceleste das Idéias, das Sefirot e dos anjos, entrando no Templo da Sabedoria de

31. Idem, p. 11.

Salomão; ou para baixo, ao mundo subceleste e elementar, que estará ordenado nos graus superiores do Teatro (que representam, de fato, os lugares inferiores), de acordo com as influências astrais.

CADA UM dos seis graus superiores tem um significado simbólico geral, representado pela mesma imagem em cada um de seus sete portões. Mostramos isso no encarte (ver p. 188), ao fornecermos o nome da imagem geral de cada grau no topo de todos os seus portões, junto com as características dos planetas, indicando a que série planetária pertence cada portão.

Assim, no segundo grau, o leitor encontrará "O Banquete" escrito no topo de todos os portões (exceto no caso do Sol, em que "O Banquete" é colocado no primeiro grau, uma inversão para diferenciar das outras a série solar), já que essa é a imagem para expressar o significado geral desse grau. "O segundo grau do Teatro terá retratada a mesma imagem em todos os seus portões, e ela será a de um banquete. Homero conta que Oceano promoveu um banquete para todos os deuses e não foi sem significados profundos e misteriosos que esse sublime poeta inventou essa ficção"[32]. O Oceano, explica Camillo, são as águas da sabedoria que existiam antes da *materia prima*, e os deuses são as Idéias existentes no padrão divino. O banquete homérico sugere-lhe, também, o Evangelho de São João: "*In principio erat Verbum*"; ou a abertura do Gênese: "*In principio*". Em resumo, o segundo grau do Teatro é realmente o primeiro dia da Criação, representado pela imagem do banquete oferecido por Oceano aos deuses, aos elementos nascentes da Criação, aqui em suas formas simples, puras.

"O terceiro grau terá a Caverna retratada em cada um de seus portões, a qual chamamos de Caverna homérica, para diferenciá-la daquela que Platão descreve em sua *República*." Na caverna das ninfas descrita na *Odisséia*, ninfas teciam, abelhas entravam e saíam. Segundo Camillo,

32. Idem, p. 17. Cf. Homero, *Ilíada*, I, pp. 423-5. Camillo pode ter em mente a interpretação de Macróbio do mito, segundo a qual os deuses que acompanham Júpiter para festejar com Oceano são os planetas. Ver Macróbio, *Commentary on the Dream of Scipio*, trad. de W. H. Stahl, Columbia, 1952, p. 218.

essas atividades representam a mistura dos elementos para formar as coisas criadas, *elementata*, "e desejamos que cada uma das sete cavernas possa conservar as misturas e *elementata* que lhe pertencem, de acordo com a natureza de seu planeta"[33]. O grau da Caverna, então, representa um estágio já mais avançado da criação, quando os elementos são misturados para formar as coisas criadas ou *elementata*. Esse estágio é ilustrado por citações tiradas do comentário da cabala sobre o Gênese.

No quarto grau atingimos a criação do ser humano ou, pelo menos, do homem interior, sua mente e alma. "Elevemo-nos ao quarto grau, pertencente ao homem interior, a mais nobre das criaturas de Deus, que Ele fez à sua imagem e semelhança"[34]. Por que, então, como imagem a ser retratada em todos os seus portões, esse grau tem as Górgonas, as três irmãs, descritas por Hesíodo[35], que possuíam apenas um olho? Porque Camillo adota, das fontes cabalistas, a visão de que o homem possui três almas. É por isso que a imagem das três irmãs de um olho só pode ser utilizada para o quarto grau, que contém "coisas pertencentes ao homem interior, de acordo com a natureza de cada planeta"[36].

No quinto grau, a alma do homem une-se ao corpo. Isso é simbolizado pela imagem de Pasífae e do Touro, a imagem condutora retratada sobre os portões desse grau. "Pois ela (Pasífae), enamorada do Touro, representa a alma que, segundo os platônicos, cai em um estado de desejo pelo corpo"[37]. A alma, em sua jornada do alto para o baixo, passando por todas as esferas, transforma seu veículo puramente ígneo em um veículo aéreo, por meio do qual se torna capaz de unir-se às grosseiras formas corporais. Essa união é simbolizada pela de Pasífae com o Touro. Por isso, a imagem dela sobre os portões do quinto grau do teatro "cobrirá todas as outras imagens (sobre esses portões), às quais serão unidos vo-

33. *L'Idea del Theatro*, p. 29. Cf. Homero, *Odisséia*, XIII, pp. 102 e ss. A interpretação da Caverna das Ninfas como composição dos elementos provém de Porfírio, *De antro nympharum*.
34. *L'Idea del Theatro*, p. 53.
35. Hesíodo, *Escudo de Hércules*, p. 230.
36. *L'Idea del Theatro*, p. 62.
37. Idem, p. 67.

lumes contendo coisas e palavras que pertencem não apenas ao homem interior, mas também ao homem exterior e que dizem respeito às partes do seu corpo, de acordo com a natureza de cada planeta"[38].

A ÚLTIMA imagem em cada um dos portões desse grau é a do Touro sozinho, e esses Touros representam as diferentes partes do corpo humano e sua associação com os doze signos do zodíaco. No encarte (ver p. 188), esses Touros, as partes do corpo que representam e os signos condizentes do zodíaco são indicados na parte inferior de todos os portões do quinto grau. "O sexto grau do Teatro tem, sobre cada um dos portões dos planetas, as Sandálias e os outros ornamentos que Mercúrio veste quando sai para executar os desígnios dos deuses, como contam os poetas. Por meio disso, a memória será despertada para encontrar junto de todos eles as operações que o homem pode realizar naturalmente [...] e sem qualquer arte"[39]. Temos, então, que imaginar as Sandálias e os outros atributos de Mercúrio dispostos no topo de todos os portões desse grau.

"O sétimo grau é consagrado a todas as artes, nobres e vulgares, e sobre cada portão está Prometeu com uma tocha iluminada"[40]. A imagem de Prometeu, que roubou o fogo sagrado e ensinou aos homens o conhecimento dos deuses e de todas as artes e ciências, torna-se, então, a imagem mais elevada, no cimo dos portões, no mais alto grau do Teatro. O grau de Prometeu inclui não apenas todas as artes e ciências mas, também, a religião e o direito[41].

O Teatro de Camillo representa, portanto, o Universo que se expande a partir das causas primeiras através dos estágios da Criação. Primeiro está o aparecimento dos elementos simples das águas, no grau do Banquete; depois, a mistura dos elementos, na Caverna; então, a criação da *mens* do homem à imagem de Deus, no grau das Górgonas; depois, a união da alma e do corpo humanos, no grau de Pasífae e do Touro; então, todo o mundo

38. Idem, p. 68.
39. Idem, p. 76.
40. Idem, p. 79 (erroneamente numerada como 71 no texto).
41. Idem, p. 81.

das atividades humanas: suas atividades naturais, no grau das Sandálias de Mercúrio; suas artes e ciências, religião e leis, no grau de Prometeu. Apesar de haver elementos não ortodoxos no sistema de Camillo (o que será discutido mais adiante), seus graus contêm reminiscências evidentes dos dias da Criação, interpretados de forma ortodoxa.

E, se percorrermos o Teatro, através dos corredores dos sete planetas, veremos que o todo da Criação se ordena como o desenvolvimento das sete medidas fundamentais. Tomemos, por exemplo, a série de Júpiter. Como planeta, ele é associado ao elemento ar. No grau do Banquete, na série de Júpiter, a imagem suspensa de Juno[42] significa o ar como elemento simples; na Caverna, a mesma imagem significa o ar como elemento misto; junto com as Sandálias de Mercúrio, ela representa as operações naturais da respiração, do suspirar; no grau de Prometeu, ela significa as artes que usam o ar, como os moinhos de vento. Júpiter é um planeta útil, benevolente, cujas influências são pacificadoras. Na sua série, a imagem das Três Graças significa, face à Caverna, coisas úteis; com Pasífae e o Touro, representa uma natureza benéfica; com as Sandálias de Mercúrio, o exercício da benevolência. A variação do significado das imagens, em cada um dos graus, sem que isso altere o tema fundamental subjacente a elas, é uma característica cuidadosamente elaborada do sistema figurativo do Teatro. No grau das Górgonas, a elaborada imagem da Cegonha e do Caduceu representa características jupiterianas em sua forma puramente espiritual ou mental, o vôo da alma tranqüila rumo aos céus... escolha, julgamento, ponderação. Unida ao corpo, no domínio de Pasífae e do Touro, a personalidade jupiteriana é representada por imagens que sugerem bondade, amizade, boa fortuna e saúde. No grau das Sandálias de Mercúrio, as operações jupiterianas naturais aparecem com imagens que representam a virtude atuante, a amizade em ação. No nível de Prome-

---

42. Homero, *Ilíada*, 18 e ss. Na Antiguidade, esta imagem era interpretada como uma alegoria dos quatro elementos; os dois pesos presos aos pés de Juno representavam os dois elementos pesados, ou seja, a água e a terra; a própria Juno, o ar; Júpiter, o elemento ígneo mais elevado do ar, isto é, o éter. Ver F. Buffière, *Les mythes d'Homère et la pensée grecque*, Paris, 1956, p. 43.

teu, o caráter jupiteriano é simbolizado por imagens que representam a religião e o direito.

Tomemos, em oposição, a série de Saturno[43]. A associação de Saturno com o elemento terra aparece, sob a influência do Banquete, como a imagem de Cibele, que simboliza a terra como elemento simples; Cibele, sob a Caverna, é a terra como elemento misto; Cibele, em relação às Sandálias de Mercúrio, representa as operações naturais concernentes à terra; Cibele, sob Prometeu, retrata as artes ligadas à terra, tais como a geometria, a geografia e a agricultura. A tristeza e o estado de solidão do temperamento saturnino são expressos pela imagem do Pardal Solitário, evocada pela Caverna, Pasífae e pelas Sandálias de Mercúrio. As características mentais do temperamento saturnino aparecem, no domínio das Górgonas, na imagem de Hércules e Anteu, em sua luta com a terra para se elevar às alturas da contemplação (comparar com a fácil ascensão aérea do espírito jupiteriano nesse mesmo grau). A associação de Saturno ao tempo é expressa, no domínio da Caverna, pela imagem das cabeças de um lobo, um leão e um cachorro, que simboliza o passado, o presente e o futuro[44]. A associação desse planeta com a má fortuna e a pobreza é expressa pelas imagens de Pandora, nos graus da Caverna, Pasífae e das Sandálias de Mercúrio. Uma das mais humildes "ocupações de Saturno", a de transportar e carregar, aparece no domínio de Prometeu, simbolizada pelo Asno.

Compreendido o método, ele pode ser seguido em todas as outras séries planetárias. A Lua aquática apresenta Netuno como a água, elemento simples, no domínio do Banquete, com as usuais variações da mesma imagem em outros graus, e com o tipo comum de alusões ao temperamento lunar e suas ocupações. A série de Mercúrio revela de forma interessante os dons e talentos desse planeta. A série de Vênus

---

43. Sobre as associações e características de Saturno, ver, de R. Klibansky, E. Panofsky e F. Saxl, *Saturn and Melancholy*, London, 1964.

44. Este é o símbolo do tempo, associado a Serápis e descrito por Macróbio; cf. E. Panofsky, "Signum Triciput: Ein hellenistisches Kultsymbol in der Kunst der Renaissance", em *Hercules am Scheidewege*, Berlim, 1930, pp. 1-35.

faz o mesmo em relação ao aspecto venusiano da vida. De modo seme-lhante, a série de Marte, que utiliza Vulcano como imagem do fogo nos diferentes graus, alude ao temperamento e às ocupações de Marte.

A mais importante de todas é a grande série central do Sol, Apolo, que analisaremos mais adiante.

Assim, começamos a perceber o vasto alcance do Teatro da Memória do divino Camillo. Citemos suas próprias palavras:

> Esta disposição, elevada e incomparável, não apenas conserva para nós as coisas, as palavras e as artes que lhe confiamos, de modo que as encontramos pronta-mente quando precisamos delas, mas nos dá também uma sabedoria verdadeira, com a qual atingimos o conhecimento das coisas a partir de suas causas e não de seus efeitos. Isso pode ser melhor compreendido pelo seguinte exemplo. Se nos encontrássemos em uma vasta floresta e desejássemos ver toda a sua extensão, não poderíamos fazê-lo de nossa posição no interior da floresta, pois nossa vi-são ficaria limitada a uma pequena parte, devido às árvores em nossa volta, que nos impediriam uma visão mais distante. Mas, se perto dessa floresta houvesse uma ladeira conduzindo ao alto de uma colina, ao sairmos da floresta e subir-mos a ladeira, começaríamos a ver uma grande parte do contorno da floresta e, do topo da colina, vê-la-íamos por inteiro. A floresta é nosso mundo inferior; a ladeira é o Céu; a colina é o mundo sobreceleste. Para compreendermos as coisas do mundo inferior é necessário ascender às coisas superiores, a partir das quais, olhando de cima até embaixo, devemos adquirir um conhecimento mais correto das coisas inferiores[45].

O Teatro é, portanto, uma visão do mundo e da natureza das coisas, contempladas do alto, a partir das próprias estrelas e, mesmo, das fontes sobrecelestes da sabedoria, ainda mais além.

Mas essa visão é deliberadamente voltada para o quadro da arte clássica da memória, e usa a terminologia mnemônica tradicional. O Teatro é um sistema de lugares de memória, ainda que seja uma dispo-sição "elevada e incomparável". Ele preenche a função de um sistema clássico de memória para os oradores, ao "conservar as coisas, as pala-

---

45. *L'Idea del Theatro*, pp. 11-2.

vras e as artes que lhe confiamos". Oradores da Antiguidade confiavam as partes dos discursos que queriam lembrar a "lugares frágeis", ao passo que Camillo, "desejando armazenar para sempre a natureza eterna de todas as coisas que podem ser expressas pelo discurso", designa-lhes "lugares eternos".

As imagens básicas no Teatro são as dos deuses planetários. O apelo afetivo ou emocional de uma boa imagem de memória – de acordo com as regras – está presente em tais imagens, que expressam: a tranqüilidade de Júpiter, a ira de Marte, a melancolia de Saturno, o amor de Vênus. Aqui, novamente, o Teatro começa pelas causas, as causas planetárias dos diferentes sentimentos; e as diversas correntes emocionais, que percorrem as séptuplas divisões do Teatro a partir de suas fontes planetárias, adquirem a função de estimular a memória pela emoção, como recomendava a arte clássica da memória, mas fazem isso de forma orgânica em relação às causas.

A descrição de Viglius do Teatro mostra que, sob as imagens, havia gavetas ou caixas, cofres de algum tipo, contendo grande número de papéis, em que estavam escritos discursos baseados nas obras de Cícero, relativos aos temas rememorados pelas imagens. *L'Idea del Theatro* alude com freqüência a esse sistema, por exemplo, na afirmação, anteriormente citada, de que às imagens nos portões do quinto grau seriam unidos "volumes contendo coisas e palavras pertencentes não apenas ao homem interior, mas também ao homem exterior". Viglius observou Camillo, agitado, a manipular "papéis" no Teatro; ele extraía, sem dúvida, os vários "volumes" dos receptáculos que lhes eram destinados, de acordo com as imagens. Ele havia descoberto uma nova interpretação da memória para "coisas" e "palavras", ao armazenar discursos escritos sob as imagens correspondentes (todo esse material escrito do Teatro parece ter desaparecido, apesar da suspeita de que Alessandro Citolini poderia tê-lo roubado e publicado em seu próprio nome)[46]. Quando se pensa em todas essas gavetas e cofres no Teatro, ele começa a parecer uma espécie

46. Ver, adiante, p. 300.

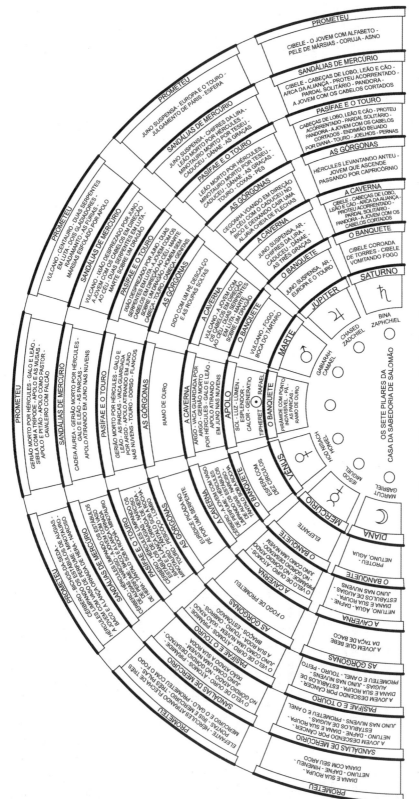

O Teatro da Memória de Giulio Camillo

MARCUT GABRIEL ☽ DIANA O BANQUETE- PROTEU, matéria-prima ou caos. NETUNO, a ÁGUA como elemento simples. A CAVERNA- NETUNO, a água como elemento composto, inferno. DAFNE, florestas e plantas. DIANA E SUA ROUPA, mutação, geração, animais aquáticos. ESTÁBULOS DE AUGIAS, feiúra e imperfeição neste mundo. JUNO NAS NUVENS, coisas escondidas na natureza. AS GÓRGONAS- A JOVEM QUE BEBE DA TAÇA DE BACO, ou seja, a constelação da Taça, que em Leão e Câncer; a alma perdida que memória das coisas do alto, quando da sua descensão (descensu), passando por Câncer, esquecimento humano, ignorância, estupidez. PASIFAE E O TOURO- A JOVEM DESCENDO POR CÂNCER, a descensão da alma ao entrar no corpo. DIANA E SUA ROUPA, a mutação no ser humano. ESTÁBULOS DE AUGIAS, a imundície do corpo, seus excrementos. JUNO NAS NUVENS, coisas escondidas no ser humano. PROMETEU E O ANEL, gratidão por benefícios; a dívida da Lua para com o Sol. /TOURO, cabelos, barba, cérebro. PEITO. SANDÁLIAS DE MERCÚRIO- A JOVEM DESCENDO POR CÂNCER, trabalho de parteira, a lavagem de bebês. NETUNO, atravessar as águas, lavagem. DAFNE, ornar plantas. DIANA SOB A ROCHA, mover ou mudar as coisas. ESTÁBULOS DE AUGIAS, sujar ou estragar as coisas. JUNO NAS NUVENS, esconder pessoas ou coisas. PROMETEU E O ANEL, ações relativas à gratidão. PROMETEU- DIANA E SUA ROUPA, os meses e suas partes. NETUNO, coisas relacionadas às águas, aquedutos, fontes, pontes, navegação, pesca. DAFNE, jardins e artes que empregam a madeira. HIMENEU, casamentos e relacionamentos. DIANA COM SEU ARCO, a caça.

IESOD MIGUEL ☿ MERCÚRIO O BANQUETE- ELEFANTE, fábulas dos deuses. A CAVERNA- O VELO DE OURO, peso, valor pelo toque. ÁTOMOS, quantidade descontínua, distinta, nas coisas (aritmética). PIRÂMIDE, quantidade contínua nas coisas (geometria). NÓ GÓRDIO ATADO, quantidade contínua implícita. NÓ GÓRDIO DESATADO, quantidade continua expressa. JUNO COMO UMA NUVEM, falsas aparências. AS GÓRGONAS- O FOGO DE PROMETEU, o intelecto humano, facilidade no aprendizado. PASIFAE E O TOURO- O VELO DE OURO, peso, leveza, resistência e fraqueza do corpo humano. ÁTOMOS, quantidade distinta no ser humano. PIRÂMIDE, quantidade contínua no ser humano, como alto e baixo. JUNO COMO UMA NUVEM, caráter falso, dissimulado. IXIÃO ATADO A SUA RODA, preocupações mortais, negócios, trabalhos. /TOURO, língua e linguagem. OMBROS, BRAÇOS ESTÔMAGO. SANDÁLIAS DE MERCÚRIO- O VELO DE OURO, tornar pesado ou leve, duro ou maleável. ÁTOMOS, diminuir, interromper, dissolver. PIRÂMIDE, subir, descer. NÓ GÓRDIO ATADO, complicar, tornar intrincado, atado. NÓ GÓRDIO DESATADO, desatar, explicar, dissolver. JUNO COMO UMA NUVEM, dissimular, enganar. IXIÃO ATADO A SUA RODA, negócios, atividade, trabalho. PROMETEU- ELEFANTE, religião e seus mitos, ritos, cerimônias. IRIS e MERCÚRIO, embaixadas correspondência. TRÊS PALAS, desenho, arquitetura, pintura, perspectiva, escultura. MERCÚRIO E O GALO, comércio. PROMETEU COM O FOGO, artes e ofícios em geral.

HOD NISACH HONIEL ♀ VÊNUS O BANQUETE- ESFERA COM DEZ CÍRCULOS, a mais externa é dourada /os Campos Elísios, o Paraíso Terrestre. A CAVERNA- CÉRBERO, as coisas referentes à fome, sede, ao sono. VASO DE PERFUME, odores. HÉRCULES LIMPANDO OS ESTÁBULOS DE AUGIAS, as coisas limpas pela natureza. NARCISO, a beleza das coisas neste mundo. TÂNTALO SOB A ROCHA, coisas iminentes ou vacilantes. AS GÓRGONAS- EURÍDICE PICADA NO PÉ POR UMA SERPENTE, a vontade humana, os afetos governados

ESTÁBULOS DE AUGIAS, a limpeza do corpo. NARCISO, a beleza do corpo, amor, o desejo. BACO E A LANÇA ORNADA DE HERA, divertimento, ócio, alegria. MINOTAURO, a natureza inclinada ao vício. TÂNTALO SOB A ROCHA, natureza tímida e escondida. /TOURO, nariz e sentido do olfato, bochechas, boca. PESCOÇO LOMBO. SANDÁLIAS DE MERCÚRIO- CÉRBERO, comer, beber, dormir. HÉRCULES LIMPANDO OS ESTÁBULOS DE AUGIAS, purgar, limpar. NARCISO, tornar belo, desejável. A JOVEM COM VASO DE PERFUME, perfumar. BACO E A LANÇA ORNADA DE HERA, divertir-se, rir. TÂNTALO SOB A ROCHA, fazer vacilar, abalar. MINOTAURO, ações viciosas. PROMETEU- CÉRBERO, arte culinária, banquetes, providências para dormir. BICHOS-DA-SEDA, artes relativas a roupas, tecelagem, tingimento, costura. HÉRCULES LIMPANDO OS ESTÁBULOS DE AUGIAS, artes da limpeza, dos banhos, de barbear. MINOTAURO, artes dos vícios, rufianismo. A JOVEM COM VASO DE PERFUME, perfumaria. BACO E A LANÇA ORNADA DE HERA, música e jogos. bordéis, as artes das prostitutas. NARCISO, arte da cosmética.

O BANQUETE- PIRÂMIDE COM PONTO INDIVISÍVEL, a Trindade. PÁ, os três mundos. AS PARCAS, causa, início, fim. RAMO DE OURO, as coisas inteligíveis percebidas pelo intellectus agens: **TIPHERET ☉ RAFAEL ☉ APOLO** SOL, Deus, Pater, Luz Deus, Filius. LÚMEN, Mens angelica, Mundus intelligibilis, ESPLENDOR, Anima mundi, Caos. CALOR GENERATIO, Spiritus mundi, Flatus animae. A CAVERNA- ARGO, o mundo inteiro vivificado pelo espírito das estrelas, a terra não é imóvel já que está vive. VACA GUARDADA POR ARGO, coisas visíveis e cores. GERIÃO MORTO POR HÉRCULES, as idades do mundo, as quatro estações, dia e noite. GALO E LEÃO, a virtude solar possuída pelo autor do teatro e mostrada pelo seu poder sobre um leão. APOLO ATIRANDO EM JUNO NAS NUVENS, coisas manifestas. AS GÓRGONAS- RAMO DE OURO, o intellectus agens; Neshamá, ou a parte mais elevada da alma; a alma em geral: a alma racional; espírito e vida. PASIFAE E O TOURO- GERIÃO MORTO POR HÉRCULES, a idade do ser humano. GALO E LEÃO, excelência, superioridade, dignidade, autoridade, domínio do ser humano. AS PARCAS, o ser humano como causa das coisas e dos eventos. VACA GUARDADA POR ARGO, cores do corpo humano. APOLO ATIRANDO EM JUNO NAS NUVENS, manifestação e esclarecimento do ser humano. /TOURO, olhos e sentido da visão DORSO FLANCOS. SANDÁLIAS DE MERCÚRIO- CADEIA ÁUREA, ir ao Sol, estender-se em direção ao Sol. GERIÃO MORTO POR HÉRCULES, operações relativas a minutos, horas, ao ano e suas partes, à idade. GALO E LEÃO, elevar, honrar, dar lugar a. AS PARCAS, causar, iniciar, terminar. APOLO ATIRANDO EM JUNO NAS NUVENS, tornar manifesto, ou esclarecer pessoas e coisas. PROMETEU- GERIÃO MORTO POR HÉRCULES, minutos, horas, anos, a arte de fabricar relógios. GALO E LEÃO, lei, governo e o que se relaciona com isso. SIBILA COM A TRÍPODE, os vários tipos de adivinhação, profecia. APOLO E AS MUSAS, poesia. APOLO E PITÃO, Apolo destruindo o veneno da doença, a arte da medicina. APOLO COMO PASTOR, arte pastoril. CAVALEIRO COM FALCÃO, falcoaria.

GABIARAH CAMAEL ♂ MARTE O BANQUETE- VULCANO, FOGO como elemento simples. BOCA DO TÁRTARO, Purgatório. A CAVERNA- VULCANO, éter e fogo como elemento composto. A JOVEM COM CABELOS EM DIREÇÃO AO CÉU, vigor das coisas neste mundo ou cabelos enquanto veículo das influências celestes). DUAS SERPENTES EM LUTA, discórdia, diferença. MARTE SOBRE UM DRAGÃO, coisas nocivas. AS GÓRGONAS- DIDO COM UM PÉ DESCALÇO E AS ROUPAS SOLTAS, decisões precipitadas, súbitas. PASIFAE E O TOURO- IXIÃO DESPREZADO POR JUNO, natureza orgulhosa, arrogante, desdenhosa. DUAS SERPENTES EM

rosa. MARTE SOBRE UM DRAGÃO, natureza nociva. HOMEM SEM CABEÇA, natureza furiosa, louca. /TOURO CABEÇA- GENITAIS. SANDÁLIAS DE MERCÚRIO- VULCANO, acender o fogo, manter iluminado. IXIÃO DESPREZADO POR JUNO, ser orgulhoso e arrogante, desprezar e ser altivo. A JOVEM COM OS CABELOS EM DIREÇÃO AO CÉU, tornar vigoroso e forte. DUAS SERPENTES EM LUTA, brigar. MARTE SOBRE UM DRAGÃO, ferir, ser cruel. PROMETEU- VULCANO, arte da guerra, arte da equitação, dada a Marte porque o cavalo é o seu animal. DUAS SERPENTES EM LUTA, arte militar. DOIS GLADIADORES, artes marciais. RADAMANTO, lei criminal. AS FÚRIAS, prisões, torturas, punições. MÁRSIAS ESFOLADO POR APOLO, matadouros.

CHASED ZADCHIEL ♃ JÚPITER O BANQUETE- JUNO SUSPENSA, AR como elemento simples. EUROPA E O TOURO, a alma e o corpo, religião verdadeira, o Paraíso. A CAVERNA- JUNO SUSPENSA, AR como elemento composto. CHIFRES DA LIRA, o som transportado pelo ar, coisas audíveis. CADUCEU, as serpentes unidas, união, uniformidade. DÁNAE, boa fortuna, abundância. AS GÓRGONAS- CEGONHA VOANDO EM DIREÇÃO AO CÉU COM O CADUCEU NO BICO E DEIXANDO CAIR UMA ALIAVA CHEIA DE FLECHAS, o vôo tranquilo da alma rumo ao Céu, abandonando preocupações terrenas; escolha, julgamento, deliberação. PASIFAE E O TOURO- LEÃO MORTO POR HÉRCULES, humildade, bondade. MINOTAURO MORTO POR TESEU, tendência à virtude. CADUCEU, natureza amistosa, inclinada a se ocupar da família e do Estado. DÁNAE, boa fortuna, riqueza. AS GRAÇAS, natureza caritativa. /TOURO, ouvidos e sentido da audição COXAS – PÉS SANDÁLIAS DE MERCÚRIO- JUNO SUSPENSA, respirar, suspirar, utilizar o céu aberto. CHIFRES DA LIRA, produzir sons. LEÃO MORTO POR HÉRCULES, praticar a humildade, praticar a bondade. MINOTAURO MORTO POR TESEU, praticar a virtude. CADUCEU, praticar a amizade ou a sociabilidade. DÁNAE, utilizar e seguir a boa fortuna. AS GRAÇAS, praticar a caridade. PROMETEU- JUNO SUSPENSA, artes que empregam o ar, moinhos de vento. EUROPA E O TOURO, conversão, consentimento, santidade, humildade, religião. JULGAMENTO DE PÁRIS, direito civil. ESFERA, astrologia.

BINA ZAPHCHIEL ♄ SATURNO O BANQUETE- CIBELE COROADA DE TORRES, a terra como elemento simples. CIBELE VOMITANDO FOGO, o Inferno. A CAVERNA- CIBELE, a terra como elemento composto. CABEÇAS DE LOBO, LEÃO E CÃO, passado, presente e futuro. ARCA DA ALIANÇA, lugares nos três mundos. PROTEU ACORRENTADO, formas individuais. PARDAL SOLITÁRIO, coisas solitárias. PANDORA, a aflição das coisas. A JOVEM COM OS CABELOS CORTADOS, a fragilidade das coisas. AS GÓRGONAS- HÉRCULES LEVANTANDO ANTEU, luta entre o espírito e o corpo humanos; espiritualização do corpo; memória das coisas do alto, aprendizado, imaginação, contemplação. A JOVEM QUE ASCENDE PASSANDO POR CAPRICÓRNIO, ascensão da alma ao Céu. PASIFAE E O TOURO- CABEÇAS DE LOBO, LEÃO E CÃO, o ser humano submetido ao tempo. PROTEU ACORRENTADO, natureza obstinada e imutável. PARDAL SOLITÁRIO, natureza solitária. PANDORA, má fortuna, pobreza. A JOVEM COM OS CABELOS CORTADOS, fragilidade humana. ENDIMIÃO BEIJADO POR DIANA, união mística; morte e funerais. /TOURO, cabelo branco e rugas JOELHOS PERNAS. SANDÁLIAS DE MERCÚRIO- CIBELE, operações naturais relativas à terra. CABEÇAS DE LOBO, LEÃO E CÃO, adiar, dissuadir. ARCA DA ALIANÇA, ordenar, reunir. PROTEU ACORRENTADO, imobilizar. ARCA DA ALIANÇA, estar sozinho, abandonar. PANDORA, causar aflição. A JOVEM COM UM PÉ CORTADOS, enfraquecer, mentir. PROMETEU- CIBELE, artes relativas à terra, geometria, geografia, agricultura. O JOVEM COM ALFABETO, gramática. PELE DE MÁRSIAS, artes que empregam couro e peles. CORUJA, preparando armadilha para pássaros noturnos.

de gabinete muito ornamental. Mas isso é perder de vista a grandeza da Idéia de uma memória organicamente atrelada ao Universo.

Apesar de a arte da memória ainda utilizar lugares e imagens de acordo com as regras, uma mudança radical ocorreu em sua filosofia e psicologia subjacentes: elas não são mais escolásticas, mas neoplatônicas. E o neoplatonismo de Camillo está impregnado das influências herméticas que estão no centro do movimento inaugurado por Marsilio Ficino. O conjunto de escritos denominado *Corpus Hermeticum* foi redescoberto no século xv e traduzido para o latim por Ficino, que acreditava – e essa crença era comum – que tais escritos compunham a obra de Hermes (ou Mercúrio) Trismegisto, sábio egípcio da Antiguidade[47]. Eles representavam uma tradição da sabedoria antiga, anterior a Platão, e que inspirou este último e os neoplatônicos. Encorajado por alguns dos padres da Igreja, Ficino atribuiu um caráter sagrado aos escritos herméticos, considerando-os profecias pagãs sobre o advento do cristianismo. O *Corpus Hermeticum*, livro sagrado que exprimia uma sabedoria muito antiga, era quase mais importante para o neoplatônico do Renascimento do que o próprio Platão. E a esse livro foi associado o *Aesclepius*, que se tornou conhecido na Idade Média e também foi um texto inspirado atribuído a Trismegisto. A enorme importância dessas influências herméticas no Renascimento é cada vez mais levada em consideração. O Teatro de Camillo está impregnado delas de ponta a ponta.

Nas velhas garrafas da arte da memória foi vertido o vinho maduro das correntes da "filosofia oculta" do Renascimento, correndo cheias de força e frescor em direção à Veneza do século xvi, a partir de sua origem no movimento inaugurado por Ficino em Florença, no final do século xv. O corpo da doutrina hermética à disposição de Camillo consistia nos quatorze primeiros tratados do *Corpus Hermeticum*, a partir da tradução latina de Ficino, e no *Aesclepius*, a partir da tradução latina conhecida na Idade Média. Ele faz numerosas citações literais dessas obras de "Mercurius Trismegistus".

47. Ver *G. B. and H. T.*, pp. 6 e ss.

No relato hermético da criação que se encontra no primeiro tratado do *Corpus*, chamado *Pimandro*, Camillo lera como o demiurgo havia criado "os Sete Governantes que envolvem com seus círculos o mundo sensível". Ele menciona essa passagem, no latim de Ficino, afirmando que ele cita "Mercurio Trismegisto nel Pimandro", e acrescenta esta observação: "Em verdade, ao produzir a partir de si mesma essas sete medidas, a divindade mostra um sinal de que elas estiveram sempre implicitamente contidas no abismo da divindade"[48].

Os Sete Governantes do *Pimandro* hermético estão, portanto, por trás daquelas sete medidas sobre as quais Camillo funda seu Teatro e que têm sua continuação nas Sefirot, no abismo da divindade. Os Sete Governantes são mais do que planetas no sentido astrológico: são seres astrais divinos.

Depois que os Sete Governantes foram criados e colocados em movimento, aparece no *Pimandro* o relato da criação do homem, que difere radicalmente daquele do Gênese. Porque o homem hermético é criado à imagem de Deus, no sentido de que lhe é dado o poder criador divino. Quando ele viu os Sete Governantes recém-criados, o Homem desejou também produzir uma obra e "permissão para isso lhe foi dada pelo Pai [...] Tendo penetrado, então, na esfera demiúrgica, na qual ele tinha pleno poder [...] os Governantes enamoraram-se dele, e cada um deu-lhe uma parte de seus próprios poderes"[49].

A mente do ser humano é um reflexo direto da *mens* divina e possui dentro de si todos os poderes dos Sete Governantes. Quando o ser humano adquire o corpo, ele não perde a divindade de sua mente e pode recuperar sua natureza divina completa, como relata ainda o *Pimandro*, graças à experiência religiosa hermética, na qual a luz e a vida divinas dentro de sua própria *mens* lhe são reveladas.

No Teatro, a criação do homem acontece em dois estágios. Corpo e alma não são criados ao mesmo tempo, como no *Genesis*. Primeiro, no

---

48. *L'Idea del Theatro*, p. 10. A passagem é citada no latim de Ficino (Ficino, *Opera*, Bâle, 1576, p. 1.837).
49. Citado a partir da tradução em *G. B. and H. T.*, p. 23.

grau das Górgonas, surge o "homem interior", a mais nobre criatura de Deus, feito à sua imagem e semelhança. Então, no grau de Pasífae e do Touro, o homem adquire um corpo, cujas partes estão sob a influência do zodíaco. É isto o que acontece ao homem no *Pimandro*; o homem interior, sua *mens*, divina desde sua criação e dotada dos poderes daqueles que governam as estrelas, entra no corpo e fica sob o domínio das estrelas, e escapa disso pela experiência religiosa hermética de ascensão através das esferas, para recuperar sua natureza divina.

No grau das Górgonas, Camillo discute o que pode significar a criação do homem à imagem e semelhança de Deus. Sobre essas palavras, ele cita uma passagem do *Zohar* onde a interpretação que se dá a elas é a de que, apesar de semelhante a Deus, o homem interior não é realmente divino. Camillo contrapõe isso ao relato hermético: "Mas Mercúrio Trismegisto, em seu *Pimandro*, considera a imagem e a semelhança como uma mesma coisa, e o todo, como o grau divino"[50].

Cita, então, o início da passagem do *Pimandro* sobre a criação do homem. Ele concorda com Trismegisto, que o homem interior foi criado no "grau divino". E reforça isso com a citação da conhecida passagem, no *Aesclepius*, sobre o homem, o grande milagre:

Oh, Aesclepius, que grande milagre é o homem, um ser digno de profundo respeito e honra. Porque ele participa da natureza divina, como se ele mesmo fosse um deus; ele é familiar à raça dos demônios, pois sabe que provém da mesma origem; ele menospreza aquela parte de sua natureza que é apenas humana, pois colocou sua esperança no caráter divino da outra parte[51].

Essa passagem reafirma a divindade do homem e que ele pertence à mesma raça dos demônios estelares criadores.

A divindade do intelecto humano é novamente afirmada no décimo segundo tratado do *Corpus Hermeticum*, um dos favoritos de Camillo e sempre citado por ele. O intelecto é tirado da própria substância de

50. *L'Idea del Theatro*, p. 53.
51. Idem, loc. cit.

Deus. Nos homens, esse intelecto é Deus; e, assim, alguns homens são deuses e sua humanidade está próxima da divindade. O mundo mesmo é divino; é um grande deus, imagem de um Deus ainda maior[52].

Camillo estava impregnado desses ensinamentos herméticos sobre a divindade da *mens* do homem, e eles estão refletidos em seu sistema de memória. É justamente por acreditar na divindade do homem que o divino Camillo tem a grande pretensão de ser capaz de relembrar o Universo, ao observá-lo de cima, a partir das causas primeiras, como se fosse Deus[53]. Nesse contexto, a relação entre o homem (o microcosmo) e o mundo (o macrocosmo) ganha um novo significado. O microcosmo pode compreender e relembrar completamente o macrocosmo, pode apreendê-lo dentro de sua *mens* divina ou memória.

Um sistema de memória baseado em tais ensinamentos, apesar de utilizar os velhos lugares de memória e as imagens, claramente deve ter, para seus usuários, implicações muito diversas daquelas dos velhos tempos, quando era permitido ao homem utilizar imagens de memória como uma concessão à sua fraqueza.

Pico della Mirandola juntou as influências de sua divulgação da cabala judaica – em uma forma cristianizada – às fortes influências herméticas que partem da filosofia de Ficino. Os dois tipos de misticismo cósmico têm afinidades entre si e foram combinados para formar a tradição hermético-cabalista, uma força poderosa no Renascimento depois de Pico.

É óbvio que existe uma forte influência cabalista no Teatro. As dez Sefirot, medidas divinas no mundo sobreceleste correspondentes às dez esferas do Universo, foram adotadas da cabala por Pico. Para Camillo, é a correspondência das sete medidas planetárias do mundo celeste com as Sefirot sobrecelestes que fornece ao Teatro a sua exten-

---

52. Citação de "Sobre o intelecto comum", *Corpus Hermeticum*, xii, em *L'Idea del Theatro*, p. 51.
53. Provavelmente, ele fez a ascensão gnóstica através das esferas até a sua origem divina. Segundo Macróbio, as almas descem passando por Câncer, onde bebem da taça do esquecimento do mundo superior, e ascendem de volta ao mesmo mundo superior passando por Capricórnio. Ver, no plano do Teatro, a série de Saturno, patamar das Górgonas: "Moça subindo através de Capricórnio"; e a série da Lua, patamar das Górgonas: "Moça bebendo da taça de Baco".

são no mundo sobreceleste, nas profundezas da sabedoria divina e nos mistérios do Templo de Salomão. Camillo, contudo, usou de artifício com os arranjos usuais. Ele apresenta as correlações entre esferas planetárias e as Sefirot judaicas e anjos, da seguinte forma:

Planetas	Sefirot	Anjos
Lua (Diana)	Malkut	Gabriel
Mercúrio	Iessod	Miguel
Vênus	Hod e Netsach	Honiel
Sol	Tiferet	Rafael
Marte	Guevurá	Camael
Júpiter	Hessed	Zadchiel
Saturno	Biná	Zaphchiel

Ele deixou de lado as duas Sefirot mais importantes, Keter e Hochmá. Isso foi intencional, pois ele explica que não ultrapassará a Biná, à qual Moisés ascendeu e, por isso, ele pára essa série em Biná-Saturno[54]. Há também uma certa confusão, ou anomalia, quando ele atribui duas Sefirot a Vênus. No entanto, suas correlações entre planetas e Sefirot não são incomuns, embora F. Secret observe que ele deformou um pouco os nomes das Sefirot e sugira Egídio de Viterbo como seu provável intermediário[55]. Com as Sefirot-planetas, Camillo coloca sete anjos; as correlações com os anjos são, também, praticamente normais.

Assim como a adoção das Sefirot judaicas, dos anjos e de suas conexões com as esferas planetárias, há numerosas outras influências cabalistas no Teatro, sendo a mais notável a citação do *Zohar* que atribui ao homem três almas: Neshamá, a mais elevada; Ruach, a intermediária; e Nefesh, a mais inferior[56]. Esse conceito cabalista envolve a imagem das

---

54. *L'Idea del Theatro*, p. 13.
55. Secret, art. cit., p. 422; e Egídio de Viterbo, "Introdução", *Scechina e Libellus de litteris hebraicis*, I, ed. de F. Secret, Roma, 1959, p. 13. Outros membros do círculo do cardeal Egídio de Viterbo – que era profundamente interessado em estudos cabalistas – eram Francesco Giorgi, autor de *De harmonia mundi*, e Ânio de Viterbo.
56. *L'Idea del Theatro*, pp. 56-7; cf. *Zohar*, I, 206a; II, 141b; III, 70b, e G. G. Scholem, *Major Trends in Jewish Mysticism*, Jerusalém, 1941, pp. 236-7.

três Górgonas, que possuem um olho para as três, e faz dessa imagem a condutora no grau do Teatro que trata do "homem interior". Em sua inquietação de transformar o homem interior em divino, com Trismegisto, ele enfatiza Neshamá. Para sustentar suas idéias, Camillo utiliza uma miscelânea de fontes cabalistas, cristãs e filosóficas, o que é bem exemplificado na sua explicação do significado das Górgonas no Teatro, que aparece na sua *Lettera del Rivolgimento dell'Huomo a Dio*. Essa carta sobre o retorno do homem a Deus é, em última instância, um comentário sobre o Teatro, assim como outros escritos menores de Camillo. Depois de mencionar Neshamá, Ruach e Nefesh como as três almas no homem, simbolizadas pelas Górgonas no Teatro, ele desenvolve o significado da alma mais elevada da seguinte maneira:

> Possuímos três almas, das quais a mais próxima de Deus é chamada por Mercúrio Trismegisto e Platão de *mens*, é chamada de espírito da vida por Moisés, de parte superior por santo Agostinho, de luz por Davi, quando este diz "*In lumine tuo videbimus lumen*", e Pitágoras concorda com Davi em seu célebre preceito: "*Nemo de Deo sine lumine loqui audeat*". Essa luz é chamada por Aristóteles de *intellectus agens*, e é aquele olho único com o qual as três Górgonas vêem, de acordo com os teólogos simbólicos. E Mercúrio diz que, se nos unimos a essa *mens*, nós podemos compreender, graças ao raio de Deus que ali se encontra, todas as coisas presentes, passadas e futuras, todas as coisas, afirmo, que estão no céu e na terra[57].

Se olharmos agora para a imagem do Ramo de Ouro, no grau das Górgonas no Teatro, entenderemos seus significados: o de *intellectus agens*, Neshamá ou a parte superior da alma, da alma em geral, alma racional, espírito e vida.

Camillo constrói o seu Teatro no mundo espiritual de Pico della Mirandola, de suas *Conclusões*, de sua *Oração sobre a Dignidade do Homem* e de *Heptalus*, com suas esferas angelicais, Sefirot, dias da Criação, associadas a Mercúrio Trismegisto, Platão, Plotino, o Evangelho segundo são João, as

---

57. G. Camillo, *Tutte le opere*, Veneza, 1552, pp. 42-3.

epístolas de são Paulo – toda essa gama de referências heterogêneas pagãs, hebraicas ou cristãs, através das quais Pico se move com a segurança de quem encontrou a chave de tudo. Essa chave de Pico é a mesma de Camillo. Neste mundo, o homem com sua mente, feito à imagem de Deus, ocupa a posição do meio (comparar com a posição das Górgonas no meio do Teatro). Ele pode se mover pelo Teatro, compreendendo-o, e fazer com que este penetre nele por meio de mágicas religiosas sutis, herméticas e cabalistas, que o trazem de volta àquele grau divino que é seu por direito. Estando em sua origem organicamente ligado aos Sete Governantes ("Oh, que milagre é o homem", admira-se Pico no início da *Oração*, citando Mercúrio Trismegisto), ele pode se comunicar com os sete comandantes planetários do mundo. E pode se elevar para além deles e entrar em comunhão, por meio de segredos cabalistas, com os anjos – movendo-se com sua mente divina através dos três mundos, o sobreceleste, o celeste e o terrestre[58]. É desse modo que, no Teatro, a mente de Camillo desloca-se através desses mundos. Essas coisas devem ser veladas, como explica Pico. Os egípcios esculpiam uma esfinge em seus templos, para indicar que os mistérios devem ser mantidos invioláveis. As maiores revelações feitas a Moisés são mantidas em segredo na cabala. Nessa mesma linha de pensamento, Camillo fala de seus mistérios ocultos nas páginas iniciais da *Idea del Theatro*: "Mercúrio Trismegisto diz que o discurso religioso, pleno de Deus, é violado pela intrusão do vulgar. Por essa razão, os antigos [...] esculpiam uma esfinge em seus templos [...] Ezequiel foi censurado pelos cabalistas [...] por ter revelado o que havia visto [...] passemos agora, em nome do Senhor, a falar de nosso Teatro"[59].

Camillo alinha a arte da memória com as novas correntes que então percorrem o Renascimento. Seu Teatro da Memória abriga Ficino e Pico, magia e cabala, o hermetismo e o cabalismo implícitos no chamado neoplatonismo renascentista. Ele transforma a arte clássica da memória em uma arte oculta.

58. Pico della Mirandola, *De hominis dignitate*, Firenze, E. Garin, 1942, pp. 157, 159.
59. *L'Idea del Theatro*, pp. 8-9.

ONDE SE encontra a magia em um tal sistema de memória oculta e como funciona, ou como se pensa que funcionaria? Foi a magia astral[60] de Ficino que influenciou Camillo e que ele tentava utilizar.

O *spiritus* mágico de Ficino baseava-se nos rituais mágicos descritos no *Asclepius* hermético, com que os egípcios, ou mais exatamente os pseudo-egípcios herméticos, animariam suas estátuas, ao introduzirem nelas as forças divinas ou demoníacas do cosmos. Em seu *De vita coelitus comparanda*, Ficino descreve modos de extrair a vida das estrelas, de capturar as correntes astrais que provêm do alto, utilizando-as para a vida e a saúde. A vida celeste, de acordo com as fontes herméticas, nasce no ar, ou *spiritus*, e é mais forte no Sol, seu principal transmissor. Por isso Ficino procura cultuar o Sol, e seu culto astral terapêutico é uma retomada da adoração do Sol.

Apesar de a influência de Ficino perpassar todo o Teatro de Camillo, é na grande série central do Sol que ela mais se destaca. Muitas das idéias de Camillo sobre o Sol, apesar de aparecerem também em suas outras obras, estão expostas em seu *De sole*[61]. Aí, o Sol é chamado de *statua Dei* e comparado à Trindade. No grau do Banquete, da série solar, Camillo dispõe a imagem de uma pirâmide que representa a Trindade. Sobre o portão que domina tal imagem, e onde está a principal imagem de Apolo, Camillo estabelece uma série "luminosa": *Sol, Lux, Lumen, Splendor, Calor, Generatio*. Em *De sole*, há uma série luminosa hierarquizada semelhante. O Sol é, antes de tudo, Deus; então, a Luz nos Céus; depois, *Lumen*, que é uma forma do *spiritus*; então, Calor, inferior a *Lumen*; e, por fim, a Geração, que constitui a série mais baixa. A série de Camillo não é exatamente a mesma coisa, e Ficino não é inteiramente coerente no modo como hierarquiza a luz em seus diversos trabalhos. Mas a disposição de Camillo está de acordo com Ficino na essência, na sugestão de uma hierarquia que desce do Sol, enquanto Deus, para outras formas de luz e calor nas esferas mais baixas, transmitindo o *spiritus* em seus raios.

60. Sobre a magia em Ficino, ver Walker, *Magic*, pp. 30 e ss.; Yates, *G. B. and H. T.*, pp. 62 e ss.
61. Ficino, *Opera, ed. cit.*, pp. 965-75; ver, também, *De lumine*, idem, pp. 976-86; e cf. *G. B. and H. T.*, pp. 120, 153.

Seguindo através dos portões na série do Sol encontramos, no grau da Caverna, a imagem de Argos que tem, entre seus significados, o do conjunto do mundo animado pelo espírito das estrelas, que evoca um dos princípios fundamentais da magia de Ficino, de que o *spiritus* astral é transmitido principalmente pelo Sol. E, no grau das Sandálias de Mercúrio, a imagem da Cadeia Áurea expressa as operações de ida ao Sol, de absorção do Sol, de ascensão até Ele, que lembram as operações da mágica solar de Ficino. As séries solares de Camillo mostram uma típica combinação de misticismo solar e de culto mágico ao Sol, como ocorre em Ficino.

E é significativo que, a respeito da imagem do Galo e do Leão, no grau da Caverna, Camillo relate a história do leão, que outra fonte já nos apresentou em uma versão menos exagerada:

> Quando o autor desse Teatro estava em Paris, em um lugar chamado Tornello, acompanhado de outros cavalheiros, em um cômodo cujas janelas davam para um jardim, um leão escapou da jaula e entrou no aposento e, vindo por trás em direção ao autor, agarrou-o pelas coxas com suas garras, mas sem machucá-lo, e começou a lambê-lo. E quando ele se voltou, ao sentir o toque e a respiração do animal – todos os outros tendo se escondido aqui e ali –, o leão abaixou-se diante dele, como se lhe pedisse perdão. Isso só pode significar que o animal reconhecera neste homem muito da Virtude Solar[62].

O comportamento desse leão desafortunado provou, de modo evidente, não apenas para os acompanhantes, mas para o próprio Camillo, que o autor do Teatro era um Mago Solar!

O leitor pode sorrir diante do leão de Camillo, mas não deveria olhar com desdém para a grandiosa série central do Sol no Teatro. Ele deve lembrar-se de que Copérnico, ao introduzir a hipótese heliocêntrica, ci-

---

62. *L'Idea del Theatro*, p. 39. O "Galo e o Leão" podem ter sido inspirados em *De sacra et magia*, de Proclus, obra na qual se afirma que das duas criaturas solares, o galo é a mais solar, já que entoa hinos ao Sol nascente. Cf. Walker, *Magic*, p. 37, nota 2. Na figura do galo, há, possivelmente, uma alusão ao rei da França. Cf. Bruno, sobre o galo solar francês, citado em *G. B. and H.T.*, p. 202.

tou as palavras do *Asclepius* de Hermes Trismegisto sobre o Sol[63]; de que Giordano Bruno, ao expor a teoria copernicana em Oxford, associou-a à obra de Ficino, *De vita coelitus comparanda*[64]; de que a visão hermética de que a Terra não é imóvel porque está viva, citada por Camillo a propósito da imagem de Argos, no grau da Caverna, na série do Sol[65], foi adaptada por Bruno para sua defesa do movimento da Terra[66]. A série solar do Teatro mostra como, na mente e na memória de um homem do Renascimento, o Sol cresce em importância mística, emocional e mágica, adquirindo uma significação central. Essa série apresenta um movimento interior da imaginação em direção ao Sol, o que deve ser levado em consideração como um dos fatores da revolução heliocêntrica.

Camillo, como Ficino, é um "hermético cristão", que busca relacionar os ensinamentos herméticos com o cristianismo. Hermes Trismegisto era uma figura sagrada em tais círculos, a quem se atribuía ter profetizado a chegada do cristianismo por meio de suas alusões a um "Filho de Deus"[67]. A santidade de Hermes, considerado um profeta pagão, facilitou o caminho de um Mago que desejava permanecer cristão. Já vimos que o Sol, o mais poderoso dos deuses astrais e o principal transmissor do *spiritus*, é, em sua manifestação mais elevada, uma imagem da Trindade, tanto para Camillo quanto para Ficino. Contudo, Camillo é um pouco mais inovador ao identificar o *spiritus* proveniente do Sol com o "espírito de Cristo" e não, como era usual, com o Espírito Santo. Ao citar – do *Corpus Hermeticum*, v – que "Deus é ao mesmo tempo visível e invisível", Camillo identifica o espírito divino latente na Criação – que é o tema deste tratado – com o Espírito de Cristo. Ele cita são Paulo: "*Spiritus Christi, Spiritus vivificans*", acrescentando que "sobre isso, Hermes escreveu um livro, *Quod Deus latens simul, ac patens sit*" (é o *Corpus*

63. Cf. *G. B. and H.T*, p. 154.
64. Idem, pp. 155, 208-11.
65. *L'Idea del Theatro*, p. 38, citando o *Corpus Hermeticum*, XII.
66. Cf. *G. B. and H.T.*, pp. 241-3. Bruno cita a mesma passagem do *Corpus Hermeticum* XII, quando argumenta a favor do movimento da Terra, em *Cena de le ceneri*.
67. Cf. *G. B. and H.T.*, pp. 7 e ss.

Hermeticum, v)[68]. O fato de Camillo ter sido capaz de pensar o *spiritus mundi* como o espírito de Cristo permitiu-lhe conferir implicações cristãs a sua fervorosa adoção da magia do *spiritus* de Ficino, que exala de todo o seu Teatro.

Como a magia de Ficino atuaria dentro de um sistema de memória que utiliza lugares e imagens de forma clássica? Suponho que o segredo disso seja que as imagens de memória eram vistas, por assim dizer, como talismãs interiores.

O talismã é um objeto sobre o qual se imprime uma imagem supostamente tornada mágica, ou que tem poder mágico, por ter sido feita de acordo com certas regras mágicas. Normalmente – embora isso não ocorra sempre –, as imagens de talismãs são imagens das estrelas, por exemplo, uma imagem de Vênus como deusa do planeta Vênus, ou uma imagem de Apolo como deus do planeta Sol. O *Picatrix*, manual de magia talismânica muito conhecido no Renascimento, descreve os procedimentos pelos quais as imagens talismânicas supostamente se tornavam mágicas, ao serem infundidas com o *spiritus* astral[69]. O livro hermético que servia de base teórica para a magia talismânica era o *Asclepius*, no qual é descrita a religião mágica dos egípcios. De acordo com o autor dessa obra, os egípcios sabiam como infundir as estátuas de seus deuses com poderes cósmicos e mágicos. Ao recorrerem a rezas, encantamentos e outros processos, eles davam vida a essas estátuas; em outras palavras, os egípcios sabiam como "fabricar deuses". Segundo o *Asclepius*, os processos que os egípcios usavam para transformar suas estátuas em deuses são similares aos da feitura de um talismã.

Ficino fez uso de alguns talismãs em sua magia, como descrito em sua *De vita coelitus comparanda*, onde menciona descrições de imagens talismânicas, algumas provavelmente derivadas do *Picatrix*. Vimos que as passagens sobre talismãs em Ficino derivam, com algumas diferenças, daquelas do *Asclepius*, sobre como os egípcios infundiam poderes

---

68. *L'Idea del Theatro*, pp. 20-1.
69. Cf. *G. B. and H.T.*, pp. 49 e ss.

mágicos e divinos nas estátuas de seus deuses[70]. Ficino utilizava essa magia com cuidado, dissimulando um pouco que sua base se encontrava nas passagens do *Asclepius* sobre a magia. Mas não resta dúvida de que era essa a sua fonte e de que ele era encorajado a adotar a magia dos talismãs, pelo respeito e reverência que dedicava a seu mestre divino, Mercúrio Trismegisto.

Como toda a sua magia, o uso dos talismãs por Ficino era altamente subjetivo e imaginativo. Suas práticas, fossem encantamentos poéticos e musicais ou o uso de imagens tornadas mágicas, eram realmente direcionadas ao condicionamento da imaginação para receber as influências celestes. Suas imagens talismânicas, desdobradas em belas formas renascentistas, deveriam ser conservadas internamente, na imaginação de quem as utilizasse. Ele descreve como uma imagem extraída da mitologia astral poderia ser impressa com tal força na mente, que uma pessoa com essa imagem impressa em sua imaginação, ao entrar no mundo das aparências externas, veria essas últimas sendo unidas pelo poder da imagem interior, extraída do mundo superior[71].

Tal uso interno ou imaginativo do repertório imagético talismânico encontraria, certamente, um veículo adequado para o seu uso na versão ocultista da arte da memória. Se as imagens de memória fundamentais utilizadas em um tal sistema de memória tinham – ou deveriam ter – poder de talismã, o poder de trazer as influências celestes e o *spiritus* para dentro da memória, tal memória tornar-se-ia aquela do homem "divino", intimamente ligado aos poderes divinos do cosmos. E essa memória também teria, ou supunha-se isso, o poder de unificar os conteúdos da memória, ao baseá-la nessas imagens extraídas do mundo celeste. As imagens do Teatro de Camillo pareciam ter algo desse poder, permitindo ao "espectador" apreender de uma só vez, graças à "contemplação das imagens", todos os conteúdos do Universo. O "segredo" do Teatro, ou pelo menos um deles, é, acredito, que as imagens

70. Cf. Walker, *Magic*, pp. 1-24 e passim.
71. Cf. *G. B. and H.T.*, pp. 75-6.

planetárias fundamentais são tidas como talismãs, ou como tendo uma virtude talismânica, e que seu poder astral parece atravessar as imagens subsidiárias – um poder de Júpiter, por exemplo, perpassa todas as imagens na série jupiteriana; ou um poder do Sol que percorre a série solar. Desse modo, a memória fundada no cosmos não apenas levaria o poder do cosmos para dentro da memória, mas também a unificaria. Todos os detalhes do mundo sensível, refletidos na memória, seriam unificados organicamente nela, porque subordinados e unidos às imagens celestes superiores, às imagens de suas "causas".

Se essa era a teoria de sustentação das imagens do sistema de memória oculto de Camillo, deve ter sido baseada nas passagens do *Asclepius* referentes à magia. As passagens dessa obra sobre a "fabricação dos deuses" não são citadas ou referidas em *L'Idea del Theatro*, mas em um discurso sobre o seu Teatro, que ele provavelmente proferiu em alguma academia veneziana. Camillo refere-se às estátuas mágicas do *Asclepius* e fornece uma interpretação bastante sutil da magia delas:

> Li, acredito que em Mercúrio Trismegisto, que no Egito existiam fabricantes de estátuas tão excelentes que as levavam a proporções perfeitas e, assim, elas se tornavam animadas por um espírito angelical: pois tal perfeição não poderia ser desprovida de alma. Semelhante a essas estátuas é a composição de palavras, cujo objetivo é colocar todas elas em uma proporção agradável aos ouvidos [...] Tais palavras, assim que se encontram arranjadas em proporções adequadas, parecem estar animadas por uma harmonia quando pronunciadas[72].

Camillo interpretou a magia das estátuas egípcias em um sentido artístico; uma estátua bem proporcionada torna-se animada por um espírito, torna-se uma estátua mágica.

Isso me parece uma pérola preciosa, presenteada a nós por Camillo, uma interpretação das estátuas mágicas do *Asclepius* em termos dos efeitos mágicos das proporções perfeitas. Tal desenvolvimento pode ter sido sugerido pela afirmação, no *Asclepius,* de que os mágicos egípcios

---

72. G. Camillo, *Discorso in materia del suo Teatro*, em *Tutte le opere*, ed. cit., p. 33.

mantinham o espírito celeste em suas estátuas mágicas por meio de ritos celestes que refletiam a harmonia do céu[73]. A teoria das proporções
no Renascimento baseava-se na "harmonia universal", nas proporções
harmônicas do mundo, o macrocosmo, refletidas no corpo humano, o
microcosmo. Fazer uma estátua de acordo com as regras de proporção
poderia, então, ser uma maneira de nela introduzir a harmonia celeste e,
com isso, conferir-lhe animação mágica.

Aplicado às imagens talismânicas de um sistema oculto de memória,
isso poderia significar que o poder mágico de tais imagens proviria de
suas proporções perfeitas. O sistema de memória de Camillo refletiria
as imagens de proporções perfeitas da arte renascentista e nisso residiria
a sua magia. Somos tomados por um grande desejo de contemplar as
imagens do Teatro, o que o amigo de Erasmo não soube aproveitar.

Tais sutilezas não evitaram que Camillo fosse acusado de ter se arriscado em uma magia perigosa. Um certo Pietro Passi, que publicou
um livro sobre magia natural, em Veneza, em 1614, adverte contra as
estátuas do *Asclepius*, "sobre as quais Agrippa ousou afirmar, em seu livro
De occulta philosophia, que eram animadas por influências celestes [...]
E Giulio Camillo, sob outros aspectos um autor sensato e refinado, não
está longe desse erro, no *Discorso in materia del suo Theatro*, em que, ao
comentar sobre as estátuas egípcias, diz que as influências celestes penetram aquelas construídas segundo proporções raras. No que ele e outros
estão errados [...]"[74].

Camillo não escapa da acusação de ser um mágico, por ter se ocupado, em alguma medida, das passagens do *Asclepius* sobre magia. E a
acusação de Passi revela a suposição de o "segredo" do Teatro ser de
ordem mágica.

73. Citado em *G. B. and H.T.*, p. 37.
74. Pietro Passi, *Della magic'arte, ouero della Magia Naturale*, Veneza, 1614, p. 21. Cf. Secret,
art. cit., pp. 429-30. Somos levados a nos perguntar se F. X. Messerschmidt – o excêntrico
escultor alemão do século XVIII, que combinava um culto religioso intenso a Hermes
Trismegisto com o vigoroso estudo de um "velho livro italiano" sobre a proporção (ver
R. e M. Wittkower, *Born under Saturn*, London, 1963, pp. 126 e ss.) – utilizou alguma
tradição vinda das academias venezianas.

O Teatro apresenta uma transformação notável da arte da memória. As regras dessa arte são claramente discerníveis nele. É uma construção dividida em lugares de memória, em que estão depositadas imagens de memória. Renascentista em sua forma, já que tal edifício da memória não é mais uma igreja gótica ou catedral, o sistema também é renascentista em sua teoria. As imagens emocionalmente impressionantes da memória clássica, transformadas em similitudes corporais pela devota Idade Média, são novamente transformadas, desta vez em imagens mágicas poderosas. A intensidade religiosa associada à memória medieval tomou uma nova e audaciosa direção. A mente e a memória humanas são, agora, "divinas", com poderes de atingir a realidade a mais elevada, por meio de uma imaginação ativada pela magia. A arte hermética da memória tornou-se o instrumento de formação de um Mago, o meio da imaginação pelo qual o microcosmo divino pode refletir o macrocosmo também divino, pode apreender sua significação a partir do alto, a partir daquele nível divino ao qual sua *mens* pertence. A arte da memória tornou-se uma arte oculta, um segredo hermético.

Quando Viglius questionou Camillo quanto à significação da obra, quando se encontravam no Teatro, Camillo falou disso como uma representação de tudo o que a mente pode conceber e de tudo o que está oculto na alma – e que tudo isso poderia ser percebido de uma só vez pela observação das imagens. Camillo tenta dizer a Viglius o "segredo" do Teatro, mas, entre os dois homens, há um imenso abismo de incompreensão mútua.

Embora ambos fossem resultado do Renascimento, Viglius representa Erasmo, o erudito humanista, oposto por temperamento e educação a todo esse lado oculto, misterioso, do Renascimento, ao qual Camillo pertence. O encontro de Camillo e Viglius no Teatro não representa um conflito entre norte e sul. Na época do encontro, Cornelius Agrippa já havia escrito o seu *De occulta philosophia*, que iria divulgar a filosofia oculta por todo o norte. O encontro no Teatro representa um conflito entre dois tipos diferentes de mentalidade, que revelam lados diversos do Renascimento. O humanista racional é representado por

Erasmo-Viglius. O irracionalista, Camillo, provém da corrente oculta do Renascimento.

Para o tipo de humanista que segue a tendência de Erasmo, a arte da memória estava morrendo, assassinada pelo livro impresso, fora de moda devido a suas associações medievais, uma arte incômoda que os educadores modernos abandonavam. Era por meio da tradição oculta que a arte da memória estava sendo recuperada novamente, expandida sob novas formas, infundida de vida nova.

O leitor racional, se estiver interessado na história das idéias, estará disposto a ouvir todas as idéias que, em cada época, tiveram o poder de entusiasmar os homens. As mudanças fundamentais de orientação no nível psíquico, mostradas pelo sistema de memória de Camillo, têm conexões vitais com as mudanças de perspectiva, de onde surgirão novos movimentos. O estímulo hermético e seus procedimentos de apreensão do mundo constituem um fator de orientação da mente humana em direção à ciência. Camillo está mais próximo do que Erasmo dos movimentos científicos, ainda envoltos em magia, que são obscuramente ativos nas academias venezianas.

E, para a compreensão dos impulsos criativos por trás das realizações artísticas do Renascimento, daquelas harmonias celestes da proporção perfeita que os artistas e poetas divinos sabiam infundir em suas obras, o divino Camillo – com sua magia artística sutil – tem algo a nos dizer.

CAPÍTULO 7

O Teatro de Camillo e o Renascimento Veneziano

O fenômeno do Teatro, outrora tão reconhecido – e, depois, por tanto tempo esquecido –, sugere muitas questões, algumas das quais serão brevemente analisadas neste capítulo, embora fosse necessário todo um livro a esse respeito. Teria Camillo inventado sua grandiosa transformação da arte da memória ou ela já estaria prefigurada no movimento florentino, no qual ele se inspirou? Tal visão da memória era considerada como uma ruptura total com a antiga tradição da memória ou havia uma certa continuidade entre a antiga e a nova tradição? E, finalmente, quais as ligações entre o monumento de memória erigido por Camillo em meio ao Renascimento veneziano, no início do século XVI, e outras manifestações renascentistas daquela época e lugar?

Ficino certamente estava informado sobre a arte da memória. Em uma de suas cartas, fornece alguns preceitos para aprimorá-la, e deixa escapar a seguinte observação: "Aristóteles e Simônides acham útil observar uma certa ordem na memorização. E, realmente, uma ordem contém proporção, harmonia e coerência. E se os temas são classificados em séries, ao se pensar em uma delas, as outras a seguem, como por uma necessidade natural"[1].

Relacionar Simônides à memória significa remetê-la à sua arte clássica; e associá-lo a Aristóteles significa apreender essa arte clássica do

---

1. Ficino, *Opera*, ed. cit., p. 616; P. O. Kristeller, *Supplementum Ficinianum*, Firenze, 1937, I, p. 39.

modo como era transmitida pelos escolásticos. Proporção e harmonia são, até onde sei, novos e significativos acréscimos de Ficino à tradição da memória. Ele possuía, portanto, os materiais para realizar o que Camillo fizera, para introduzir uma arte da memória influenciada por Hermes Trismegisto em um edifício de memória repleto de imagens talismânicas, astrais e mitológicas, que tanto gostava de inventar. Em *De vita coelitus comparanda*, ele fala em construir uma "imagem do mundo"[2]. Formar tal imagem dentro de uma estrutura arquitetônica artística – na qual imagens astrais de memória eram habilmente arranjadas – devia estar de acordo com o temperamento de Ficino. Perguntamo-nos se algumas das particularidades do repertório imagético de Ficino – os significados oscilantes que ele atribui à mesma imagem, a das Três Graças, por exemplo[3] – teriam explicação se a presença da imagem pudesse ser concebida em diferentes graus, como no Teatro de Camillo.

Não conheço qualquer referência explícita à arte da memória nas obras de Pico della Mirandola, apesar de as palavras iniciais de seu *Discurso sobre a Dignidade do Homem* terem talvez sugerido a Camillo a forma de seu edifício da memória:

> Li nos escritos árabes que Abdullah, o Sarraceno, quando indagado sobre o que achava mais surpreendente neste teatro do mundo (*mundana scaena*), respondeu que nada lhe parecia mais esplêndido do que o homem. E isso está de acordo com a famosa citação de Mercúrio Trismegisto: "Que milagre é o homem, ó, Asclepius"[4].

É claro que Pico se refere, aqui, ao mundo como teatro apenas em um sentido geral, como um *topos* bem conhecido[5]. Contudo, a descrição do

2. Ver *G. B. and H. T.*, pp. 73 e ss.
3. Sobre variantes interpretativas de Ficino a respeito das Três Graças, ver E.H. Gombrich, "Botticelli's Mythologies: A Study in the Neoplatonic Symbolism of his Circle", *Journal of the Warburg and Courtauld Institutes*, VIII, 1945, pp. 32 e ss.
4. Pico della Mirandola, *De hominis dignitate*, ed. cit., p. 102.
5. Sobre o *topos* do teatro, ver E. R. Curtius, *European Literature in the Latin Middle Ages*, London, 1953, pp. 138 e ss.

Teatro de Camillo está tão cheia de ecos do *Discurso*, que é possível que a alusão ao homem hermético como dominador do teatro do mundo, feita em sua abertura, possa ter sugerido a forma do teatro para o sistema de memória hermético[6]. Mas ignoramos se o próprio Pico pensou em construir um "teatro do mundo" para ilustrar seu arcabouço mental, como ele expressou no *Heptaplus*, e como ocorre com o Teatro de Camillo.

Ainda que essas sugestões sejam meramente fragmentárias, creio ser pouco provável que o sistema de memória oculto tenha sido inventado por Camillo. É mais provável que, em um ambiente veneziano, ele estivesse desenvolvendo uma utilização interiorizada das influências hermética e cabalista produzidas no campo da arte clássica da memória, e já anunciadas por Ficino e Pico. No entanto, o fato de seu Teatro ter gozado um reconhecimento tão amplo, como uma aquisição nova e surpreendente, mostra que foi ele o primeiro a dar à memória oculta renascentista uma base sólida. E, até onde o historiador da arte da memória pode chegar, seu Teatro é o primeiro grande marco na história da transformação da arte da memória, por meio das influências hermética e cabalista implícitas no neoplatonismo do Renascimento.

PODERÍAMOS SUPOR que não há relação possível entre a transformação ocultista da memória artificial e a tradição anterior da memória. Mas vejamos novamente o plano do Teatro.

Saturno era o planeta da melancolia, a boa memória pertencia ao temperamento melancólico, e a memória era uma parte da Prudência. Tudo isso é indicado pela série de Saturno no Teatro, onde, no grau da Caverna, vemos o famoso símbolo temporal das cabeças de um lobo, de um leão e de um cachorro, que representam o passado, o presente e o futuro. Isso poderia ser usado como um símbolo da Prudência e de suas três partes, *memoria*, *intelligentia* e *providentia*, como retratado na famosa pintura de Ticiano, intitulada *Prudência* (Pr. 8*a*): o rosto de um homem tendo, abaixo dele, as três cabeças dos animais. Camillo, que an-

---

6. Como sugerido por Secret, art. cit., p. 427.

dava pelos principais círculos artísticos e literários venezianos, parece ter conhecido Ticiano[7], mas, de qualquer modo, sabia das três cabeças dos animais como símbolo da Prudência em seu aspecto temporal. Se olharmos, além disso, para a série de Saturno do Teatro, perceberemos que a imagem de Cibele soltando fogo pela boca, no patamar do Banquete, nesta série, significa o Inferno. A lembrança do Inferno como uma parte da Prudência é, portanto, representada no Teatro. Mais ainda, a imagem de Europa e do Touro, no patamar do Banquete, na série de Júpiter, significa a verdadeira religião, o Paraíso. A imagem da Boca do Tártaro, no patamar do Banquete, na série de Marte, representa o Purgatório. A imagem de uma esfera com Dez Círculos, no patamar do Banquete, na série de Vênus, representa o Paraíso Terrestre.

Assim, por trás da esplêndida fachada renascentista do Teatro, ainda sobrevive a memória artificial de tipo dantesco. No Teatro, o que continham os cofres ou caixas sob o domínio das imagens do Inferno, Purgatório e Paraíso Terrestre? Certamente, não eram discursos ciceronianos. Deviam estar cheios de sermões ou de Cantos da *Divina Comédia*. Em todo o caso, temos nessas imagens vestígios de velhos usos e interpretações da memória artificial.

Mais ainda, há provavelmente alguma relação entre o alvoroço provocado pelo Teatro de Camillo e o novo interesse, em Veneza, pela tradição dominicana da memória. Como já dito, Lodovico Dolce, sempre pronto a prover o público de uma literatura popular, escreveu o prefácio da edição das obras reunidas de Camillo (1552), que incluíam a *L'Idea del Theatro*, em que falou sobre o "intelecto mais divino do que humano" de Camillo. Dez anos depois, Dolce apareceu com um trabalho sobre a memória, escrito em italiano[8], de estilo elegante, na forma de diálogo, tendo como modelo o *De oratore*, de Cícero; um dos interlocutores é Hortênsio, evocando o Hortensius da obra de Cícero. Esse pequeno livro possui um verniz de ciceronianismo veneziano, na linha da retó-

---

7. Altani di Salvarolo, p. 266.
8. L. Dolce, *Dialogo nel quale si ragiona del modo di accrescere et conservar la memoria*, Veneza, 1562 (tb., 1575, 1586).

rica clássica *volgare*, em italiano, que é exatamente o estilo da escola de Bembo, à qual Camillo pertenceu (como veremos mais adiante). Mas o que significa esse diálogo sobre a memória, com ares modernos, de Dolce, admirador de Camillo? É uma tradução ou, mais exatamente, uma adaptação do *Congestorium* de Romberch. O latim complicado do dominicano alemão é transformado em diálogos elegantes em italiano, alguns de seus exemplos são modernizados, mas a substância do livro pertence a Romberch. Ouvimos, nos tons suaves do italiano "ciceroniano" de Dolce, a razão escolástica para o emprego de imagens na memória. E os diagramas de Romberch são reproduzidos com exatidão; vemos mais uma vez seu diagrama cósmico, o da memória artificial dantesca, e a figura, em desuso, da Gramática coberta de alfabetos visuais.

Entre os acréscimos de Dolce ao texto de Romberch está aquele, já mencionado, em que ele faz alusão a Dante como uma espécie de guia para a lembrança do Inferno[9]. Outros acréscimos de Dolce são modernizações das instruções de Romberch para a memória; para isso, ele introduz artistas modernos, cujas pinturas são úteis como imagens de memória. Por exemplo:

> Se tivermos alguma familiaridade com a arte dos pintores, seremos mais hábeis para formar nossas imagens de memória. Se você quiser se lembrar da fábula de Europa, poderá usar, como sua imagem de memória, a pintura de Ticiano: também para Adônis ou outra história mítica qualquer, profana ou sagrada, deverá escolher figuras que agradem e, por isso, estimulem a memória[10].

Assim, quando sugere um repertório imagético dantesco para a rememoração do Inferno, Dolce também atualiza a imagem de memória, ao recomendar formas mitológicas, como as pintadas por Ticiano.

A publicação do livro de Rossellius, em Veneza, em 1579, é outra indicação da popularidade da tradição anterior da memória. Do mesmo modo como em sua poderosa exposição da memória artificial dantes-

9. Ver, anteriormente, pp. 125-6.
10. Dolce, *Dialogo*, p. 86 *recto*.

ca, esse livro também reflete algumas tendências mais modernas. Um exemplo é a escolha, por Rossellius, de homens notáveis nas artes e nas ciências, que serão "situados" na memória, como imagens de memória dessas artes e ciências. Essa antiga tradição remonta à Antiguidade grega – quando se "situava" Vulcano para relembrar a Metalurgia[10a] – e dela tivemos um exemplo medieval na série de figuras dispostas diante das artes e ciências, no afresco da capela, pintado para glorificar Tomás de Aquino. Rossellius deu continuidade a tal tradição:

> Para a Gramática, portanto, situo Lorenzo Valla ou Prisciano; para a Retórica eu disponho Marcus Tullius; Aristóteles para a Dialética e a filosofia; para a Teologia, Platão [...] para a Pintura, Fídias ou Zeuxis [...] para a Astrologia, Atlas, Zoroastro ou Ptolomeu; para a Geometria, Arquimedes; para a Música, Apolo, Orfeu [...][11].

Será que, agora, estamos observando a *Escola de Atenas*, de Rafael, como pintura útil para a memória, e "situando" seu Platão como a Teologia, e seu Aristóteles como a Filosofia? Na mesma passagem, Rossellius "situa" Pitágoras e Zoroastro como representantes da "Magia", em uma lista de figuras que ele "dispõe" nos lugares de memória para a lembrança das virtudes. É interessante notar que a "Magia" subiu para a posição das virtudes e, no livro de Rossellius, há outras indicações de que a tradição dominicana de memória segue em direções modernas.

A presença do neoplatonismo na velha tradição da memória encontra-se na *Plutosofia*, do franciscano Gesualdo, publicada em Pádua, em 1592[12]. O autor inicia o capítulo sobre a arte da memória com citações de Ficino no *Libri de vita* (Gesualdo poderia ser utilizado em futuras tentativas para resolver a questão entre Ficino e a memória). Ele vê a memória em três níveis: ela é como o Oceano, pai das águas, pois a partir da memória fluem todas as palavras e os pensamentos; ela é como o Céu,

10a. Ver, anteriormente, p.50.
11. Rossellius, *Thesaurus*, p. 113 *recto*.
12. Outra edição em Vicenza, em 1600.

com suas luzes e seus fenômenos; e ela é como o divino no ser humano, a imagem de Deus na alma. Em outra passagem, compara a memória à mais alta esfera celeste (o zodíaco) e à mais alta esfera sobreceleste (a dos Serafins). Fica claro que, em Gesualdo, a memória circula pelos três mundos, de modo similar àquele mostrado pelo traçado do Teatro. Mas, depois de sua introdução inspirada em Ficino e Camillo, ele dedica o essencial de seu tratado ao antigo tipo de material mnemônico.

Portanto, tudo indica que a tradição anterior da memória, combinada com o novo tipo de memória oculta, que as ameaças dos sermões religiosos sobre recompensas e punições e os avisos da *Divina Comédia* poderiam ainda ser ouvidos ecoando de algum modo, juntamente com o novo estilo de oratória – ou sob sua superfície –, com seu novo arranjo estilístico da memória. E, também, que nossa descoberta do Inferno, Purgatório e Paraíso no Teatro de Camillo pertence a uma atmosfera geral, onde a memória antiga se mistura à nova. O filósofo oculto do Renascimento inclinava-se a ignorar diferenças e ressaltar semelhanças. Ficino era capaz de combinar, de boa vontade, a *Summa* de Tomás de Aquino com sua própria marca de teologia platônica; e estaria bem de acordo com a confusão geral que ele e seus seguidores fossem incapazes de notar alguma diferença essencial entre a recomendação de Tomás de Aquino sobre as "similitudes corporais" na memória e as imagens "astralizadas" da memória oculta.

Camillo pertence não ao Renascimento florentino do final do século XV, mas ao veneziano do início do século XVI, em que as influências florentinas eram absorvidas, mas tomavam formas características venezianas, a mais representativa sendo a oratória ciceroniana. A recomendação da memória artificial no *De oratore*, obra imitada com devoção pelos *ciceroniani*, ganhará peso nesses círculos em voga. Camillo era um orador e admirador do cardeal Bembo, líder dos *ciceroniani*, ao qual dedicou um poema em latim sobre seu Teatro[13]. O sistema de memó-

13. No manuscrito de Paris Lat. 8139, item 20, há um poema de Camillo, em latim, dedicado a Bembo e que menciona o Teatro. Para referências sobre Camillo e Bembo, ver Liruti, pp. 79, 81.

ria do Teatro serve para memorizar cada noção encontrada nas obras de Cícero; as gavetas sob as imagens contêm discursos ciceronianos. O sistema, com sua fundamentação e filosofia hermético-cabalistas, pertence ao mundo da oratória veneziana, como o sistema de um *ciceronianus* que pretende pronunciar discursos de Cícero no *volgare*. Era esse o material que Camillo tirava das gavetas e recitava com tanto entusiasmo a Viglius.

Com o Teatro, a arte da memória retornou à sua posição clássica de parte da retórica, como a arte utilizada pelo grande Cícero. No entanto, não é como "mnemotécnica pura" que os ciceronianos venezianos a utilizam. Um dos fenômenos de aparência mais puramente clássica do Renascimento, a retomada da oratória ciceroniana, é aqui associada a uma memória artificial místico-mágica. E a revelação de como poderia ser a memória de um orador veneziano é importante para a análise do conhecido ataque de Erasmo aos ciceronianos italianos, em seu *Ciceronianus* (1528). Em 1531, foi publicada uma feroz réplica anônima a essa obra, que era tanto uma defesa dos ciceronianos quanto um ataque pessoal a Erasmo. Seu autor era, na verdade, Julius Caesar Scaliger, mas isso não se sabia na época, e a suspeita da autoria recaiu sobre Giulio Camillo. Viglius acreditava nisso, e a errônea convicção de que Camillo atacara seu amigo famoso está subentendida nos relatos de Viglius a Erasmo sobre o Teatro[14].

Ninguém supôs que as objeções de Erasmo aos *ciceroniani* poderiam incluir a rejeição a uma tendência ao ocultismo. Esse pode ser, ou não, o caso. Mas, de qualquer forma, a controvérsia do *Ciceronianus* não deveria ser estudada sem a referência a Camillo, ao seu Teatro e ao que foi dito sobre ele nas academias venezianas.

A proliferação de academias foi um fenômeno notável do Renascimento veneziano e Camillo é um típico acadêmico de Veneza. Ele é tido como fundador de uma academia[15]; provavelmente, muitos de seus escri-

14. Ver Erasmo, *Epistolae*, IX, pp. 368, 391, 398, 406, 442; X, pp. 54, 98, 125, 130 e ss.; e cf. Christie, *Etienne Dolet*, pp. 194 e ss.
15. Liruti, p. 78.

tos literários remanescentes tiveram origem como discursos acadêmicos; e, mais de quarenta anos após sua morte, seu Teatro ainda era discutido em uma academia de Veneza. Tratava-se da *Accademia degli Uranici*, fundada em 1587 por Fabio Paolini, que publicou um grande volume intitulado *Hebdomades*, que retomava discursos feitos nessa academia. Ele está dividido em sete livros, cada um dos quais tem sete capítulos, e "sete" é o tema místico do conjunto.

O grosso volume de Paolini foi estudado por D. P. Walker[16], que considera a obra como representante do núcleo ocultista do neoplatonismo do Renascimento, sob a forma que tomou ao passar de Florença para Veneza. Aqui estão as influências herméticas atuando no ambiente veneziano. Em sua classificação séptupla, Paolini apresenta "não apenas toda a teoria da magia de Ficino, mas também todo o conjunto teórico do qual ela é uma parte"[17]. Ele menciona a passagem do *Asclepius* sobre as estátuas mágicas e segue o mais longe que pode na direção da magia. Pode-se acrescentar que também estava interessado em cabala e na magia dos anjos, de Trithemius; nos mesmos termos de Camillo[18], ele cita os nomes dos anjos cabalísticos que são associados aos planetas.

Um dos principais objetivos de Paolini e sua academia, como revela o *Hebdomades*, era aplicar as teorias mágicas ao que mais interessava aos venezianos: a oratória. As teorias de Ficino sobre a "música planetária", concebida para atrair os poderes planetários por meio de correspondências musicais, foram transferidas por Paolini para a oratória. Segundo Walker, "ele acreditava que somente uma combinação apropriada de tons podia dar à música um poder planetário, tal combinação adequada de 'formas' poderia produzir uma força celeste em um discurso [...] A estrutura (das formas) tem algo a ver com o número sete, e algumas das

16. Sobre a academia de Paolini, os *Hebdomades* e as referências ao Teatro de Camillo, ver Walker, *Magic*, pp. 126-44, 183-5.

17. Idem, p. 126.

18. F. Paolini, *Hebdomades*, Veneza, 1589, pp. 313-4. Sobre esses sete anjos e seus poderes, Paolini se refere a *De septem secundadeis*, de Trithemius, que é um tratado sobre a "prática da cabala" ou invocação.

coisas são os sons das palavras, as figuras do discurso e as sete Idéias de Hermógenes, isto é, as qualidades gerais de uma boa oratória"[19].

É evidente a estreita relação entre as idéias de Paolini sobre a oratória mágica e o sistema de memória de Camillo para oradores, baseados no número sete. Além disso, Paolini cita longas passagens de *L'Idea del Theatro*, inclusive a que descreve sua construção sétupla, baseada no sete planetário[20]. A *Hebdomades* poderia tomar o lugar da grande obra que deveria explicar os alicerces do Teatro e que o próprio Camillo nunca escreveu. Aprendemos, a partir dessa obra, que se visava a um tipo de "oratória planetária", que produziria em seus ouvintes efeitos semelhantes aos efeitos fabulosos da música antiga, já que as palavras do orador eram ativadas pelas influências planetárias nelas introduzidas.

A *Hebdomades* revela-nos um "segredo" do Teatro de Camillo, que de outra forma jamais suspeitaríamos. Assim como fornecia aos oradores um sistema de memória ativado magicamente, pois estava baseado no Sete fundamental, o Teatro também ativava pela magia os discursos que o orador recordava por meio dele, infundindo-lhes a virtude planetária pela qual obteriam efeitos mágicos sobre os ouvintes. Pode-se imaginar que, aqui, tem alguma importância a interpretação de Camillo da magia das estátuas do *Asclepius*. A relação entre as formas de oratória justas, perfeitas – e, por isso, mágicas – e a imagem mágica de memória poderia ser estabelecida pela interpretação das estátuas mágicas, cujo poder se deve àquilo que refletem da harmonia celeste, por meio de suas proporções perfeitas. Assim, as proporções

19. Walker, *Magic*, pp. 139-40. Walker sugere que o interesse de Paolini pelas sete formas da boa oratória expostas por Hermógenes (o grego que escrevia sobre a retórica no século I d.C.) provavelmente tem ligação com a mística em torno do "sete". Camillo também se interessara por Hermógenes; ver o *Discorso di M. Giulio Camillo sopra Hermogene*, em *Tutte le Opere*, ed. cit., II, pp. 77 e ss.
Paolini observa que J. C. Scaliger acreditava nas sete formas de Hermógenes e que as mostrou "quasi in Theatrum" (*Hebdomades*, p. 24). Não sei a qual obra de Scaliger isso possa se referir, mas a observação pode sugerir que Paolini via o oponente de Erasmo como pertencente à escola mística do "Sete", na retórica e na memória.
20. *Hebdomades*, p. 27, que cita *L'Idea del Theatro*, p. 14; cf. Walker, p. 141.

perfeitas da imagem mágica de Apolo, digamos, produziriam o discurso perfeitamente proporcionado – e, portanto, mágico – sobre o Sol. Os mágicos venezianos nos apresentam interpretações extremamente sutis da magia do Renascimento.

Agora, começamos a entender a imensa celebridade do Teatro de Camilo. Para os que estavam de fora da tradição oculta do Renascimento, era obra de um charlatão e impostor. Para os que se situavam dentro da tradição, possuía uma fascinação ilimitada. Propunha mostrar como o Homem, o grande Milagre – aquele que tinha a capacidade de submeter os poderes do cosmos, ao se utilizar da magia e da cabala, como descrito por Pico em seu *Discurso sobre a Dignidade do Homem* –, podia desenvolver poderes mágicos como orador, ao falar recorrendo a uma memória ligada organicamente às proporções da harmonia do mundo. Francesco Patrizi, o filósofo hermético de Ferrara, fala com entusiasmo de como Camillo liberou os preceitos dos mestres da retórica de limites estreitos, ampliando-os aos "mais amplos lugares do Teatro do mundo inteiro"[21].

Segundo a teoria da retórica da Antiguidade, a oratória está estreitamente ligada à poesia, e Camillo, ele próprio um poeta à maneira de Petrarca, estava completamente ciente disso. E é com certo espanto – como o de tropeçar em algo estranho – que se vê Camillo ser mencionado com sinais de aprovação pelos dois poetas italianos mais famosos do século XVI. No *Orlando Furioso*, de Ariosto, Giulio Camillo aparece como "aquele que mostrou um caminho mais suave e curto rumo às alturas do Helicão"[22]. E, em um de seus diálogos, com certa minúcia, Torquato Tasso discute o segredo que Camillo revelara ao rei da França; ele afirma que Camillo fora o primeiro, desde Dante, a mostrar que a retórica é um tipo de poesia[23]. Encontrar Ariosto e Tasso entre os inú-

21. Patrizi, "Prefácio", *Discorso de M. Camillo sopra Hermogene* (em *Tutte le Opere*, ed. cit., II, p. 74). Patrizi elogia Camillo também em sua *Retorica*, 1562. Sobre Camillo e Patrizi, ver E. Garin, *Testi umanistici sulla retorica*, Roma-Milano, 1953, pp. 32-5.
22. *Orlando furioso*, XLVI, p. 12.
23. Torquato Tasso, *La Cavaletta overo de la Poesia Toscana* (*Dialoghi*, II, Firenze, E. Raimondi, 1958, pp. 661-3).

meros admiradores de Camillo nos impede de deixar de lado o Teatro como algo historicamente irrelevante.

OUTRA MANIFESTAÇÃO do Renascimento que está em sintonia com o tom do Teatro é a expressão simbólica sob a forma de *impresa* ou emblema. Algumas das imagens do Teatro são muito semelhantes às *imprese*, moda que se desenvolveu principalmente em Veneza nos tempos de Camillo. A *impresa* está relacionada à imagem de memória, como já dito, e nos comentários sobre as *imprese* há, de modo freqüente, uma mistura de misticismo hermético-cabalista, como o que inspira o Teatro. Um exemplo é o emblema de Ruscelli, de um heliotrópio virado em direção ao Sol, cujo comentário explicativo faz muitas alusões a Mercúrio Trismegisto e à cabala[24]. Entre os símbolos de Achilles Bocchius – que, como muitos dos autores sobre símbolos e *imprese* do período, pertencia ao círculo do reconhecido Camillo –, vemos uma figura (ver frontispício) que usa o chapéu alado de Mercúrio mas não segura o caduceu, e sim o candelabro de ouro com sete ramificações, do Apocalipse[25]. O poema latino que acompanha a figura deixa claro que se trata de Mercúrio Trismegisto; ele coloca o dedo sobre os lábios para pedir silêncio. Essa figura seria um ótimo símbolo do Teatro, com seus mistérios herméticos e os místicos números sete.

O Teatro encontra-se, portanto, no centro do Renascimento veneziano e tem uma relação orgânica com algumas de suas realizações mais características: sua oratória, seu repertório imagético e, pode-se somar a isso, sua arquitetura. A retomada de Vitrúvio pelos arquitetos venezia-

---

24. G. Ruscelli, *Imprese illustri*, Veneza, 1572, pp. 209 e ss. Ruscelli afirma conhecer Camillo (*Trattato del modo di comporre in versi nella lingua italiana*, Veneza, 1594, p. 14). Outro discípulo de Camillo foi Alessandro Farra, cujo *Settenario della humana riduttione*, Veneza, 1571, contém uma discussão sobre a filosofia da *impresa*.

25. Achilles Bocchius, *Symbolicarum quaestionum... libri quinque*, Bolonha, 1555, p. cxxxviii. Outro dos símbolos é dedicado a Camillo.
    A obra de John Dee, *Monas Hieroglyphica* (Antuérpia, 1564), é um símbolo composto dos sete planetas, baseado no "caráter" que Mercúrio representa, e que se move em um território mental próximo daquele do símbolo de Bocchius referente a Mercúrio, que traz o candelabro de sete ramificações. Mais tarde, Jacob Boehme também refletirá de modo hermético sobre as sete formas de sua alquimia espiritual.

nos, culminando em Palladio, é certamente um dos traços mais característicos do Renascimento veneziano, e também aqui Camillo é central, com sua adaptação do teatro vitruviano aos seus objetivos mnemônicos.

O teatro clássico, como descrito por Vitrúvio, reflete as proporções do mundo. As posições dos sete corredores do *auditorium* e das cinco entradas do palco são determinadas pelos vértices de quatro triângulos eqüiláteros inscritos em um círculo, cujo centro é também o centro da orquestra. Esses triângulos, segundo Vitrúvio, correspondem aos *trigona* que os astrólogos inscrevem no círculo do zodíaco[26]. A forma circular do teatro reflete, portanto, o zodíaco. Os sete corredores que conduzem ao *auditorium* e as cinco entradas do palco correspondem às posições dos doze signos e dos quatro triângulos que os unem. Esse arranjo pode ser visto no plano do teatro romano (Pr. *9a*), no comentário de Daniele Barbaro sobre Vitrúvio, publicado pela primeira vez em Veneza, em 1556[27], cujas ilustrações tiveram a influência de Palladio[28]. O plano que Barbaro ilustra é, de fato, a reconstrução por Palladio do teatro romano. Vemos aqui quatro triângulos inscritos no círculo do teatro. A base de um deles determina a posição do *frons scænae* ou fundo do palco, e seu vértice aponta para o corredor central do *auditorium*. Seis outros vértices de triângulos marcam as posições de seis outros corredores; e cinco vértices de triângulos determinam as posições das cinco portas do *frons scænae*.

Esse era o tipo de teatro vitruviano que Camillo tinha em mente, mas que ele modificou, ao decorar com imagens não as cinco portas do palco mas seus portões imaginários localizados nos sete corredores do *auditorium*. Mas, apesar de distorcer o teatro vitruviano por causa de seus objetivos mnemônicos, Camillo certamente sabia da teoria astrológica que lhe era subjacente. Ele devia imaginar que o seu Teatro da Memória do Mundo refletia as proporções divinas do mundo, de forma mágica, em sua arquitetura, assim como em seu repertório imagético.

26. Vitrúvio, *De architectura*, liv. v, cap. 6.
27. Vitrúvio, *De architectura cum commentariis Danielis Barbari*, Veneza, 1567, p. 188.
28. Ver R. Wittkower, *Architectural Principles in the Age of Humanism*, London, Warburg Institute, 1949, p. 59.

Camillo construiu seu Teatro da Memória, em Veneza, na época em que a retomada do teatro antigo – devido à recuperação do texto de Vitrúvio pelos humanistas – estava na ordem do dia[29]. Essa retomada culminaria no Teatro Olímpico (Pr. 9*b*), desenhado por Palladio e construído em Vicenza nos anos de 1580. Pode-se questionar se a idéia do Teatro de Camillo – tão reconhecido em sua época e por longo tempo tema de discussão nas academias – teria tido alguma influência sobre Barbaro e Palladio. As imagens mitológicas que decoram o *frons scænae* do Teatro Olímpico são extremamente elaboradas. Esse teatro, é claro, não altera tão radicalmente a disposição do teatro vitruviano quanto o fez Camillo, ao transferir as portas decoradas do palco para o *auditorium*. Contudo, ele possui um certo traço irreal e imaginário.

TENTAMOS RECONSTRUIR nestes capítulos um teatro de madeira já desaparecido, cuja reputação era grande, não apenas na Itália, mas também na França, para onde foi exportado. Por que tal teatro parece se ligar de forma tão misteriosa a tantos aspectos do Renascimento? Eu sugeriria que isso se deve ao fato de ele representar uma nova estrutura renascentista da psique, uma mudança que ocorreu dentro da memória e de onde mudanças externas receberam estímulo. Era permitido ao homem medieval usar sua faculdade inferior da imaginação para criar similitudes corporais como auxílio à memória; isso era uma concessão à sua fraqueza. Já o homem hermético do Renascimento acredita que possui poderes divinos. Ele pode formar uma memória mágica, graças à qual ele apreende o mundo, refletindo o macrocosmo divino no microcosmo de sua *mens* divina. A magia da proporção celeste flui do mundo de sua memória para as palavras mágicas de sua oratória e poesia, penetrando as proporções perfeitas de sua arte e arquitetura. Algo ocorreu no interior da psique, libertando novos poderes, e o novo plano da memória artificial pode nos ajudar a entender a natureza desse evento interior.

29. Ver H. Leclerc, *Les origines italiennes de l'architecture théâtrale moderne*, Paris, 1946, pp. 51 e ss; R. Klein e H. Zerner, "Vitruve et le théâtre de la Renaissance italienne", em J. Jacquot (ed.), *Le lieu théâtral à la Renaissance*, Paris, CNRS, 1964, pp. 49-60.

CAPÍTULO 8

O Llullismo como Arte da Memória

Embora com Camillo tenhamos alcançado o Renascimento, neste capítulo precisamos voltar à Idade Média. Houve um outro tipo de arte da memória – iniciado na Idade Média, prolongado durante e após o Renascimento –, que muitos, durante o Renascimento, quiseram associar à arte clássica, e essa nova síntese permitiria à memória atingir níveis ainda mais elevados de discernimento e poder. Essa outra arte da memória era a Arte de Ramon Llull.

O llullismo e sua história são um tema muito difícil para a investigação, pois sobre ele ainda não foram reunidos todos os materiais. O grande número de escritos do próprio Llull – alguns deles ainda não publicados –, a vasta literatura escrita sobre ele por seus seguidores e a extrema complexidade do llullismo tornam impossíveis as conclusões definitivas sobre o que constitui, sem dúvida, uma corrente da maior importância para a tradição européia. E o que tenho de fazer, agora, é redigir um capítulo breve e dar uma idéia do que era a Arte de Ramon Llull, por que ela era uma arte da memória, como se diferenciava da arte clássica da memória e como o llullismo foi absorvido, no Renascimento, pelas formas renascentistas desta última.

Obviamente tento o impossível, mas o impossível deve ser tentado, porque é essencial à última parte deste livro que, a esta altura, haja um esboço do llullismo. O capítulo baseia-se em meus dois artigos sobre a Arte de Llull[1] e busca uma comparação do llullismo como arte da memória com essa mesma arte clássica; não diz respeito somente ao llullismo "genuíno", mas também à sua interpretação renascentista, pois é isso o que importa para as etapas seguintes de nossa história.

Ramon Llull era cerca de dez anos mais novo que Tomás de Aquino. Propagava sua Arte numa época em que a forma medieval da arte clássica da memória – como exposta e encorajada por Alberto Magno e Tomás de Aquino – atingia seu apogeu. Nascido por volta de 1235, em Palma de Maiorca, ele passou sua juventude como cortesão e trovador (nunca teve uma educação clerical regular). Por volta de 1272, no Monte Randa, em Maiorca, passou por uma experiência de iluminação na qual viu os atributos de Deus – sua bondade, grandeza, eternidade, etc. –, que penetravam toda a Criação, e percebeu que uma Arte fundada nesses atributos poderia ser construída e seria universalmente válida, pois estaria baseada na realidade. Pouco tempo depois, ele produziu a primeira versão de sua Arte. O resto de sua vida foi dedicado à escrita de livros sobre a Arte, dos quais fez várias versões, sendo a última a *Ars Magna*, de 1305 a 1308; além disso, procurou propagá-la com o máximo zelo. Llull morreu em 1316.

Em um de seus aspectos, a Arte de Llull é uma arte da memória. Os atributos divinos, que são sua base, estruturam-se de forma trinitária e, assim, segundo ele, ela se torna um reflexo da Trindade. Acreditava que sua Arte podia ser usada por aquelas três faculdades da alma que Agostinho definiu como o reflexo da Trindade no homem. Como *intellectus*, era uma arte que permitia conhecer ou encontrar a verdade; como *voluntas*, era uma arte para treinar a vontade pelo amor da verdade; como *memoria*, era uma arte da memória para a rememoração da verdade[2]. Lembra-

1. "The Art of Ramon Lull: An Approach to it through Lull's Theory of the Elements", *Journal of the Warburg and Courtauld Institutes*, XVII, 1964, pp. 115-73; "Ramon Lull and John Scotus Erigena", *Journal of the Warburg and Courtauld Institutes*, XXIII, 1960, pp. 1-44. Estes artigos serão, daqui por diante, referidos como "The Art of R. L." and "R. L. and S. E.".
2. Ver "The Art of R. L.", p. 162; e T. & J. Carreras y Artau, *Historia de la Filosofia Española*, I, Madrid, 1939, 1943, pp. 534 e ss. As definições de Agostinho das três faculdades da alma em relação à Trindade aparecem em sua *De trinitate*.

mo-nos das fórmulas escolásticas que dizem respeito às três partes da Prudência – *memoria, intelligentia* e *providentia* –, sendo que a memória artificial pertence a uma das partes. Llull conhecia a arte dominicana da memória, que em sua época se desenvolvia com grande intensidade; ele estava muito interessado nos dominicanos e tentou atrair a atenção da Ordem para a sua Arte, mas sem sucesso[3], pois eles possuíam sua própria arte da memória. Contudo, a outra grande Ordem de frades pregadores, a dos franciscanos, manifestou interesse por Llull e, assim, no desenrolar de sua história, o llullismo é com freqüência associado a eles.

É um fato historicamente relevante o de os dois grandes métodos medievais – a arte clássica da memória em sua forma medieval e a arte de Ramon Llull – estarem particularmente associados a Ordens mendicantes: a primeira, aos dominicanos, e a segunda, aos franciscanos. A grande mobilidade dos frades fez com que esses dois métodos medievais fossem bem difundidos por toda a Europa.

Embora a Arte de Llull, em certa medida, possa ser reconhecida como uma arte da memória, deve ser enfatizado que em quase todos os aspectos há diferenças radicais entre ela e a arte clássica da memória. Antes de falar sobre o llullismo propriamente dito, quero insistir nesse ponto, mostrando algumas dessas diferenças essenciais.

Tomemos, antes de mais nada, a questão de suas respectivas origens. O llullismo, enquanto arte da memória, não provém da tradição da retórica clássica, como a outra arte da memória. Ele vem de uma tradição filosófica, a do platonismo agostiniano, à qual somaram-se outras influências fortemente neoplatônicas. Ele busca conhecer as causas primeiras, chamadas por Llull de as Dignidades de Deus. Todas as artes de Llull fundamentam-se nessas *Dignitates Dei*, que são os Nomes Divinos ou atributos, considerados como causas primeiras, como no sistema neoplatônico de Scotus Erigena que influenciou Llull.

---

3. Em pelo menos três ocasiões, Llull compareceu à Assembléia Geral dos Dominicanos, com a esperança de fazer a Ordem se interessar por sua Arte; ver E. A. Peers, *Ramon Lull, A Biography*, London, 1929, pp. 153, 159, 192, 203.

Isso se contrapõe à memória escolástica proveniente da tradição retórica, que visa apenas revestir as *intentiones* espirituais de similitudes corporais, e não apoiar a memória em "realidades" filosóficas. Essa divergência indica uma diferença filosófica fundamental subjacente entre o llullismo e a escolástica. Embora Llull tenha vivido na época do florescimento da escolástica, ele tinha o espírito de um homem do século XII, mais do que o de um do século XIII; era um platônico e um reacionário, favorável ao platonismo cristão de Anselmo e dos vitorinos, aos quais somou uma forte dose do mais extremo neoplatonismo de Scotus Erigena. Llull não era um escolástico, e sim um platônico. Em sua tentativa de fundamentar a memória nos Nomes Divinos – cuja concepção se aproxima das Idéias platônicas[4] –, ele está mais próximo do Renascimento do que da Idade Média.

Além disso, no llullismo, como ensinado pelo próprio Llull, não há nada que corresponda às imagens da arte clássica da memória, nada daquele esforço de incitar a memória por meio de similitudes corporais dramáticas e emocionais, o que criava aquela interação frutífera entre a arte da memória e as artes visuais. Os conceitos utilizados por ele em sua arte são designados por letras, o que dá ao llullismo um caráter quase algébrico ou cientificamente abstrato.

Por fim, e este provavelmente é o aspecto mais significativo do llullismo na história do pensamento, Llull introduz movimento na memória. As figuras de sua Arte, sobre as quais seus conceitos são representados por meio de letras do alfabeto, não são estáticas, mas giram em torno de um eixo. Uma das figuras consiste de círculos concêntricos, marcados com as letras que remetem aos conceitos correspondentes. Quando essas rodas giram, são obtidas combinações dos conceitos. Em outra figura móvel, triângulos dentro de um círculo unem conceitos afins. São dispositivos simples mas revolucionários em sua tentativa de representar o movimento na psique.

---

4. O próprio Llull nunca chama de "Idéias" seus Nomes Divinos ou Dignidades, mas Scotus identifica os Nomes criadores às Idéias platônicas; ver "R. L. and S. E.", p. 7.

Pensemos nos grandes esquemas enciclopédicos medievais, com a totalidade do conhecimento arranjada em partes estáticas, tornadas ainda mais rígidas na arte clássica da memória, devido às construções em que são armazenadas as imagens de memória. Agora, pensemos no llullismo, com suas notações algébricas, rompendo os esquemas estáticos e produzindo novas combinações sobre suas rodas giratórias. A primeira arte é mais artística, mas a segunda é a mais científica.

Para Llull, o objetivo de sua Arte era missionário. Ele acreditava que, se pudesse persuadir judeus e muçulmanos a praticar a Arte com ele, ambos seriam convertidos ao cristianismo, porque a Arte se baseava em concepções religiosas comuns às três grandes religiões e na estrutura elementar do mundo da natureza, universalmente aceita pela ciência da época. Partindo de premissas comuns a todos, a Arte demonstraria a necessidade da Trindade.

As concepções religiosas comuns eram os Nomes de Deus, o fato de Deus ser bom, grande, eterno, sábio, e assim por diante. Esses Nomes de Deus pertencem estreitamente à tradição cristã; muitos deles são mencionados por santo Agostinho e, na obra *De divinibus nominibus*, do Pseudo-Dionísio, eles são listados minuciosamente. Os nomes utilizados por Scotus Erigena e Ramon Llull estão quase todos presentes no livro *De divinibus nominibus*[5].

Os Nomes de Deus são fundamentais no judaísmo, particularmente para o tipo de mística judaica conhecida como cabala. Pela influência da cabala, cujas doutrinas eram propagadas na Espanha, os judeus espanhóis contemporâneos de Llull meditavam sobre os Nomes de Deus com grande intensidade. Um dos principais textos da cabala, o *Zohar*, foi escrito na Espanha, na época de Llull. As Sefirot da cabala são de fato Nomes divinos, concebidos como princípios criadores. Em termos místicos, supõe-se que o alfabeto sagrado dos hebreus contenha todos os Nomes de Deus. Uma forma da meditação cabalista desenvolvida especificamente na Espanha da época consistia em meditar sobre as letras

5. Ver "R. L. and S. E.", pp. 6 e ss.

do alfabeto hebraico, combinando-as e recombinando-as para formar os Nomes de Deus[6].

O islamismo, particularmente sob sua forma mística, o sufismo, também atribui grande importância à meditação sobre os Nomes de Deus. Isso foi especialmente desenvolvido pelo místico sufi Mohidin, que teria influenciado Llull[7].

Todas as artes de Llull estão baseadas em Nomes ou atributos de Deus, em conceitos como: *Bonitas, Magnitudo, Eternitas, Potestas, Sapientia, Voluntas, Virtus, Veritas, Gloria* (Bondade, Magnitude, Eternidade, Poder, Sabedoria, Vontade, Virtude, Verdade, Glória). Llull chama tais conceitos de "Dignidades de Deus". Os conceitos citados formam a base das nove formas da Arte. Outras formas da Arte somam a essa lista outros Nomes Divinos, ou atributos, e são fundadas sobre um número ainda maior de tais Nomes ou Dignidades. Llull designa tais conceitos com letras do alfabeto. As nove acima citadas são designadas pelas letras B, C, D, E, F, G, H, I, K.

Os Nomes Divinos fundamentais dessa Arte, sob todas as suas formas, fazem com que ela se baseie em conceitos religiosos comuns ao cristianismo, judaísmo e islamismo. E a estrutura cosmológica da Arte apóia-a em conceitos científicos universalmente aceitos. Como apontou Thorndike[8],

6. Ver G. G. Scholem, *Major Trends in Jewish Mysticism*, Jerusalém, 1941 (2ª ed., New York, 1942). A cabala espanhola da época de Llull tinha por base as dez Sefirot e as 22 letras do alfabeto hebraico. As Sefirot são "os dez Nomes mais comuns que designam Deus e, em seu conjunto, formam o Seu grande e único Nome" (Scholem, p. 210). Eles são os "Nomes criadores que Deus chama ao mundo" (Idem, p. 212). O alfabeto hebraico, a outra base da cabala, também contém os Nomes de Deus. O judeu espanhol, Abraham Abulafia, era contemporâneo de Llull e um adepto da ciência cabalista de combinação das letras hebraicas. Estas são combinadas entre si em infinitas séries ou permutações, combinações que podem parecer destituídas de significado, mas não para Abulafia, que aceita a doutrina cabalista da linguagem divina como substância da realidade (Idem, p. 131).
7. Ver M. Asin Palacios, *Abenmassara y su Escuela*, Madrid, 1914, e *El Islam Christianizado*, Madrid, 1931.
8. *History of Magic and Experimental Science*, II, p. 865. Ilustrações dos tipos de *rotae* cosmológicas que sugerem as figuras de Llull podem ser encontradas em H. Bober, "An Illustrated Mediaeval School-Book of Bede's *De natura rerum*", *Journal of the Walters Art Gallery*, XIX-XX, 1956-1957, pp. 65-97.

é evidente que as rodas da Arte provêm das *rotae* cosmológicas, e isso se torna ainda mais claro quando Llull utiliza as figuras da Arte para praticar um tipo de medicina astrológica, como faz em seu *Tractatus de astronomia*[9]. Além disso, os quatro elementos, em suas várias combinações, penetram profundamente a estrutura da Arte, até mesmo o tipo de lógica geométrica por ela empregada. O quadrado lógico de oposição é identificado, no pensamento de Llull, ao quadrado dos elementos[10], daí ele acreditar ter encontrado uma lógica "natural", baseada na realidade[11] e, por isso, muito superior à lógica escolástica.

Como Llull reúne as duas características fundamentais da sua Arte, sua base religiosa fundada nos Nomes Divinos e sua base cosmológica ou elementar? A resposta a essa questão surgiu quando foi descoberta a influência do *De divisione naturae*, de John Scotus Erigena, sobre Llull[12]. Na grande visão neoplatônica de Erigena – que é também uma visão trinitária e agostiniana –, os Nomes Divinos são causas primeiras, das quais partem diretamente os quatro elementos, sob suas formas simples, como estruturas básicas da criação.

Acredito que esteja aqui, portanto, a chave fundamental para a compreensão dos pressupostos da Arte de Llull. As Dignidades Divinas, dispostas em estruturas triádicas[13], são refletidas a partir destas por toda a Criação; como causas, elas dão forma a toda a Criação por meio de sua estrutura elementar. Uma Arte nelas baseada constrói um método pelo qual, pela escada da Criação, pode-se ascender à Trindade em seu ápice.

---

9. Ver "The Art of. R. L.", pp. 118 e ss.
10. Idem, pp. 115 e ss.
11. Idem, pp. 158-9.
12. Ver "R. L. and S. E.". Não consegui, nesse artigo, identificar os canais reais através dos quais algum conhecimento do sistema de Scotus chegou até Llull, embora tenha sugerido Honorius Augustoduniensis como um dos intermediários.
13. Os padrões triádicos ou correlativos da Arte foram estudados por R.D.F. Pring-Mill, "The Trinitarian World Picture of Ramon Lull", *Romanistisches Jahrbuch*, VII, 1955-1956, pp. 229-56. A correlação também está presente no sistema de Scotus; ver "R. L. and S. E.", pp. 23 e ss.

A ARTE atua em cada nível da Criação, a partir de Deus, passando pelos anjos, pelas estrelas, pelos homens, pelos animais, pelas plantas, e assim por diante – a escada do ser, como vista na Idade Média –, distinguindo a *Bonitas* essencial, a *Magnitudo* essencial, etc., em cada nível. Os sentidos da notação por meio de letras mudam de acordo com o nível em relação ao qual a Arte é utilizada. Vejamos como isso ocorre no caso da letra B, de *Bonitas*, ao descer a escada da Criação, ou por meio dos nove "temas" listados que a Arte deve tratar, sob a forma de "nove letras".

No nível: Deus   B = *Bonitas*, como *Dignitas Dei.*

Angelus   B = a *bonitas* de um anjo.

Coelum   B = a *bonitas* de Áries e dos outros signos do zodíaco, de Saturno e dos outros sete planetas.

Homo   B = *bonitas* no ser humano.

Imaginativa   B = *bonitas* na imaginação.

Sensitiva   B = *bonitas* na criação animal, como a *bonitas* em um leão.

Vegetativa   B = *bonitas* na criação vegetal, como a *bonitas* na pimenteira.

Elementativa   B = *bonitas* nos quatro elementos,como a *bonitas* no fogo.

Instrumentativa   B = *bonitas* nas virtudes, nas artes e nas ciências.

Apresentei, aqui, os nove temas sobre os quais a Arte trabalha, como mostrado no alfabeto da *Ars brevis*. Os exemplos de *bonitas*, nos diferentes níveis da escada do ser, são tirados do *Liber de ascensu et descensu intellectus,* de Llull. Uma edição sua, do início do século XVI, é ilustrada com uma gravura (Fig. 4), em que vemos o *Intellectus* segurando uma das figuras da Arte e subindo pela escada da Criação. Os vários degraus da escada recebem ilustrações; por exemplo: uma árvore para o degrau das plantas, um leão para o degrau dos animais, um homem para o degrau *Homo*, estrelas para o degrau *coelum*, um anjo para o degrau angelical e, ao atingir o ápice, onde está Deus, o Intelecto entra na Casa da Sabedoria.

4. A Escada da Subida e da Descida
R. Llull, *Liber de ascensu et descensu intellectus*, Valência, 1512.

Para compreender a Arte de Llull é fundamental perceber que se trata de uma *ars ascendendi et descendendi*. O "artista" carrega as figuras geométricas da Arte, inscritas com as letras da notação, e sobe e desce pela escada do ser, demarcando as mesmas proporções em cada nível. A geometria da estrutura elementar do mundo da natureza é combinada com a estrutura divina de sua criação a partir dos Nomes Divinos para formar a Arte universal, que pode ser utilizada para todos os assuntos, pois a mente atua por meio dela com uma lógica baseada no Universo. Uma bela iluminura do século XIV (Pr. 10) ilustra esse aspecto da Arte.

O fato de a bondade e os outros atributos divinos estarem presentes em todos os níveis do ser fornece uma noção cuja origem está no relato da Criação feito por Moisés, quando, no final desses "dias", Deus viu que Sua obra era boa. A idéia do "Livro da Natureza", concebido como uma via de acesso a Deus, estava presente nas tradições da mística cristã, em particular na tradição franciscana. A particularidade de Llull é a seleção de um certo número de *Dignitates Dei*, que percorrem de cima a baixo os vários níveis da Criação, de uma maneira precisa e calculável, quase como componentes químicos. Essa idéia é a constante do llullismo. Todas as artes baseiam-se em tais princípios, que podem ser aplicados a todos os assuntos. E quando Llull redige um livro, seja qual for o seu tema, o trabalho começa com a enumeração de B A K a respeito do tema. Isso pode soar tedioso, mas é a raiz de sua pretensão a uma Arte universal, infalível em qualquer assunto, porque fundada na realidade.

As operações da Arte, sob suas diferentes formas, são de uma complexidade impossível de ser apreendida aqui, mas o leitor precisa familiarizar-se com o aspecto de certas figuras fundamentais. As três apresentadas foram extraídas do *Ars brevis*, a versão abreviada de *Ars magna*.

Na obra, a figura A (Fig. 5) mostra as letras, de B a K, dispostas em uma roda e relacionadas por triangulações complexas. Essa é uma figura mística, em que podemos meditar sobre as complexas relações dos Nomes entre si, como concebidos na mente de Deus, antes de serem estendidos à criação como aspectos da Trindade.

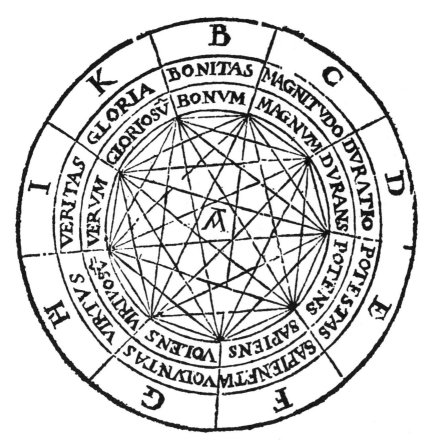

5. Figura "A"
R. Llull, *Ars brevis* (Opera, Strasburgo, 1617).

Já a figura T mostra as *relata* da Arte (*differentia, concordia, contrarie-tas; principium, medium, finis; majoritas, equalitas, minoritas*), que são dis-postas como triângulos dentro de um círculo. Por meio dessas triangula-ções das *relata*, a estrutura trinitária da Arte é mantida em cada nível.

A figura mais conhecida de Llull é a combinatória (Fig. 6). O círculo externo, com as inscrições das letras, de B a K, é fixo e, dentro dele, giram círculos com inscrições semelhantes e que lhe são concêntricos. Quan-do os círculos se movem, podem ser lidas diferentes combinações das

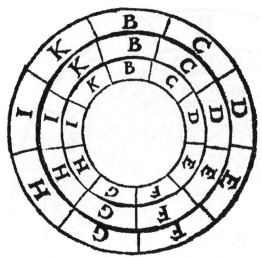

6. Figura Combinatória
R. Llull, *Ars brevis.*

letras, de B a K. Trata-se da renomada *ars combinatoria* sob a sua forma
mais simples.

A Arte utiliza apenas três figuras geométricas, o círculo, o triângulo
e o quadrado, que têm significação ao mesmo tempo religiosa e cósmica.
O quadrado representa os elementos; o círculo, os Céus; e o triângulo,
a divindade. Baseio essa afirmação na alegoria que Llull faz do Círculo,
do Quadrado e do Triângulo, na *Arbor scientiae.* Áries e Saturno, e seus
respectivos irmãos, defendem o Círculo como a figura que mais se assemelha a Deus, pois não tem início nem fim. O Quadrado sustenta que é
ele o mais semelhante a Deus, por seus quatro elementos. E o Triângulo
diz que está mais próximo da alma do homem e da Trindade divina do
que seus irmãos, o Círculo e o Quadrado[14].

Como já mencionado, a Arte devia ser utilizada pelas três faculdades
da alma, uma das quais é a memória. Como a Arte, enquanto *memoria*,
poderia ser distinta da Arte como *intellectus* ou como *voluntas*? Não é fácil
separar as operações do intelecto, da vontade e da memória no interior

14. R. Llull, *Arbre de ciencia*, em *Obres essencials*, Barcelona, 1957, I, p. 829 (a versão catalã dessa
obra é mais acessível do que a latina, já que foi publicada em *Obres essencials*); citado em
"The Art of R. L.", pp. 150-1.

da alma racional agostiniana, pois formam uma unidade, como a Trindade. Também não é fácil distinguir essas operações na Arte de Llull, pela mesma razão. Em uma alegoria de seus *Libri contemplationis in Deum*, Llull personifica as três faculdades da alma como três nobres e belas donzelas, sobre o topo de uma alta montanha, e descreve suas ações assim: "A primeira lembra-se daquilo que a segunda compreende e que a terceira quer; a segunda compreende o que a primeira recorda e o que a terceira quer; a terceira quer aquilo de que a primeira se lembra e que a segunda compreende"[15].

SE A Arte de Llull, enquanto memória, consiste em memorizar a Arte como intelecto e vontade, então ela consiste em memorizar a Arte como um todo, sob todos os seus aspectos e em todas as suas operações. E fica claro, em outras passagens, que era exatamente isso o que significava a Arte de Llull como memória.

Na "Árvore do Homem", que se encontra na *Arbor scientiae*, Llull analisa a memória, o intelecto e a vontade, e termina sua análise da memória com as palavras: "E este tratado sobre a memória, que fornecemos aqui, poderia ser utilizado em uma *Ars memorativa*, que poderia ser feita de acordo com o que é dito aqui"[16].

APESAR DE a expressão *Ars memorativa* ser o termo usual para a arte clássica da memória, o que Llull propõe memorizar pelo tratado de memória apresentado são os princípios, a terminologia e as operações de sua Arte. Isso é ainda mais explícito na trilogia que escreveu posteriormente: *De memoria*, *De intellectu* e *De voluntate*. Esses três tratados delineiam toda a aparelhagem da Arte que deve ser utilizada pelas três faculdades, e são expostos sob a forma de "árvore", traço característico de Llull; a Árvore da Memória é uma exposição diagramática da Arte, com as nomenclaturas usuais. Ela nos leva, mais uma vez, à hipótese de que a arte da memória de Llull consistiria em relembrar a Arte llulliana.

15. R. Llull, *Libri contemplationis in Deum*, em *Opera omnia*, Mainz, 1721-1742, X, p. 530.
16. *Arbre de Ciencia*, em *Obres essencials*, I, p. 619.

Mas a Árvore da Memória finaliza com as seguintes palavras: "Falamos sobre a memória e demos a doutrina para a memória artificial que lhe permite alcançar artificialmente os seus objetos"[17].

Assim, Llull pode chamar a memorização de sua Arte de "memória artificial" e também de *Ars memorativa*, expressões influenciadas, sem dúvida, pela terminologia da arte clássica da memória. Llull insistia fortemente no aspecto da memorização dos princípios e procedimentos da Arte; e parece ter considerado os diagramas da Arte, em um certo sentido, como "lugares". Há um precedente clássico da utilização de uma ordem matemática ou geométrica na memória em *De memoria et reminiscentia*, de Aristóteles, obra que Llull conhecia.

O fato de o llullismo, enquanto "memória artificial", consistir na memorização dos procedimentos da Arte introduz algo de novo na memória, porque a Arte como Intelecto era uma arte investigativa, de busca da verdade. Ela propunha, para cada tema, "questões" baseadas nas categorias aristotélicas. E, apesar de as questões e as respostas serem amplamente predeterminadas pelas pressuposições da Arte – por exemplo, só pode haver uma resposta para a questão "Deus é bom?" –, ainda assim, a memória, ao memorizar tais procedimentos, torna-se um método de investigação, e um método de pesquisa lógica. Temos aqui um ponto de diferenciação importante entre o llullismo enquanto memória e a arte clássica da memória, esta última buscando memorizar apenas o que é dado.

17. A trilogia não foi publicada. A referência do manuscrito do *De memoria* que li é Lat. 16116, Paris, Bibliothèque Nationale de France. Algumas outras citações dessa obra são feitas por Paolo Rossi, "The Legacy of Ramon Lull in Sixteenth-Century Thought", *Mediaeval and Renaissance Studies*, v, Warburg Institute, 1961, pp. 199-202.
Uma outra obra do tipo "Árvore", em que, em alguma medida, se discute a memória, é *Arbre de filosofia desiderat* (publicada na edição Palma das *Obres* de Llull, XVII, 1933, ed. S. Galmes, pp. 399-507). Llull diz que também essa obra é um exemplo de uma *ars memorativa* projetada; novamente, a arte da memória consiste, aqui, em memorizar os procedimentos da Arte. Cf. Carreras y Artau, I, pp. 534-9; Rossi, *Clavis universalis*, pp. 64 e ss.

Mas o que é totalmente ausente do llullismo puro, enquanto memória artificial, é o uso de imagens do modo como ocorria na memória artificial clássica da tradição retórica. O princípio de estimular a memória por meio do apelo emocional de imagens humanas impressionantes não tem lugar na Arte de Llull enquanto memória. As similitudes corporais, desenvolvidas pela transformação sofrida pela arte da memória na Idade Média, também não aparecem na concepção da memória artificial de Llull. De fato, o que poderia parecer mais distante da memória artificial clássica, sob a forma que assumiu com a transformação escolástica, do que a Arte de Llull como arte da memória? Refletir na memória as notações por meio de letras que se movem em figuras geométricas – na medida em que o mecanismo da Arte atua ao subir e descer a escada do ser – pareceria um exercício de caráter muito diferente daquele de construção de amplos edifícios da memória, repletos de similitudes corporais que estimulavam as emoções humanas. A arte de Llull trabalha com abstrações, reduzindo até mesmo os Nomes de Deus às letras de B a K. Ela parece mais com uma álgebra e geometria místicas e cosmológicas do que com a *Divina Comédia* ou os afrescos de Giotto. Se pode ser chamada de "memória artificial", então é de um tipo que Cícero e o autor do *Ad Herennium* não poderiam reconhecer como proveniente da tradição clássica. Nela, Alberto Magno e Tomás de Aquino não poderiam ter visto qualquer traço dos lugares e das imagens da memória artificial recomendados por Tullius como parte da Prudência.

Não se pode dizer que o grande princípio da memória artificial clássica, o apelo ao sentido da visão, esteja ausente do llullismo, já que a memorização de diagramas, figuras e esquematizações é um tipo de memória visual. E há um ponto em que a concepção de Llull dos lugares está muito próxima da visualização clássica desses mesmos lugares, isto é, em seu gosto pelos diagramas em forma de árvore. A árvore, como utilizada por ele, é uma espécie de sistema de lugares. O exemplo mais notável é a *Arbor scientiae*, em que o conjunto dos conhecimentos humanos é esquematizado como uma floresta de árvores, cujas raízes são as letras, de B a K, concebidas como princípios e *relata* da Arte (Fig.

7). Nessa série encontramos até mesmo árvores do Céu e do Inferno, e das virtudes e dos vícios. Mas não há imagens "impressionantes" nessas árvores, do tipo sugerido pela memória artificial de "Tullius". Seus galhos e folhas são decorados apenas com fórmulas e classificações abstratas. Como todo o resto, nessa Arte, virtudes e vícios atuam com a precisão científica de compostos elementares. De fato, um dos aspectos mais valiosos da Arte era tornar virtuoso quem a praticava, pois os vícios eram "vencidos" pelas virtudes, de modo análogo àquilo que ocorria nos processos elementares[18].

O llullismo teve uma ampla difusão, o que apenas recentemente começou a ser sistematicamente estudado. Devido a seu núcleo de platonismo e de neoplatonismo scotista, ele instaurou uma tendência que, embora não fosse aceita por muitos na época dominada pela escolástica, encontrou um ambiente muito mais propício no Renascimento. Um sinal da popularidade que iria ganhar no auge do Renascimento é o interesse que despertou em Nicolau de Cusa[19]. Na corrente inteiramente neoplatônica do Renascimento, partindo de Ficino e de Pico, o llullismo tomou um lugar de honra. Os neoplatônicos renascentistas estavam aptos a reconhecer, ali, noções compatíveis com eles, advindas de fontes medievais que, diferentemente dos humanistas, eles não desprezavam como grosseiras.

Há mesmo, no coração do llullismo, um tipo de interpretação de influências astrais que poderia ter despertado interesse na época de Ficino e Pico. Quando a Arte é exercida no nível do *coelum*, torna-se uma manipulação dos doze signos do zodíaco e dos sete planetas, combinados com as letras, de B a K, para formar um tipo de ciência astral benéfica, que pode ser exercida como uma medicina astral e que – como aponta Llull no prefácio de seu *Tractatus de astronomia* – é um caso bem diferente do da astrologia judiciária usual[20]. A medicina de Llull ainda

18. Ver "The Art of R. L.", pp. 151-4.
19. Ver "R. L. and S. E.", pp. 39-40; E. Colomer, *Nikolaus von Kues und Raimund Lull*, Berlim, 1961.
20. Ver "The Art of R. L.", pp. 118-32.

7. Diagrama em forma de Árvore
R. Llull, *Arbor scientiae*, Lyon, 1515.

não foi adequadamente estudada. Ela pode ter influenciado Ficino[21]. E foi certamente adotada por Giordano Bruno, para quem a medicina de Paracelso dela derivou em grande parte[22].

O llullismo estabelece-se no Renascimento como uma das tendências da filosofia em voga, e a ele são atribuídos vários aspectos da tradição hermético-cabalista. O relacionamento entre llullismo e cabalismo no Renascimento é de particular importância.

Em minha opinião, desde o início havia um elemento cabalista no llullismo. Até onde sei, a prática de meditar utilizando combinações de letras era, antes de Llull, um fenômeno exclusivamente judaico, desenvolvido particularmente na cabala espanhola, como meditação em combinações de letras do alfabeto sagrado hebraico, que, de acordo com a teoria mística, contém simbolicamente dentro de si todo o Universo e todos os Nomes de Deus. Llull não combina as letras hebraicas em sua Arte, mas combina outras letras, de B a K (ou mais letras, nas Artes fundadas sobre as Dignidades Divinas, mais numerosas do que as utilizadas por ele em sua forma de nove letras). Dado que essas letras representam os atributos divinos, ou os Nomes de Deus, ele está adaptando – assim me parece – uma prática cabalista a usos gentios. Isso poderia ser, é claro, uma parte de seu apelo aos judeus para que aceitassem o cristianismo trinitário, ao utilizar um de seus métodos sagrados. Entretanto, a questão da influência da cabala em Llull ainda não foi esclarecida e devemos deixá-la em aberto, pois tudo o que importa aqui é que, no Renascimento, o llullismo estava, com certeza, estreitamente associado à cabala.

---

21. J. Ruysschaert fornece evidências da difusão do llullismo no ambiente de Ficino em "Nouvelles recherches au sujet de la bibliothèque de Pier Leoni, médecin de Laurent le Magnifique", *Académie Royale de Belgique, Bulletin de la Classe des Lettres et des Sciences Morales et Politiques*, 5ª série, XLVI, 1960, pp. 37-65. Parece que o médico de Lorenzo deí-Medici possuía um número considerável de manuscritos de Llull em sua biblioteca.

22. A obra de Bruno, *Medicina Lulliana* (*Op. lat.*, III, pp. 569-633), baseia-se na obra de Llull, *Liber de regionibus sanitatis et infirmitatis*, cuja figura rotatória Bruno trabalha. Ver "The Art of R. L.", p. 167. No prefácio a *De lampade combinatoria lulliana* (*Op. lat.*, II, ii, p. 234), Bruno acusa Paracelso de ter se apropriado da medicina de Llull.

Segundo me consta, Pico della Mirandola foi o primeiro a explicitar tal associação. Ao discutir a cabala em *Conclusões* e *Apologia*, Pico afirma que um dos tipos de cabala é uma *ars combinandi*, exercida por meio de alfabetos giratórios e, mais adiante, ele declara que tal arte é como "aquela que entre nós é chamada de *ars Raymundi*"[23], isto é, a Arte de Raymond, ou de Ramon Llull. Certo ou errado, Pico pensava, portanto, que a arte cabalista das combinações de letras era semelhante ao llullismo. O Renascimento seguiu-o nessa crença, o que deu origem a uma obra intitulada *De auditu kabbalistico*, cujas primeiras edições são de 1518 e 1533, em Veneza[24]. Essa obra parece praticar a Arte llulliana – e de fato o faz –, ao utilizar as figuras comuns a ela. Mas o llullismo é agora chamado de cabalismo, e as letras, de B a K, são mais ou menos identificadas com as Sefirot e com os nomes de anjos da cabala. O fato de Pico ter identificado a *ars combinandi* cabalista com a *ars Raymundi* suscitou uma obra cuja autoria é atribuída a Llull, na qual o llullismo tornou-se inseparável da cabala. Hoje se sabe quem é o autor dessa obra[25], mas no Renascimento acreditou-se em sua falsa atribuição a Llull, cujos adeptos liam o pseudollulliano *De auditu kabbalistico* como um trabalho genuíno e viam nessa obra a confirmação da crença que possuíam de que o llullismo era um tipo de cabala. Na visão de cabalistas cristãos, o livro possuía a vantagem de ser uma cabala cristã.

O Renascimento reconhecia ainda outras obras como sendo originalmente de Llull. Trata-se dos trabalhos alquímicos pseudollullianos[26].

Desde o início do século XIV, apareceu um grande número de tratados de alquimia sob o nome do grande Raymundus Lullus. Escritos após sua

---

23. Pico della Mirandola, *Opera omnia*, Bâle, 1572, p. 180; cf. G. Scholem, "Zur Geschichte der Anfänge der christlichen Kabbala", cm *Essays Presented to L. Baeck*, London, 1954, p. 164; Yates, *G. B. and H. T.*, pp. 94-6.

24. Ver Carreras y Artau, II, p. 201.

25. Ver P. O. Kristeller, "Giovanni Pico della Mirandola and his Sources", *L'Opera e il Pensiero di Giovanni Pico della Mirandola*, I, Istituto Nazionale di Studi sul Rinascimento, Florença, 1965, p. 75; M. Batllori, "Pico e il llullismo italiano", Idem, II, p. 9.

26. Sobre a alquimia pseudollulliana ver F. Sherwood Taylor, *The Alchemists*, London, 1951, pp. 110 e ss.

morte, esses trabalhos certamente não são obra de Llull! Até onde se sabe, ele nunca utilizou a Arte para abordar a alquimia, mas sim para abordar um tema aparentado a ela, a medicina astral. A Arte, com sua base "elementar" [fundada nos quatro elementos], de fato fornecia um método para o trabalho com padrões elementares de tipo semelhante aos utilizados pela alquimia. As figuras das obras alquímicas pseudollullianas assemelham-se às figuras originais de Llull. Por exemplo, num tratado alquímico do século xv – atribuído a Llull e reproduzido no livro de Sherwood Taylor –, na raiz de um diagrama em forma de árvore de tipo llulliano vemos o que parecem ser rodas combinatórias marcadas com letras. No topo da árvore, há rodas marcadas com os doze signos e os sete planetas. Um alquimista pode, provavelmente, ter desenvolvido essa figura a partir do que é dito sobre as correspondências elementares e celestiais no texto que acompanha a "Árvore dos Elementos" e a "Árvore do Céu", na *Arbor scientiae* de Llull. Contudo, a Arte llulliana genuína não usa tantas letras quanto as há nessas rodas. Mas discípulos de Llull podem ter acreditado que, por meio de sua alquimia pseudollulliana, desenvolviam o llullismo segundo as diretrizes indicadas pelo Mestre[27]. De qualquer maneira, o Renascimento certamente associava Llull à alquimia e aceitava como genuínos os escritos alquímicos que levavam o seu nome.

Vemos o Llull do Renascimento transformar-se em uma espécie de Mago, conhecedor das ciências cabalista e hermética cultivadas pela tradição oculta. E encontramos a linguagem misteriosa do ocultismo e da magia renascentistas – que fala de uma nova luz surgindo da escuridão e invocando o silêncio pitagórico – em outra obra pseudollulliana, em que o llullismo é, ainda, associado a outro interesse renascentista: a retórica[28].

27. Ver "The Art of R. L.", pp. 131-2; "R. L. and S. E.", pp. 40-1.
28. A obra *In Rhetoricen Isagoge*, cuja primeira edição foi em Paris, em 1515, é atribuída, em sua página de rosto, ao "divino e iluminado eremita Raymundus Lullus". Seu autor verdadeiro foi Remigius Rufus, um discípulo de Bernardus de Lavinheta, que ensinava o llullismo na Sorbonne. Ver Carreras y Artau, ii, pp. 214 e ss.; Rossi, "The Legacy of Ramon Lull in Sixteenth-Century Thought", pp. 192-4. A obra contém, no final, um exemplo de discurso que cobre misticamente todo o Universo e a enciclopédia de todas as ciências.

Em relação ao llullismo e à arte clássica da memória, qual será a posição da tradição retórica, que, no capítulo anterior, vimos tomar uma forma ocultista no Renascimento? Será o llullismo, enquanto arte da memória, tão diferente dessa arte clássica, que esteja fora de questão qualquer fusão entre ambos? Ou será que, na atmosfera do Renascimento, buscar-se-ão os meios para mesclar duas artes – ambas tão atraentes para os que seguiam, na época, a tradição hermético-cabalista –, o llullismo e a arte clássica da memória?

Há um breve tratado de Llull sobre a memória, ainda não mencionado neste capítulo, que tem importância fundamental nessa relação. Trata-se do *Liber ad memoriam confirmandam*[29]. Bastante resumida, essa obra é a mais próxima de um verdadeiro "tratado de memória" de Llull que se conhece, um tratado com diretrizes para reforçar e consolidar a memória. Suas palavras finais afirmam que foi escrito "na cidade de Pisa, no monastério de San Donnino[30], por Raymundus Lullus". Isso serve para datá-lo como escrito aproximadamente em 1308, quando Llull se encontrava naquela cidade. Ele era, então, idoso. Ao retornar de sua segunda missão no Norte da África, havia naufragado perto de Pisa, onde

29. São conhecidos cinco manuscritos do *Liber ad memoriam confirmandam*; dois em Munique (Clm. 10593, ff. 1-4; e Idem, ff. 218-21); um em Roma (Vat. lat. 5347, ff.68-74); um em Milão (Ambrosiana, I, 153 inf. ff. 35-40); e um em Paris (B.N. Lat. 17820, ff. 437-44). Quero agradecer, aqui, ao dr. F. Stegmuller, por ter me fornecido as reproduções fotostáticas dos manuscritos de Munique e do Vaticano.

O *Liber ad memoriam confirmandam* foi publicado por Paolo Rossi, em 1960, como um apêndice ao seu *Clavis universalis*, pp. 261-70. O texto de Rossi não é satisfatório, já que ele utilizou apenas três dos manuscritos. Contudo, é útil que tenha disponibilizado esse texto, ainda que provisório. Rossi discute a obra em *Clavis universalis*, pp. 70-4; e em "The Legacy of R. L.", pp. 203-6.

Sobre possíveis influências da obra *Metalogicon*, de John of Salisbury, em *Liber ad memoriam confirmandam*, ver, anteriormente, p. 56, nota 16.

30. Todos os cinco manuscritos registram "in monasterio sancti Dominici", aceito por Rossi (*Clavis*, p. 267). Sabe-se, contudo, que, em Pisa, Llull não ficou no convento dominicano, mas no cisterciense de San Donnino. Os manuscritos mais antigos escritos por Llull em Pisa apresentam "S. Donnini" como o lugar onde foram redigidos, mais tarde desvirtuado como "Dominici" pelos copistas. Ver J. Tarré, "Los Códices Lulianos de la Biblioteca Nacional de Paris", *Analecta Sacra Tarraconensia*, XIV, 1941, p. 162 (agradeço a J. Hillgarth por essa referência).

concluiu a última versão da Arte, a *Ars generalis ultima* ou *Ars Magna*, e também escreveu a *Ars brevis*, a forma resumida da Arte. O *Liber ad memoriam confirmandam*, também escrito em Pisa nessa época, pertence, portanto, ao período da vida em que Llull dava à Arte sua forma final. Embora obscura, é obra sua, autêntica e original – não a tratamos como um produto pseudollulliano –, mas os manuscritos podem ter sofrido alterações em alguns lugares.

Segundo Llull, na Antiguidade, a memória seria de dois tipos: um, natural; e, outro, artificial. Ele fornece uma referência do local de onde provém tal asserção feita pelos antigos, a saber, o "capítulo sobre a memória"[31]. Trata-se provavelmente de uma referência à seção sobre a memória no *Ad Herennium*. Ele continua: "A memória natural é aquela que o homem recebe em sua concepção ou geração, de acordo com a influência que recebe do planeta regente, e que nos faz perceber que alguns homens têm melhor memória do que outros"[32]. Aqui se repete o que o *Ad Herennium* diz sobre a memória, com o acréscimo de influências planetárias como fator determinante da memória natural.

"O outro tipo de memória" – diz ele – "é a memória artificial, que é de dois tipos". Um consiste na utilização de medicamentos e emplastros para aprimorar a memória, e ele não os recomenda. O outro tipo consiste em repassar com freqüência na memória o que se quer reter, como um boi que rumina. Porque "como está dito no livro da memória e da reminiscência, a memória é fixada pela repetição freqüente"[33].

---

31. "Venio igitur [...] ad memoriam quae quidem secundum Antiquos in capite de memoria alia est naturalis alia est artificialis". Quatro dos cinco manuscritos fornecem a referência "in capite de memoria", por isso, tal fato não pode ser relegado a uma nota de rodapé, como uma variante encontrada apenas no manuscrito de Paris (Rossi, *Clavis*, pp. 264 e 268, nota 126).

32. Rossi, *Clavis*, p. 265.

33. "[...] ut habetur in libro de memoria et reminiscentia per saepissimam reiterationem firmiter confirmatur" (Rossi, idem, *loc. cit.*). A referência específica a *De memoria et reminiscentia* aparece em quatro dos manuscritos; apenas um deles a omite (o manuscrito da Ambrosiana). As observações de Rossi a esse respeito são confusas ("The Legacy of R. L.", p. 205).

Devemos refletir a esse respeito. Esse é um tratado de Llull sobre a memória, que, parece, irá seguir as diretrizes clássicas. Ele deve saber o que os antigos tinham dito sobre o fato de a memória artificial consistir em lugares e imagens, já que ele se refere à seção do *Ad Herennium* sobre a memória. Mas deixa de lado, propositalmente, as regras de "Tullius". A única regra que fornece é tirada do *De memoria et reminiscentia*, de Aristóteles, sobre a necessidade de repetição e meditação freqüentes. Isso mostra que ele conhece a fusão das regras do *Ad Herennium* com o que diz Aristóteles sobre a memória, pois a única regra de Llull para a "memória artificial" é a quarta regra de Tomás de Aquino, a de que se deve meditar regularmente sobre o que se deseja lembrar, como aconselhava Aristóteles[34]. Llull omite – e, com essa omissão deliberada, deve-se imaginar que ele rejeita – as três outras regras de Tomás, que adotavam os preceitos do *Ad Herennium* como "similitudes corporais", dispostas em uma ordem.

É importante ressaltarmos, aqui, que o monastério dominicano em Pisa (que não é aquele onde Llull estava, pois residia em outro) era um ativo centro de propagação da memória artificial tomista, que então começava a ser difundida vigorosamente. Bartolomeo de San Concordio era um dominicano de Pisa; em um capítulo anterior, estudamos como ele difundiu as regras do *Ad Herennium*, mescladas a Aristóteles à maneira tomista[35]. Seria provável, assim, que Llull, durante sua estadia em Pisa, se tivesse confrontado com a crescente atividade dominicana de propagação da transformação medieval da memória artificial. Isso torna ainda mais significativo que ele tenha deixado de fora da sua definição de memória artificial o uso de similitudes corporais impressionantes, que seriam tão vantajosas para a rememoração das virtudes e dos vícios, e dos caminhos para o Paraíso e o Inferno.

A oposição quase categórica à memória artificial dominicana que se percebe nesse tratado nos faz lembrar a história, contada durante a

---

34. Ver, anteriormente, pp. 100-1.
35. Ver, anteriormente, pp. 115 e ss.

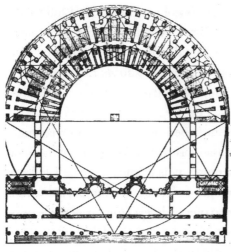

9a. Reconstrução de Palladio do
Teatro Romano
Vitrúvio, *De architectura cum comen-
tariis Danielis Barbari*, Veneza, 1567.
9b. O Teatro Olímpico
Vicenza, Itália (foto: Alinari).

9a

9b

10. Ramon Llull com as Escadas de sua Arte
Miniatura do século XIV, Karlsruhe Library (cod. St Peter 92).

vida de Llull, da visão alarmante que ele teve em uma igreja dominicana, quando uma voz lhe disse que somente na Ordem dos Pregadores ele encontraria a salvação. Mas, para entrar nessa Ordem, ele deve
abandonar a sua Arte. E Llull tomou a difícil decisão de salvar sua Arte
à custa de sua alma, "escolhendo antes a sua própria danação do que a
perda da sua arte, que poderia salvar muitos"[36]. Estaria ameaçado pelo
fato de não enfatizar suficientemente a rememoração do Inferno em
sua Arte, que não utilizava similitudes corporais impressionantes para
a memória?

Em seu *Liber ad memoriam confirmandam*, o que é que Llull nos ensina a relembrar por meio de sua memória artificial, que tem apenas
uma regra: aquela de Aristóteles sobre a repetição constante? É a arte
llulliana e todos os seus procedimentos. O tratado se inicia com orações à divina *Bonitas* e a outros atributos, associados à Virgem Maria
e ao Espírito Santo. É a Arte como *voluntas*, como direção da vontade.
E, no resto do tratado, alude-se aos procedimentos da Arte enquanto
intellectus, seu modo de ascender e descender na hierarquia do ser, sua
faculdade de conceber julgamentos lógicos por meio daquela parte da
memória que Llull chama de *discretio*, por intermédio da qual os conteúdos da memória são examinados para responder questões relativas à
verdade ou certeza das coisas. Novamente somos convencidos de que
a memória artificial llulliana consiste em memorizar essa Arte como
voluntas e *intellectus*. Somos, também, levados a pensar que as imagens
ou "similitudes corporais" da memória clássica, ligada à tradição retórica,
são incompatíveis com o que Llull chama de "memória artificial".

No INÍCIO do século XVI, Bernardus de Lavinheta, que ocupava a cadei-
ra recém-criada sobre llullismo na Sorbonne, em um apêndice sobre a
memória, no final de seu amplo e influente compêndio sobre o assunto,
citava e comentava o *Liber ad memoriam confirmandam*. Ele reúne as

---

36. R. Llull, *Vida coetània*, em *Obres essencials*, I, p. 43. A história é citada na tradução inglesa
por Peers, *Ramon Lull*, pp. 236-8. Ela pertence a um período da vida de Llull anterior a
sua estada em Pisa.

coisas a serem lembradas em dois grupos: *sensibilia* e *intelligibilia*. Para lembrar o primeiro grupo, ele recomenda a arte clássica e faz uma breve exposição de seus lugares e imagens de memória. Mas, para lembrar os *intelligibilia*, ou "temas especulativos, que estão longe não apenas dos sentidos mas, até mesmo, da imaginação, deve-se recorrer a outro método de rememoração. E, para isso, é necessária a *Ars generalis* de nosso Doctor Illuminatus, que reúne todas as coisas em seus lugares, contendo muito em pouco". A isso, segue uma curta menção às figuras, regras e letras da Arte llulliana[37]. Devido a um curioso abuso da terminologia escolástica – na qual, é claro, imagens "sensoriais" são empregadas para rememorar as coisas "inteligíveis" –, Lavinheta faz da arte clássica da memória uma disciplina inferior, utilizada apenas para a lembrança de *sensibilia*, enquanto as *intelligibilia*, superiores, devem ser lembradas por uma Arte diferente, a do llullismo. Lavinheta nos traz novamente ao mesmo ponto. Imagens e "similitudes coporais" são incompatíveis com o llullismo verdadeiro.

Portanto, poderia parecer impossível estabelecer qualquer ponto de contato entre o llullismo renascentista – que concordava sob vários aspectos com a tradição neoplatônica e ocultista do Renascimento – e o interesse dessa tradição pela arte clássica da memória, tornada memória ocultista.

No entanto, talvez haja um ponto de contato.

No *Liber ad memoriam confirmandam*, de Llull, há um traço curioso ainda não mencionado. Afirma-se, aí, que a pessoa desejosa de fortalecer sua memória precisa utilizar um outro livro do autor, que lhe dará a verdadeira chave para isso. Esse livro, referido três vezes como absolutamente essen-

---

37. Bernardus de Lavinheta, *Explanatio compendiosaque applicatio artis Raymundi Lulli*, Lyon, 1523; citado, a partir da 2ª edição, em B. de Lavinheta, *Opera omnia quibus tradidit artis Raymundi Lullii compendiosam explicationem*, Colônia, H. Alsted, 1612, pp. 653-6. Ver Carreras y Artau, II, pp. 210 e ss.; cf. Vasoli, "Umanesimo e Simbologia nei primi scritti Lulliani e mnemotecnici del Bruno", em *Umanesimo e simbolismo*, Pádua, E. Castelli, 1958, pp. 258-60; Rossi, "The Legacy of R. L.", pp. 207-10.

cial para a memória, é chamado *Liber septem planetarum*[38]. Mas não existe um livro de Llull com tal título. O cuidadoso editor das obras latinas de Llull no século XVIII, Ivo Salzinger, estava convencido de que sabia explicar esse mistério. No primeiro volume de sua edição das obras referidas, a famosa edição de Mainz, há um longo texto do próprio Salzinger intitulado "A Revelação do Segredo da Arte de Ramon Llull". Nele, o editor cita longos trechos do *Tractatus de Astronomia* de Llull, fornecendo *in extenso* a teoria astral-elementar dessa obra, e cita também, do mesmo modo, sua longa passagem sobre a razão para o número dos planetas ser sete. Afirma, então, que essa obra de Llull sobre "astronomia" contém, entre outras artes ocultas, "uma *ars memorandi*, 'por meio da qual você apreenderá todos os segredos dessa Arte revelados nestes sete instrumentos (os sete planetas)'". Em seguida, afirmando ser o *Liber ad memoriam confirmandam* sua fonte, cita que, caso se deseje saber mais sobre a maneira de reforçar a memória, deve-se consultar o *Liber septem planetarum*. Salzinger reconhece este último, sem hesitar, como sendo o *Tractatus de Astronomia*[39].

38. Quase no início do tratado, o leitor é convidado a "ir ao quinto tema designado pelas letras B C D no livro dos sete planetas (*in libro septem planetarum*), onde tratamos das coisas milagrosas e [o leitor] pode conseguir o conhecimento de cada entidade natural". E, no último parágrafo, o leitor é novamente remetido, duas vezes, ao livro dos sete planetas, que conteria a grande chave da memória (Rossi, *Clavis*, pp. 262, 266, 267). As três referências ao *Liber septem planetarum* aparecem nos cinco manuscritos.
Rossi, em "The Legacy of R. Lull" (pp. 205-6), sugeriu que, apesar de o *Liber as memoriam confirmandam* ser autenticamente de Llull, seus manuscritos – nenhum deles anterior ao século XVI – podem ter sido adulterados. Se considerarmos tal possibilidade, a adulteração não consistiria, em minha opinião, na inserção de referências ao livro dos sete planetas. As referências a outros livros de sua própria autoria são um traço constante nas obras de Llull. As referências específicas ao *Ad Herennium* e ao *De memoria et reminiscentia* é que surpreendem um pouco. É incomum Llull fornecer referências de obras que não as suas. Por isso, não seria improvável que essas referências específicas tenham sido incluídas em uma revisão do século XVI, possivelmente feita no círculo de Lavinheta. Se tais referências são, de fato, um acréscimo posterior, isso não altera o teor da obra, com suas claras citações do *Ad Herennium* e de Aristóteles.
39. Ivo Salzinger, "Revelatio Secretorum Artis", em R. Llull, *Opera omnia*, 1, Mainz, 1721-1742, p. 154. Salzinger interpreta o "quinto tema" como o Céu (*coelum*). Nem o *Tractatus de astronomia* nem o *Liber ad memoriam confirmandam* foram publicados na edição de Mainz (que nunca foi completada), mas Salzinger cita longos trechos dessas obras em sua "Revelação" e parece vê-las como fundamentais para a compreensão do Segredo.

Se o século XVI interpretava o "Segredo da Arte de Ramon Llull" como fazia Salzinger no século XVIII, ele pode ter encontrado no llullismo uma arte que baseava a memória no "sete"[40] celeste, que é a característica mais evidente do Teatro de Camillo.

O Renascimento tinha outras autoridades que reconheciam a base celeste da memória (Metrodoro de Scepsis, por exemplo), mas se, como Salzinger, essa época acreditava poder encontrar no llullismo uma confirmação de tal prática, nele ela *não* teria encontrado a utilização de imagens mágicas ou talismânicas das estrelas na memória. O fato de que Llull evita imagens e similitudes é notável tanto em sua astrologia – ou melhor, em sua ciência astral – quanto em sua atitude para com a memória artificial. Ele nunca usa as imagens de planetas ou dos signos, nem se refere a toda aquela série de imagens animais e humanas que aparecem nas constelações da imagem astrológica do mundo. Pratica a sua ciência astral de modo completamente abstrato, sem imagens, com figuras geométricas e notações de letras do alfabeto. Contudo, no llullismo, poderia haver um elemento de magia abstrata ou geométrica nas figuras em si: no quadrado, em que os elementos se movem "*quadrangulariter, circulariter et triangulariter*"[41]; nos círculos giratórios, que refletem as esferas de Áries, de Saturno, e dos irmãos de ambos; nos padrões triangulares divinos[42]; ou nas próprias notações por letras, que (como no uso do alfabeto hebraico) teriam tanto um valor de hieróglifo quanto de simples notação.

Mas a proliferação do repertório imagético, tal como vemos no Teatro de Camillo, pertence a um domínio distante do llullismo. Ela faz

40. No Renascimento, nenhuma dessas duas obras importantes estava disponível sob a forma impressa. Mas os manuscritos de Llull estavam em circulação. O *Liber ad memoriam confirmandam* é citado por Lavinheta. E praticamente todo o *Tractatus de astronomia*, inclusive a passagem explicando por que há sete planetas, é citado em G. Pirovanus, *Defensio astronomiae*, Milano, 1507 (ver "R. L. and S. E.", p. 30, nota). O *Tractatus de astronomia* pode, então, ter colaborado para engrossar o coro do "Sete" místico (ver, anteriormente, p. 214).

41. Em meu artigo "La Teoría Luliana de los Elementos" (*Estudios Lulianos*, IV, 1960, pp. 56-62), analisei os engenhosos padrões das Figuras Elementais da *Ars demonstrativa*.

42. A significativa "Figura de Salomão" é mencionada por Llull em sua *Nova Geometria*, Barcelona, J. Millas Vallicrosa, 1953, pp. 65-6.

parte da memória artificial da tradição retórica, com suas imagens que, na Idade Média, transformaram-se em similitudes corporais; e, no ambiente de hermetismo do Renascimento, tornaram-se imagens astrais e talismânicas. Em Camillo, a proliferação das imagens pertence justamente ao aspecto da "memória artificial", que Llull excluiu.

Entretanto, a síntese do llullismo com a arte clássica da memória seria uma grande aspiração do Renascimento, ao empregar imagens mágicas das estrelas nas figuras de Llull.

ENTREMOS MAIS uma vez no Teatro de Camillo, buscando desta vez traços do Llull renascentista. Sabe-se que Camillo interessou-se pelo llullismo, e Ramon Llull é mencionado em *L'Idea del Theatro*, com uma citação de seu *Testament*[43]. Este último é uma obra alquímica pseudollulliana. Portanto, Camillo considerava Llull um alquimista. Quando vemos, depois, os sete planetas do Teatro alcançando, como Sefirot, o mundo sobreceleste, podemos nos perguntar se Camillo também conhecia o Llull cabalista do *De auditu kabbalistico*. Um traço do Teatro, as mudanças de sentido das mesmas imagens em patamares diferentes, pode nos lembrar de como as letras, de B a K, tomam diferentes significados ao subirem e descerem a "escada do ser".

Contudo, embora a combinação do llullismo com a memória clássica em sua versão renascentista pudesse ser em parte prefigurada no Teatro, Giulio Camillo ainda pertence quase que totalmente a uma fase anterior. O Teatro pode ser inteiramente explicado como sendo a arte clássica da memória arrebatada por uma vida nova e estranha, pelas influências hermético-cabalistas derivadas dos movimentos de Ficino e Pico. E, do ponto de vista formal, o Teatro é absolutamente clássico. A memória oculta ainda está firmemente apoiada em uma edificação. Antes de nos convencermos de que o que vemos é o llullismo casado com a arte clássica da memória, devemos observar as imagens dispostas sobre

---

43. *L'Idea del Theatro*, p. 18. Sobre o *Testament* pseudollulliano, ver Thorndike, *History of Magic and Experimental Science*, IV, pp. 25-7.

as rodas giratórias das figuras llullianas. As imagens mágicas do Teatro já podem ter dinamizado a memória, mas ela ainda permanece estática no interior de uma edificação.

Estamos a ponto de encontrar a mente soberana que irá dispor as imagens mágicas das estrelas sobre as rodas combinatórias-giratórias do llullismo, alcançando, assim, a fusão – entre a memória clássica tornada oculta e o llullismo – que o mundo está esperando.

CAPÍTULO 9

Giordano Bruno: o Segredo de Sombras

G IORDANO BRUNO[1] nasceu em 1548, quatro anos após a morte de Camillo. Entrou para a Ordem Dominicana em 1563 e, no convento de Nápoles, recebeu sua formação dominicana, que devia incluir uma especial atenção à arte dominicana da memória, porque, nos livros de Bruno sobre a memória, encontramos em profusão todos os acúmulos, confusões e dificuldades criados em torno dos preceitos do *Ad Herennium* no interior dessa tradição, da forma como a encontramos nos tratados de Romberch e de Rossellius[2]. Segundo palavras que o bibliotecário da Abadia de Saint Victor, em Paris, havia escutado da própria boca de Bruno, ele já era tido como um especialista em memória antes de deixar a Ordem Dominicana: "Jordanus me disse que ele foi chamado de Nápoles a Roma pelo papa Pio v e pelo cardeal Rebiba, e que, em uma carruagem, foi trazido de lá para cá, para mostrar sua memória artificial. Ele recitou o salmo *Fundamenta* em hebraico e ensinou algo de sua arte a Rebiba"[3].

1. Este capítulo (e os posteriores referentes a Bruno) supõe que se conheça meu livro *Giordano Bruno and the Hermetic Tradition*, em que analiso as influências herméticas em Bruno e mostro que ele pertence à tradição oculta do Renascimento. O livro será referido como *G. B. and H. T.*

2. Quem primeiro apontou a influência dos tratados sobre a memória em Bruno foi Felice Tocco, e ainda são valiosas suas páginas a esse respeito em *Le Opere Latine di Giordano Bruno* (Firenze, 1889).

3. *Documenti della vita di G. B.*, Firenze, V. Spampanato, 1933, pp. 42-3.

Não há meio de provar a veracidade dessa imagem do irmão Jordanus [isto é, Giordano Bruno], ainda não expulso como herege, e que teria sido gloriosamente transportado em uma carruagem até Roma para exibir a um papa e a um cardeal aquela peculiaridade dominicana: a memória artificial.

Quando Bruno fugiu do convento em Nápoles e iniciou sua vida itinerante pela França, Inglaterra e Alemanha, ele possuía um trunfo em suas mãos. Um ex-frade que queria comunicar a memória artificial de seus irmãos devia suscitar interesse, especialmente se ele conhecesse o segredo dessa arte sob sua forma renascentista ou oculta. O primeiro livro sobre a memória publicado por Bruno, o *De umbris idearum* (1582), foi dedicado a um rei francês, Henrique III; suas palavras introdutórias prometem revelar um segredo hermético. Esse livro é o sucessor do Teatro de Camillo, e Bruno é outro italiano a levar um "segredo" da memória a um outro rei francês.

> Ganhei um tal renome, que o rei Henrique III convocou-me um dia e perguntou-me se a memória que eu possuía e ensinava era natural ou obtida por meio de magia; demonstrei-lhe que ela não era obtida por arte de magia mas pela ciência. Depois disso, imprimi um livro sobre a memória intitulado *De umbris idearum*, que dediquei a Sua Majestade, e a respeito do que ele fez de mim um leitor avalizado[4].

Esse é o relato do próprio Bruno sobre suas relações com Henrique III, em sua declaração aos inquisidores venezianos, que precisavam apenas olhar o *De umbris idearum* para reconhecer, no mesmo instante – pois eram mais entendidos no assunto do que os admiradores de Bruno do século XIX –, que ele continha alusões às estátuas mágicas do *Asclepius* e uma lista de cento e cinqüenta imagens mágicas de estrelas. Era claro que *havia* magia na arte da memória de Bruno, e de um tipo muito mais profundo do que aquela em que Camillo se aventurara.

4. Idem, pp. 84-5.

Quando foi à Inglaterra, Bruno já havia desenvolvido inteiramente a sua técnica, o que lhe permitia transmitir sua mensagem religiosa
hermética dentro do quadro da arte da memória, e era esse o sentido
do livro que publicou na Inglaterra sobre a memória. Ele continuou
com esses métodos na Alemanha e, em Frankfurt, em 1591, pouco antes
de seu retorno à Itália, o último livro que publicou tratava de memória
mágica. Ciotto – testemunha, no processo de Veneza, sobre a reputação
de Bruno em Frankfurt – relatou que pessoas que haviam freqüentado
as aulas de Bruno na cidade tinham-lhe dito que "o referido Giordano
professava a memória e dizia possuir outros segredos semelhantes"[5].

Finalmente, quando Mocenigo convidou Bruno para ir a Veneza –
convite que ocasionou seu retorno à Itália e que o levou à prisão e à
morte na fogueira –, o motivo dado foi seu desejo de aprender a arte da
memória. Bruno declarou aos inquisidores venezianos: "Quando estava
em Frankfurt, ano passado, recebi duas cartas do senhor Giovanni Mocenigo, um nobre veneziano, que queria – assim escreveu – que eu lhe
ensinasse a arte da memória [...] prometendo tratar-me gentilmente"[6].

Foi MOCENIGO quem delatou Bruno à Inquisição, em Veneza, provavelmente após ter aprendido todos os "segredos" de sua arte da memória.
Nessa cidade, sabia-se muito sobre a memória oculta, devido à reputação de Camillo e à sua influência nas academias de lá.

Portanto, a arte da memória é central na vida e morte de Bruno.

COMO FAREI referências freqüentes às principais obras de Bruno sobre
a memória, cujos títulos são, por vezes, obscuros e complexos, proponho
para eles as seguintes traduções resumidas:

Sombras = *De umbris idearum* [...] *Ad internam scripturam, & non vulgares*
per memoriam operationes explicatis, Paris, 1582[7].

---

5. Idem, p. 72.
6. Idem, p. 77.
7. G. Bruno, *Opere latine*, II (i), ed. de F. Fiorentino et al., Napoli e Firenze, 1879-1891, pp.
   1-77.

Circe = *Cantus Circaeus ad eam memoriae praxim ordinatus quam ipse Iudiciarum appellat*, Paris, 1582[8].

Selos = *Ars reminiscendi et in phantastico campo exarandi; Explicatio triginta sigillorum ad omnium scientiarum et artium inventionem dispositionem et memoriam; Sigillus Sigillorum ad omnes animi operationes comparandas et earundem rationes habendas maxime conducens; hic enim facile invenies quidquid per logicam, metaphysicam, cabalam, naturalem magiam, artes magnas atque breves theorice inquiruntur*, sem data nem local de publicação. Impressa por John Charlewood, na Inglaterra, em 1583[9].

Estátuas = *Lampas triginta statuarum*, provavelmente escrita em Wittenberg, em 1587; primeira publicação dos manuscritos em 1891[10].

Imagens = *De imaginum, signorum et idearum compositione, ad omnia inventionum, dispositionum et memoriae genera*, Frankfurt, 1591[11].

Dessas cinco obras, as duas primeiras, *Sombras* e *Circe*, pertencem ao período da primeira visita de Bruno a Paris (1581-1583); *Selos*, obra bastante longa, pertence ao período passado na Inglaterra (1583-1585); *Estátuas* e *Imagens* foram escritas em seu período alemão (1586-1591).

Três dessas obras – *Sombras*, *Circe* e *Selos* – contêm "artes da memória" baseadas na velha divisão dos tratados de memória em "regras para lugares" e "regras para imagens". Em *Sombras*, o tratado modifica a velha terminologia, chamando o *locus* de *subjectus* e a imagem de *adjectus*, mas nesse novo estilo é perfeitamente perceptível a antiga divisão segundo os dois aspectos do exercício da memória. E, nesse tratado de Bruno, encontramos todas as antigas regras para lugares e imagens, com outras reflexões que lhes foram acrescentadas, dentro da tradição sobre a memória. Em *Circe*, o tratado sobre a memória é, novamente, guiado pelo padrão antigo, apesar da mudança terminológica, e esse tratado é reimpresso em *Selos*. Embora a filosofia da imaginação animada pela magia,

---

8. Idem, vol. cit, pp. 179-257.
9. Idem, II (ii), pp. 73-217.
10. Idem, III, pp. 1-258.
11. Idem, II (iii), pp. 87-322.

que Bruno apresenta nesses tratados, seja totalmente diferente da racionalização aristotélica cuidadosa promovida pela escolástica em relação às regras da memória, ainda assim, a idéia em si, de filosofar sobre os preceitos, chegou até ele pela tradição dominicana.

Giordano Bruno sempre professara grande admiração por Tomás de Aquino e orgulhava-se da célebre arte da memória que sua Ordem desenvolvera. No início de *Sombras*, Hermes, Filoteu e Logifer discutem o livro apresentado por Hermes, que trata das Sombras das Idéias e contém a arte hermética da memória. Logifer, o Pedante, protesta, dizendo que muitos especialistas afirmaram a inutilidade de obras como essa: "O teólogo mais douto e o mais refinado patriarca das letras, Magister Psicoteus, afirmou que nada de valor pode ser tirado das artes de Tullius, Thomas, Albertus, Lullus e outros autores obscuros"[12]. Os protestos de Logifer são ignorados, e o livro misterioso oferecido por Hermes é aberto.

O doutor pedante, "Magister Psicoteus"[13], tomou posição contra a arte da memória, agora em desuso entre os destacados eruditos e educadores humanistas. O diálogo que introduz as *Sombras* situa-se historicamente na época em que a antiga arte da memória está em declínio. Bruno defende apaixonadamente, contra seus detratores modernos, a arte medieval de Tullius, Tomás de Aquino e Alberto Magno, mas a versão da arte medieval da memória que ele apresenta passou por uma transformação no Renascimento. Tornou-se uma arte oculta, apresentada por Hermes Trismegisto.

Pode-se comparar esta cena teatral entre Hermes, Filoteu (representando Bruno) e Logifer, o Pedante, em que os dois primeiros defendem uma arte hermética da memória, com a cena no Teatro de Camillo, entre Viglius-Erasmus e o inventor do Teatro hermético da Memória. O resultado é o mesmo: um mago disputa com um racionalista. E, assim como Camillo falou com Viglius sobre seu Teatro como um milagre religioso,

---

12. Idem, II (i), p. 14. No texto aparece "Alulidus", provavelmente um erro de impressão de Lullus.

13. Seu sugestivo nome de "Mestre Papagaio" talvez seja uma alusão ao aprendizado por repetição, preferido então à arte clássica.

do mesmo modo o livro hermético de Bruno sobre a memória é apresentado como uma revelação de fundo religioso. O conhecimento ou a arte a ser revelada é como um sol nascente, que fará desvanecer as criaturas noturnas. Baseia-se no "intelecto que não falha" e não no "sentido que engana". E está muito próximo das revelações dos "sacerdotes egípcios"[14].

Apesar de o resultado ser fundamentalmente o mesmo, há profundas diferenças de estilo entre o encontro no Teatro de Camillo e o extraordinário diálogo de Bruno. Camillo representa o orador veneziano refinado e apresenta um sistema de memória que, apesar da essência oculta, possui uma ordem determinada e é neoclássico em sua forma. Bruno é um ex-frade, infinitamente impetuoso, passional e imoderado, ao fugir de seu convento medieval com sua arte da memória, transformada pela magia em um culto iniciático misterioso. Bruno surge meio século depois de Camillo e provém de um meio muito diferente, não da civilizada Veneza mas da Nápoles do extremo sul. Não creio que ele tenha sido influenciado por Camillo, a não ser no sentido de que a fama do Teatro na França poderia ter indicado a ele que os reis desse país estavam dispostos a receber os "segredos" da memória. A versão de Bruno da arte da memória transformada pelo hermetismo foi gerada de forma independente daquela de Camillo e em circunstâncias muito diferentes.

Quais eram essas circunstâncias? Primeiro, há a questão – que devo deixar sem resposta – acerca do que estava acontecendo, ou não, no que diz respeito à arte da memória no convento dominicano de Nápoles. No final do século XVI[15], o convento encontrava-se em uma situação caótica, e é possível que algo dessa desordem viesse da transformação que o Renascimento havia provocado na arte dominicana da memória.

As regras de Tomás de Aquino sobre a memória são estruturadas de forma a excluir a magia, e apresentam, assim, características aristotélicas e racionais. Quem quer que seguisse as regras de Aquino do modo como realmente haviam sido concebidas não poderia transformar a

---

14. *Op. lat.*, II (i), pp. 7-9; cf. *G. B. and H. T.*, pp. 192 e ss.
15. Ver *G. B. and H. T.*, p. 365.

arte da memória em uma arte mágica. Ela havia se tornado uma arte de devoção e ética, aspecto sublinhado por ele, mas a arte, da maneira como Tomás de Aquino a recomendava, não era de forma alguma uma arte mágica. Tomás condena, convicto, a *Ars notoria*[16], a arte da memória medieval e mágica, e expõe cuidadosamente os motivos para a adoção das regras da memória de "Tullius". Em relação à arte como reminiscência, a diferença sutil entre sua atitude e a de Alberto Magno pode dever-se ao cuidado em evitar as armadilhas em que Alberto poderia ter caído[17].

A posição de Alberto Magno não é tão clara. No que ele diz a respeito da memória, encontramos coisas curiosas, particularmente a transformação da imagem clássica de memória em um colossal carneiro nos céus noturnos[18]. Seria possível que, no convento de Nápoles, sob o impulso da ampla retomada da magia pelo Renascimento, a arte da memória estivesse se desenvolvendo em uma direção do tipo da de Alberto Magno, e estivesse usando imagens talismânicas das estrelas, em que Alberto certamente estava interessado? Posso levantar isso apenas como uma pergunta, pois a questão de Alberto Magno – tanto na Idade Média quanto no Renascimento, quando foi amplamente estudado – é um campo mais ou menos inexplorado, sob essas perspectivas.

Devemos lembrar, também, que Bruno admirava intensamente Tomás de Aquino, vendo nele um Mago, possivelmente uma tendência do tomismo do Renascimento, desenvolvido posteriormente por Campanella, e que, novamente, constitui um campo de estudos quase inexplorado[19]. Havia motivos melhores para admirar Alberto Magno como um Mago, pois ele tendia para essa direção. Quando Bruno foi preso, ele se defendeu da acusação de possuir uma obra sobre imagens mágicas que

---

16. Na *Summa Theologiae*, ii, ii, *quaestio* 96, *articulus* I. Levanta-se a questão se a *Ars Notoria* é ilícita, e a resposta é que é totalmente ilícita, uma arte falsa e supersticiosa.
17. Ver, anteriormente, pp. 97-9.
18. Ver, anteriormente, p. 93.
19. Ver *G. B. and H. T.*, pp. 251, 272, 379 e ss. Em sua edição das obras de Tomás de Aquino, publicada em 1570, o cardeal Caietano defendia o uso dos talismãs; ver Walker, *Magic*, pp. 214-5, 218-9.

o incriminava, e justificou sua defesa apoiando-se no fato de que a obra lhe fora recomendada por Alberto Magno[20].

Agora, deixando de lado o problema insolúvel de como teria sido a arte da memória no convento dominicano de Nápoles quando Bruno estava ali recluso, consideremos quais influências de fora do convento chegaram a ele antes de sua fuga de Nápoles, em 1576, para onde jamais retornou.

Em 1560, Giovanni Battista Porta, o célebre mágico e um dos primeiros cientistas, estabelecera em Nápoles sua Academia Secretorum Naturae, cujos membros se encontravam em sua residência para discutir "segredos", alguns mágicos, outros puramente científicos. Em 1558, Porta publicou a primeira versão de sua grande obra sobre a *Magia naturalis*, que influenciaria profundamente Francis Bacon e Campanella[21]. No livro, Porta estuda as virtudes secretas das plantas e pedras e expõe exaustivamente o sistema de correspondências entre as estrelas e o mundo inferior. Entre os "segredos" de Porta, estava seu interesse pela fisiognomia[22], área em que fez um curioso estudo sobre as semelhanças a animais em rostos humanos. Bruno, certamente, conhecia algo sobre a fisiognomia animal de Porta, que ele usou em sua interpretação da magia de Circe em *Circe*, e que também pode ser reconhecida em outros trabalhos seus. Porta estava interessado também em cifras, ou escrita secreta[23], que ele associava aos mistérios egípcios, um interesse do qual Bruno também compartilhava.

Mas o que mais nos interessa aqui é a *Ars reminiscendi* de Porta, um tratado sobre a arte da memória publicado em Nápoles, em 1602[24]. A

---

20. Ver *G. B. and H. T.*, p. 347.
21. Thorndike mostrou (*History of Magic and Experimental Science*, VI, pp. 418 e ss.) que a magia natural de Porta foi amplamente influenciada por uma obra medieval, a *Secreta Alberti*, atribuída a Alberto Magno, embora provavelmente não tenha sido escrita por ele.
22. G. B. Porta, *Physiognomiae coelestis libri sex*, Napoli, 1603.
23. G. B. Porta, *De furtivis litterarum notis*, Napoli, 1563.
24. Essa era a versão latina de *L'arte del ricordare*, que Porta publicara em Nápoles, em 1566. Foi sugerido (por Louise G. Clubb, *Giambattista Della Porta Dramatist*, Princeton, 1965, p. 14) que Porta tinha em vista fornecer um sistema mnemônico para atores.

imaginação, segundo esse autor, desenha as imagens na memória como se tivesse um lápis. Existem a memória natural e a artificial, a última inventada por Simônides. Porta considera que a descrição, feita por Virgílio, das salas decoradas com afrescos que Dido mostrou a Enéas constitui de fato o sistema de memória de Dido, que lhe permite relembrar a história de seus antepassados. Os lugares arquitetônicos são palácios ou teatros. Preceitos matemáticos e figuras geométricas podem, também, ser usados como lugares, considerando-se sua ordem, como Aristóteles descreveu. Figuras humanas poderiam ser utilizadas como imagens de memória, escolhidas de acordo com sua capacidade de impressioná-la de algum modo, sendo muito belas ou absolutamente ridículas. Como imagens de memória, é útil usar pinturas feitas por artistas hábeis, pois elas são mais impressionantes e estimulam mais do que aquelas feitas por pintores medíocres. Por exemplo, pinturas de Michelangelo, Rafael e Ticiano permanecem na memória. Os hieróglifos egípcios podem ser empregados como imagens de memória. Há também imagens para letras e números (referindo-se a alfabetos visuais).

O sistema de memória de Porta se distingue por sua elevada qualidade estética, mas representa um tipo usual de tratado sobre a memória, dentro da tradição escolástica, baseada em Tullius e Aristóteles, com as habituais repetições das regras e as complicações comuns, como a dos alfabetos visuais. Poderíamos estar lendo Romberch ou Rosellius, não fosse o fato de que não há nada sobre a rememoração do Inferno e do Céu. Até onde vejo, não há magia explícita nesse livro, e ele condena Metrodorus de Scepsis por utilizar as estrelas na memória. A pequena obra, contudo, mostra que o filósofo ocultista de Nápoles estava interessado na memória artificial.

Uma das principais fontes da magia de Bruno era *De occulta philosophia* (1533), de Cornelius Agrippa. Nessa obra, ele não menciona a arte da memória, mas em seu *De vanitate scientiarum* (1530) há um capítulo em que a condena como arte inútil[25]. Aí, no entanto, Agrippa condena

25. Ver, anteriormente, p. 163.

todas as artes ocultas que, três anos mais tarde, ele exporia em seu *De occulta philosophia*, o mais importante manual renascentista sobre magia hermética e cabalista. Muitas tentativas foram feitas para explicar as atitudes contraditórias de Agrippa nesses dois livros. Uma das mais convincentes diz que *De vanitate scientiarum* era estratagema seguro, de um tipo freqüentemente empregado pelos autores, ao tratarem de temas perigosos. Poder apontar um livro contra a magia, de sua autoria, seria uma proteção, caso o *De occulta philosophia* o colocasse em apuros. Essa pode não ser a explicação perfeita, mas torna possível que, em seu ataque à futilidade das ciências, as ciências por ele chamadas de "inúteis" possam ser justamente aquelas em que Agrippa estava interessado. Muitos filósofos ocultos do Renascimento estavam interessados na arte da memória, e seria surpreendente se Agrippa fosse exceção. De qualquer modo, foi do manual de magia de Agrippa que Bruno tirou as imagens mágicas das estrelas utilizadas no sistema de memória de *Sombras*.

Na época em que *Sombras*, de Bruno, foi publicada em Paris, em 1582, a obra não teria parecido tão estranha ao leitor francês – como é para nós hoje –, que facilmente a classificaria dentro de certa tendência em voga. Eis um livro sobre a memória, apresentado como um segredo hermético e, é claro, cheio de magia. Por medo ou desaprovação, alguns leitores teriam descartado o livro. Outros, movidos pelo neoplatonismo vigente e seu escopo mágico, teriam buscado descobrir se esse novo especialista da memória teria progredido no esforço de alinhar a arte da memória com a filosofia oculta, como o fez Giulio Camillo em toda a sua vida. Dedicada a Henrique III, *Sombras* provinha do hermético Teatro da Memória, que Camillo apresentara ao avô desse rei, Francisco I.

O Teatro ainda não fora esquecido na França. Um centro de influência ocultista fora criado em Paris por Jacques Gohorry, que iniciara uma espécie de academia médico-mágica, não muito longe do lugar onde Baif tinha a sua Academia de Poesia e Música[26]. Sob o pseudônimo de "Leo Suavius", Gohorry, impregnado das influências de Ficino e Pa-

---

26. Ver Walker, *Magic*, pp. 96-106.

racelso, escreveu várias obras extremamente obscuras. Em uma delas, publicada em 1550, o autor fornece uma descrição sumária do "anfiteatro de madeira" que Camillo havia construído para Francisco I[27]. A academia ou grupo de Gohorry parece ter desaparecido por volta de 1576, mas suas influências provavelmente continuaram e teriam incluído algum conhecimento sobre a memória oculta e o Teatro de Camillo, ao qual Gohorry tecera elogios. Além disso, apenas quatro anos antes da publicação do livro de Bruno, o nome de Camillo aparecera no *Peplus Italiae*, publicado em Paris, como um italiano renomado, ao lado de Pico della Mirandola e de outras personalidades renascentistas[28].

No final do século XVI, a tradição oculta crescera em ousadia. Jacques Gohorry era um dos que pensavam que Ficino e Pico haviam sido tímidos ao colocar em prática mistérios contidos nos escritos de Zoroastro, Trismegisto e outros sábios da Antiguidade, e que não haviam feito uso suficiente de "imagens e selos". Segundo Gohorry, se eles não conseguiram utilizar plenamente o conhecimento que tinham sobre tais matérias é porque não haviam se tornado verdadeiros Magos taumaturgos. Os sistemas de memória de Bruno progrediram nessa direção. Comparado a Camillo, ele utiliza de forma muito mais audaciosa imagens e signos notoriamente mágicos, dentro da tradição da memória oculta. Em *Sombras*, não hesita em empregar as imagens dos decanos do zodíaco (supostamente) dotadas de grandes poderes. Em *Circe*, introduz a arte da memória por meio de encantamentos extremamente mágicos pronunciados pelas feiticeiras[29]. Bruno tinha em vista poderes muito maiores do que a suave domesticação do leão ou a oratória planetária de Camillo.

O LEITOR de *Sombras* percebe imediatamente as inúmeras vezes em que aparece a figura de um círculo marcado com trinta letras. Em algumas dessas figuras vemos círculos concêntricos, marcados pelas mesmas

---

27. Jacques Gohorry, *De Usu & Mysteriis Notarum Liber*, Paris, 1550, sigs. ciii *verso*-civ *recto*. Cf. Walker, p. 98.
28. Ver, anteriormente, pp. 177-8.
29. Sobre os encantamentos em *Circe*, ver *G. B. and H. T.*, pp. 200-2.

trinta letras (Fig. 8). No século XVI, Paris era o centro europeu mais importante do llullismo, e nenhum parisiense poderia deixar de reconhecer nesses círculos as célebres rodas combinatórias da arte de Llull.

Os esforços para encontrar um modo de conciliar a arte clássica da memória, com suas imagens e lugares, e o llullismo, com suas letras e figuras em movimento, continuaram a crescer no final do século XVI. O problema deve ter provocado um grande interesse geral, comparável ao interesse popular de hoje pelos cérebros eletrônicos. Garzoni, em sua obra popular, *Piazza universale* (1578) – à qual já me referi mais de uma vez – afirma ser ambição sua produzir um sistema de memória universal, combinando Rossellius e Llull[30]. Se um leigo, como Garzoni, esperava alcançar tal feito – utilizando para isso o manual de Rossellius, o dominicano, sobre a memória –, seria de esperar que um especialista como Giordano Bruno inventasse a máquina da memória universal. Tendo recebido educação dominicana, sendo profundo conhecedor do llullismo, aqui estava certamente o grande especialista que poderia finalmente resolver o problema.

Devemos entender que o Llull de Bruno era aquele do Renascimento, e não o medieval. Seu círculo llulliano tinha mais letras do que os da verdadeira arte de Llull, além de letras gregas e hebraicas, que não eram empregadas no llullismo original. Sua roda está mais próxima daquelas dos diagramas alquímicos pseudollullianos, que também utilizam outras letras além das do alfabeto latino. Ao listar as obras de Llull, Bruno inclui entre elas *De auditu kabbalistico*[31]. Tais observações sugerem que Llull, o alquimista, e Llull, o cabalista, contribuíam para a idéia que Bruno fazia do llullismo. Mas o Llull de Bruno chega a ser mais peculiar e mais distante do Llull medieval do que seria normal no llullismo renascentista. Ao bibliotecário da Abadia de San Victor, ele disse compreender o llullismo melhor do que o próprio Llull[32], e realmente há, no uso que Bruno faz dessa arte, muito que causaria horror a um llulliano genuíno.

30. T. Garzoni, *Piazza universale*, Veneza, 1578, cap. sobre "Professori di Memoria".
31. *Op. lat.*, II (ii), pp. 62, 333.
32. *Documenti*, p. 43.

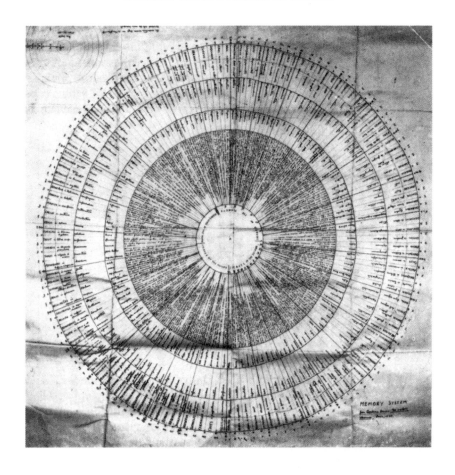

11. Sistema de Memória
Giordano Bruno, *De umbris idearum* (*Sombras*), Paris, 1582.

IMAGINES FACIERVM

signorum ex Teucro Babilo-

nico quæ ad vsum presen-

tis artis quam commo-

de trahi possunt.

Aries.

AA

Ascendit in prima fa-
cie arietis homo niger,
immodicæ staturæ, ar-
dentibus oculis, seuero
vultu, stans candida pre-
cinctus palla.

Ae In secunda mulier non inuenusta, alba induta thu-
nica, pallio veró tyrio colore intincto superinduta,
soluta coma, & lauro coronata.

Ai In tertia homo pallidus ruffi capilli rubris indutus
vestibus, in sinistra auream gestans armillam, &
ex robore baculum in dextra, inquieti & irascentis
præ se ferens vultum cum cupita bona nequeat adi-
pisci nec præstare.

12a

12a. Imagens dos Decanos de Áries
12b. Imagens dos Decanos de Touro e Gêmeos
Giordano Bruno, *De umbris idearum* (*Sombras*), Nápoles, 1886.

Taurus.

ᴀᴏ   Iu prima Tauri facie Nudus arans , de palea pileum intextum gestans, fusco colore, quem sequitur rusticus alter femina iaciens.

Av In Secunda Clauiger nudus , & coronatus aureum baltheum in humeris gestans & in sinistra sceptrum.

Ba In tertia vir sinistra serpentem gestans & dextera hastam siue Sagittam, ante quem testa ignis, & aquæ lagena.

Gemini.

Bℴ   In prima geminorum fucie, vir paratus ad seruiendum, virgam habens in dextera. Vultu hilari atque iocundo.

Bɪ In secunda, homo terram fondiens & laborans: iuxta quem tibicen nudis saltans pedibus & capite.

Bo In tertia Morio tibiam dextera gestans, in sinistra passerem & iuxta illum vir iratus apprehendens baculum.

12b

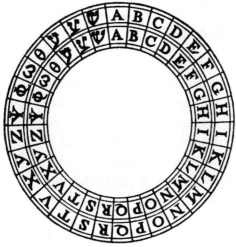

8. Rodas da Memória
G. Bruno, *De umbris idearum*, 1582.

Por que Bruno divide suas rodas llullianas em trinta segmentos? Seu pensamento com certeza se referia a Nomes ou Atributos, pois ele lecionou em Paris sobre os "trinta atributos divinos"[33] (as preleções não foram conservadas). Bruno era obcecado pelo número trinta. Ele é o número fundamental de *Sombras*, há trinta selos em *Selos*, trinta estátuas em *Estátuas* e, em sua obra, trinta "ligações" que sugerem como estabelecer contato com os demônios[34]. A única passagem de seus livros – que eu saiba – em que ele aborda seu emprego do número "trinta" figura no *De compendiosa architectura artis Lullii*, publicado em Paris no mesmo ano que *Sombras* e *Circe*. Após listar algumas das Dignidades llullianas, como *Bonitas*, *Magnitudo*, *Veritas* e assim por diante, Bruno identifica-as às Sefirot da cabala: "Todas estas (*i.e.*, as Dignidades llullianas), os cabalistas judeus reduzem a dez Sefirot, e nós a trinta"[35].

---

33. Idem, p. 84.
34. *De vinculis in genere* (*Op. lat.*, III, pp. 669-70). Cf. *G. B. and H. T.*, p. 266.
35. *Op. lat.*, II (ii), p. 42. Especificamente sobre arquitetura, não há nada neste livro "sobre a arquitetura da arte de Llull". Ele trata, na verdade, do llullismo, mas algumas figuras não são as habituais de Llull. O uso da palavra "arquitetura" no título pode significar que Bruno pensa nas figuras de Llull como "lugares" de memória a serem utilizados no lugar da arquitetura de um edifício de memória. A obra se liga a *Circe* e a *Sombras*.

Portanto, ele identificava o "trinta" – no qual baseava suas artes – com as Dignidades llullianas, transformadas pela cabala em Sefirot. Nessa passagem, ele rejeita o uso cristão e trinitário que Llull fez de sua arte. Segundo ele, as Dignidades divinas representam o Nome de Deus a partir de quatro letras (o Tetragrammaton) que os cabalistas assimilam aos quatro pontos cardeais do mundo e, assim, por sucessivas multiplicações, a todo o Universo.

Não fica totalmente claro o modo como ele, a partir disso, chega a trinta[36], embora esse número pareça ter sido particularmente associado à magia. Um papiro mágico grego do século IV apresenta um Nome de Deus com trinta letras[37]. Ao vociferar contra as heresias gnósticas, Irineu menciona que a João Batista se atribuíam trinta discípulos, número que lembra os trinta éons dos gnósticos. Ainda mais sugestivo de magia profunda é o fato de o número trinta ser associado a Simão, o Mago[38]. Inclino-me a pensar que a verdadeira fonte de Bruno era provavelmente a *Stenographia*, de Trithemius, na qual são listados trinta e um espíritos, com receitas para esconjurá-los. Em um resumo dessa obra, feito mais tarde por Bruno, a lista restringe-se a trinta. Entre os contemporâneos de Bruno, John Dee estava interessado no valor mágico do número trinta. A obra de Dee, *Clavis angelicae*, foi publicada em Cracóvia, em 1584[39], dois anos depois de *Sombras*, de Bruno, que, portanto, pode tê-la influenciado. A *Clavis angelicae* descreve como evocar "trinta ordens boas

---

36. A multiplicação do tetragrama divino deveria proceder a partir de múltiplos de quatro e doze, série que jamais tem como resultado o número trinta. A esse respeito, há uma passagem na obra de Bruno, *Spaccio della bestia trionfante*, (*Dialoghi Italiani*, ed. de G. Aquilecchia, 1957, pp. 782-3). Cf. *G. B. and H. T.*, p. 269.
37. K. Preisendanz, *Papyri Graeci Magicae*, Berlim, 1931, p. 32 (agradeço a E. Jaffé por essa referência).
38. Esses "trinta" são mencionados por Thorndike, *History of Magic and Experimental Science*, I, pp. 364-5.
39. O original de próprio punho de Dee está em MS. Sloane 3191, ff. 1-13; uma cópia de Ashmole encontra-se em MS. Sloane 3678, ff. 1-13.
    A *Steganographia* não foi impressa até 1606, mas na forma de manuscrito era amplamente conhecida; ver Walker, *Magic*, p. 86. Sobre o resumo da obra dirigido a Bruno, ver *Op. lat.*, III, pp. 496 e ss.

dos príncipes do ar", que reinam sobre todas as partes do mundo. Dee apresenta trinta nomes mágicos em trinta círculos concêntricos e pratica magia para evocar anjos e demônios.

Em *Sombras*, Bruno cita, muitas vezes, sua obra intitulada *Clavis magna*, que ou nunca existiu ou desapareceu. A "Grande Chave" pode ter explicado o modo de utilizar as rodas llullianas como meios de evocar os espíritos do ar. Pois esse é um segredo, acredito, a respeito do uso das rodas de Llull em *Sombras*. Do mesmo modo que Bruno transforma as imagens da arte clássica da memória em imagens mágicas das estrelas, para serem utilizadas com a intenção de alcançar o mundo celeste, assim também as rodas de Llull tornam-se uma espécie de "cabala prática", um conjuro para evocar demônios ou anjos, além das estrelas.

Com isso, o grande feito de Bruno – encontrar um meio de combinar a arte clássica da memória com o llullismo – baseia-se em uma extrema transformação ocultista de ambas as artes. Ele coloca as imagens dessa arte clássica nas rodas combinatórias de Llull – mas eram imagens mágicas, e as rodas, dotadas de poder evocatório.

No mundo em que primeiro foram publicadas, as *Sombras* tiveram de inserir-se em certos padrões reconhecidos. Mas isso não quer dizer que essa obra não tenha causado surpresa. Ao contrário, e é justamente porque o leitor da época reconhecia o objetivo dos esforços de Bruno, que ele também devia reconhecer o seu abandono radical de toda e qualquer precaução ou restrição. Ali estava um homem que não conhecia limites, que utilizaria cada procedimento mágico, por mais perigoso ou proibido, para alcançar aquela organização da psique vinda do alto, por meio do contato com os poderes cósmicos. Esse fora o sonho do digno e metódico Camillo, e era também o de Bruno, mas este o perseguia com uma audácia muito mais alarmante e com métodos infinitamente mais complexos.

O QUE é este objeto de aparência curiosa (Pr. II), para o qual convido o leitor a dirigir seu olhar agora? Seria algum disco ou papiro de incrível antiguidade, desenterrado das areias do Egito? Não. Trata-se de minha tentativa de escavar e encontrar o "segredo" de *Sombras*.

Aqui estão rodas concêntricas, divididas em trinta segmentos principais, cada um deles subdividido em outros cinco, em um total de 150 divisões. Em cada uma dessas divisões, há inscrições de difícil decifração. Isso não importa, pois jamais compreenderemos tal objeto em seus detalhes. O objetivo é apenas fornecer uma idéia da estrutura geral do sistema e, também, de sua extrema complexidade.

Como cheguei nesses resultados e por que esse objeto nunca foi visto antes? Muito simples. Ninguém se deu conta de que as listas de imagens apresentadas no livro – cada uma com 150 imagens, distribuídas em grupos de trinta – devem ser dispostas em rodas concêntricas, como aquelas muitas vezes ilustradas (ver Fig. 8). Tais rodas – que deviam se mover à maneira llulliana para fornecer as combinações – estão marcadas com as letras de A a z, seguidas de algumas letras gregas e hebraicas, sendo ao todo trinta letras inscritas. As listas de imagens do livro estão repartidas em trinta divisões marcadas com essas letras, e cada divisão contém cinco subdivisões, marcadas com as cinco vogais. Essas listas, cada uma com 150 imagens, servem, portanto, para ser colocadas sobre as rodas concêntricas giratórias. E foi isso que fiz no desenho, ao escrever as listas de imagens sobre rodas concêntricas divididas em trinta segmentos, cada um com cinco subdivisões. O resultado é um objeto com ares de Egito antigo, altamente mágico, já que as imagens sobre a roda central são as dos decanos do zodíaco, dos planetas, das *mansiones* da Lua e das casas do horóscopo.

As descrições dessas imagens são extraídas do texto de Bruno sobre a roda central do desenho. Essa roda central, repleta de inscrições, constitui a "central de energia" astral que faz funcionar o conjunto do sistema.

REPRODUZO AQUI, seguindo a edição de *Sombras* de 1886, as duas primeiras páginas da lista de Bruno de imagens astrais a serem colocadas na roda central do sistema. A primeira página (Pr. 12*a*) intitula-se "Imagens das faces dos signos, tiradas de Teucer, o Babilônio, que podem ser utilizadas na arte apresentada". Trata-se de uma gravura de Áries e de descrições de imagens da primeira, da segunda e da terceira "faces" desse signo, ou seja, imagens de seus três decanos. Na página seguinte (Pr. 12*b*) estão Touro e Gêmeos, cada qual acompanhado das imagens de seus três decanos. Observa-se que as imagens têm a seu lado a letra A, seguida pelas cinco vogais (Aa, Ae, Ai, Ao, Au); então, B, também com as cinco vogais. Todo o restante da lista é marcado de forma semelhante, para as trinta letras da roda, cada uma com as subdivisões das cinco vogais. E todas as outras listas estão marcadas de modo similar. São essas inscrições que revelam que as listas de imagens devem ser dispostas sobre rodas concêntricas.

Se nos limitarmos aos três signos das páginas aqui reproduzidas, veremos que as imagens descritas para os decanos de Áries são: 1. a de um homem negro enorme, com olhos faiscantes, vestido de branco; 2. uma mulher; e 3. um homem segurando uma esfera e um bastão. As imagens de Touro são: 1. um homem que lavra; 2. um homem que carrega uma chave; e 3. um homem que segura uma serpente e uma lança. As imagens de Gêmeos, por sua vez, são: 1. um servidor que segura uma vara; 2. um homem que cava a terra e um flautista; e 3. um homem com uma flauta.

Essas imagens derivam do conhecimento e da magia astrais dos egípcios na Antiguidade[40]. Os 360 graus do círculo zodiacal são divididos entre os doze signos do zodíaco, cada um sendo subdividido em três "faces" de dez graus cada. Estes últimos são os "decanos", tendo cada qual uma imagem a ele associada. As imagens dos decanos remontam a deuses astrais do tempo, do Egito antigo. Suas listas estavam preservadas em arquivos dos templos egípcios; de lá elas passaram para o conhecimento da magia astral da baixa Antiguidade, transmitidas em textos cuja autoria é, com freqüência, atribuída a "Hermes Trismegisto", por sua vez especialmente associado às imagens do decano e à sua magia. Essas imagens variam segundo diferentes fontes, mas não precisamos procurar textos remotos e difíceis para encontrar a fonte das imagens

---

40. Sobre as imagens dos decanos, ver *G. B. and H. T.*, pp. 45-8. A Pr. 1 desse livro reproduz as representações dos decanos de Áries existentes no Palazzo Schifanoja.

dos decanos empregadas por Bruno. Para a maior parte de sua magia, ele utilizava fontes impressas acessíveis, apoiando-se sobretudo em *De occulta philosophia*, de Henry Cornelius Agrippa. Este introduz sua lista das imagens dos decanos com as palavras: "Há no zodíaco trinta e seis imagens [...] sobre as quais Teucer, o Babilônio, escreveu". Bruno copiou essa introdução no início de sua lista de imagens de decanos e, a lista, ele a extrai de Agrippa, às vezes com algumas pequenas variações[41].

Depois das trinta e seis imagens dos decanos, seguem, na lista de imagens estelares de *Sombras*, quarenta e nove imagens dos planetas, sete para cada um. Cada grupo de sete imagens é encabeçado por uma gravura convencional do planeta correspondente. São exemplos dessas imagens de planetas:

> Primeira imagem de Saturno: um homem com cabeça de cervo sobre um dragão, segurando, na mão direita, uma coruja que come uma cobra.
>
> Terceira imagem do Sol: um jovem, enfeitado com um diadema, de cuja cabeça partem raios de luz, e que segura um arco e uma aljava.
>
> Primeira imagem de Mercúrio: um belo jovem, que segura um cetro com duas serpentes opostas enroladas, cujas cabeças se defrontam.
>
> Primeira imagem da Lua: uma mulher dotada de cornos, sobre um golfinho; em sua mão direita está um camaleão, na esquerda, um lírio.

Como se pode ver, tais imagens representam os deuses dos planetas e suas influências, como fazem os talismãs planetários. Bruno extraiu a maior parte das quarenta e nove imagens da lista de imagens planetárias da obra *De occulta philosophia*, de Agrippa[42].

A seguir, na lista de Bruno, vem a imagem do *Draco lunae*, acompanhada das imagens das vinte e oito *mansiones* da Lua, isto é, das posições da Lua em cada dia do mês. Essas imagens representam o papel da Lua e de seus movimentos na transmissão de influências zodiacais e planetárias.

---

41. H. C. Agrippa, *De occulta philosophia*, ii, p. 37. Para variantes, consultar *G. B. and H. T.*, p. 196, nota 3.

42. *De occulta philosophia*, ii, pp. 37-44. Cf. *G. B. and H. T.*, p. 196.

Bruno tira também essas imagens, somente com ligeiras variações, do *De occulta philosophia*, de Agrippa[43].

Para entendermos o que Bruno pretende, precisamos considerar todas essas imagens no contexto do *De occulta philosophia*. É no segundo volume do manual de magia de Agrippa que estão as tais listas de imagens. Esse volume é o que trata de magia celeste, a que atua no mundo intermediário das estrelas, *i.e.*, intermediário em relação ao mundo inferior dos elementos, abordado no primeiro volume, e ao mundo sobreceleste, ao qual é dedicado o terceiro volume. Segundo esse tipo de pensamento mágico, um dos meios mais importantes de agir em relação ao mundo celeste é por meio das imagens talismânicas ou mágicas das estrelas. Bruno interioriza essa prática, ao utilizar as imagens celestes como imagens de memória, como se atrelasse o mundo interior da imaginação às estrelas, ou reproduzisse o mundo celeste interiormente.

Finalmente, Bruno segue uma gravura que representa as doze casas da divisão do horóscopo e apresenta uma lista de trinta e seis imagens, três para cada uma das doze casas. Essas imagens expressam os aspectos da vida que estariam relacionados com as casas do horóscopo: nascimento, riqueza, irmãos, parentes, filhos, doenças, casamento, morte, religião, domínios, benefícios, prisão. Elas estão vagamente ligadas com imagens tradicionais das casas, como pode ser visto, por exemplo, em um calendário de 1515[44], mas Bruno transformou-as e acrescentou-lhes outros traços, para produzir uma lista muito excêntrica de imagens que são, provavelmente, em grande medida, invenções suas. Aqui, vemos Bruno "compor" imagens mágicas e, mais tarde, escreverá todo um livro sobre isso.

São essas, então, as cento e cinqüenta imagens impressas na roda central da memória mágica. Todo o Céu, com todas as suas influências astrológicas complexas, estava representado nessa roda. As imagens das estrelas formam combinações e circunvoluções quando as rodas giram. E a mente suprema – que tinha todo o Céu e seus movimentos e influên-

43. Idem, vol. cit., p. 46. Cf. *G. B. and H. T.*, loc. cit.
44. L. Reymann, *Nativität-Kalender*, Nüremberg, 1515; reproduzido em A. Warburg, *Gesammelte Schriften*, Leipzig, 1932, II, Pr. LXXV.

cias registrados de forma mágica na memória, por meio das imagens mágicas – possuía, certamente, um "segredo" digno de ser conhecido!

Nas páginas iniciais de *Sombras*, a arte da memória prestes a ser revelada é apresentada como um segredo hermético. É tida como obra do próprio Hermes, que entrega ao filósofo um livro que contém tal segredo[45]. Além disso, o título, *De umbris idearum*, é tomado de uma obra de magia, o comentário necromântico de Cecco d'Ascoli sobre a obra *Sphere* de Sacrobosco, que mencionava um *Liber de umbris idearum*[46]. O que são, então, as mágicas "sombras de idéias", que serão a base do sistema de memória hermético?

A mente de Bruno trabalha seguindo linhas extremamente de difícil apreensão por um espírito moderno – as linhas seguidas por Ficino, em seu *De vita coelitus comparanda* –, em que as imagens das estrelas são intermediárias entre as idéias do mundo sobreceleste e do mundo subceleste dos elementos. Ao manipular ou utilizar as imagens das estrelas, manipulam-se formas que estão mais próximas da realidade do que os objetos do mundo inferior, que dependem, todos, das influências estelares. Pode-se atuar no mundo inferior, podem-se alterar as influências estelares sobre ele, caso se saiba como ordenar e manipular as imagens das estrelas. De fato, as imagens estelares *são* as "sombras das idéias", sombras da realidade que estão dela mais próximas do que as sombras físicas do mundo inferior. A partir do momento em que se entende um tal ponto de vista – que para um espírito moderno é praticamente ininteligível –, muitos mistérios de *Sombras* são esclarecidos. O livro que Hermes oferece ao filósofo é aquele "sobre as sombras das idéias, comprimidas para servir à escrita interior"[47], isto é, ele contém uma lista de imagens estelares mágicas, a serem impressas na memória. Elas devem ser usadas nas rodas giratórias: "Como as idéias constituem as formas principais das coisas, a partir das quais tudo é formado [...] então, devemos formar em nós as sombras das idéias [...] de modo que sejam adap-

45. Bruno, *Op. lat.*, ii (i); cf. *G. B. and H. T.*, p. 193.
46. Ver *G. B. and H. T.*, p. 197.
47. *Op. lat.*, ii (i), p. 9.

táveis a todas as formações possíveis. E formamo-las em nós, como no movimento das rodas. Se você conhece algum outro meio, tente-o"[48].

Ao gravarmos na memória as imagens dos "agentes superiores", conheceremos as coisas embaixo a partir do alto; as coisas inferiores tomarão por si mesmas os seus lugares na memória, se já tivermos ordenado ali as imagens das superiores, que contêm a realidade das coisas inferiores sob uma forma superior, mais próxima da realidade última: "As formas de animais disformes são belas no céu. Metais que não brilham resplandecem em seus planetas. Nenhum homem, animal ou metal é aqui como é lá [...] Ao iluminar, vivificar, unir-se e adaptar-se aos agentes superiores, você avançará na compreensão e na memória das espécies"[49].

Como o adepto pode se conformar aos agentes superiores? Conformando-se interiormente às imagens astrais, pelas quais serão unificadas as espécies individuais do mundo inferior. Uma memória astral como essa não fornecerá apenas conhecimento, mas poderes:

> Em sua natureza primordial existe um caos de elementos e números que, apesar disso, não exclui a ordem e a série [...] Há, como você pode ver, intervalos distintos e determinados [...] Em um deles, está impressa a figura de Áries; em outro, a de Touro, e assim por diante para o resto (dos signos do zodíaco) [...] É isto o que significa dar forma ao caos informe [...] Para o controle da memória é necessário que os elementos e os números estejam dispostos em ordem [...] por meio de formas memorizáveis (as imagens do zodíaco) [...] Digo que, se contemplar tudo isso atentamente, você será capaz de atingir uma arte figurativa que ajudará não apenas a memória mas, também, todas as faculdades da alma, de modo surpreendente[50].

O que isso nos faz lembrar? Certamente o sistema de memória de Metrodoro de Scepsis, que utilizou o zodíaco e, provavelmente, as imagens dos decanos, como seu sistema de lugares de memória. O sistema

48. Idem, pp. 51-2.
49. Idem, p. 46.
50. Idem, pp. 77-8.

de Metrodoro transformou-se em um sistema mágico. Em relação às imagens fundamentais do zodíaco, as imagens dos planetas, das fases da Lua, das casas do horóscopo – que são dadas por Bruno em sua lista de imagens mágicas – movem as rodas da memória, formando e reformando os padrões do Universo, a partir de um nível celeste. E o poder para fazê-lo depende da filosofia hermética, de que o homem seja divino em sua origem e organicamente ligado aos governantes astrais do mundo. Em "sua natureza primordial", as imagens arquetípicas existem em um caos confuso; a memória mágica retira-as do caos e restabelece a sua ordem, restituindo ao homem suas faculdades divinas.

Em torno do círculo mais interno ou roda das imagens estelares – a central de energia da memória animada pela magia – o leitor perceberá, no desenho, outros círculos ou rodas, onde estão 150 inscrições, divididas em grupos de trinta. Novamente, sigo com cuidado as instruções de Bruno, porque, além da lista de 150 imagens estelares, ele fornece três outras listas com 150 inscrições cada. Elas estão marcadas com letras que correspondem às trinta divisões das rodas e cada uma está subdividida em cinco grupos, marcados pelas vogais. Fica claro que essas três outras listas também devem ser dispostas sobre rodas concêntricas à roda das imagens estelares.

A roda que cerca, logo em seguida, aquela outra das imagens estelares contém as inscrições de uma lista que começa da seguinte maneira: Aa *Oliua*; Ae *Laurus*; Ai *Myrthus*; Ao *Rosmarinum*; Au *Cypressus*[51]. Como se percebe, todas essas inscrições fazem parte do mundo vegetal. Na lista há também pássaros, animais, pedras e metais, artefatos e outros objetos, misturados de modo estranho, e ela inclui até mesmo objetos sagrados (*ara, septem candelabra*). No geral, essa lista parece representar os mundos vegetal, animal e mineral, mas inclui, também, objetos fabricados. Mesmo assim, essa classificação talvez permita perceber a natureza heterogênea do extraordinário conjunto. Acredito que a idéia seja representar

---

51. Idem, p. 132.

sobre essa roda os níveis inferiores da criação, ou seja, o vegetal, o animal e o mineral, que se movem na dependência da roda celeste.

Na roda seguinte do desenho (a terceira a partir do centro) está inscrita uma lista que começa assim:

Aa *nodosum*; Ae *mentitum*, Ai *inuolutum*; Ao *informe*; Au *famosum*[52].
São todos adjetivos (nodoso, contrafeito, intricado, informe, famoso). Não saberia explicar por que estão no caso acusativo, e menos ainda a extraordinária seleção dos 150 adjetivos da lista.

Finalmente, nas rodas externas do desenho encontram-se as 150 inscrições da lista, que começa assim:

Aa	Rhegima	panem castanearum
Ae	Osiris	in agriculturam
Ai	Ceres	in iuga bouum
Ao	Triptolemus	serit
Au	Pitumnus	stercorat[53]

Traduzido, significa: Rhegima (o inventor do) pão de castanhas; Osiris (o inventor da) agricultura; Ceres (a inventora dos) jugos dos bois; Triptólemo (o inventor da) semeadura; Pitumnus (o inventor da) adubação.

No desenho, em que o leitor pode seguir essa série, mostro o nome do inventor na roda mais externa e a descrição da invenção na roda adjacente. Os cinco nomes citados acima começam no meio da metade inferior da roda mais externa.

Nenhum estudioso de Giordano Bruno pesquisou essa lista; ninguém tampouco se deu conta de que essas imagens de figuras humanas devem ser colocadas sobre a roda externa de um sistema de memória organizado e animado magicamente pelas imagens estelares dispostas sobre a roda central. Em minha opinião, essa lista merece uma atenção especial. A seguir tentarei fornecer uma impressão – sem citar todos os nomes e invenções associadas a eles – da extraordinária procissão que se desenrola sobre essa roda, diante de nossos olhos.

52. Idem, p. 129.
53. Idem, p. 124.

Depois do grupo agrícola mencionado, vêm os inventores de instrumentos e técnicas primitivas. Erichtonius inventou a carruagem; Pyrodes acendeu o fogo com sílex. Noé faz parte dos inventores da viticultura; Ísis é a primeira a organizar os jardins; Minerva mostrou a utilização do óleo; Aristeu descobriu o mel. A seguir vêm os inventores das armadilhas, da caça e da pesca. Segue, então, um grupo de personagens menos conhecidas, como Sargum, o inventor do cesto; Doxius, inventor da construção com argila. Entre os inventores de ferramentas estão Talus, que inventou o serrote e Parug, inventor do martelo. A seguir vêm a cerâmica, a fiação, a tecelagem, a sapataria; Choraebus faz o papel de oleiro. Diante de nossos olhos passam, então, nomes estranhos de inventores da cardadura, dos sapatos, do vidro, das pinças, da navalha, dos pentes, dos tapetes e dos barcos – para citar alguns exemplos[54].

Agora que os inventores das técnicas fundamentais da civilização em desenvolvimento foram representados, o movimento da roda começa a nos mostrar outros tipos de atividades humanas. Cito inteiramente os grupos M e N:

Ma	Chiron	cirurgia
Me	Circe	fascinação
Mi	Pharphacon	necromancia
Mo	Aiguam	círculos
Mu	Hostanes	evocação de demônios
Na	Zoroastro	magia
Ne	Suah	quiromancia
Ni	Chaldaeus	piromancia
No	Attalus	hidromancia
Nu	Prometheus	sacrifício de touros[55]

Que visão resplandecente a dos inventores das artes mágicas e demoníacas! Aqui está Circe, a feiticeira – figura sempre dominante na

54. Idem, pp. 124-5.
55. Idem, p. 126.

imaginação de Bruno – que aparece pela primeira vez em suas obras. Aqui está o inventor da "evocação dos demônios", tema tratado posteriormente por Bruno em trinta capítulos. Temos, ainda, Zoroastro, o grande mestre da magia.

Mas por que este grupo se encerra com o "sacrifício dos touros"? Parece ser um princípio desses grupos de cinco que a primeira figura esteja ligada ao grupo anterior, enquanto a última figura se liga aos temas que seguirão. A alusão de sacrifício religioso, em Prometeu, serve de introdução aos líderes religiosos e inventores dos grupos O, P e Q, que o movimento da roda nos traz. Entre eles está Abel, que sacrifica seus rebanhos; Abraão, que inventou a circuncisão; João Batista, que inventou o batismo; Orfeu, inventor das orgias; Belus, que inventou os ídolos; Chemis, que inventou a sepultura nas pirâmides. Várias personagens do Antigo Testamento e uma do Novo Testamento aparecem nessa estranha procissão[56].

Depois da magia e da religião, indissoluvelmente ligadas e concebidas como unidade, chegamos aos inventores mágicos das artes visuais e musicais.

Ra	Mirchanes	figuras de cera
Re	Giges	pinturas
Ri	Marsias	a flauta
Ro	Tubal	a lira
Ru	Amphion	as notas musicais[57]

Outros inventores de instrumentos musicais aparecem no grupo seguinte e, então, somos levados, por Netuno – domador de cavalos –, aos exercícios eqüestres e aos inventores ligados à arte militar.

Segue-se, então, uma invenção fundamental:

xe	Theut	inventor da escrita com letras[58]

56. Idem, loc. cit.
57. Idem, p. 127.
58. Idem, loc. cit.

Trata-se de Thot-Hermes, inventor da escrita. Depois do sábio egípcio, passamos à astronomia, astrologia e filosofia, a Tales e Pitágoras, a uma estranha mistura de nomes e noções:

Ya	Nauphides	sobre o curso do Sol
Ye	Endimion	sobre a Lua
Yi	Hipparcus	sobre o movimento, à esquerda, da esfera das estrelas fixas
Yo	Atlas	sobre a esfera
Yu	Arquimedes	sobre o Céu de bronze
Za	Cleostratus	sobre os doze signos
Ze	Archita	sobre o cubo geométrico
Zi	Xenophanes	sobre os mundos inumeráveis
Zo	Platão	sobre as idéias e a partir das idéias (*in ideas et ab ideis*)
Zu	Raymundus	sobre os nove elementos[59]

Nesse conjunto temos um dos maiores astrônomos da Antiguidade, Hipparcus; temos o modelo dos Céus feito por Arquimedes; temos os "mundos inumeráveis", cuja invenção é atribuída aqui a Xenophanes; temos Platão sobre as idéias. E, finalmente, temos Ramon Llull e sua Arte, baseada em nove letras ou elementos.

Esta rotação da roda da memória é, talvez, a mais reveladora de todas. Pela primeira vez, Bruno menciona os mundos inumeráveis, que seriam um traço característico da sua filosofia. A procissão de inventores, passando da magia e da religião à filosofia e ao llullismo, trouxe-nos ao âmbito dos interesses de Bruno e, o contexto fantástico no qual ele situava esses interesses é enfatizado pela primeira figura do grupo (marcada com uma letra grega), que vem imediatamente depois do grupo z:

[ψ]	Ior.	*in clauim & umbras*[60]

59. Idem, pp. 127-8.
60. Idem, p. 128.

Embora pareça inexplicável à primeira vista, isso pode ser facilmente esclarecido. Bruno se refere muitas vezes, em *Sombras*, a um livro dele, o *Clavis magna*, que desapareceu. O inventor da "chave" e das "sombras" é Iordanus Brunus, abreviado como "Ior.", autor de *Clavis magna* e *De umbris idearum*. Ele coloca a sua própria imagem sobre a roda, pois, afinal, não foi também ele próprio o autor de uma grande invenção? Ele descobriu o meio de utilizar as "sombras das idéias" nas rodas de Llull!

Depois desse clímax, o leitor talvez queira se sentar e descansar. Mas precisamos seguir a roda até o final, embora escolhendo apenas alguns dentre os últimos nomes[61]. Aqui encontramos Euclides; também Epicuro, caracterizado pela "liberdade da alma"; e Filolau, que explicou "a harmonia implícita nas coisas", a quem Bruno se referiu em suas obras como um precursor de Copérnico; temos também Anaxágoras, outro dos filósofos preferidos de Bruno. E, por fim, chegamos ao último nome, o último dos 150 inventores e homens reconhecidos, cujas imagens giram na roda da memória. E ele é:

[?]   Melicus   *in memoriam*[62]

(O leitor pode reencontrar o nome no desenho, à esquerda de "Rhegima", do qual partimos.) Melicus é Simônides, o inventor da arte clássica da memória. É muito adequado que ele feche esta procissão, que a roda giratória volte ao seu ponto de partida ao passar por esse nome. Porque em toda a longa história da arte da memória, certamente, não pode ter havido manifestação mais extraordinária dessa tradição do que o sistema de memória que extraímos das *Sombras*[63].

61. Idem, loc. cit.
62. Idem, loc. cit.
63. Há, ainda, uma outra lista de imagens em *Sombras,* começando com Licaão e terminando com Glauco (pp. 107-8). Essas figuras são assinaladas com as trinta divisões das rodas, e devem ser giradas sobre rodas, mas só há trinta delas, e não 150, como nas listas do sistema principal. Por isso, suponho que elas constituam um sistema à parte, semelhante às Trinta Estátuas de *Estátuas* (ver, adiante, pp. 360-2).

Bruno recorreu, e muito, ao *De inventoribus rerum* (1499), de Polidoro Virgilio, pois seus inventores, e grande parte de seus nomes, são tradicionais. Contudo, muitos deles causam estranheza, e não pude recuperar a origem de todos. A predominância de nomes mágicos e bárbaros dá à lista um caráter curiosamente arcaico. Ao apresentar toda a história da civilização humana, a roda dos inventores nos mostra os interesses, as atitudes, a mente mais profunda de Bruno. A ênfase em todos os tipos de magia e a inclusão dos nomes de mágicos "demoníacos" mostram que essa é a memória de um mágico que leva a magia a seus limites. A união audaciosa de magia e religião, quando os ritos religiosos e sacrifícios aparecem sobre a roda, mostra-nos o mágico que acreditava na religião mágica, que iria defender a retomada desse tipo religião dos egípcios[64]. E, quando a roda chega à filosofia, à astronomia, aos "mundos inumeráveis", damo-nos conta de como esses interesses maiores de Bruno se unem na mente do mágico. Há uma espécie de racionalismo nessa magia levada ao extremo, e a procissão de inventores – que da tecnologia passa à magia e à religião, até chegar à filosofia – apresenta uma história da civilização curiosamente moderna.

Do ponto de vista da memória, essas imagens pertencem a uma tradição antiga idêntica àquela que dispõe representantes reconhecidos das artes e das ciências no afresco da sala da capela de Santa Maria Novella (Pr. 1) e que leva Rossellius a "dispor" Platão e Aristóteles para representar a Teologia e a Filosofia[65]. A lista de Bruno, de imagens de inventores a serem empregadas como imagens de memória, situa-se absolutamente dentro da tradição ortodoxa da arte clássica da memória, por mais estranho que pareça o uso que ele faz dessa tradição. Ao dispor sobre a roda todas essas imagens impressionantes e eficazes de personagens notáveis, Bruno tem como objetivo combinar a arte clássica da memória com o llullismo. As rodas giratórias da arte de Llull tornaram-se os lugares destinados a receber as imagens.

---

64. Ver *G. B. and H. T.* quanto à crença de Bruno na religião "egípcia" ou hermética.
65. Ver, anteriormente, pp. 209-10.

As imagens mágicas localizadas na roda central são as mais poderosas do sistema. Na *Ars memoriae* incluída no livro – e que segue o tradicional padrão do *Ad Herennium* quanto à análise dos lugares e das imagens –, Bruno discute vários tipos de imagens de memória que, segundo ele, têm diferentes graus de potência, algumas mais próximas da realidade do que outras. Aquelas com maior grau de potência, menos opacas à realidade, são por ele chamadas de *sigilli*[66]. Acredito que ele explica, nessas passagens, seu emprego de 150 dos tais *sigilli*, selos mágicos ou imagens astrais, no sistema de memória.

Como opera o sistema? Pela magia, é claro, ao basear-se na central de energia dos *sigilli*, das imagens astrais. Elas estão mais próximas da realidade do que as imagens das coisas do mundo sublunar, e transmitem as forças astrais, as "sombras", intermediárias entre o mundo ideal, situado acima das estrelas[67], e os objetos e acontecimentos do mundo inferior.

Mas não é suficiente dizer, de modo vago, que as rodas da memória funcionavam por meio de magia. Era uma magia altamente sistematizada. Aliás, sistematização é uma das idéias fundamentais da mente de Bruno; na mnemônica mágica, há uma compulsão por sistemas e sistematizações, o que leva seu inventor a uma busca contínua pelo melhor sistema durante toda a sua vida. O meu desenho não representa toda a complexidade do sistema em que as cinco subdivisões se movem, de maneira independente, dentro dos trinta compartimentos das rodas[68]. Assim, as imagens de decanos do zodíaco, as imagens dos planetas e das fases da Lua deviam levar a combinações sempre variáveis, ligadas às imagens das casas. Será que Bruno imaginava que, ao utilizarem-se essas combinações de imagens astrais variáveis, iria formar-se na memória

66. "Signos, *Notae*, Caracteres e Selos", todos têm esse alto grau de potência; para maiores informações, Bruno remete à desaparecida *Clavis Magna* (*Op. lat.*, II (i), p. 62).
67. Quase no início de *Ars memoriae*, ele diz que as idéias eternas são recebidas "como um influxo intermediado pelas estrelas" (idem, p. 58). A passagem faz lembrar o que Ficino diz em *De vita coelitus comparanda*.
68. Como mostrado no diagrama, *Op. lat.*, II (i), p. 123. Não tento reproduzir tal refinamento em meu plano.

algum tipo de alquimia da imaginação, uma pedra filosofal da psique, por meio da qual cada ordem e combinação de objetos do mundo inferior – plantas, animais, pedras – poderia ser percebida e lembrada? E que, assim, formando e reformando as imagens dos inventores, de acordo com o formar e reformar das imagens astrais na roda central, a totalidade da história do homem seria lembrada a partir de um plano superior, com todas as suas descobertas, filosofias, produções e seus pensamentos?

Tal memória seria a de um homem divino, de um Mago dotado de poderes divinos, graças à sua imaginação, atrelada à ação de forças cósmicas. E essa tentativa assentar-se-ia na afirmação pelo hermetismo de que a *mens* do homem é divina, ligada em sua origem aos governantes estelares do mundo, capaz de refletir e de controlar o Universo.

A magia supõe leis e forças que atravessam o Universo e podem ser utilizadas pelo operador, desde que ele saiba o modo de apreendê-las. Como enfatizei em meu outro livro, a concepção renascentista de um Universo animista, em que a magia opera, preparou o caminho para a concepção de um Universo mecânico, em que opera a matemática[69]. Nesse sentido, a visão de Bruno de um Universo animista, composto de mundos inumeráveis, percorridos pelas mesmas leis mágico-mecânicas, é uma prefiguração, em termos mágicos, da perspectiva do século XVII. Mas o interesse principal de Bruno não estava no mundo exterior, e sim no interior. E, em seus sistemas de memória, vemos seu esforço para operar as leis mágico-mecânicas não externamente, mas internamente, reproduzindo na psique os mecanismos mágicos. A transposição dessa concepção mágica em termos matemáticos somente foi alcançada em nossa época. Ao afirmar que as forças astrais que governam o mundo exterior também operam interiormente no homem e podem ser reproduzidas ou apreendidas para colocar em ação uma memória mágico-mecânica, Bruno parece nos aproximar curiosamente do cérebro eletrônico, capaz de realizar grande parte do trabalho do cérebro humano por meios mecânicos.

69. *G. B. and H. T.*, pp. 450 e ss.

Entretanto, a abordagem do ponto de vista do cérebro eletrônico não traz realmente a compreensão do esforço de Bruno. No universo hermético em que vivia, o divino não havia sido banido, as forças astrais eram instrumentos do divino e, para além das estrelas operantes, existiam formas divinas ainda superiores. E a forma mais alta era, para Bruno, o Um, a unidade divina. O sistema de memória aspira a uma unidade no nível astral como preparação para alcançar a Unidade maior. Para Bruno, a magia não era um fim em si mesma mas um meio de atingir o Um existente por trás das aparências.

Esse aspecto do pensamento de Bruno não está ausente em *Sombras*. Pelo contrário, o livro começa nesse nível. Os leitores iniciantes – que começam pelas "trinta *intentiones* das sombras" e pelos "trinta conceitos das idéias", e que não alcançam nem sequer reconhecem o sistema mágico de memória baseado no número trinta, que esses "trinta" preliminares introduzem – foram capazes de aceitar o livro como um tipo de misticismo neoplatônico. Penso, ao contrário, que somente após enfrentar o sistema de memória é que os "trinta" preliminares, místicos e filosóficos, podem ser considerados. Não posso dizer que os compreendo inteiramente mas, pelo menos, é possível começar a perceber algo de seu sentido.

A primeira das "trinta *intentiones* das sombras" começa com "o único Deus" e com a citação do Cântico dos Cânticos: "Sentei-me à sombra daquele que desejo"[70]. Deve-se sentar à sombra do bom e do verdadeiro. Dirigir os sentimentos para isso, por meio dos sentidos interiores e das imagens da mente humana, é sentar-se à sombra. Vêm, então, as *intentiones* a respeito da luz e das trevas, e das sombras que, descendo da unidade que está além da substância, adentram a multidão infinita. As sombras descem do "sobressubstancial" até os seus vestígios, suas imagens e *simulacra*[71]. As coisas inferiores estão ligadas às superiores e estas, às primeiras; indo até a lira do Apolo universal, há um contínuo

70. *Op. lat.*, II (i), p. 20. A citação é do *Cântico dos Cânticos*, II, p. 3.
71. *Op. lat.*, II (i), pp. 22-3.

subir e descer pela cadeia dos elementos[72]. Se os antigos conheciam um meio pelo qual a memória poderia alcançar a unidade a partir da multiplicidade das espécies memorizadas, não o ensinaram[73]. (Mas Giordano Bruno irá fazê-lo.) Na natureza tudo está em tudo. Assim também no intelecto. E a memória pode memorizar tudo a partir de tudo[74]. O caos de Anaxágoras é a multiplicidade sem ordem; precisamos pôr ordem na diversidade. Ao estabelecer ligações entre o superior e o inferior, obtém-se um belo animal, o mundo[75]. A harmonia entre as coisas superiores e inferiores constitui a cadeia áurea que vai da terra ao céu; assim como a descida pode ser feita do céu à terra, a subida pode ser realizada – seguindo essa ordem – da terra ao céu[76]. Tais ligações auxiliam a memória, como é mostrado no poema onde Áries atua sobre Touro, Touro sobre Gêmeos, Gêmeos sobre Câncer e assim por diante[77]. (Em seguida, há um poema sobre os signos do zodíaco.) As *intentiones* posteriores dizem respeito a um tipo de óptica mística ou mágica, e ao Sol e às sombras que ele projeta.

Os "trinta conceitos das idéias" têm o mesmo caráter gnômico. (Alguns já foram citados.) O primeiro intelecto é a luz de Anfitrite. Ela se difunde por todas as coisas; é a fonte da unidade, onde o inumerável se torna um[78]. As formas de animais disformes são belas no céu; metais que não brilham resplandecem em seus planetas; nenhum homem, animal ou metal é aqui como é lá; ao iluminar, vivificar, unir-se e adaptar-se aos agentes superiores, você avançará na compreensão e memória das espécies[79]. A luz contém a vida primeira, a inteligência, a unidade, todas as espécies, as verdades perfeitas, os números, os níveis das coisas. Assim, o que na natureza é diferente, contrário, diverso, é, lá, o

72. Idem, pp. 23-4.
73. Idem, p. 25.
74. Idem, pp. 25-6.
75. Idem, p. 27.
76. Idem, pp. 27-8.
77. Idem, pp. 28-9.
78. Idem, p. 45.
79. Idem, p. 46.

mesmo, o congruente, o Um. Portanto, tente, com todas as suas forças, identificar, coordenar e unir as espécies percebidas. Não perturbe a sua mente nem confunda sua memória[80]. De todas as formas do mundo, as preeminentes são as formas celestes[81]. Por meio delas você sairá da confusa pluralidade das coisas e chegará à unidade. As partes do corpo são mais bem compreendidas em conjunto que separadas. Assim, quando as partes das espécies universais não são consideradas separadamente, mas em relação a sua ordem subjacente, o que, então, não poderíamos memorizar, compreender ou fazer?[82] O esplendor da beleza que existe em tudo é único. Também é único o brilho emitido pela multiplicidade das espécies[83]. A formação das coisas do mundo sublunar é inferior à forma verdadeira, uma degradação, um vestígio desta última. Eleve-se, então, aonde as espécies são puras e formadas segundo a forma verdadeira[84]. Tudo o que existe, depois do Um, é necessariamente múltiplo e numeroso. Assim, no nível mais baixo da escala da natureza, está o número infinito, e, no mais alto, a unidade infinita[85]. Como as idéias são as principais formas das coisas, e tudo é formado de acordo com elas, então, deveríamos formar em nós as sombras das idéias. Nós as formamos em nós, como na rotação das rodas[86].

Eu condensei, nos dois parágrafos anteriores, citações tiradas das "trinta *intentiones* das sombras" e dos "trinta conceitos das idéias". Esses dois conjuntos de trinta proposições são encabeçados por trinta letras, as mesmas que aparecem nas rodas, e no texto, são ilustradas com rodas nas quais estão inscritas as trinta letras. Para mim, isso demonstra que os dois grupos compostos de trinta fórmulas referem-se, realmente, ao sistema de memória, com suas rodas baseadas no número trinta, e falam sobre um modo de agrupar, coordenar, unificar a multiplicidade dos fe-

80. Idem, loc. cit.
81. Idem, p. 47.
82. Idem, loc. cit.
83. Idem, pp. 47-8.
84. Idem, p. 48.
85. Idem, p. 49.
86. Idem, pp. 51-2.

nômenos na memória, ao baseá-la nas formas elevadas das coisas, nas imagens estelares que são as "sombras das idéias".

As trinta *intentiones* contêm, creio, o elemento de *voluntas*, de direção da vontade para o amor da verdade, que era um dos aspectos da memória artificial de Llull. Por isso, elas podem começar pela poesia amorosa do Cântico dos Cânticos. E é significativo que a roda, que seria o "tipo das *intentiones* ideais", tenha um Sol em seu centro, emblema dos esforços interiores de Bruno para alcançar a Luz Única, que deve surgir na memória quando a multiplicidade das aparências nela se coordenar, por meio das complexas técnicas do sistema de memória mágico.

Essa obra extraordinária, a primeira de Bruno, é, acredito, a "grande chave" para toda a sua filosofia e visão de mundo, como ele iria expressar em seus diálogos italianos, publicados na Inglaterra. Já indiquei, em algum outro lugar[87], que o diálogo introdutório de *Sombras* – no qual Hermes apresenta o livro sobre a memória – é redigido como uma espécie de Sol nascente de uma revelação egípcia, ao qual se opõem os pedantes. Os termos empregados são muito semelhantes àqueles utilizados em *Cena de le ceneri*, quando Bruno defende o heliocentrismo copernicano contra os pedantes. O Sol interior atingido em *Sombras* é a expressão interior do que devia ser o "copernicianismo" de Bruno, seu uso do heliocentrismo como um tipo de presságio do retorno da perspectiva "egípcia" e da religião hermética.

A filosofia contida nos dois grupos de trinta fórmulas em *Sombras* é a filosofia de Bruno tal como se apresenta nos diálogos italianos. Em *De la causa*, ele proclama que a unidade do Todo no Um é "um fundamento muito sólido das verdades e dos segredos da natureza. Pois você deve saber que é pela única e mesma escada que a natureza desce até a produção das coisas e que o intelecto ascende ao conhecimento delas; e que um e outro provêm da unidade e a ela retornam, passando pela multiplicidade das coisas intermediárias"[88].

87. *G. B. and H. T.*, pp. 193-4.
88. *Dialoghi italiani*, ed. cit., p. 329; cf. *G. B. and H. T.*, p. 248.

O objetivo do sistema de memória é estabelecer internamente, na psique, o retorno do intelecto à unidade, graças à organização de imagens significativas.

Em *Spaccio della bestia trionfante*, ele fala sobre a religião mágica dos pseudo-egípcios do *Asclepius* – que era a sua própria religião – que, "por meio de ritos divinos e de magia [...] (eles) ascendem à altura da divindade pela mesma escala da natureza que a divindade utiliza para descer até as menores coisas, comunicando-se com elas"[89].

O sistema de memória visa estabelecer essa ascensão mágica no interior do ser humano, por meio da memória baseada nas imagens mágicas das estrelas.

Em *Eroici furori*, o entusiasta em busca de vestígios do divino obtém o poder de contemplar a bela ordem do corpo da natureza. Ele vê Anfitrite, fonte de todos os números, a mônada. E, se ele não a vê em sua essência, como luz absoluta, ele a vê como imagem, pois da mônada que é a divindade vem a mônada que é o mundo[90]. O objetivo do sistema de memória é alcançar essa visão unificadora no interior do ser humano, único lugar em que ela pode dar-se, porque as imagens interiores das coisas estão mais perto da realidade, são menos opacas à luz do que as coisas do mundo exterior em si mesmas.

A arte clássica da memória, então – em sua transformação renascentista e hermética realmente extraordinária, que vemos no sistema de memória de *Sombras* –, tornou-se o veículo de formação da psique de um místico hermético e Mago. O princípio hermético do reflexo do Universo na mente, enquanto experiência religiosa, organiza-se graças à arte da memória como uma técnica mágico-religiosa para apreender e unificar o mundo das aparências, por meio de arranjos de imagens significativas. De forma bem mais simples, vemos essa transformação hermética da arte da memória no Teatro de Camillo. Em Bruno, a transformação é infinitamente mais complexa e também muito mais intensa, extremamente

---

89. *Dialoghi italiani*, ed. cit., p. 778; cf. *G. B. and H. T.*, p. 249
90. *Dialoghi italiani*, ed. cit., pp. 1.123-6; cf. *G. B. and H. T.*, p. 278.

mágica e religiosa. O afável Camillo, com sua memória e oratória cicero-niana mágicas, é uma figura muito diferente daquela do ex-dominicano passional e de sua mensagem religiosa "egípcia".

No entanto, a comparação entre o sistema de Bruno e o de Camillo é útil para a compreensão de ambos.

Se pensarmos na base planetária séptupla do Teatro de Camillo e nos diferentes níveis do ser – representados nos patamares superiores até o topo, no patamar de "Prometeu", onde todas as artes e ciências eram lembradas –, fica claro que um processo semelhante ocorre no sistema de Bruno, baseado nas estrelas e que inclui os mundos vegetal, animal e mineral em rodas que abarcam, juntamente com a roda dos inventores, todas as artes e ciências.

No sistema séptuplo de Camillo, as sete imagens planetárias que permitem realizar a unificação no nível celeste ligam-se ao mundo so-breceleste dos princípios angelicais e das Sefirot e penetram-no. Bruno utiliza sua transformação particular do llullismo como substituta do ca-balismo. O seu "trinta", tal como as Dignidades da arte de Llull, percorre de alto a baixo os três mundos – inferior, celeste e divino –, reforçando a presença de uma escada entre todos os níveis.

Camillo está muito mais próximo do que Bruno da síntese cristã original que Pico efetuou em relação à tradição oculta. Ele é capaz de ver a si mesmo como um Mago cristão em contato com poderes ange-licais e divinos que, em última análise, podem ser interpretados como representação da Trindade. Devido ao seu abandono da interpretação cristã e trinitária da *Hermetica* e à sua aceitação fervorosa da religião pseudo-egípcia mágica do *Asclepius* como superior à cristandade[91], Bru-no volta-se para uma magia mais obscura, uma teurgia mais puramente pagã. Ele busca alcançar não a Trindade, mas o Um. E esse Um, ele o imagina não acima do mundo, mas dentro dele. No entanto, o método que Bruno emprega para obtê-lo é similar ao objetivo de Camillo. Pri-meiro ele unifica a memória no nível estelar, como etapa preliminar que

---

91. Ver *G. B. and H. T.*, pp. 195, 197 e ss.

permite atingir a visão interior da luz do Um difusa por todas as coisas. Camillo, por sua vez, organiza a memória como a subida de uma montanha, a partir de cujo ápice tudo o que se encontra abaixo é unificado. De modo semelhante, Bruno adapta os métodos de Llull, cristão e trinitário fervoroso, a sua meta de alcançar o Um pelo Todo.

ESSES FENÔMENOS tão singulares, os sistemas de memória de Camillo e Bruno – ambos "segredos" levados aos reis da França – pertencem ao Renascimento. Nenhum estudioso do Renascimento pode ignorar o que eles revelam a respeito do espírito da época. Eles pertencem àquele domínio particular do Renascimento que é a tradição oculta. Apresentam uma convicção profunda de que o homem, imagem de um mundo maior do que ele, pode alcançar, apreender e compreender esse mundo maior, recorrendo a imagens significativas. Voltamos, aqui, àquela diferença fundamental entre a Idade Média e o Renascimento, ou seja, a mudança de atitude em relação à imaginação. Antes, ela era uma faculdade inferior, que podia ser utilizada pela memória como concessão à fraqueza do ser humano, que pode utilizar as similitudes corporais, pois somente assim consegue fixar e se lembrar de suas intenções espirituais em relação ao mundo inteligível. Mais tarde, ela se tornou a mais elevada faculdade humana, pela qual o homem pode alcançar o mundo inteligível além das aparências, por meio da apreensão de imagens significativas. A diferença é profunda e – poder-se-ia pensar – apresenta um obstáculo insuperável a qualquer tipo de continuidade entre a arte da memória, como entendida pela Idade Média e, depois, com a sua transformação no Renascimento. Contudo, Camillo inclui em seu Teatro a rememoração do Paraíso e do Inferno. Bruno, no diálogo introdutório de *Sombras*, defende a arte de Tullius, Tomás de Aquino e Alberto Magno dos ataques dos "pedantes" modernos. A Idade Média transformara a arte clássica da memória em uma arte solene e religiosa; e os artistas da memória oculta do Renascimento, como Camillo e Bruno, vêem a si mesmos como um prolongamento do passado medieval.

O Ramismo como Arte da Memória

No período em que a memória oculta tomava impulso e se propunha objetivos cada vez mais audaciosos, a oposição à memória artificial – e agora me refiro a ela enquanto mnemotécnica racional, como parte da retórica clássica – também se tornava muito forte. Vimos, em um capítulo anterior, que a influência de Quintiliano sobre os humanistas não foi favorável à arte da memória, e ouvimos Erasmo fazer eco à atitude indiferente de Quintiliano em relação aos lugares e imagens da memória e à ênfase na sua ordem.

Ao longo do século xvi, os educadores humanistas ocupavam-se muito da retórica e de suas partes. Para as tradicionais cinco partes definidas por Cícero, eram sugeridos diferentes arranjos em que a memória era excluída[1]. A influência de Quintiliano sobre tais tendências voltara a ser importante, pois ele menciona que alguns retóricos de seu tempo não incluíam a memória como uma parte da retórica. Melanchton está entre os educadores do século xvi que adotavam o "novo estilo", ou seja, que omitiam a memória das partes da retórica. Naturalmente, essa omissão significa que a memória artificial é descartada e que repetir ou aprender de cor torna-se a única arte da memória recomendada.

De todos os reformadores dos métodos educacionais no século xvi, o mais eminente – ou aquele que melhor divulgou o seu próprio valor – foi

---

1. Ver W. S. Howell, *Logic and Rhetoric in England, 1500-1700*, Princeton, 1956, pp. 64 e ss.

Pierre de la Ramée, mais conhecido como Pierre Ramus. Ramus e o ramismo foram muito estudados na segunda metade do século XX[2]. A seguir, resumirei o quanto for possível a complexidade do ramismo, remetendo o leitor, para maiores informações, a obras de outros estudiosos do assunto, pois meu objetivo é apenas o de situar o ramismo no contexto deste livro, no qual ele pode ser mostrado sob uma nova luz.

O dialético francês, cuja simplificação de métodos de ensino causou tanta agitação, nasceu em 1515 e morreu em 1572, massacrado como huguenote na Noite de São Bartolomeu. Sua morte trágica valorizou-o perante os protestantes, para os quais as suas reformas pedagógicas eram bem-vindas, como um meio de escapar das complexidades da escolástica. Entre elas estavam as da velha arte da memória. Ramus suprimiu a memória como uma parte da retórica e, com isso, aboliu a memória artificial. Não que ele não estivesse interessado no processo de memorização. Pelo contrário, um dos objetivos principais da corrente ramista de reforma e simplificação da educação era fornecer um método novo e melhor de memorização de todos os temas possíveis. Isso seria alcançado por um novo método, pelo qual cada tema seria disposto em uma "ordem dialética". Tal ordem apresentava uma forma esquemática em que os aspectos "gerais" ou globais do tema vinham em primeiro lugar, passava em seguida por uma série de classificações dicotômicas, até chegar aos aspectos "especiais" ou individuais. O tema era memorizado segundo sua ordem dialética, a partir da apresentação esquemática – é o famoso epítome de Ramus.

Como disse Ong, a razão verdadeira por que Ramus podia prescindir da memória como parte da retórica "é que o conjunto de seu esquema das artes, baseado em uma lógica tópica, é um sistema de memória local"[3].

2. Particularmente em W. J. Ong, *Ramus: Method and the Decay of Dialogue*, Harvard University Press, 1958; Howell, *Logic and Rhetoric*, pp. 146 e ss.; R. Tuve, *Elizabethan and Metaphysical Imagery*, Chicago, 1947, pp. 331 e ss.; Paolo Rossi, *Clavis universalis*, Milano, 1960, pp. 135 e ss.; Neal W. Gilbert, *Renaissance Concepts of Method*, Columbia University Press, 1960, pp. 129 e ss.

3. Ong, *Ramus: Method and the Decay of Dialogue*, p. 280.

E Paolo Rossi observou que, ao incorporar a memória à lógica, Ramus identificava a questão do método com a da memória[4].

Ramus conhecia muito bem os preceitos da antiga memória artificial, que ele substituía de forma consciente, e quanto a isso fora influenciado pela crítica de Quintiliano. Em uma passagem importante e, acredito, despercebida de *Scholae in liberales artes*, Ramus cita as observações de Quintiliano quanto à incapacidade dos lugares e das imagens para reforçar a memória, sua rejeição dos métodos de Carnéades, Metrodoro e Simônides, e sua recomendação de um meio mais simples de memorização ao dividir e compor o material. Ele aprova e elogia a perspectiva de Quintiliano e pergunta onde se pode encontrar tal arte da memória, que ensinará a memorizar não por meio de lugares e imagens, mas por "divisão e composição", como aconselha Quintiliano.

A arte da memória (diz Quintiliano) consiste inteiramente em divisão e composição. Então, se buscarmos uma arte capaz de dividir e compor coisas, encontraremos a arte da memória. Uma tal doutrina está exposta em nossos preceitos dialéticos [...] e em nosso método [...] Porque a verdadeira arte da memória e a dialética são uma única e mesma coisa[5].

Assim, Ramus pensa em seu método dialético como a verdadeira arte clássica da memória, como o caminho que Quintiliano preferia aos lugares e às imagens, tão caros a Cícero e ao autor do *Ad Herennium*.

Ainda que Ramus rejeite os *loci* e as *imagines*, seu método inclui alguns dos antigos preceitos. Um deles era a disposição em uma ordem determinada, enfatizada por Aristóteles e Tomás de Aquino. Nos manuais de Romberch e Rossellius sobre a memória, é ensinado um método de dispor o material em "lugares comuns" abrangentes, dentro dos quais estão lugares individuais; esse aspecto tem algo em comum com a insistência de Ramus em passar do "geral" ao "particular". Ramus clas-

---

4. Rossi, *Clavis Universalis*, p. 140.
5. P. Ramus, *Scholae in liberales artes, Scholae rhetoricae*, liv. xix, Bâle, 1578, col. 309. Cf. Quintiliano, *Institutio oratoria*, xi, ii, p. 36.

sifica a memória em "natural" e "prudencial"; em relação a este último termo, ele pode ter sido influenciado pela antiga ênfase na memória como parte da Prudência. E, como apontou Ong[6], a memorização, a partir de epítomes dispostos em ordem na página impressa, traz um elemento de visualização espacial. Aqui deveria ser acrescentado que se percebe, novamente, a influência de Quintiliano, que recomendava memorizar por meio da visualização da página real ou da tábua em que o discurso estava escrito. Não concordo com Ong quando insiste em que essa visualização espacial para a memorização era um elemento novo, introduzido pelo livro impresso[7]. Parece-me, muito mais, que os epítomes impressos de Ramus sejam uma transferência das disposições, ordenadas e esquematizadas, dos manuscritos para o livro impresso. Há um estudo de F. Saxl sobre a transformação das ilustrações dos manuscritos para aquelas do início da imprensa[8]; um fenômeno paralelo seria a transição de uma disposição esquemática do material dos manuscritos aos epítomes impressos de Ramus.

Embora muitas influências da antiga arte da memória ainda possam ser detectadas no método de Ramus de memorização a partir da ordem dialética, ele se livra deliberadamente do traço mais característico desse tipo de memória: o uso da imaginação. Lugares em igrejas ou em outras construções não serão mais vivamente impressos na imaginação. E, sobretudo, o que desapareceu no sistema de Ramus foram as imagens de memória emocionalmente estimulantes e impressionantes, cujo uso havia sido transmitido pela arte do retórico clássico, através dos séculos. O estímulo "natural" da memória não é mais a imagem que a estimula por meio das emoções, mas sim a ordem abstrata de análise dialética e que é, para Ramus, "natural", já que a ordem dialética pertence à natureza da mente.

Um exemplo pode ilustrar como a reforma de Ramus permite o abandono de um hábito mental muito antigo. Suponhamos que quere-

6. *Ramus: Method and the Decay of Dialogue*, pp. 307 e ss.
7. Idem, p. 311.
8. F. Saxl, "A Spiritual Encyclopaedia of the Later Middle Ages", *Journal of the Warburg and Courtauld Institutes*, v, 1942, pp. 82 e ss.

mos lembrar a arte liberal da Gramática e suas partes, ou ensiná-la aos alunos. Romberch fornece as partes da Gramática colocadas em ordem, em uma coluna de página impressa – um arranjo análogo ao epítome de Ramus. Mas Romberch ensina que devemos lembrar a Gramática por meio de uma imagem – a Gramática, mulher feia e velha – e, por sua forma estimuladora da memória, visualizamos os argumentos referentes a suas partes, com a ajuda de imagens, inscrições acessórias e outras formas semelhantes[9]. Sob o ramismo, destruímos a imagem interior da velha Gramática e ensinamos às crianças a fazerem o mesmo, substituindo-a pelo epítome ramista, não figurativo, da Gramática, memorizado a partir da página impressa.

O extraordinário sucesso do ramismo – em si mesmo um método pedagógico superficial – em países protestantes, como a Inglaterra, talvez possa ser atribuído, em parte, ao fato de proporcionar um tipo de iconoclasmo interno, mental, correspondente ao iconoclasmo externo, material. Em um país fortemente protestante, a velha Gramática, esculpida no portal de alguma igreja junto com a série das artes liberais, receberia materialmente o mesmo tipo de tratamento que teria mentalmente no ramismo. Ela seria destruída. Em um capítulo anterior[10], sugerimos que a apresentação enciclopédica de Romberch das ciências teológica e filosófica e das artes liberais – que deveriam ser memorizadas por suas similitudes corporais, acompanhadas por imagens de praticantes reconhecidos de cada arte – talvez fosse um eco distante da memória como concebida por Tomás de Aquino, como a vemos simbolizada nas quatorze similitudes das artes e ciências, acompanhada por quatorze de seus praticantes, no afresco de Santa Maria Novella (Pr. 1). Se imaginássemos algo como as figuras desse afresco esculpidas em alguma catedral ou igreja inglesa, ou as imagens estariam destruídas e os nichos vazios ou elas estariam lá, mas danificadas. Dessa mesma maneira, o ramismo removeu internamente as imagens da arte da memória.

9. Ver, anteriormente, pp. 157-60, e Pr. 6.
10. Ver, anteriormente, pp. 159-60.

Ramus concebia seu método de "análise dialética" como passível de ser utilizado para memorizar qualquer assunto, mesmo versos de poesia. O primeiro epítome ramista impresso é uma análise da ordem dialética do lamento de Penélope em Ovídio[11]. Como Ong apontou, Ramus mostra claramente que o objetivo desse exercício é permitir ao aluno memorizar, por esse método, os vinte e oito versos de Ovídio em questão[12]. A isso se pode acrescentar que Ramus pretende que tal método substitua a arte clássica da memória. Logo após a "análise dialética" resumida do assunto dos versos, ele fala daquela arte da memória baseada em lugares e imagens, muito inferior ao seu método, pois utiliza signos externos e imagens construídas artificialmente, enquanto ele segue as partes da composição de uma maneira natural. Assim, o método dialético substitui os outros métodos *ad memoriam confirmandam*[13]. Poderíamos hesitar em aconselhar alunos a construírem imagens de Domitius, surpreendido e abatido pela família dos Rex, ou de Esopo e Cimber preparando-se para seus papéis, como uma forma de auxiliar a "memória para palavras" visando à sua prova oral. Da mesma forma, também poderíamos questionar o que acontece, no método ramista, com o ritmo musical do poema e seu repertório imagético.

Quando a substitui pela sua arte "natural", Ramus está atento à antiga memória artificial e, por isso, pode-se quase imaginar o método ramista como uma nova transformação da arte clássica da memória – uma transformação que mantém e intensifica o princípio da ordem, mas elimina sua tendência "artificial", isto é, de cultivar a imaginação como principal instrumento da memória.

EM RELAÇÃO à arte da memória, ao considerarmos as reações dos "modernos" do século XVI, como Erasmo, Melanchton e Ramus, devemos considerar que, nessa época, tal arte apresentou-se profundamente mo-

---

11. P. Ramus, *Dialecticae institutiones*, Paris, 1943, p. 57; reproduzido em Ong, *Ramus: Method and the Decay of Dialogue*, p. 181.
12. Ong, *Ramus: Method and the Decay of Dialogue,* p. 194.
13. Ramus, *Dialect. inst.*, ed. cit., pp. 57 *verso*-58 *recto*.

dificada, devido à transformação medieval pela qual passou. Ela lhes apareceu como uma arte medieval, pertencente ao tempo da velha arquitetura e do velho repertório imagético, uma arte que tinha sido adotada e recomendada pelos escolásticos, particularmente associada aos monges e seus sermões. Além disso, para o erudito humanista, era uma arte que havia sido, nesses velhos tempos de ignorância, erroneamente ligada a "Tullius", tido como o autor do *Ad Herennium*. O educador humanista, arrebatado pela elegância de Quintiliano, estaria inclinado a tomar, em relação a essa arte, uma atitude mais puramente clássica, ou seja, a de uma crítica erudita. Erasmo era um humanista que reagia contra a "barbárie" da Idade Média. Melanchton e Ramus eram protestantes contrários à escolástica, à qual a antiga arte da memória havia sido associada. Ramus, ao insistir na ordem lógica da memória, adota um aspecto da arte escolástica da memória que adquirira traços aristotélicos, ao rejeitar suas similitudes corporais, intimamente ligadas ao velho método didático de apresentar verdades morais e religiosas por meio de imagens.

Ele nunca insere suas perspectivas religiosas em suas obras pedagógicas, mas escreveu uma obra teológica, *De religione christiana*, na qual expõe claramente, do ponto de vista religioso, sua atitude frente às imagens[14]. Ele cita a proibição de imagens do Antigo Testamento, especialmente o quarto capítulo do Deuteronômio:

> Uma vez que nenhuma forma vistes no dia em que Iahweh vos falou no Horebe, do meio do fogo, Não vos pervertais fazendo para vós uma imagem esculpida em forma de ídolo: uma figura de homem ou mulher [...] Levantando teus olhos aos céus, e vendo o sol, a lua, as estrelas e todo o exército dos céus, não te deixes seduzir para adorá-los e servi-los!

Ramus contrasta a proibição, pelo Antigo Testamento, de imagens esculpidas com a adoração idólatra praticada pelos gregos e, então, fala das imagens nas igrejas católicas, diante das quais as pessoas se ajoelham e queimam incenso. É desnecessário citar a passagem por extenso, pois

---

14. P. Ramus, *De religione Christiana*, Frankfurt, 1577, pp. 114-5.

está de acordo com o tipo comum de propaganda protestante contra as imagens católicas, e situa Ramus como um simpatizante dos movimentos iconoclastas que reinavam na França, Inglaterra e nos Países Baixos durante a sua vida; e acho esse fato relevante para a sua atitude em relação a imagens na arte da memória.

O ramismo não pode ser totalmente identificado com o protestantismo, porque ele parece ter sido popular entre alguns católicos franceses, particularmente entre a família Guise, e foi ensinado à sua parente, Maria Stuart, rainha da Escócia[15]. Contudo, depois de sua morte no massacre da Noite de São Bartolomeu, Ramus tornou-se um mártir protestante, fato que, certamente, teve muito a ver com a popularidade do ramismo na Inglaterra. E não há dúvida de que uma arte da memória baseada em uma ordem dialética sem imagens, concebida como a verdadeira ordem natural da mente, está de acordo com a teologia calvinista.

Se Ramus e seus seguidores opunham-se às imagens da antiga arte da memória, qual seria sua atitude em relação à transformação oculta, renascentista, dessa arte, com o uso de imagens mágicas, "imagens gravadas" das estrelas como imagens de memória? Sua desaprovação dessa forma da arte devia ser ainda mais profunda.

Embora o ramismo tenha consciência da antiga arte da memória – e conserve parte de sua ordem, enquanto rejeita lugares e imagens –, ele se aproxima, em muitos aspectos, do outro tipo de "memória artificial", que não provinha da tradição retórica e que também (em sua forma original) não fazia uso de imagens. Refiro-me, é claro, ao llullismo. Este, assim como o ramismo, incluía a lógica na memória, pois a arte de Llull, enquanto arte da memória, buscava memorizar os processos lógicos do intelecto. E, outro traço característico do ramismo, a disposição ou classificação de sua matéria em uma ordem que vai do "geral" ao "particular", é uma noção implícita no llullismo, já que ele ascende e descende do particular ao geral, e vice-versa, na escada do ser. Essa terminologia é utilizada especificamente para a memória na obra de Llull, *Liber ad*

15. Howell, *Logic and Rhetoric*, pp. 166 e ss.

memoriam confirmandam, em que é dito que a memória deve ser dividida em categorias particulares e gerais, as particulares descendendo das
gerais[16]. No llullismo, as categorias "gerais" são, é claro, os princípios da
Arte, fundados sobre as Dignidades divinas. A maneira arbitrária como
o ramismo impõe sua "ordem dialética" a todos os ramos do saber remete fortemente ao llullismo, que pretende unificar e simplificar toda
a enciclopédia, ao impor, a cada tema, as letras – de b a k – e os procedimentos da Arte. O ramismo enquanto memória, memorizando cada
tema pela ordem dialética de seu epítome[17], é um processo semelhante
àquele do llullismo como memória, que retém cada tema ao memorizar
os procedimentos da Arte aplicados àquele assunto em questão.

Quase não se pode duvidar de que a origem do ramismo deve algo
à retomada do llullismo no Renascimento. Contudo, há profundas diferenças entre eles. O ramismo parece simples como um jogo infantil
quando comparado às sutilezas do llullismo, com sua tentativa de fundamentar a lógica e a memória na estrutura do Universo.

O RAMISMO, enquanto método de memória, move-se claramente em
direção oposta à da memória oculta do Renascimento, pois esta procura
intensificar o uso das imagens e da imaginação e, ainda, busca introduzir
imagens no llullismo, desprovido delas. E, contudo, existe aqui um problema que posso apenas indicar, sem tentar resolvê-lo.

Seria Giulio Camillo, com sua retórica ocultista – que envolvia um
tipo novo e misterioso de fusão de argumentos lógicos com lugares de
memória e que implicava, também, um interesse na retórica de Hermógenes[18] –, o verdadeiro iniciador de alguns dos novos movimentos retó-

16. Llull, *Liber ad memoriam confirmandam*, ed. de Rossi, em *Clavis universalis*, p. 262.
17. A origem do epítome de Ramus deveria provavelmente ser procurada nos manuscritos
    llulianos e seus esquemas densamente colocados entre colchetes. Exemplos desse tipo de
    disposição podem ser vistos no compêndio de llullismo de Thomas Le Myesier (Paris,
    Bibl. Nat., Lat. 15450; sobre o uso, ver o meu artigo, "The Art of R. L.", p. 172). Tais es-
    quemas llulianos, com suas séries de colchetes (por exemplo, o de Paris, Lat. 15450, f. 99
    verso), têm a aparência semelhante à do epítome ramista, também entre colchetes; por
    exemplo, o epítome da lógica, reproduzido em Ong, *Ramus*, p. 202.
18. Ver, anteriormente, pp. 213-4.

ricos e metodológicos do século XVI? Johannes Sturm, tão importante nesses novos movimentos, levou adiante a retomada de Hermógenes[19]. E, certamente, ele conhecia Giulio Camillo e seu Teatro da Memória[20]. Sturm foi o patrono de Alessandro Citolini, cuja obra, *Tipocosmia*, teria sido "roubada" dos papéis do Teatro de Camillo[21]. Se isso é verdade, Citolini "roubou" somente uma apresentação enciclopédica ordenada de assuntos e temas – pois a *Tipocosmia* é isto –, mas sem as imagens. Não há imagens ou suas descrições na *Tipocosmia*. Proponho a idéia – sob a forma de questões ou hipóteses para futuros pesquisadores – de que Camillo pode ter iniciado, em seu nível transcendental ou oculto, um movimento retórico-metodológico de memória, continuado por pessoas como Sturm e Ramus, mas que passou por um processo de racionalização ao omitir as imagens.

Deixando de lado as hipóteses incipientes e controversas do parágrafo anterior, parece-me certo que Ramus, o francês, teria conhecido o Teatro de Camillo, tão famoso na França. Posto isso, pode-se supor que a ordem dialética de Ramus para a memória, ao descer do "geral" ao "particular", tenha implicado uma reação consciente contra o método oculto do Teatro, que ordenava o conhecimento sob a categoria "geral" dos planetas, da qual descendia toda a multiplicidade das coisas "particulares" do mundo.

Ao observarmos as atitudes filosóficas de Ramus, surge o fato curioso de que existe uma boa dose de misticismo por trás do racionalismo

---

19. Ver Ong, *Ramus*, pp. 231 e ss.
20. Sobre Sturm e Camillo, ver F. Secret, "Les cheminements de la Kabbale à la Renaissance; le Théâtre du Monde de Giulio Camillo Delminio et son influence", *Rivista critica di storia filosofia*, XIV, 1959, pp. 420-1.
21. Betussi (*Raverta*, ed. Zonta, p. 57) associa a *Tipocosmia* de Citolini ao Teatro de Camillo. Outros fazem a obtusa acusação de que Citolini teria roubado de Camillo; para maiores informações a esse respeito, ver Liruti, III, pp. 130, 133, 137 e ss. *Tipocosmia* foi publicada em Veneza, em 1561. Citolini chegou à Inglaterra como um protestante exilado, com cartas de recomendação de Sturm (ver L. Fessia, *A. Citolini, esule italiano in Inghilterra*, Milano, 1939-1940). O "pobre cavalheiro italiano", mencionado por Bruno por ter tido a perna quebrada pela brutalidade das multidões de Londres, era Citolini (ver Bruno, *La Cena de le ceneri*, Turim, G. Aquilecchia, 1955, p. 138).

aparentemente intenso de sua "ordem dialética". Essas atitudes podem ser selecionadas nas duas primeiras obras em que Ramus enuncia seu método dialético, *Aristotelicae animadversiones* e *Dialecticae institutiones*. Ele parece considerar que os verdadeiros princípios dialéticos derivam de um tipo de *prisca theologia*. Prometeu, diz ele, foi o primeiro a abrir as fontes da sabedoria dialética, cujas águas prístinas alcançaram, finalmente, Sócrates. (Compare-se com a seqüência de *prisca theologia* de Ficino, em que a sabedoria antiga, por meio de uma linha de sucessores, finalmente chega a Platão[22].) No entanto, segundo Ramus, a dialética antiga, verdadeira e natural, foi corrompida e espoliada por Aristóteles, que nela introduziu o artifício e a falsidade. Ramus considera sua missão fazer com que a arte dialética recupere sua forma "natural", sua natureza pré-aristotélica, socrática e "prisca". Essa dialética natural é a imagem, na *mens*, da eterna luz divina. O retorno à dialética é um retorno das sombras à luz. É um meio de ascender e descender do particular ao geral e vice-versa, comparável à cadeia áurea de Homero, que vai da Terra ao céu e deste à Terra[23]. Ramus utiliza muitas vezes a imagem da "cadeia áurea" de seu sistema. Em uma longa passagem de *Dialecticae institutiones*, ele usa boa parte dos grandes temas do neoplatonismo do Renascimento, incluindo a inevitável citação de Virgílio – *Spiritus intus alit* –, e exalta sua dialética verdadeira e natural como uma espécie de mistério neoplatônico, um caminho de volta à luz da *mens* divina, a partir das sombras[24].

Visto no cenário do pensamento de Ramus, o método dialético começa a perder parte de sua aparente racionalidade. Trata-se de uma "sabedoria antiga" revivida por Ramus. É uma visão sobre a natureza

22. "Prisca theologia" era o termo usado por Ficino para a sabedoria dos antigos sábios, como Hermes Trismegisto. Ele via essa "teologia prístina" como uma corrente de sabedoria derivada de Hermes e outros até chegar em Platão; ver D. P. Walker, "The *Prisca Theologia* in France", *Journal of the Warburg Institute and Courtauld Institutes*, XVII, 1954, pp. 204 e ss.; Yates, *G. B. and H. T.*, pp. 14 e ss. A mente de Ramus segue em linha similar, embora tendo Prometeu como dialético prístino, cuja sabedoria foi transmitida a Sócrates.

23. P. Ramus, *Aristotelicae animadversiones*, Paris, 1543, pp. 2 *recto*-3 *verso*.

24. Ramus, *Dialect inst.*, ed. cit., pp. 37 e ss.; cf. Ong, *Ramus*, pp. 189 e ss.

da realidade, por meio da qual ele pode unificar a multiplicidade das aparências. Ao impor a ordem dialética a todo objeto, a mente pode realizar o movimento ascendente e descendente, do particular ao geral e vice-versa. O método de Ramus começa a aparecer como uma concepção quase tão mística quanto a Arte de Ramon Llull, que impõe as abstrações das Dignidades Divinas a cada objeto e, com isso, realiza a ascensão e descensão. Parece, então, que seu objetivo não é diferente daquele do Teatro de Camillo, que estabelece a união entre ascensão e descensão por meio da disposição das imagens em ordens determinadas, ou do objetivo do método de Bruno em *Sombras*, que busca o sistema unificador pelo qual a mente pode retornar das sombras à luz.

E, de fato, muitos trabalharam para encontrar pontos de contato e fusão entre todos os métodos e sistemas desse tipo. Como vimos, o llullismo foi assimilado à arte da memória; tentou-se também fundi-lo com o ramismo. A procura de um método, por vias infinitamente complexas e intricadas, ocultas ou racionais, llullianas, ramistas, e outras, é uma característica essencial do período. E a raiz comum, o que estimulou todo esse esforço em busca de um método, tão cheio de conseqüências para o futuro, é a memória. Quem quiser investigar as origens e o desenvolvimento do pensamento metodológico, deve estudar a história da arte da memória, na sua forma medieval, ocultista, a memória como aspecto do lulismo e ramismo. E, talvez, pareça, uma vez escrita esta história, que a transformação oculta da memória foi um estágio importante dentro do processo de busca de um método.

Vistos com distanciamento histórico, todos os métodos de memória apresentam certos denominadores comuns. Mas, vistos mais de perto, ou do ponto de vista de seus contemporâneos, uma grande distância separa Pierre Ramus de Giordano Bruno. As semelhanças superficiais estão no fato de que ambos reivindicam para si antigas sabedorias – Ramus, uma sabedoria socrática pré-aristotélica, e Bruno, uma sabedoria egípcia e hermética pré-grega. Ambos são violentamente antiaristotélicos, embora por motivos diferentes. Ambos fazem da arte da memória o instrumento de uma reforma. Ramus reforma os métodos pedagógicos por meio de seu método de memória baseado na ordem dialética. Bruno professa uma arte oculta da memória enquanto instrumento de uma reforma religiosa hermética. Quanto ao repertório imagético e à imaginação, Ramus rejeita ambos e treina a memória utilizando uma ordem abstrata. Bruno, por sua vez, faz deles a chave de uma organização significativa da memória. Ramus rompe a continuidade em relação à transformação medieval da velha arte clássica da memória. Bruno afirma que seu sistema oculto ainda é a arte de Tullius, Tomás de Aquino e Alberto Magno. O primeiro é um pedagogo calvinista, que fornece um método de ensino simplificado; o outro é um ex-monge apaixonado, que usa a memória oculta como uma técnica mágico-religiosa. Ramus e Bruno estão em pólos opostos, representam tendências totalmente contrárias do Renascimento tardio.

Entre os "pedantes", atacados por Bruno no início de *Sombras*, por seu desprezo em relação à arte da memória, devemos situar não apenas os críticos humanistas, mas os ramistas que fazem uma campanha violenta contra o uso de imagens na memória. Se Erasmo não tinha grande consideração pelo Teatro de Camillo, o que teria Ramus pensado, se estivesse vivo, a respeito de *Sombras*, de Bruno? O "supremo pedante da França", como Bruno apelida Ramus, certamente teria ficado horrorizado pelo modo como Bruno realiza sua ascensão (*ascensu*) e descensão (*descensu*), como alcança a luz a partir das sombras.

CAPÍTULO II

Giordano Bruno: O Segredo de Selos

S em dúvida, foi pouco depois de ter chegado à Inglaterra, no início de 1583, que Bruno publicou o denso volume sobre a memória, ao qual farei referência sob o título de *Selos*[1], apesar de ele conter as seguintes partes:

> *Ars reminiscendi*
> *Triginta sigilli*
> *Explanatio triginta sigillorum*
> *Sigillus sigillorum*

A página de rosto não apresenta local nem data de publicação, mas o livro apareceu, quase com certeza, em 1583 e, ao que parece, foi impresso por John Charlewood, um editor londrino[2]. A *Ars reminiscendi* não era uma obra nova, mas uma reimpressão da arte da memória contida em *Circe*[3], publicada no ano anterior, em Paris, que seguiu os terríveis encantamentos de Circe aos sete planetas[4]. Na reimpressão publicada na

---

1. Para o título completo, ver, anteriormente, p. 253. *Selos* foi impressa em G. Bruno, *Op. lat.*, II (ii), pp. 69-217.
2. Ver G. Aquilecchia, "Lo stampatore londinese di Giordano Bruno", em *Studi di Filologia Italiana*, XVIII, 1960, pp. 101 e ss.; cf. *G. B. and H. T.*, p. 205.
3. G. Bruno, *Op. lat.*, II (ii), pp. 211-57.
4. Em *G. B. and H. T.*, pp. 199-202, analisei esses encantamentos, baseados nos de Agrippa em *De occulta filosofia*.

Inglaterra não aparecem esses encantamentos que tornavam evidente o caráter mágico da arte da memória a ser lida pelo leitor parisiense (que poderia ter lido também a obra ocultista *Sombras*). A reimpressão inglesa da *Ars reminiscendi* é, contudo, acompanhada de textos novos: os "Trinta Selos", a "Explicação dos Trinta Selos" e o "Selo dos Selos".

Se nenhum dos leitores de *Sombras* entendeu o sistema mágico de memória, os leitores de *Selos* compreenderam menos ainda essa obra. O que são esses "Selos"? Antes de tentar responder a essa questão, convido o leitor a me acompanhar, por uma ou duas páginas, a Florença, onde praticaremos juntos a arte da memória.

AGOSTINO DEL Riccio foi um dominicano do convento de Santa Maria Novella, em Florença, que escreveu, em 1595, uma *Arte delle Memoria Locale*, para o uso dos "jovens cavalheiros estudiosos". Esse pequeno tratado nunca foi publicado, mas seu manuscrito está na Biblioteca Nacional de Florença[5]. Ele é ilustrado com sete desenhos que visam a esclarecer os princípios da arte da memória aos jovens cavalheiros de Florença.

"O Rei" (Pr. 13a) mostra um rei que coça a testa; ele representa a "memória local", ao evocar, por meio desse gesto, a memória do lugar, tão útil aos pregadores de sermões, aos oradores, estudantes e toda sorte de pessoas[6].

"O Primeiro Conselheiro" (Pr. 13b) mostra um homem que toca um globo, no qual estão todos os lugares – cidades, castelos, lojas, igrejas, palácios. Ele representa o primeiro preceito da arte, e o frade fornece, aqui, as regras usuais para os lugares de memória. Ele também dá um exemplo de como fabricar lugares de memória na igreja de Santa Maria Novella: pode-se começar pelo altar principal, onde se coloca a Caridade; depois, continua-se andando pela igreja e, no altar dos Ciodi,

---

5. Biblioteca Nazionale, II, I, p. 13. Em meu artigo "The Ciceronian Art of Memory", em *Medioevo e Rinascimento, Studi in Onore di Bruno Nardi*, Firenze, 1955, p. 899, referi-me a esse manuscrito, apontando a semelhança de seu método com o empregado por Bruno em *Selos*. Cf., também, Rossi, *Clavis universalis*, pp. 290-1.

6. Manuscrito citado, f. 5.

dispõe-se a Esperança; no altar dos Gaddi é colocada a Fé, então, continua-se a disposição em todos os outros altares da capela, na pia batismal, sobre os túmulos, etc., até se chegar ao ponto de onde se partiu[7]. O frade nos ensina o bom e velho meio de utilizar a arte da memória para relembrar as virtudes.

"O Segundo Conselheiro" (Pr. 13*c*) mostra um homem rodeado por vários objetos, incluindo uma estátua, ou melhor, um busto sobre um pedestal. Ele representa o preceito do "uso das imagens". Essas podem ser imagens de objetos reais ou imaginários, ou podemos utilizar figuras feitas por escultores e artistas. Na galeria de Signor Niccolo Gaddi há algumas belas estátuas que são úteis para a criação de imagens de memória[8]. Depois dessa breve visão de uma memória provida pela arte, encontramo-nos diante daquelas listas alfabéticas que são uma das características mais complexas dos tratados sobre a memória. As listas de Riccio incluem artes mecânicas, santos e famílias de Florença.

"O Primeiro Capitão ou a Linha Reta" mostra um homem com uma linha vertical que atravessa o seu corpo. Sobre ele devem ser dispostos os doze signos do zodíaco, de acordo com as partes do corpo que eles regem, e que devem ser lembradas nesses lugares, como um sistema de memória[9].

"O Segundo Capitão ou a Linha Circular" (Pr. 13*d*) mostra um homem dentro de um círculo com pernas e braços estendidos. A partir dos lugares representados pelas partes do corpo desse homem, devemos lembrar os quatro elementos e os onze céus: terra e pés; água e joelhos; ar e flanco; fogo e braço; Lua e mão direita; Mercúrio e antebraço; Vênus e ombro; Sol e cabeça; Marte e ombro esquerdo; Júpiter e antebraço esquerdo; Saturno e mão esquerda; esfera das estrelas fixas e ombro esquerdo; esfera cristalina e ventre; *primum mobile* e joelhos; Paraíso e planta do pé esquerdo[10].

7. Idem, f. 6.
8. Idem, f. 16.
9. Idem, f. 33.
10. Idem, f. 35.

Em o "Terceiro Capitão ou a Linha Transversal" (Pr. 13*e*), doze pequenos objetos estão dispostos em um círculo. O frade explica que ele memoriza esses objetos em lugares da Via della Scala[11]. Aqueles que conhecem Florença recordarão que essa rua desemboca na Piazza Santa Maria Novella. No santuário, nessa rua, ele memoriza um religioso e sua cruz (veja a cruz no alto do círculo); sobre a porta da primeira casa da fila de casas antigas, ele relembra uma estrela; sobre a porta da casa de Jacopo di Borgho, um sol; e assim por diante. Ele também usa o método em uma cela dos frades dominicanos, dividida em lugares de memória, memorizando, assim, por exemplo, as belas palavras de Jó sobre as sete misérias do ser humano[12].

"A Refeição e o Criado" (Pr. 13*f*) apresenta um homem carregando comida e bebida. A memória local é como beber e comer. Se comermos todo o nosso alimento de uma só vez, teremos indigestão; por isso, nós o dividimos em várias refeições. Assim devemos proceder em relação à memória local: "Duzentas noções em um dia, ou duzentos artigos de são Tomás de Aquino, se tentarmos memorizá-los imediatamente, ao nos levantarmos da cama, deixaremos a mente exausta"[13]. Sendo assim, fixe a memória local em pequenas doses. Pode ser que, com o passar do tempo, atinjamos as alturas alcançadas pelo célebre pregador, Francesco Panigarola, que teria utilizado cem mil lugares[14].

Esse frade não ouviu falar das notáveis transformações da arte da memória. Ele pertence à velha ordem das coisas. Ao colocar suas imagens das virtudes em lugares de memória na igreja de Santa Maria Novella – que havia sido um centro vigoroso de irradiação do movimento dominicano –, ele utiliza a técnica segundo a maneira devota, que, no auge de sua intensidade, havia estimulado a proliferação das imagens de vícios e virtudes. Nenhuma dúvida quanto ao uso que ele faz do zodíaco, automaticamente mencionado nos tratados sobre a memória como um

11. Idem, f. 40 *verso*.
12. Idem, f. 40.
13. Idem, f. 46.
14. Idem, f. 47.

sistema de memória possível. Não há qualquer razão por que a ordem dos signos não devesse ser empregada de forma racional, como uma ordem de memória. Ele aspira memorizar a ordem das esferas, mas de um modo que, ainda que pueril, não é mágico. Emprega a arte dominicana tradicional, memorizando por esse método temas religiosos, incluindo a *Summa* de Tomás de Aquino. É um exemplo do enfraquecimento da arte desde seu apogeu na Idade Média e exibe o tipo de mentalidade que se encontra nos últimos tratados sobre a memória.

Por que, então, introduzo aqui Fra Agostino del Riccio? Porque sua idéia de apresentar os princípios e as várias técnicas da arte por meio de pequenas imagens simbólicas, dotadas de títulos, corresponde exatamente ao que Bruno faz em *Selos*, em que, por exemplo, o princípio de associação é apresentado como "o Marceneiro" e o uso das imagens, por sua vez, é apresentado como "Zeuxis, o Pintor". É isto o que os *Selos* representam, ou seja, definições dos princípios e das técnicas da arte – mas tornadas mágicas, entrelaçadas com o llullismo e o cabalismo e culminando em mistérios insondáveis. Bruno adaptava a seus propósitos insólitos um modo de apresentar a arte que aprendera em seu convento dominicano.

O LEITOR elisabetano que tentava apreender a curiosa obra, publicada de forma quase clandestina em seu país (não havia local ou data de publicação), provavelmente devia começar pelo início, com a *Ars reminiscendi*[15]. Bruno continua a utilizar sua terminologia pessoal de *subjecta* (para os lugares de memória) e *adjecta* (para as imagens de memória) e, com isso, apresenta nessa arte as regras clássicas, desenvolvendo-as bastante, à maneira de um tratado usual de memória[16]. Ele parece querer constituir um grande número de lugares. Nada lhe impede, quando você está nos arredores de sua casa, em uma parte da cidade, de utilizar (para criar aí lugares de memória) uma outra casa em outra parte da cidade. Quando você preencheu o último dos lugares romanos, você pode ligá-lo ao pri-

---

15. Em *Op. lat.*, II (ii), a *Ars reminiscendi* não está junto a *Selos*, pois já havia sido impressa, com *Circe*, em *Op. lat.*, II (i), pp. 211-57.

16. *Op. lat.*, II (i), pp. 221 e ss.

meiro dos lugares parisienses[17] – recorde-se, aqui, o costume, de Pedro de Ravena, de criar séries de lugares de memória em suas viagens[18]. Bruno insiste no fato de que as imagens devem impressionar e estar associadas entre si. E fornece uma lista de trinta modos de formar imagens, por meio de associação, para se lembrar de noções[19] (tais listas também aparecem nos tratados mais usuais). Acredita possuir um sistema de memória para palavras superior ao imaginado por Tullius. Aqui, ele cita o *Ad Herennium*, atribuindo-o a Tullius e, com isso, mantém a velha e errônea atribuição medieval[20]. Como sistema de lugares, recomenda o que chama de elementos "semimatemáticos"[21], isto é, figuras em forma de diagrama, que não são matemáticas no sentido usual, mas de algum outro modo.

Qualquer um que tenha visto um Rosellius ou um Romberch reconhecerá nesta *Ars reminiscendi* um gênero bem familiar, o do tratado de memória. Mas Bruno diz que, embora utilize todas as velhas técnicas, ele tem uma maneira nova e superior de utilizá-las, e essa nova maneira está relacionada com o "Canto de Circe"[22] (sem dúvida, os encantamentos sobre os planetas em *Circe*, ausentes da edição inglesa da *Ars reminiscendi*). Havia, portanto, uma mística encantada no cerne desse tratado de memória, mas sua natureza exata devia ser de difícil apreensão para o leitor elisabetano. E, então, ele alcançaria a grande barreira dos Trinta Selos, trinta definições de princípios e técnicas de memória mágica, seguidas de trinta "explanações" mais ou menos inexplicáveis – algumas ilustradas por diagramas "semimatemáticos", mais ou menos insolúveis. Alguém pode indagar quantos leitores, alguma vez, ultrapassaram essa barreira.

O PRIMEIRO selo é "O Campo"[23]. Esse campo é a memória, ou a fantasia, cujos amplos meandros serão trabalhados pela arte dos lugares e das

17. Idem, p. 224.
18. Ver, anteriormente, p. 151.
19. *Op. lat.*, II (i), pp. 241-6.
20. Idem, p. 251. Ver, anteriormente, p. 164.
21. Idem, pp. 229-31.
22. Idem, p. 251.
23. *Op. lat.*, II (ii), pp. 79-80, 121-2.

imagens. Aqui, são fornecidos resumos breves mas obscuros das regras, enfatizando-se que as imagens devem ter o poder de sensibilizar, pelo seu caráter impressionante e incomum. Há, também, uma referência a "Solimão, o Talmudista", que possuía um sistema de memória dividido em doze partes, distinguidas pelos nomes dos patriarcas.

O segundo selo é "O Céu" (Pr. 14*a*)[24]. A fim de "gravar a ordem e a série das imagens do céu", uma esfera, dividida de uma certa maneira, fornece lugares e posições. A descrição dessa figura é completada por um diagrama baseado nas doze casas de um horóscopo. Bruno utiliza essas casas como lugares de memória, salas de memória, onde as "imagens do céu" serão gravadas.

O selo "A Cadeia"[25] enfatiza que a memória deve ir do que precede ao que sucede, como as partes de uma corrente implicam elos precedentes e seguintes. Isso faz lembrar a associação de idéias, como na formulação aristotélica das regras da memória. Mas na explicação desse selo somos informados que essa cadeia é, na verdade, o zodíaco, cujos signos estão ligados entre si, e Bruno remete ao que disse a esse respeito em *Sombras*, mencionando o mesmo poema latino sobre a ordem dos signos que citara nesse livro[26].

É neste momento que começamos a nos perguntar, de modo confuso, se os *Selos*, ou alguns deles, são mesmo sobre o sistema de memória de *Sombras*.

Os próximos três Selos são llullianos. A "Árvore" e a "Floresta"[27] estão ligadas à *Arbor scientiae* de Llull, cujo nome é mencionado. Trata-se de uma floresta cujas árvores, que representam todo o conhecimento, estão enraizadas em princípios fundamentais comuns a todas elas. A "Escada"[28] apresenta o que é, de fato, a terceira figura da *Ars brevis* de Llull, ao mostrar combinações de letras dispostas nas rodas llullianas. Novamen-

24. Idem, pp. 80, 121-2.
25. Idem, pp. 81, 123-4.
26. Idem, p. 124; cf. *Sombras, Op. lat.*, II (i), p. 28.
27. *Op. lat.*, II (ii), pp. 81-2, 124-7.
28. Idem, pp. 82, 127-8.

te nos perguntamos se tais Selos não apresentam a maneira de utilizar os sistemas combinatórios llullianos junto com a arte clássica da memória, sob sua forma astrológica e mágica, como aparece em *Sombras*.

E estas suposições transformam-se em certeza com "Zeuxis, o Pintor" (Selo 12), que representa o modo de utilizar as imagens na arte da memória. Aqui somos informados que "as imagens de Teucer, o Babilônio, fornecem-me as indicações de trezentas mil proposições"[29]. E, caso sejam necessárias mais provas da relação entre *Selos* e *Sombras*, há ainda esta observação em "Zeuxis, o Pintor":

> Agora, para o aprimoramento da memória natural e o ensino da memória artificial, conhecemos dois tipos de figuração: o primeiro, quando formamos, a partir de descrições singulares, imagens e *notae* para a fixação na memória, cujos exemplos são dados na arte anexa a *De umbris idearum*; o outro tipo, ao imaginarmos, segundo a necessidade, edifícios [...] e imagens de coisas sensíveis que nos farão lembrar das coisas não sensíveis que devem ser lembradas[30].

Acredito que "os dois tipos de figuração" dos dois tipos de memória consistem: (1) na memória baseada nas imagens astrais, como aquelas das quais ele fornece listas em *Sombras* e que são discutidas em *Selos;* (2) na memória clássica usual, que utiliza lugares em "edifícios". Mas, nos sistemas de Bruno, mesmo as técnicas da memória clássica usual nunca são utilizadas normalmente; elas sempre são revestidas por uma atividade mágica, por serem associadas aos sistemas astrais.

Mesmo que muitos deles façam alusão ao sistema contido em *Sombras*, os Selos não estão limitados a qualquer sistema particular. Ao contrário, Bruno afirma que ele busca todo e qualquer caminho possível; talvez surja algo que ele não esteja procurando, assim como os alquimistas que não tinham sucesso em fabricar ouro, às vezes, faziam outras descobertas importantes[31]. Nos últimos Selos, ele experimenta variações de combinações astrológicas, dispositivos de natureza llulliana (ou que

29. Idem, p. 85.
30. Idem, p. 134.
31. Idem, p. 129.

ele supõe que o sejam), traços de magia cabalista, na busca infindável de uma organização realmente eficaz da psique. E a procura sempre traz consigo as artimanhas da atividade da memória, cujas velhas técnicas podem ser reconhecidas Selo após Selo, apesar de, agora, serem apresentadas como mistérios ocultos. Minha atitude em relação ao leitor deste livro tem sido sempre aquela, humana, de poupá-lo das experiências mais penosas da memória. Por isso, não enumerarei todos os Trinta Selos, mas apresentarei uma seleção.

O Selo 9, "A Mesa"[32], descreve aquela forma interessante do "alfabeto visual", que consiste em lembrar letras por meio de imagens de pessoas cujos nomes iniciam por essas letras. Pedro de Ravena, como sabemos, produziu o exemplo máximo desse método, ao fazer com que Eusébio e Tomás trocassem de lugar para ajudá-lo a se lembrar de ET e TE[33]. Nesse Selo, Bruno menciona Pedro de Ravena com admiração. O Selo 11, "O Estandarte"[34], serve para representar as imagens condutoras, como se fossem porta-estandartes de grupos inteiros de coisas; assim, Platão, Aristóteles, Diógenes, um pirronista e um epicurista serviriam para indicar não apenas tais indivíduos mas muitas noções que teriam relação com eles. Essa é a antiga tradição, pela qual as imagens de praticantes reconhecidos das artes e ciências eram vistas como imagens de memória. O Selo 14, "Dédalus"[35], fornece uma lista de objetos de memória a serem ligados a imagens principais, ou dispostos sobre elas, servindo para organizar um grupo de significações em torno de uma imagem principal. Os objetos de memória de Bruno pertencem à antiga tradição dessas listas. O Selo 15, "O Numerador"[36], descreve como formar imagens para números a partir de objetos cuja forma se assemelha àquela de um determinado número. Freqüentemente essa noção era ilustrada nos velhos tratados sobre a memória, em que séries de objetos-para-

---

32. Idem, pp. 83-4, 130-1.
33. Ver, anteriormente, p. 157.
34. *Op. lat.*, II (ii), pp. 84, 132-3.
35. Idem, p. 139.
36. Idem, pp. 86-7, 140-1.

números aparecem associadas a "alfabetos visuais" ou a ilustrações de séries de objetos semelhantes a letras. O Selo 18, "A Centúria"[37], dispõe grupos de cem amigos em cem lugares, um exemplo valioso da regra clássica de produção de imagens de memória a partir de pessoas que conhecemos. O Selo 19, "A Quadratura do Círculo"[38], baseia-se no inevitável diagrama do horóscopo. Bruno resolve esse antigo problema ao utilizar uma figura "semimatemática", ou seja, mágica, como sistema de lugares de memória. O Selo 21, "A Roda do Oleiro" (Pr. 14*b*)[39], representa novamente o diagrama do horóscopo, no interior do qual gira uma barra marcada com as iniciais dos sete planetas; esse é um sistema bastante complexo. O Selo 23, "O Doutor"[40], utiliza diferentes tipos de casas comerciais como lugares de memória: o açougue, a padaria, o barbeiro, e assim por diante, como no método ilustrado por uma das gravuras do livro de Romberch (Pr. 5*a*). Mas as casas comerciais de Bruno não são tão simples assim. "O Campo e o Jardim Circe", Selo 26[41], é um sistema extremamente mágico, que só pode ser alcançado depois de uma evocação bem-sucedida dos sete planetas. Aqui, os compostos elementares – quente-úmido, quente-seco, frio-úmido e frio-seco – alteram-se e movem-se através das sete casas para produzir as formas mutáveis de natureza elementar no interior da psique. No "Peregrino", Selo 25[42], as imagens de memória peregrinam através das salas de memória, sendo que cada imagem retira do material memorizado nas diferentes salas aquilo de que necessita. Em "O Recinto Cabalístico", Selo 28[43], as ordens da sociedade, tanto eclesiásticas quanto temporais, do Papa aos Diáconos e do Rei aos Camponeses, são representadas por imagens de memória dispostas segundo a ordem de sua posição social. Essa era uma ordem de memória bem conhecida, mencionada com freqüência nos tratados

37. Idem, pp. 87-8, 141.
38. Idem, pp. 88, 141-3.
39. Idem, pp. 90-1, 145-6.
40. Idem, pp. 92-3, 147.
41. Idem, pp. 95-6, 148-9.
42. Idem, pp. 96-7, 150-1.
43. Idem, pp. 98-9, 151-2.

sobre a memória como uma ordem de figuras facilmente memorizada. Mas, no sistema de Bruno, as ordens realizam entre si permutações e combinações cabalísticas. Os dois últimos Selos[44] – "O Combinador", Selo 29, e "O Intérprete", Selo 30 – são, respectivamente, combinações llullianas e manipulações cabalistas do alfabeto hebraico.

O que este homem tenta fazer? Ele opera com dois sistemas de idéias, a memória e a astrologia. A tradição da memória ensinava que tudo é mais bem lembrado por meio de uma imagem, que essas imagens deveriam ser impressionantes, emocionalmente eficazes e estar associadas entre si. Bruno procura elaborar sistemas de memória baseados nesses princípios, ao ligá-los ao sistema astrológico, utilizando para isso imagens magicamente eficazes, lugares "semimatemáticos" ou mágicos e as ordens associativas da astrologia. Com isso, ele mistura as combinações llullianas e a magia cabalista!

A idéia de combinar os princípios da memória com os da astrologia está presente no Teatro de Camillo. Bruno quer compreender essa idéia com minuciosidade científica. Vimos seu esforço em ação no sistema existente em *Sombras*, ao qual os Selos constantemente aludem. Mas, em *Selos*, Bruno põe em prática método por método, sistema por sistema, em busca de seu objetivo. Novamente, pensamos na analogia com o cérebro eletrônico. Bruno acredita que, se puder criar um sistema que encaixe no sistema astrológico, que reflita as permutações e combinações das relações variáveis dos planetas com o zodíaco, assim como suas influências sobre as casas do horóscopo, poderá explorar os mecanismos da própria natureza para organizar a psique. Contudo, como vimos no último capítulo, a consideração dos sistemas de memória de Bruno enquanto antecessores mágicos do cérebro eletrônico só pode ser aceita parcialmente, e não se deve ir tão longe nesse sentido. Se deixarmos de lado a palavra "mágica" e pensarmos nos esforços de um artista da memória oculta como direcionados para retirar da psique combinações de imagens "arquetípicas", entraremos no domínio de al-

44. Idem, pp. 100-6, 153-60.

gumas das principais tendências do pensamento psicológico moderno. Entretanto, assim como em relação à analogia com o cérebro eletrônico, não gostaria de enfatizar uma analogia junguiana, que poderia confundir mais do que esclarecer.

Prefiro ater-me ao período em questão e refletir sobre os aspectos, próprios da época, que aparecem nos experimentos de Bruno com a memória. Um desses aspectos diz respeito ao caráter antiaristotélico da filosofia da natureza em Bruno. Ele escreve sobre as imagens "porta-estandartes" da memória, relacionadas aos agrupamentos de astros na natureza: "Todas as coisas da natureza e na natureza, como os soldados de um exército, seguem os líderes que lhes são designados [...] Anaxágoras sabia disso muito bem, mas Pai Aristóteles não podia considerar isso [...] com as suas impossíveis e artificiais segregações lógicas da verdade das coisas"[45].

Essa citação revela uma raiz do pensamento antiaristotélico de Bruno; os agrupamentos astrais na natureza contradizem Aristóteles, e um homem cuja memória é fundada nos astros não pode pensar sua filosofia natural em termos aristotélicos. Por meio da magia de suas imagens de memória arquetípicas, ele concebe os agrupamentos da natureza como unidos por ligações mágicas e associativas.

E se pensarmos na interpretação renascentista da magia das imagens, penetraremos um outro aspecto da atitude de Bruno em relação à memória. Vimos que a magia das imagens mágicas podia ser interpretada, no Renascimento, como uma magia artística; a imagem recebia um poder estético por ser dotada de proporções perfeitas. Poderíamos esperar que, em uma natureza altamente dotada como a de Giordano Bruno, o exercício interior intensivo da imaginação no domínio da memória poderia adquirir formas internas notáveis. E, na discussão dos Selos correspondentes a "Zeuxis, o Pintor" e "Fídias, o Escultor", Bruno revela-se um artista da memória que pertence ao Renascimento.

Zeuxis, o pintor, ao pintar as imagens internas da memória, introduz uma comparação entre a pintura e a poesia. Segundo Bruno, pintores e

45. Idem, p. 133.

poetas receberam um poder equivalente. O pintor sobressai pela faculdade imaginativa (*phantastica virtus*) e o poeta pela faculdade cogitativa, à qual é impelido por um entusiasmo derivado de uma inspiração divina de expressão. Assim, a fonte da faculdade poética está próxima daquela da faculdade pictórica: "Daí os filósofos serem, em alguma medida, pintores e poetas; poetas são pintores e filósofos; pintores são filósofos e poetas. Daí os verdadeiros poetas, verdadeiros pintores e verdadeiros filósofos buscarem uns aos outros e admirarem-se mutuamente"[46].

Pois não há filósofo que não modele e pinte; por isso não se deve temer o ditado segundo o qual "entender é especular com imagens", e o entendimento "é imagem mental ou não existe sem ela".

Considerar a comparação entre poesia e pintura no contexto das imagens da arte da memória nos faz lembrar que, de acordo com Plutarco, o primeiro a fazer essa comparação foi Simônides, o inventor da arte da memória[47]. Entretanto, Bruno recorda aqui *ut pictura poesis*, o dito de Horácio que servia de base às teorias do Renascimento sobre a poesia e a pintura. A isso ele relaciona o dito aristotélico "pensar é especular com palavras"[48], que havia sido usado na síntese realizada pela escolástica entre Aristóteles e "Tullius" em relação à memória clássica[49] e é repetido com freqüência nos tratados sobre a memória. Portanto, por meio de Zeuxis, o Pintor – que é o pintor de imagens na memória e representa a regra clássica que prega o uso de imagens –, Bruno chega à identidade entre o Poeta, o Pintor e o Filósofo, todos vistos como pintores de imagens da imaginação, como Zeuxis, que pinta as imagens da memória; um as exprime pela poesia, o outro, pela pintura, e o último, pelo pensamento.

"Fídias, o escultor" representa o escultor da memória, que modela estátuas de memória no interior do ser humano: "Fídias é aquele que dá a forma [...] como Fídias, o escultor, que modela na cera ou constrói pela

46. Idem, loc. cit.
47. Ver, anteriormente, p. 48.
48. "Intelligere est phantasmata speculari" (*Op. lat.*, II (ii), p. 133).
49. Ver, anteriormente, pp. 95-6.

adição de pequenas pedras ou esculpe a pedra bruta e sem forma como por subtração"[50].

A última frase lembra Michelangelo, que cinzela o bloco de mármore informe para libertar a forma que visualizou dentro dele. Assim também (Bruno parece dizer) procede Fídias, escultor da imaginação que liberta as formas do caos informe da memória. Para mim, há algo profundo no Selo de Fídias, como se, nessa moldagem interior de estátuas mnemônicas significativas, na obtenção de formas extraordinárias pela subtração do que não é essencial, Giordano Bruno, o artista da memória, introduzisse-nos no âmago do ato criador, o ato interior que precede a expressão exterior.

Algumas páginas atrás, perdemos um pouco de vista nosso leitor elisabetano, quando nos perguntávamos se ele seria capaz de compreender os Trinta Selos. Como poderia desenvolver isso? Conseguiria compreender "Zeuxis" e "Fídias"? Em caso afirmativo, ele teria chegado a uma exposição da teoria renascentista da poesia e da pintura como jamais havia sido publicada na Inglaterra, encontrada no contexto das imagens da memória oculta.

Em qual filosofia o mágico, o artista, o poeta, o filósofo, baseava o tremendo esforço dos Trinta Selos? Ela aparece em uma frase no Selo 8, "O Agricultor", que cultiva o campo da memória: "Diz-se que o mundo é a imagem de Deus, assim, Trismegisto não teme dizer que o ser humano é a imagem do mundo"[51].

A filosofia de Bruno era a do hermetismo: o ser humano seria o "grande milagre" descrito em *Asclepius*; sua *mens* seria divina, de natureza semelhante a dos governantes estelares do Universo, como descrito no também hermético *Pimander*. Em *L'Idea del theatro di Giulio Camillo*, seríamos capazes de traçar em detalhe, nos escritos herméticos, a base dos esforços de Camillo para construir um teatro da memória que refletisse "o mundo", refletido por sua vez no "mundo" da memória[52]. Bruno

---

50. *Op. lat.*, II (ii), p. 135.
51. Idem, pp. 129-30.
52. Ver, anteriormente, pp. 189 e ss.

opera a partir dos mesmos princípios herméticos. Se a *mens* humana é divina, então a organização divina do Universo está dentro dela, e uma arte que reproduz a organização divina da memória captará as forças do cosmos que existem no próprio ser humano.

Quando os conteúdos da memória estiverem unificados, a visão do Um começará a surgir dentro da psique (assim acredita esse artista hermético da memória), superando a multiplicidade das aparências. "Eu contemplava um único saber em um único sujeito. Para todas as partes principais, estavam ordenadas formas principais [...] e todas as suas formas secundárias ligavam-se às partes principais"[53]. É isso o que lemos em "A Fonte e o Espelho", Selo 22. As partes se reúnem, as secundárias ligando-se às principais; os terríveis e árduos trabalhos dos sistemas começam a frutificar e já podemos contemplar "um único saber em um único sujeito".

Aqui se revela a aspiração religiosa de Bruno e seus esforços mnemônicos. Agora estamos prontos para adentrar o *Sigillus Sigillorum*, ou o Selo dos Selos, que corresponde à primeira parte, visionária, das *Sombras*. Nessa obra, ele começava pela visão unificada e, então, passava aos processos unificadores do sistema de memória. Os *Selos* revertem essa ordem: começam com os sistemas de memória e terminam com o Selo dos Selos. Posso fornecer apenas um relato abreviado e subjetivo desse discurso extraordinário.

INICIA-SE REIVINDICANDO inspiração divina. "Estas coisas me foram inspiradas por um espírito divino"[54]. Agora que seguimos a vida dos deuses celestes, estamos prontos a adentrar os meandros sobrecelestes. E, nesse momento, ele cita os célebres representantes da arte da memória na Antiguidade: Carnéades, Cinéas, Metrodoro[55] e, acima de todos, Simônides, aos quais devemos a possibilidade de pesquisar, encontrar e ordenar todas as coisas[56].

---

53. *Op. lat.*, ii (ii), p. 91. Bruno se refere, aqui, a *De auditu kabbalistico*.
54. Idem, p. 161.
55. Idem, p. 162.
56. Idem, p. 163.

Simônides transformou-se em mistagogo, alguém que nos ensinou como unificar a memória no nível celeste e agora nos introduzirá no mundo sobreceleste.

Tudo provém do alto, da fonte das idéias e, de baixo, pode-se ascender a ela. "Que obra maravilhosa será a sua, se você se harmonizar com o opífice da natureza [...] se por meio da memória e do intelecto você compreender a construção do mundo triplo e não sem as coisas nele contidas"[57]. Tais promessas de conformidade com o opífice da natureza inteira nos faz lembrar das palavras de Cornelius Agrippa sobre a ascensão hermética através das esferas como a experiência necessária para a formação de um Mago[58]. Foi a essa experiência que, em sua apoteose no Selo dos Selos, a arte da memória conduziu.

Há páginas notáveis sobre os graus do saber. Mesmo nessas páginas extravagantes, Bruno permanece dentro do contexto dos tratados sobre a memória, em que era usual o esboço da psicologia das faculdades, isto é, o processo pelo qual, segundo a psicologia escolástica, as imagens provenientes de impressões sensoriais passam do *sensus communis* a outros compartimentos da psique. Romberch, por exemplo, tem algumas páginas sobre a psicologia das faculdades, com muitas citações de Tomás de Aquino, ilustradas com o diagrama de uma cabeça humana aberta, para mostrar os compartimentos das faculdades (Fig. 9)[59]. Bruno tem em mente um diagrama como este, um elemento usual em um tratado sobre a memória; mas sua argumentação é contrária à divisão da psique em compartimentos, segundo a psicologia das faculdades. Tais páginas de Bruno[60] são um tipo de manifesto sobre a primazia da imaginação no processo cognitivo. Mas ele recusa um conhecimento dividido em

57. Idem, p. 165.
58. Sobre essa passagem, em Agrippa, e sua influência sobre Bruno, ver *G. B. and H. T.*, pp. 135-6, 239-40.
59. Ver Romberch, *Congestorium artificiosae memoriae*, pp. 11 e ss.; Rossellius, *Thesaurus artificiosae memoriae*, pp. 138 e ss. (também com um diagrama de uma cabeça humana mostrando as faculdades). Um outro tratado que apresenta o diagrama da psicologia das faculdades está em G. Leporeus, *Ars memorativa*, Paris, 1520 (reproduzido em Volkmann, *Ars memorativa*, fig. 172).
60. *Op. lat.*, II (ii), pp. 172 e ss.

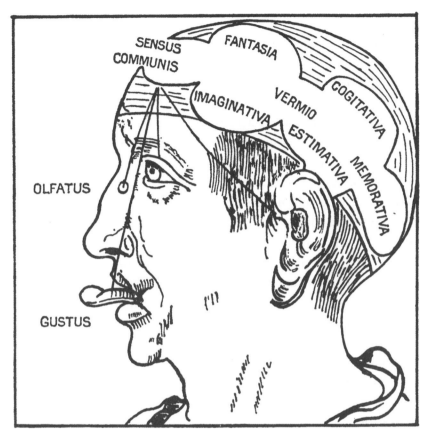

9. Diagrama da Psicologia das Faculdades
Redesenhado de um diagrama de J. Romberch, *Congestorium artificiose memoriae.*

várias faculdades e o vê como um todo, uma unidade. Bruno distingue
quatro graus de conhecimento, sendo aqui influenciado por Plotino: os
sentidos, a imaginação, a razão e o intelecto; mas é cuidadoso quando
abole as divisões arbitrárias e abre as portas entre eles. E, no final, deixa
claro que, em sua visão, o processo de cognição como um todo é, de fato,
unitário e, fundamentalmente, um processo imaginativo.

Ao olhar novamente para "Zeuxis" e "Fídias", percebemos que nesses
dois Selos já apareciam essas afirmações sobre o uso das imagens na memória. Em "Zeuxis", ele diz que o entendimento é a imaginação ou que,

pelo menos, não existe sem ela. É por isso que o único pensador é aquele que pinta ou esculpe imagens na imaginação, e o pensador, o artista e o poeta são uma única e mesma coisa. "Pensar é especular com imagens", falou Aristóteles, e com isso pretendia dizer que o intelecto abstrato deve operar a partir das imagens derivadas das impressões sensoriais. Bruno altera o significado das palavras[61]. Para Bruno não há um intelecto abstrato, enquanto faculdade separada; a mente trabalha apenas com imagens, embora elas tenham diferentes graus de potência.

Dado que a mente divina está universalmente presente no mundo da natureza – continua Bruno, em Selo dos Selos[62] –, o processo que leva ao conhecimento da mente divina deve ser realizado por meio do reflexo das imagens do mundo sensorial no interior da *mens*. Por isso, a função da imaginação – ordenar imagens na memória – é de importância vital para o processo cognitivo. Imagens vitais e estimulantes refletirão a vitalidade e a vida do mundo – e Bruno tem em mente, ao mesmo tempo, as imagens astrais vitalizadas por meio da magia e as imagens impressionantes e estimulantes recomendadas pela regra mnemônica do *Ad Herennium*[63], as quais unificam os conteúdos da memória e estabelecem correspondências mágicas entre os mundos interior e exterior. Imagens devem ser carregadas de sentimentos, especialmente de Amor[64], pois eles têm o poder de penetrar ao mesmo tempo o âmago dos mundos exterior e interior. Temos aqui uma mistura extraordinária: a recomendação da memória clássica, que sugere o uso de imagens carregadas de emoção, é combinada com a utilização, por um mágico, de uma imaginação dotada de carga emotiva que, por sua vez, é combinada com o uso místico e religioso do repertório imagético do amor. Estamos aqui no ambiente dos *Eroici Furori*, de Bruno, com seus conceitos de amor que têm o poder de abrir "as negras portas de diamante" no interior da psique[65].

---

61. Sobre o pensamento confuso de Bruno a esse respeito, ver *G. B. and H. T.*, pp. 335-6.
62. *Op. lat.*, II (ii), pp. 174 e ss. Bruno cita, aqui, a *mens agitat molem*, de Virgílio.
63. Ele alude a isso em uma linguagem obscura; idem, p. 166.
64. Idem, pp. 167 e ss.
65. Bruno, *Dialoghi italiani*, ed. Aquilecchia, p. 969.

Finalmente, no Selo dos Selos, alcançamos o quinto grau do conhecimento, que Bruno classifica em quinze "contrações"[66]. Aqui, ele fala sobre experiências religiosas, sobre bons e maus tipos de contemplação e religião, sobre a boa "religião mágica", que é o melhor tipo, embora apresente falsificações e complementos ruins. Eu discuti essas passagens em meu outro livro[67], no qual apontei que Bruno retoma as idéias de Cornelius Agrippa sobre religião mágica, embora repense tais idéias em termos mais radicais. É agora que ele faz suas afirmações perigosas. Tomás de Aquino é comparado a Zoroastro e Paulo de Tarso, como um dos que atingiram os melhores tipos de "contração"[68]. Períodos de solidão e retiro são necessários para alcançá-los. Do deserto de Horeb, Moisés produziu milagres antes dos magos dos faraós. Jesus de Nazaré não realizou suas obras maravilhosas antes de ser tentado pelo diabo no deserto. Ramon Llull, após ter vivido como eremita, demonstrou sua profundidade em muitas invenções. Paracelso, que se orgulhava do título de eremita, foi o inventor de um novo tipo de medicina[69]. Entre egípcios, babilônios, druidas, persas e muçulmanos, foram os contemplativos que atingiram as "contrações" mais profundas. Porque é uma e mesma faculdade psíquica que opera nas coisas inferiores e superiores; foi ela que produziu todos os grandes líderes religiosos e seus poderes milagrosos.

E Giordano Bruno apresenta-se como um desses líderes, oferecendo uma religião, ou uma experiência hermética, um culto interior iniciático, cujos quatro guias são o Amor, que eleva as almas ao divino por meio de um *furor* também divino; a Arte, que permite a união com a alma do mundo; a *Mathesis*, que é uma utilização mágica de figuras; e a Magia, entendida como magia religiosa[70]. Ao seguirmos esses guias, talvez percebamos os quatro objetos, sendo o primeiro deles a Luz[71]. Essa é

---

66. *Op. lat.*, II (ii), pp. 180 e ss.
67. *G. B. and H. T.*, pp. 271 e ss.
68. *Op. lat.*, II (ii), pp. 190-1.
69. Idem, p. 181.
70. Idem, pp. 195 e ss.; cf. *G. B. and H. T.*, pp. 272-3.
71. *Op. lat.*, II (ii), pp. 199 e ss.

a luz primordial da qual falavam os egípcios – Bruno refere-se, aqui, à passagem sobre a luz original que aparece no *Pimander* hermético. Os caldeus, os egípcios, os pitagóricos e os platônicos, todos os grandes contempladores da natureza adoraram intensamente aquele Sol. Platão chamava-o a imagem do mais elevado deus, os pitagóricos cantavam hinos ao seu raiar, e Sócrates, em êxtase, saudava o pôr do sol.

Com a transformação oculta operada por Bruno, a arte da memória tornou-se uma técnica mágico-religiosa, um modo de se unir à alma do mundo, como parte de um culto hermético iniciático. Esse é o "segredo" revelado no Selo dos Selos quando os Trinta Selos da memória são rompidos.

UMA QUESTÃO surge naturalmente. Seriam os trinta Selos, com toda sua recomendação mnemônica tão complexa (e por isso impenetrável), um tipo de barreira erguida para proteger o Selo dos Selos, para permitir somente ao iniciado atingir o âmago do livro? Sob as formas impossíveis que expunha, Bruno realmente acreditava na arte da memória? Ou isso seria um disfarce, um expediente para produzir uma nuvem de palavras sob a qual ele propagava sua religião iniciática?

Tal pensamento vem quase como um alívio, sugerindo uma explicação parcialmente racional dos Selos. De acordo com tal teoria, os Selos seriam entendidos como apresentações fundamentalmente incompreensíveis de cada tipo de técnica mnemônica; eles seriam ocultos e receberiam o título de *sigilli*, com suas conotações mágicas, com o objetivo de estabelecer uma cortina impenetrável de mistério entre um leitor não iniciado e o Selo dos Selos. Muitos dos leitores, com a intenção de ler o livro desde o início, iriam colocá-lo de lado antes de chegar ao final. Seria isso o que se esperava deles?

Embora seja provável, a meu ver, que o desejo de dissimulação tenha um papel na organização dos livros de Bruno sobre a memória, essa não é certamente a única explicação. Bruno tentava sinceramente fazer algo que pensava ser possível; buscava encontrar os arranjos de imagens significativas que atuariam como um modo de unificação interior. A Arte "pela qual poderíamos nos unir à alma do mundo" é um dos guias de sua religião. Não é um disfarce sob o qual se deve ocultar tal religião; é, antes, uma parte essencial dela, uma de suas principais técnicas.

Além disso, como vimos, os esforços de Bruno em relação à memória não são um fenômeno isolado. Pertencem a uma tradição definida, à tradição oculta do Renascimento, à qual estava ligada a arte da memória sob suas formas também ocultas. Com Bruno, os exercícios de mnemônica hermética tornaram-se os exercícios espirituais de uma religião. E há uma certa grandeza nesses esforços que representam, no fundo, um empenho religioso. A religião do Amor e da Magia é baseada no Poder da Imaginação e em uma Arte das Imagens, pela qual o Mago busca apreender e fixar o Universo, sob todas as suas formas em contínuo estado de mudança. Ele pode conseguir isso utilizando imagens que passam de uma a outra, segundo complexas ordens associativas; elas refletem os movimentos dos céus em constante mudança e são dotadas de carga emotiva, unindo – ou buscando unir – e, com isso, refletindo a grande mônada do mundo em sua imagem, a mente humana. Certamente, há algo que nos faz respeitar uma tentativa de aspirações tão vastas.

QUE TIPO de impressão essa obra extraordinária pode ter causado no leitor elisabetano?

Ele devia saber como era a arte da memória em suas formas mais comuns. No início do século XVI, na Inglaterra e em outros lugares, houvera um crescente interesse laico por essa arte. No livro de Stephen Hawes, *Pastime of Pleasure*, de 1509, a Dama Retórica descreve os lugares e as imagens, e esse talvez tenha sido o primeiro relato em inglês sobre a arte da memória. A edição de 1527 da obra de Caxton, *Mirrour of the World*, contém uma discussão da "Memory Artyfycyall". Os tratados sobre a memória escritos no continente espalharam-se pela Inglaterra e foi publicada uma tradução inglesa da *Phoenix*, de Pedro de Ravena, em 1548[72]. No

---

72. Em Howell, *Logic and Rhetoric in England* (pp. 86-90, 95-8), há citações, sobre a arte da memória, de Hawes, de Caxton, em *Mirrour*, e da tradução de Copland de Pedro de Ravena.

início do período elisabetano, a moda dos manuais de memória tem como exemplo *The Castel of Memorie*[73], uma tradução de William Fulwood de um tratado de Guglielmo Gratarolo. A terceira edição dessa obra, em 1573, foi dedicada a Robert Dudley, conde de Leicester, tio de Philip Sidney – uma indicação de que o nobre italianizado não excluía de seus interesses o estudo da memória. O tratado cita Cícero, Metrodoro (ao mencionar seu sistema zodiacal) e Tomás de Aquino.

Mas, no mundo elisabetano de 1583, as autoridades protestantes que se ocupavam da educação, assim como a opinião pública em geral, opunham-se à arte da memória. A influência de Erasmo sobre o humanismo inglês era muito forte e ele, como vimos, não encorajava tal arte. O educador protestante, Melanchton, muito admirado na Inglaterra, banira da retórica a arte da memória. E para os ramistas puritanos, que naquela época tinham muito poder e voz ativa, a "ordem dialética" desprovida de imagem era a única arte da memória.

Por isso, teria havido forte oposição de meios influentes na Inglaterra a qualquer tentativa de reintroduzir a arte da memória sob suas formas mais comuns. Quais teriam sido as reações à forma extremamente oculta da arte da memória encontrada em *Selos*?

Uma primeira impressão, em um leitor elisabetano que tentava compreender *Selos*, podia ser a de uma espécie de reaparecimento do velho passado papista. As duas artes das quais este italiano singular falava, a arte da memória e a arte de Llull, eram velhas artes medievais, especialmente associadas aos frades: uma, aos dominicanos, e a outra, aos franciscanos. Quando Bruno chegou à Inglaterra, não havia frades dominicanos perambulando pelas ruas de Londres, escolhendo lugares para os seus sistemas de memória, como Fra Agostino, em Florença. Os doutores das modernas Oxford e Cambridge não giravam as rodas da Arte de Llull nem memorizavam os seus diagramas. Os frades haviam sido banidos, e suas amplas residências haviam sido expropriadas ou estavam em ruínas.

---

73. Cf. Howell, p. 143. A primeira edição de *The Castle of Memorie* é de 1562. É, basicamente, um tratado de medicina, como o seu original, com uma seção sobre a memória artificial no final.

A impressão de medievalismo que Bruno e sua Arte podem ter dado em *Selos* iria se confirmar nas passagens de seus diálogos italianos, publicados no ano seguinte, em que ele defende os frades da velha Oxford, desde então menosprezados por seus sucessores, e lamenta a destruição das construções e instituições da época católica na Inglaterra protestante[74].

Sob sua forma medieval, a arte da memória fora parte integrante da civilização medieval na Inglaterra, assim como no resto da Europa[75]. Os frades ingleses, com seus "retratos" de memória, certamente a praticaram[76]. Mas, apesar de Bruno associar a si próprio e a sua arte o nome de Tomás de Aquino, é evidente que não é à forma medieval e escolástica dessa arte que os Selos estão ligados, mas à forma oculta, surgida no Renascimento. Na Itália, como vimos, a forma renascentista desenvolve-se a partir da forma medieval e é venerada artisticamente no Teatro de Camillo. Que eu saiba, um desenvolvimento como esse não ocorreu na Inglaterra.

Em razão das convulsões religiosas ocorridas na Inglaterra, nunca surgiu ali um personagem do tipo do frade do Renascimento. Quando se pensa em Francesco Giorgio, o franciscano de Veneza, que em seu *De harmonia mundi*[77] infundia influências herméticas e cabalistas do Renascimento na tradição medieval sobre a harmonia do mundo, percebe-se que frades renascentistas como ele existiam na Inglaterra apenas como personagens de peças teatrais. O frade inglês remontava ao passado gótico; aqueles que nutriam uma simpatia secreta por esse passado talvez o lamentassem; talvez ele fosse temido pelos supersticiosos, que se perguntavam quais seriam as conseqüências da destruição da velha magia; mas não era um personagem contemporâneo, como o jesuíta. Até o momento em que Giordano Bruno, um ex-frade rebelde, surgiu em cena com uma

---

74. Ver *G. B. and H. T.*, pp. 210 e ss.; e, adiante, pp. 347-9, 387-9.
75. Sobre um tratado anterior a respeito da memória, de Thomas Bradwardine, ver, anteriormente, p. 105. Há rumores de que Roger Bacon escreveu um tratado de *ars memorativa*, mas isso não foi registrado até o momento (ver H. Hajdu, *Das Mnemotechnische Schrifttum des Mittelalters*, Viena, 1936, pp. 69-70).
76. Ver, anteriormente, pp. 126-32.
77. Ver, *G. B. and H. T.*, p. 151.

técnica mágico-religiosa de inspiração hermética, desenvolvida a partir das velhas artes da memória praticadas nos monastérios, um inglês elisabetano sedentário poderia nunca ter encontrado um frade do Renascimento.

O único inglês, ou melhor, galês, que pode ter preparado um pouco a chegada de Bruno é John Dee[78]. Ele sofrera profundamente as influências ocultas do Renascimento, praticando, como Bruno, as receitas mágicas contidas em *De occulta philosophia*, de Cornelius Agrippa. Também estava muito interessado na Idade Média e colecionava os manuscritos desprezados do passado medieval. Dee – sozinho, sem ajuda e sem o apoio de academias místicas como as que floresceram em Veneza – buscava realizar na Inglaterra a transformação renascentista das tradições medievais, o que naturalmente fazia parte do "neoplatonismo" do Renascimento italiano. Dee também pode ter sido, na Inglaterra do século XVI, o único representante da retomada de Llull no Renascimento. Havia manuscritos llullianos em sua biblioteca, listados de forma indiscriminada junto com obras alquímicas pseudollullianas[79] e, sem dúvida alguma, ele partilhava das idéias renascentistas sobre Llull. E Dee é o tipo de pessoa que poderia se interessar pelo tema, tão próximo da arte da memória, sob sua forma adquirida no período do Renascimento.

A *Monas hieroglyphica*[80], de Dee, é um signo composto a partir das figuras dos sete planetas. Parece incompreensível sua alegria pela descoberta desse signo composto. Pode-se sugerir que sua *monas* fosse, talvez, para ele, um arranjo unificado de signos significantes, impregnado de poder astral, que ele acreditava possuir um efeito unificador sobre a psique, compondo-a como *monas*, como o Um, refletindo a *monas* do mundo. Embora Dee não utilize os lugares e as imagens da arte da

---

78. Idem, pp. 148 e ss., 187 e ss.
79. Existe uma cópia da *Ars demonstrativa* de Llull transcrita por Dee na Bodleian Library de Oxford (Digby Ms. 197). Muitas obras llullianas e pseudollullianas estão listadas no catálogo da biblioteca de Dee; ver J. O. Halliwell, *Private Diary of Dr. John Dee and Catalogue of his Library of Manuscripts*, London, Camden Society, 1842, pp. 72 e ss.
80. Reproduzida em *G. B. and H. T.*, Pr. 15 (a).

memória para esse esforço, a suposição subjacente a ele pode não diferir, como sugeri antes[81], da suposição feita por Camillo, quando baseava o Teatro nas imagens e características dos planetas, nem da suposição feita por Bruno, de que as imagens e características astrais têm o poder de unificar a memória.

Portanto, é possível que aqueles que seguiram as lições de John Dee, e que foram talvez por ele iniciados nos mistérios herméticos da *monas*, tenham tido alguma idéia do que Bruno visava com seus sistemas de memória. Sabemos que Philip Sidney, com seus amigos Fulke Greville e Edward Dyer, escolheram Dee como professor de filosofia. Foi a Sidney que Bruno se dirigiu e dedicou duas das obras que publicou na Inglaterra; e duas vezes mencionou Fulke Greville pelo nome. Não sabemos o que Sidney pensava a respeito de Bruno; nenhuma evidência disso chegou até nós. Mas as dedicatórias de Bruno falam de Sidney com grande admiração e é evidente que ele esperava ser compreendido por Sidney e seu círculo.

Será que Sidney teve de se esforçar para compreender *Selos*? Teria ele ido tão longe quanto "Zeuxis", pintando as imagens de memória no interior do ser humano e expondo a teoria renascentista da *ut pictura poesis*? O próprio Sidney expõe essa teoria em *Defence of Poetry* – uma defesa da imaginação contra os puritanos – que ele teria escrito quando Bruno se encontrava na Inglaterra.

Como vimos, *Selos* está bastante relacionada às duas obras publicadas na França, *Sombras* e *Circe*. A *Ars reminiscendi*, que aparece em *Selos*, teria sido reeditada por John Charlewood a partir de uma cópia de *Circe*, e boa parte de *Selos* pode ter sido impressa a partir de manuscritos não publicados que Bruno escrevera na França e levara com ele à Inglaterra. Ele afirma que o Selo dos Selos é parte de sua *Clavis Magna*[82], obra à qual sempre se refere nos livros que publicou na França. *Selos* era essencialmente, portanto, uma repetição ou ampliação do "segredo" que

81. Ver, anteriormente, p. 216, nota 25.
82. *Op. lat.*, II (ii), p. 160.

Bruno, sucessor de Giulio Camillo, trouxera a um rei da França.

A ligação com a França é mantida na dedicatória do livro a Mauvissière, o embaixador francês, em cuja residência londrina Bruno morava[83]. E o novo destino do "segredo", a Inglaterra, é anunciado alto e bom som no pronunciamento ao vice-chanceler e aos doutores da Universidade de Oxford[84]. Pois o lançamento de *Selos*, essa apoteose da memória oculta do Renascimento, foi realizado na Oxford elisabetana, em um discurso em que o autor descreve a si mesmo como "aquele que desperta as almas adormecidas, que doma a ignorância presunçosa e obstinada, que proclama uma filantropia universal". Não foi de maneira comedida ou reservada que Bruno apresentou seu segredo ao público elisabetano, mas da forma mais provocadora possível, anunciando a si próprio como alguém que tinha a coragem e a capacidade de falar a partir de um ponto de vista neutro, nem católico nem protestante, alguém que divulgava uma nova mensagem ao mundo. *Selos* foi o primeiro ato "teatral" da carreira de Bruno na Inglaterra. Essa é a obra a ser estudada primeiro, antes dos diálogos italianos, publicados posteriormente, pois representa a mente e a memória de um Mago que deu à luz tais obras. A visita a Oxford, a controvérsia com os seus doutores, o reflexo disso em *Cena de le Ceneri* e em *De la Causa*, o esboço da reforma moral hermética e o anúncio do iminente retorno da religião hermética, em *Spaccio della Bestia Trionfante*, os êxtases místicos em *Eroici Furori* – todos esses desdobramentos futuros já estão implícitos em *Selos*.

Em Paris, onde o Teatro de Camillo era lembrado, onde um rei místico liderava um obscuro movimento religioso católico, o segredo de Bruno estivera em um ambiente mais apropriado do que aquele que encontrou quando foi lançado abruptamente, como uma bomba, na Oxford protestante.

---

83. Sobre as ligações de Bruno com Mauvissière e Henrique III, e a respeito de sua missão político-religiosa, ver *G. B. and H. T.*, pp. 203-4, 228 e ss.
84. Ver, idem, pp. 205-6, em que cito o discurso de *Selos* dirigido aos doutores de Oxford.

CAPÍTULO 12

O Conflito entre as Memórias de Bruno e Ramus

Em 1584, irrompeu na Inglaterra uma controvérsia extraordinária sobre a arte da memória. Ela foi travada entre um fervoroso discípulo de Bruno e um ramista de Cambridge. Esse debate pode ter sido uma das principais controvérsias do período elisabetano. E é apenas agora, no ponto da história da arte da memória que atingimos aqui neste livro, que podemos começar a compreender o que estava em jogo, qual o significado do desafio lançado por Alexander Dicson[1] ao ramismo, a partir das sombras de sua arte da memória inspirada em Bruno, e as razões pelas quais William Perkins revidou enfurecidamente com uma defesa do método ramista, para ele a única arte da memória verdadeira.

A controvérsia[2] inicia-se com a obra de Dicson, *De umbra rationis*, que é uma imitação muito próxima das *Sombras*, de Bruno – cujo títu-

1. Em vez de modernizá-la, prefiro conservar a ortografia que o próprio Dicson utilizava para o seu nome.
2. A controvérsia aparece em J. L. McIntyre, *Giordano Bruno*, London, 1903, pp. 35-6, e D. Singer, *Bruno His Life and Thought*, New York, 1950, pp. 38-40.pp. Para material novo a respeito da vida de Dicson e proposições valiosas sobre a controvérsia, ver John Durkan, "Alexander Dickson and S. T. C. 6823", *The Bibliothek*, Glasgow University Library, III, 1962, pp. 183-90. A indicação de Durkan, de que "G. P." seria William Perkins, é confirmada pela análise da controvérsia feita aqui neste capítulo.
Alexander Dicson nasceu em Errol, na Escócia; por isso, Bruno o chamava de "Dicsono Arelio". As indicações que Durkan encontrou a seu respeito em vários documentos oficiais sugerem que ele era um agente secreto político. Dicson morreu na Escócia, por volta de 1604.

lo, *De umbris idearum*, ela ecoa. Esse panfleto – dificilmente podemos chamá-lo de livro – leva a data de 1583 em sua página de rosto, mas a dedicatória a Robert Dudley, conde de Leicester, é datada "nas calendas de janeiro". De acordo com a datação moderna, portanto, essa obra foi publicada no início de 1584. Ela trouxe à tona a obra *Antidicsonus*, de 1584, cujo autor se intitulava G. P. Cantabrigiensis. No decorrer deste capítulo, teremos a certeza de que G. P. de Cambridge foi o célebre teólogo puritano e ramista de Cambridge William (Guglielmus) Perkins. Há, ligado ao *Antidicsonus*, um outro pequeno tratado em que G. P. de Cambridge explica com detalhes por que ele se opõe fortemente à "ímpia memória artificial de Dicson". Em *Defensio pro Alexandro Dicsono*, de 1584, este último defendeu-se, sob o pseudônimo de Heius Scepsius. E, no mesmo ano, G. P. atacou novamente com *Libellus de memoria*, seguido, no mesmo volume, por *Admonitiuncula ad A. Dicsonum de artificiosae memoriae, quam publice profitetur, vanitate*[3].

Essa polêmica restringe-se aos limites do tema da memória. Dicson expõe uma memória artificial inspirada em Bruno, que, para Perkins, pode ser considerada um anátema, uma arte ímpia, contra a qual ele recomenda a ordem dialética ramista, como o único meio correto e moral de memorização. Nosso velho amigo, Metrodoro de Scepsis, tem um importante papel nessa disputa elisabetana; pois a qualificação de "scepsista" que Perkins lança contra Dicson é adotada com orgulho por este último em sua defesa, quando se autodenomina Heius Scepsius. Na terminologia de Perkins, um "scepsista" é alguém que utiliza o zodíaco

---

3. Os títulos completos das quatro obras que formam a controvérsia são: Alexander Dicson, *De umbra rationis*, publicada por Thomas Vautrollier, London, 1583-1584; "Heius Scepsius" (*i. e.*, A. Dicson), *Defensio pro Alexandro Dicsono*, impressa por Thomas Vautrollier, London, 1584; "G.P. Cantabrigiensis", *Antidicsonus* e *Libellus in quo dilucide explicatur impia Dicsoni artificiosa memoria*, impressa por Henry Middleton, Londres, 1584; "G.P. Cantabrigiensis", *Libellus de memoria verissimaque bene recordandi scientia* e *Admonitiuncula ad A. Dicsonum de Artificiosae Memoriae, quam publice profitetur, vanitate*, impressa por Robert Waldegrave, London, 1584.
    Não é traço menos curioso da controvérsia o fato de as obras anti-ramistas de Dicson terem sido impressas pelo huguenote Vautrollier, que também imprimiu as primeiras obras ramistas publicadas na Inglaterra (ver Ong, *Ramus*, p. 301).

em sua memória artificial ímpia. A memória oculta do Renascimento, na sua forma extrema, apresentada por Bruno, está em desacordo com a memória ramista e, embora a controvérsia seja sempre, ostensivamente, entre as duas artes da memória em oposição, trata-se, no fundo, de um debate religioso.

Quando o encontramos pela primeira vez, em *De umbra rationis*, Dicson está envolto em sombras herdadas de Bruno. Os interlocutores dos diálogos iniciais movem-se em uma noite profunda de mistérios egípcios. Esses diálogos formam a introdução à arte da memória de Dicson, na qual os *loci* são chamados de "sujeitos" e as imagens de "adjuvantes" ou, mais freqüentemente, *umbrae*[4]. É claro que ele utiliza a terminologia de Bruno. Repete as regras do *Ad Herennium* para os lugares e as imagens de memória, mas envolvidas em uma mística obscura, à maneira de Bruno. A *umbra* ou imagem é como uma sombra da luz da mente divina, que buscamos no meio de suas sombras, vestígios e selos[5]. A memória deve basear-se na ordem dos signos do zodíaco, que Dicson repete[6], apesar de não repetir a lista das imagens dos decanos. E na recomendação de colocar Theutates como representante das letras, Nereu, da hidromancia, Quíron, da medicina, e assim por diante[7], podemos observar traços da lista de inventores de Bruno – mas ela não é citada integralmente. A arte da memória de Dicson é uma impressão fragmentária dos sistemas e explanações de *Sombras*, obra da qual ela é, sem dúvida alguma, derivada.

Os diálogos iniciais compõem o traço de maior destaque da obra, sendo quase tão longos quanto a arte da memória de Bruno, que eles introduzem. Eles se inspiram, obviamente, nos diálogos iniciais de *Sombras*. Devemos lembrar que Bruno introduz o livro *Sombras* com um diálogo entre Hermes (que produz o livro "sobre as sombras das idéias", como uma espécie de escrita interior), Filoteu (que o saúda como um segredo "egípcio") e Logifer, o Pedante (cuja tagarelice é comparada a ruídos

4. Dicson, *De umbra rationis*, pp. 38 e ss.
5. Idem, pp. 54, 62 e ss.
6. Idem, pp. 69 e ss.
7. Idem, p. 61.

de animais e que despreza a arte da memória)[8]. Dicson modifica esses personagens discretamente. Um de seus interlocutores é o mesmo, isto é, Mercúrio (Hermes); os outros são Thamus, Theutates e Sócrates.

O que Dicson tem em mente é a passagem de *Fedro*, de Platão, que citei anteriormente[9], em que Sócrates conta a história da entrevista entre Thamus, o rei egípcio, e o sábio Theut, que acabara de inventar a arte da escrita. Thamus diz que a invenção da escrita não irá aprimorar a memória, e sim destruí-la, porque os egípcios confiarão nesses "caracteres externos que não são parte deles mesmos" e isso desencorajará "o uso da memória que têm dentro de si". Dicson reproduz cuidadosamente esse argumento no diálogo entre o seu Thamus e Theutates.

O Mercúrio do diálogo de Dicson é um personagem diferente de seu Theutates. Isso pode parecer estranho, pois Mercúrio (ou Hermes) Trismegisto é usualmente identificado a Thoth-Hermes, o inventor das letras. Mas Dicson segue Bruno ao fazer de Mercúrio não o inventor das letras, mas da "escrita interior" da arte da memória. Assim, ele representa o saber interior que, segundo Thamus, os egípcios teriam perdido quando foi inventada a escrita exterior, que tem como ferramenta as letras. Tanto para Dicson quanto para Bruno, Mercúrio Trismegisto é o patrono da memória hermética ou oculta.

Em *Fedro*, é Sócrates quem conta a história da reação de Thamus à invenção das letras. Mas, no diálogo de Dicson, Sócrates transformou-se no tagarela pedante, homem superficial, que não consegue compreender a antiga sabedoria egípcia da arte da memória hermética. Foi sugerido[10] – de forma acertada, creio eu – que esse grego pedante e superficial seria uma sátira a Ramus. Tal fato estaria de acordo com a *prisca theologia* ramista, em que Ramus retoma a verdadeira dialética de Sócrates[11]. O Sócrates-Ramus de Dicson seria o professor de um método dialético superficial e falso, enquanto o seu Mercúrio é o expoente de uma sa-

8.   Ver, anteriormente, pp. 254-6, e *G. B. and H. T.*, pp. 192-3.
9.   Ver, anteriormente, p. 60.
10. De Durkan, art. cit., pp. 184-5.
11. Ver, anteriormente, pp. 300-1.

bedoria superior e mais antiga, aquela dos egípcios, como representada pela escrita interior da memória oculta.

Uma vez compreendidas a origem e a significação dos quatro interlocutores, o diálogo que Dicson lhes atribui torna-se compreensível – ou, pelo menos, compreensível em função de seus próprios termos de referência.

Mercúrio diz que vê diante de si um grande número de animais. Thamus afirma que vê homens e não animais, mas Mercúrio insiste que esses homens são animais sob a forma humana, pois a verdadeira forma do ser humano é a *mens* e que, por terem negligenciado sua forma verdadeira, foram rebaixados às formas animais e ficaram sujeitos às "punições da matéria" (*vindices materiae*). Thamus pergunta: "O que você quer dizer com punições da matéria?" Mercúrio, por sua vez, responde: "Trata-se do duodenário excluído pelo denário"[12].

Essa é uma referência ao décimo terceiro tratado do *Corpus Hermeticum*, em que é descrita a experiência regenerativa hermética, pela qual a alma escapa do domínio da matéria – descrita como as doze "punições" ou vícios – e recebe os dez poderes ou virtudes[13]. A experiência é a de uma ascensão às esferas, onde a alma abandona as influências materiais ou ruins provindas do zodíaco (o duodenário). Ela ascende às estrelas em suas formas puras, que não estão contaminadas pelas influências materiais, onde é preenchida com os poderes ou as virtudes (denário) e canta o hino da regeneração. É isso o que Mercúrio quer dizer no diálogo de Dicson, quando afirma que o "duodenário" da imersão na matéria e nas formas animais deve ser abandonado em favor do "denário", quando a alma recebe os poderes divinos, no momento da experiência hermética regenerativa.

Nesse momento, Thamus descreve Theutates como um animal, e este último protesta violentamente: "Você me calunia, Thamus [...] o emprego das letras, da matemática, é obra de animais?" Nos mesmos

---

12. *De umbra rationis*, p. 5.
13. *Corpus Hermeticum*, ed. Nock-Festugière, II, pp. 200-9; cf. *G. B. and H. T.*, pp. 28-31.

termos do discurso de Platão, Thamus responde que, quando ele se encontrava em uma cidade conhecida como Tebas egípcia, os homens escreviam em suas almas com o conhecimento e que, então, Theutates vendera-lhes uma ajuda nociva para a memória ao inventar as letras. Isso trouxera consigo a superficialidade, as disputas, e tornara o ser humano pouco superior aos animais[14].

Louvando sua grande invenção das letras, Sócrates vem em defesa de Theutates, desafiando Thamus a provar que, quando os homens as conheceram, passaram a estudar menos a memória. Thamus lança-se então em uma invectiva apaixonada contra Sócrates. Como sofista e mentiroso, ele teria suprimido todos os critérios de verdade e reduzido os homens sábios a crianças espertas em discussões; não saberia nada a respeito de Deus e não O buscaria em seus vestígios e sombras na *fabrica mundi*; não conseguiria perceber nada do que é belo e bom, pois a alma não pode perceber tais coisas quando está envolta nas paixões do corpo; encorajaria tais paixões, ao imprimir a cobiça e a cólera, e estaria submerso na escuridão material, embora vangloriando-se de possuir um conhecimento superior: "pois, a menos que uma *mens* esteja presente e que os homens estejam imersos na taça (*crater*) da regeneração, é em vão que os louvores os tornam cheios de glória"[15]. Novamente, há aqui uma referência à regeneração hermética, à imersão na "taça" regeneradora, que é o tema do quarto tratado do *Corpus Hermeticum*, "Hermes para Tat sobre a Cratera ou a Mônada"[16].

Sócrates esforça-se em sua defesa e contra-ataca, por exemplo, ao reprovar Thamus por nunca ter escrito nada. Tendo em vista o tema dos diálogos, essa linha de defesa é um erro. Ele é esmagado pela réplica de Thamus, que diz ter escrito "nos lugares de memória"[17] e, assim, é desacreditado, considerado um grego presunçoso.

14. *De umbra rationis*, pp. 6-8. A insistência nas formas bestiais do ser humano, que não pode ser regenerado pela experiência hermética, pode ter relação com a obra de Bruno, *Circe*, em que a magia de Circe parece ser interpretada como moralmente útil, ao evidenciar as características dos homens semelhantes às das bestas (ver *G. B. and H. T.*, p. 202.)
15. *De umbra rationis*, p. 21.
16. *Corpus Hermeticum*, ed. cit., I, pp. 49-53.
17. *De umbra rationis*, p. 28.

A apresentação dos gregos – superficiais, amantes das discussões e desprovidos de uma sabedoria mais profunda – tinha uma longa história atrás de si, mas na forma de uma antítese greco-troiana, sendo os troianos o povo mais sábio e profundo[18]. Os diálogos de Dicson contra os gregos são reminiscentes dessa tradição, sendo os egípcios os representantes da sabedoria e virtude superiores. Em sua oposição entre gregos e egípcios, Dicson pode ter sido influenciado pelo décimo sexto tratado do *Corpus Hermeticum*, em que o rei Amon recomendava que o tratado não fosse traduzido do egípcio para o grego, uma língua vazia e vã, pois a "virtude eficaz" da língua egípcia seria perdida ao ser traduzida para o grego[19]. Dicson teria conhecimento, por meio da passagem platônica que utilizava, de que Amon e Thamus eram o mesmo deus. Isso poderia ter-lhe sugerido a transformação do Thamus da história platônica no oponente à futilidade grega, representada por Sócrates. Se Dicson vira o décimo sexto tratado do *Corpus Hermeticum*, na tradução latina de Ludovico Lazzarelli[20], pode também ter visto o *Crater Hermetis*, em que Lazzarelli descreve a maneira pela qual um mestre transmite a seu discípulo uma experiência hermética regeneradora[21].

Quando Mercúrio cita alguns trechos de *Hermetica*, ele supostamente estaria citando as suas próprias obras. Ele fala como Mercúrio Trismegisto, o professor da antiga sabedoria egípcia contida nos escritos herméticos. E é o mesmo Mercúrio que ensina a "escrita interior" da memória oculta. O discípulo de Bruno deixa muito claro aquilo que já compreendemos das próprias obras de Bruno sobre a memória, ou seja, que a arte da memória, como ensinada por ele, estava muito ligada a um culto religioso hermético. O tema dos diálogos mais interessan-

---

18. A oposição entre gregos e troianos tem a sua origem, é claro, em Virgílio.
19. *Corpus Hermeticum*, ed. cit., II, p. 232.
20. O décimo sexto tratado do *Corpus Hermeticum* não foi incluído na tradução latina de Ficino dos quatorze primeiros tratados que Dicson provavelmente utilizava. Essa parte foi publicada, pela primeira vez, em 1507, na tradução latina de Lazzarelli. Propus que Bruno conhecia esse tratado (*G. B. and H. T.*, pp. 263-4).
21. Sobre a extraordinária obra de Lazzarelli, *Crater Hermetis*, ver Walker, *Spiritual and Demonic Magic*, pp. 64-72; *G. B. and H. T.*, pp. 171 e ss.

tes de Dicson é que a escrita interior da arte da memória representa a profundidade e a intuição espiritual egípcias, que transporta com ela as experiências egípcias de regeneração, tal como descritas por Trismegisto e é, também, a antítese dos comportamentos animais, da frivolidade e superficialidade gregas, dos que não tiveram a experiência hermética, dos que não atingiram a gnose, não viram os vestígios divinos na *fabrica mundi*, dos que não se uniram a esse divino ao refleti-lo dentro de si.

Dicson experimenta uma repulsa tão forte às supostas características gregas, que chega mesmo a negar que tenha sido o grego Simônides o inventor da arte da memória. Foram os egípcios que a inventaram[22].

Essa obra pode ter uma importância desproporcional ao seu tamanho, pois Dicson, mais que o próprio Bruno, deixa claro que a memória deste último implicava um culto hermético. A arte da memória de Dicson é apenas um reflexo subjetivo de *Sombras*. O mais importante em sua pequena obra são os diálogos, ampliados a partir dos diálogos de *Sombras*, e neles se encontram citações literais dos tratados herméticos de regeneração. Aqui existem fortes e indiscutíveis influências herméticas de caráter religioso, relativas a uma arte da memória hermética.

O FATO de que tudo se encaixa perfeitamente e que G. P. de Cambridge saiu em defesa de Ramus e atacou a memória artificial ímpia de Dicson, aumenta a probabilidade de o Sócrates de Dicson ser um retrato satírico de Ramus. Na dedicatória de *Antidicsonus* a Thomas Moufet, Perkins afirma que há dois tipos de arte da memória: um que utiliza lugares e *umbra*, e outro que recorre à disposição lógica, como ensinava Ramus. O primeiro é totalmente inútil; o segundo é o único método verdadeiro. Deve-se evitar os exibicionistas da memória – Metrodoro, Rossellius, Nolanus e Dicson – e aderir totalmente à fé dos ramistas[23].

22. Na arte da memória que acompanha os diálogos, Dicson afirma que "aquele de Ceos", ou seja, Simônides de Ceos, é falsamente tido como o inventor da arte que originalmente veio do Egito. "E, separada do Egito, ela perde seu efeito". Ele acrescenta que os druidas podem tê-la conhecido (*De umbra rationis*, p.37).

23. *Antidicsonus*, dedicatória a Thomas Moufet.

Nolanus, eis o nome que interessa. Giordano Bruno, de Nola, que no ano anterior lançara *Selos* em Oxford, era o verdadeiro iniciador deste debate. Perkins o vê associado a Metrodoro de Scepsis e Rossellius, autor dominicano de um tratado sobre a memória. Ele também tem consciência da ligação de Dicson com Bruno, embora no *Antidicsonus* não faça referência, até onde sei, às obras de Bruno sobre a memória. Ele se opõe apenas à obra do discípulo, a *De umbra rationis*, de Alexander Dicson.

Ele diz que o estilo latino de Dicson é obscuro e não recende a "pureza romana"[24]; que o seu uso dos signos celestes na memória é absurdo[25]; que todos esses absurdos deveriam ser eliminados, pois a disposição lógica é a única disciplina válida para a memória, como ensina Ramus[26]. Diz, ainda, que a alma de Dicson é cega e errante, e não conhece nada da verdade e do bem[27]; que todas as suas imagens e *umbrae* são completamente vãs, pois, na disposição lógica, tem-se um poder natural de memorização.

Os argumentos de Perkins estão cheios de reminiscências de Ramus e, com freqüência, ele cita verbalmente o seu mestre, fornecendo referências. "Abra seus ouvidos", clama a Dicson, "escute as palavras de Ramus contra você e reconheça o imenso curso de seu gênio"[28]. Então, ele cita a *Scholae dialeticae*, sobre o valor superior que a disposição lógica tem para a memória, em comparação à arte da memória baseada nos lugares e nas imagens[29]. Cita, ainda, duas passagens da *Scholae rhetoricae*. A primeira é uma das afirmações habituais de Ramus sobre a ordem lógica como a base da memória[30]; a segunda é uma outra passagem que compara a memória ramista com a arte clássica, desaconselhando a última:

24. Idem, p. 17.
25. Idem, p. 19.
26. Idem, p. 20.
27. Idem, p. 21.
28. Idem, p. 29.
29. Idem, pp. 29-30. Cf. Ramus, *Scholae in liberales artes*, Bâle, 1578, col. 773 (*Scholae dialecticae*, lib. xx).
30. *Antidicsonus*, p. 30. Cf. Ramus, *Scholae*, ed. cit., col. 191 (*Scholae rhetoricae*, lib. 1).

Se há uma arte que pode ajudar a memória é a ordem e a disposição das coisas, o fato de se fixar na alma aquilo que vem em primeiro lugar, em segundo, em terceiro. Ao passo que esses lugares e essas imagens, de que se fala vulgarmente, são incoerentes e justamente ridicularizados por todos os mestres das artes. Quantas imagens seriam necessárias para relembrar as *Philippicas* de Demóstenes? Somente a disposição dialética é a doutrina da ordem; apenas a partir dela a memória pode buscar ajuda e sustentação[31].

O *Antidicsonus* é seguido do *Libellus in quo dilucide explicatur impia Dicsoni artificiosa memoria*, em que Perkins analisa as regras do *Ad Herennium*, citadas por Dicson, opondo-lhes, em detalhe, a disposição lógica de Ramus. Em um certo momento desse processo um tanto monótono, Perkins torna-se muito interessante e até cômico, embora involuntariamente. É quando ele fala a respeito da "animação" das imagens de memória em Dicson. Este último adotara o estilo obscuro de Bruno para se referir à regra clássica de que as imagens devem ser impressionantes, ativas, incomuns e capazes de estimular a memória pela emoção. Perkins acredita que o uso de tais imagens não é somente muito inferior, em termos intelectuais, à disposição lógica, mas é também moralmente repreensível, pois essas imagens despertam as paixões. Aqui, ele menciona Pedro de Ravena que, em seu livro sobre a memória artificial, sugeriu aos jovens a utilização de imagens libidinosas[32]. Isso deve ser uma referência às observações de Pedro sobre como ele utilizou a imagem de sua namorada, Ginevra da Pistoia, seguramente para estimular sua memória, já que ela lhe foi tão cara na juventude[33]. Perkins eleva as mãos aos céus, em um gesto puritano de horror, diante de uma tal sugestão que, claramente, visa a despertar afetos considerados negativos para estimular a memória. É evidente que uma arte como essa não serve para pessoas devotas, mas foi criada por ímpios, de espírito perturbado, que desconsideram toda a lei divina.

31. *Antidicsonus, loc. cit.*; cf. Ramus, *Scholae*, ed. cit., col. 214 (*Scholae rhetoricae*, lib. III).
32. *Antidicsonus*, p. 45.
33. Ver, anteriormente, p. 151.

Podemos estar na pista de um motivo por que o ramismo era tão popular entre os puritanos. O método dialético era asséptico em termos emocionais. Memorizar versos de Ovídio por meio da disposição lógica ajudaria a esterilizar os afetos perturbadores despertados pelas imagens de Ovídio.

A outra obra de Perkins contra Dicson, publicada no mesmo ano de 1584, é o *Libellus de memoria verissimaque bene recordandi scientia*, que é uma outra exposição da memória ramista, com muitos exemplos de análise lógica que permitem memorizar trechos de poesia e prosa. Em uma epístola que precede a obra, Perkins fornece um breve histórico da arte clássica da memória, inventada por Simônides, aperfeiçoada por Metrodoro, comentada por Tullius e Quintiliano e, em tempos mais recentes, por Petrarca, Pedro de Ravena, Buschius[34] e Rossellius. O que significa tudo isto? – pergunta-se Perkins. Não há nada proveitoso ou sábio nisso, mas certamente parece haver "algum tipo de barbárie e de "dunsicalidade"[35]. É interessante o uso da palavra "dunsicalidade"; ela remete ao brado de "dunses", utilizado pelos extremistas protestantes contra os adeptos da velha ordem católica. É uma palavra que encorajou a queima dos manuscritos de John Duns Scot nas fogueiras, quando os reformadores "limparam" as bibliotecas dos monastérios. Para Perkins, a arte da memória tem traços medievais; seus intérpretes não falam com uma "pureza romana"; ela pertence aos velhos tempos de barbárie e "dunsicalidade".

As *Admonitiuncula* a Alexander Dicson que vêm a seguir retomam a mesma linha de *Antidicsonus*, embora com uma atenção mais precisa em relação à "astronomia" em que Dicson baseia a memória, e que Perkins demonstra ser falsa. Temos aqui uma importante reação contra a astrologia, a qual demanda um estudo cuidadoso. Perkins faz uma tentativa racional de minar os alicerces da memória artificial "scepsista", ao atacar as pressuposições astrológicas em que ela se baseia. Contudo, a racionalidade impressa por Perkins nessas páginas é encoberta, em alguma

---

34. H. Buschius, *Aureum reminiscendi... opusculum*, Colônia, 1501.
35. *Libellus de memoria*, pp. 3-4 (dedicatória a John Verner).

medida, quando descobrimos o principal motivo por que é errado utilizar a "astronomia" na memória. A astronomia seria uma arte "especial", enquanto a memória, parte da retórica-dialética, seria uma arte "geral"[36]. Aqui, Perkins acompanha cegamente a nova e arbitrária classificação ramista das artes.

No final das *Admonitiuncula*, a argumentação é resumida em uma passagem, na qual Dicson é exortado a comparar sua memória artificial com o método ramista. O método promove o registro na memória por meio de uma ordem natural. Mas a sua memória artificial, Dicson, foi forjada artificialmente por "gregos desprezíveis". O método utiliza lugares verdadeiros, colocando os conceitos "gerais" no lugar mais elevado, os conceitos "subalternos" (subordinados) no lugar intermediário e os conceitos "especiais" (particulares) no lugar mais baixo. Mas, na sua arte, de que tipo são os lugares, verdadeiros ou fictícios? Se você diz que são verdadeiros, mente; se diz que são fictícios, estarei de acordo, já que, com isso, você cobre a sua arte de opróbrio. No método, as imagens são claras, distintas, visivelmente delimitadas, não são sombras fugidias, como na sua arte. "Por isso consideramos o método vitorioso e o preferimos àquela disciplina da memória, frágil e fraca"[37]. A passagem mostra, de modo interessante, como o método se desenvolveu a partir da arte clássica da memória, embora fundamentalmente oposto a ela na questão essencial das imagens. Perkins utiliza a terminologia da arte clássica, mas a coloca contra essa mesma arte e a aplica ao método.

A obra de Dicson, *Defensio pro Alexandro Dicsono*, destaca-se principalmente pelo pseudônimo de "Heius Scepsius", sob o qual é publicada. "Heius" refere-se provavelmente ao nome de solteira de sua mãe, "Hay"[38]. "Scepsius", por sua vez, é certamente um registro relativo a Metrodoro de Scepsis – e a Giordano Bruno – que utiliza o zodíaco no campo da memória.

36. As *Admonitiuncula* que seguem o *Libellus* estão sem número de página. Esta passagem está em Sig. c 8 *verso* das *Admonitiuncula*.
37. *Libellus: Admonitiuncula*, Sig. E i.
38. Cf. Durkan, art.cit., p. 183.

Essa controvérsia confirma plenamente a visão de Ong de que o método ramista era, antes de mais nada, um método de memorização. Perkins fundamenta sua posição na idéia de que o método ramista é uma arte da memória superior à arte clássica da memória, como o próprio Ramus também o disse; por isso, essa última deve ser descartada e substituída. Perkins também confirma a hipótese, levantada no último capítulo, de que o tipo de memória artificial baseada em Bruno teria parecido, aos olhos da Inglaterra elisabetana, uma retomada medieval. Para Perkins, a arte de Dicson evoca o passado, a época ruim da ignorância e da "dunsicalidade".

Se a batalha se desenvolve inteiramente em termos de memória, é porque os oponentes pensam em seus respectivos métodos como artes da memória. Mas existem, obviamente, outras implicações nessa batalha. Cada um pensa que sua própria arte da memória é moral, virtuosa e verdadeiramente religiosa, enquanto a do oponente é imoral, irreligiosa e vã. Um Egito dotado de profundidade e uma Grécia superficial ou, ao contrário, um Egito supersticioso e ignorante e uma Grécia reformada e puritana apresentam diferentes artes da memória. De um lado, temos a arte "scepsista", de outro, o método ramista.

A PROVA da identidade de G. P. é encontrada no fato de que – em sua obra *Prophetica*, publicada sob seu próprio nome, em 1592 – Perkins ataca a arte clássica da memória em termos similares aos desenvolvidos por G. P. *Profhetica* foi classificada por Howell como a primeira obra de um inglês que aplica o método ramista à pregação. Howell também observa que, nela, Perkins ordena o emprego do método ramista para a memorização dos sermões e a recusa da memória artificial e de seus lugares e imagens[39]. A passagem contra a memória artificial é a seguinte:

> A memória artificial que consiste em lugares e imagens ensina como fixar facilmente e sem grande trabalho as noções em nossa memória. Mas isso não deve ser aprovado (pelas seguintes razões). 1. A animação das imagens, chave

39. W.S. Howell, *Logic and Rhetoric in England*, pp. 206-7.

da memória, é ímpia: porque ela suscita pensamentos absurdos, insolentes, prodigiosos e outros que estimulam e acendem sentimentos carnais e depravados.
2. Ela sobrecarrega a mente e a memória porque impõe a esta uma tarefa tripla
em vez de uma única: primeiro, (a memorização de) lugares; depois, de imagens;
por último, daquilo de que se vai falar[40].

PODEMOS RECONHECER, nessas palavras de Perkins, o pregador puritano, o G. P. que escreveu contra a memória artificial ímpia de Dicson e que deplorava as imagens libidinosas recomendadas por Pedro de
Ravena. O turbilhão do tempo transformou o Tullius medieval – que
trabalhava duro para formar as imagens memoráveis das virtudes e dos
vícios, a fim de desviar o homem do Inferno e encaminhá-lo ao Paraíso –
em um indivíduo lascivo e imoral, que deliberadamente despertava as
paixões carnais por meio de suas similitudes corporais.

Entre as outras obras religiosas de Perkins está *A Warning against
the Idolatrie of the Last Times*, uma advertência transmitida com severa insistência, porque "os resquícios do papismo encontram-se ainda
presentes na mente de muitos"[41]. Em suas residências, as pessoas con-
servam e ocultam "ídolos, isto é, imagens mal-empregadas, com o objetivo de idolatria"[42]. E é preciso assegurar-se de que tais ídolos sejam
abandonados e de que todos os vestígios da idolatria passada sejam des-
truídos, em todos os lugares onde ainda existam. Além do iconoclasmo
ativo e urgente, Perkins também adverte contra a teoria subjacente às
imagens religiosas:

Os gentios diziam que as imagens erigidas eram elementos ou letras que permi-
tiam o conhecimento de Deus; é o que dizem os papistas, quando proclamam
que as imagens são os livros dos leigos. O mais sábio dentre os gentios utilizava
imagens e outras cerimônias para obter a presença dos anjos e dos poderes ce-

---

40. W. Perkins, *Prophetica sive de sacra et unica ratione concionandi tractatus*, Cambridge, 1592,
Sig. F viii *recto*.
41. W. Perkins, *Works*, Cambridge, 1603, p. 811.
42. Idem, p. 830.

lestiais, para atingir, por meio deles, o conhecimento de Deus. O mesmo fazem os papistas com as imagens dos anjos e santos[43].

Mas isso é proibido, pois "não podemos ligar a presença de Deus, a ação de seu espírito, e sua atenção conosco, a uma coisa à qual Deus não tenha Ele mesmo se ligado [...] Ora, Deus não ligou, por meio de qualquer palavra, Sua presença às imagens"[44].

ALÉM DISSO, a proibição em relação às imagens aplica-se tanto ao mundo interior quanto ao exterior, "assim que a mente forma em si mesma uma imagem de Deus (como quando, à maneira dos papistas, Ele é concebido como um velho homem sentado em um trono no Céu, com um cetro em Suas mãos), um ídolo é criado na mente"[45]. Essa proibição deve ser aplicada a qualquer uso da imaginação: "Uma coisa criada na mente pela imaginação é um ídolo"[46].

Devemos compreender a controvérsia entre Perkins e Dicson sobre um fundo de construções em ruínas, de imagens despedaçadas e deformadas – um pano de fundo sempre presente na Inglaterra elisabetana. Devemos recriar os velhos hábitos mentais, a arte da memória como era praticada desde tempos imemoriais, utilizando velhos edifícios e imagens, refletidos interiormente. O "homem ramista" deve esmagar as imagens tanto do mundo interior quanto do exterior, deve substituir a velha arte da idolatria pela nova técnica de memorização, que troca as imagens pela ordem dialética abstrata.

E se a velha memória medieval estava errada, o que dizer da memória oculta do Renascimento? A memória oculta vai em direção diametralmente oposta à da memória ramista, e enfatiza, sobretudo, o emprego da imaginação condenado pelo ramismo; ela ressalta o seu poder mágico. Ambos os lados acreditam que seu método é correto e

---

43. Idem, p. 833.
44. Idem, p. 716.
45. Idem, p. 830.
46. Idem, p. 841.

religioso, sendo o de seu adversário tolo e perverso. É com paixão religiosa exagerada que o Thamus de Dicson ataca o Sócrates argumentador, que reduz homens sábios a garotos, que não estuda o caminho do céu, que não busca a Deus em seus vestígios e suas *umbrae*. Como disse Bruno, ao resumir a oposição no plano religioso que encontrara na Inglaterra: "Eles rendem graças a Deus por lhes ter concedido a luz que conduz à vida eterna, com o mesmo fervor e a mesma convicção quando nos rejubilamos com o fato de nossos corações não serem cegos e sombrios como os deles"[47].

Assim, na Inglaterra, travava-se uma batalha no campo da memória. Uma guerra se desenrolava na psique, e as questões em jogo eram amplas. Não se tratava apenas de uma disputa entre o velho e o novo. Ambos os lados eram modernos. O ramismo era moderno. E as memórias de Bruno e Dicson estavam tingidas de influências herméticas do Renascimento. Suas artes eram mais ligadas ao passado, devido ao uso de imagens, do que o método ramista. Entretanto, a arte deles não era a arte medieval da memória; era a arte sob sua forma renascentista.

ESSAS QUESTÕES extremamente importantes não estavam envolvidas em segredo. Pelo contrário, eram muito divulgadas. A espetacular controvérsia entre Dicson e Perkins estava ligada a Bruno, à sua bomba ainda mais sensacional, *Selos*, e à sua discussão em Oxford. Duas universidades enfrentaram, cada qual, Bruno e Dicson. A disputa entre Dicson e um ramista de Cambridge tinha um equivalente na disputa entre Bruno e os aristotélicos de Oxford, cujos resultados aparecem em *La Cena de le ceneri*, publicada em 1584, o mesmo ano da controvérsia entre Dicson e Perkins. Embora houvesse alguns ramistas em Oxford, essa cidade não era um centro do ramismo como Cambridge. E os doutores de Oxford que se opuseram à exposição por Bruno da magia ficiniana em um contexto de heliocentrismo coperniciano não eram ramistas, pois na sátira de que são objeto em *Cena* são chamados

---

47. *Dialoghi italiani*, ed. cit., p. 47. Bruno diz isso em *Cena de le ceneri*, publicada em 1584.

de pedantes aristotélicos. Os ramistas eram, naturalmente, antiaristotélicos. Já relatei, em outra oportunidade, a história do conflito entre Bruno e Oxford e sua repercussão em *Cena*[48]. Aqui, minha intenção é apenas a de chamar a atenção à coincidência entre a controvérsia de Bruno e Oxford, e à disputa que, ao mesmo tempo, ocorre entre seu discípulo e Cambridge.

Em *De la causa, principio e uno*, também publicada no turbulento ano de 1584, Bruno revela, na dedicatória ao embaixador da França, que havia grande agitação a sua volta. Ele se diz perseguido por uma rápida torrente de ataques: a inveja dos ignorantes, a presunção dos sofistas, a difamação dos malevolentes, a suspeita dos tolos, o zelo dos hipócritas, o ódio dos bárbaros, a fúria da multidão – para mencionar apenas alguns dos grupos de adversários nomeados por ele. Diante de tudo isso, o embaixador foi como uma rocha que o protegeu, firme no oceano e imóvel em meio à fúria das ondas. Com a ajuda do embaixador, ele escapou dos perigos dessa grande tempestade e, como prova de gratidão, dedicou-lhe uma nova obra[49].

O primeiro diálogo de *De la causa*, embora se inicie com uma visão do sol da nova filosofia do Nolano (isto é, de Bruno), está cheio de referências às agitações sociais. Eliotrópio (cujo nome remete ao heliotrópio, a flor que segue o movimento do Sol) e Armesso (possivelmente uma versão de Hermes)[50] dizem a Filoteu, o filósofo (o próprio Bruno), que houvera muitas críticas hostis a sua *Cena de le ceneri*. Armesso espera que a nova obra "não se torne objeto de comédias, tragédias, lamentações, diálogos e de outros escritos parecidos àqueles que surgiram há pouco tempo e que obrigaram você a permanecer retirado em casa"[51]. Diz-se que ele tomou para si uma carga muito pesada para alguém que não se encontra em seu próprio país. A isso, o filósofo responde que é um erro matar um doutor estrangeiro porque ele pesquisa tratamentos

48. *G. B. and H. T.*, pp. 205-11, 235 e ss.
49. *Dialoghi italiani*, ed. cit., pp. 176-7.
50. Como proposto por D. Singer, *Bruno*, p. 39, nota.
51. *Dialoghi italiani*, ed. cit., p. 194.

desconhecidos dos habitantes do país[52]. Indagado sobre o que lhe dá confiança em si mesmo, ele responde que é a inspiração divina que sente dentro de si. Armesso observa: "Poucas pessoas compreendem esse seu gênero de mercadoria"[53]. Diz-se que, nos diálogos de *Cena*, ele cobriu de insultos todo um país. Armesso acredita que a maior parte de suas críticas são justificadas, apesar de ter sido atingido no ataque a Oxford. Diante de tais palavras, o homem de Nola se retrata das críticas aos doutores de Oxford, por meio de um louvor aos frades da Oxford medieval, que os homens da época desprezavam[54]. O diálogo possui muita matéria inflamável, o que não contribuiu para acalmar a situação agitada.

Armesso espera que os interlocutores dos novos diálogos não causem tantas dificuldades como fizeram aqueles de *Cena de le ceneri*. É dito a ele que um dos interlocutores será "aquele amigo inteligente, honesto, gentil, distinto e confiável, Alexander Dicson, tão caro ao homem de Nola"[55]. E, de fato, "Dicsono" é um dos personagens principais em *De la causa*. Em seu primeiro diálogo, essa obra reflete os ataques de Bruno a Oxford e a agitação que causaram; nos quatro diálogos seguintes, recorda as façanhas de Dicson e do ramista de Cambridge, apresentando "Dicsono" como um dos interlocutores principais e como fiel discípulo de Bruno.

A presença de Dicsono no diálogo dá muito peso à observação, feita não por ele mas por outro interlocutor, sobre "o arquipedante da França". Fica claro que o dito arquipedante é Ramus, pelas palavras que se seguem e que o descrevem como o autor de "*Scole sopra le arte liberali* e de *Animadversioni contra Aristotele*"[56]; trata-se das versões italianas dos títulos de duas das obras mais conhecidas de Ramus, citadas livremente por Perkins, quando ele refuta a "memória aritificial ímpia" de Dicson.

52. Idem, p. 201.
53. Idem, *loc. cit.*
54. Idem, pp. 209-10; cf. *G. B. and H. T.*, p. 210.
55. *Dialoghi italiani*, p. 214.
56. Idem, p. 260.

Em seu conjunto, entretanto, os quatro últimos diálogos de *De la causa* não são abertamente polêmicos. Eles constituem uma outra exposição da filosofia de Nola, segundo a qual a substância divina pode ser percebida como vestígios e sombras no interior da matéria[57]; o mundo é animado por uma alma universal[58]; o *spiritus* do mundo pode ser apreendido por processos mágicos[59]; a matéria subjacente a todas as formas é divina e não pode ser destruída[60]; o intelecto do ser humano foi denominado deus por Trismegisto e outros teólogos[61]; o Universo é uma sombra através da qual o sol divino pode ser percebido; os segredos da natureza podem ser revelados por uma magia profunda[62]; o Todo é Um[63].

O pedante Polínio se opõe à filosofia acima, mas o discípulo Dicsono apóia seu mestre integralmente, fazendo as perguntas certas para que a sabedoria do mestre possa se revelar, e concordando seriamente com tudo o que este lhe diz.

Assim, na atmosfera intensa de 1584, o próprio Bruno anuncia Alexander Dicson como seu discípulo. O agitado público elisabetano é lembrado de que "Nolanus" e "Dicsonus" pertencem ao mesmo campo. A obra *De umbra rationis*, de Dicson, não é nada mais do que a voz de Bruno, que expõe a mesma arte da memória, "scepsista" e misteriosa, que aparece também em *Sombras* e *Selos*, e que pertence à filosofia hermética do homem de Nola.

A partir do momento em que a arte da memória se tornara um assunto inflamado, a publicação, por volta de 1585 ou antes, de um *Compendium memoriae localis* foi uma audácia de Thomas Watson, poeta e membro do círculo de Sidney. Essa obra parece ser uma exposição perfeitamente ortodoxa da arte clássica da memória enquanto mnemônica racional, e fornece as regras com exemplos de sua aplicação. Em

57. Idem, pp. 227-8.
58. Idem, p. 232.
59. Idem, pp. 242 e ss.
60. Idem, pp. 272-4.
61. Idem, p. 279.
62. Idem, p. 340.
63. Idem, pp. 342 e ss.

seu prefácio, Watson procura cuidadosamente se dissociar de Bruno e Dicson. "Temo que, se minha pequena obra (*nugae meae*) for comparada aos *Sigilli*, obra mística e profundamente erudita de Nolano, ou com *Umbra artificiosa*, de Dicson, ela possa trazer mais difamação ao autor do que ser útil ao leitor"[64].

O livro de Watson mostra que a arte clássica da memória ainda era popular entre os poetas. Publicar uma "memória local" nessa época significava posicionar-se contra o ramismo puritano. Como mostra seu prefácio, ele estava plenamente consciente de que Bruno e Dicson dissimulavam outras questões em suas artes da memória.

Onde se situava Philip Sidney, o líder do Renascimento poético elisabetano, no meio de todas essas controvérsias? Porque, como se sabe, Sidney se identificava muito com o ramismo. Sir William Temple, um eminente membro da escola de Cambridge, era seu amigo e, naquele ano decisivo de 1584, quando os "scepsistas" e os ramistas disputavam sobre a memória, Temple dedicou a Sidney sua edição da obra de Ramus, *Dialecticae libri duo*[65].

Uma questão muito curiosa é suscitada pela informação que Durkan trouxe à luz em seu artigo sobre Alexander Dicson. Procurando referências a Dicson em documentos oficiais, Durkan encontrou este trecho em uma carta endereçada por Bowes, o representante inglês na corte escocesa, a lorde Burghley, datada de 1592: "Dickson, mestre da arte da memória e, durante algum tempo, assistente de Mr. Philip Sidney, falecido, veio à corte"[66]. É impressionante que o correspondente de lorde Burghley saiba a melhor maneira de lembrar a esse homem de Estado (que sabia de tudo) quem é Dicson. Um mestre da arte da memória que anteriormente fora assessor de Philip Sidney. Quando Dicson poderia ter assessorado Sidney? Provavelmente, nos anos em torno de 1584,

---

64. Thomas Watson, *Compendium memoriae localis*, sem data, local de publicação nem prefácio. Em *S.T.C.* é levantada a hipótese de a data de publicação ser 1585 e o impressor, Vautrollier. Há uma cópia manuscrita da obra de Watson no British Museum, Sloane 3751.
65. Cf. Howell, *Logic and Rhetoric in England*, pp. 204 e ss.
66. *Calendar of State Papers, Scottish*, X, 1589-1593, p. 626; citado por Durkan, art. cit., p. 183.

quando ele se colocou em evidência como mestre da arte da memória e discípulo daquele outro mestre da arte, Giordano Bruno.

Esse fragmento de um novo indício deixa Sidney um pouco mais próximo de Bruno. Se o discípulo de Bruno era seu assistente, Sidney não pode ter sido totalmente hostil a Bruno. Temos aqui, pela primeira vez, um indício das razões de Bruno para, em 1585, dedicar a Sidney suas obras *Eroici furori* e *Spaccio della bestia trionfante*.

Como, então, Sidney se equilibrava entre influências tão opostas quanto a dos ramistas e a da escola de pensamento de Bruno e Dicson? Talvez ambas as tendências lutassem pelos seus favores. Uma evidência disso pode ser encontrada em uma observação de Perkins em sua dedicatória de *Antidicsonus* a Thomas Moufet, que era membro do círculo de Sidney. Nessa carta-dedicatória, Perkins diz esperar que Moufet o ajude a rechaçar a influência dos "scepsistas" e da "Escola de Dicson"[67].

Aquele Sidney, que era discípulo de John Dee, que permitiu a Alexander Dicson estar a seu serviço e a quem Bruno sentia poder dedicar suas obras, não corresponde bem ao Sidney puritano e ramista, embora ele deva ter encontrado um modo de conciliar essas influências opostas. Nenhum ramista puro poderia ter escrito a *Defense of Poetrie*, a defesa da imaginação contra os puritanos, o manifesto do Renascimento inglês. Um ramista puro também não poderia ter escrito este "Soneto a Stella":

> Though dusty wits dare scorn astrology,
> And fools can think those lamps of purest light
> Whose numbers, ways, greatness, eternity,
> Promising wonders, wonder do invite
> To have for no cause birthright in the sky
> But for to spangle the black weeds of Night;
> Or for some brawl, which in that chamber hie,

---

67. "Commentationes autem meas his de rebus lucubrates, tuo inprimis nomine armatas apparer volui: quod ita sis ab omni laude illustris, ut Scepsianos impetus totamque Dicsoni scholam efferuescentem in me atque erumpentem facile repellas". *Antidicsonus*, carta a Thomas Moufet, Sig. A 3 *recto*.

They should still dance to please the gazer's sight.
For me, I do Nature unidle know,
And know great causes great effects procure;
And know those bodies high reign on the low.
And if these rules did fail, proof makes me sure,
Who oft fore-see my after following race,
By only those two eyes in Stella's face*.

Imbuído de um sentimento religioso – como Thamus, o rei egípcio do diálogo de Dicson –, o poeta segue o caminho do Céu. Ele vai em busca dos vestígios do divino na natureza, como Bruno em *Eroici furori*. E, se a atitude em relação à antiga arte da memória, com seus lugares e imagens, pode ser tomada como pedra de toque, Sidney se refere a isso de um modo que não é hostil. Ele fala, em *Defence of Poetrie*, sobre como o verso pode ser mais facilmente lembrado do que a prosa: "[...] os que ensinaram a arte da memória demonstraram que não há nada mais adequado a ela do que um aposento dividido em vários lugares, e que se conhece bem; é esse exatamente o caso do verso, em que cada palavra tem o seu lugar natural, que nos faz recordar tal palavra"[68].

Essa interessante adaptação da memória local mostra que Sidney não memoriza a poesia pelo método ramista.

O HOMEM de Nola deixou a Inglaterra em 1586, mas seu discípulo continuou a ensinar a arte da memória nesse país. Retiro essa informação da obra de Hugh Platt, *The Jewell House of Art and Nature*, publicada em

---

* Embora espíritos baços ousem menosprezar a astrologia, / E os tolos possam pensar que tais luzes de puro brilho, / Cujos movimentos, número, grandeza, eternidade, / E maravilhas prometidas, o maravilhoso, atraem, / Só tenham o direito de nascer no Céu / Para iluminar as escuras ervas daninhas da Noite / Ou para o burburinho que naquela sala se espalha, / Elas deveriam ainda dançar para agradar a vista do contemplador. / De minha parte, reconheço a Natureza ativa, / E reconheço que grandes causas produzem grandes efeitos; / E reconheço que tais corpos celestes reinam do alto sobre o mais baixo. / E se essas leis falharem, uma evidência me assegura / Eu, que por vezes pressagio o que será de minha raça, / Apenas por aqueles olhos no rosto de Stella.

68. Sir Philip Sidney, *An Apologie for Poetrie*, ed. E. S. Shuckburgh, Cambridge University Press, 1905, p. 36.

Londres, em 1592. Platt fala da "Arte da Memória que mestre Dickson, o Escocês, ensinou em seus últimos anos na Inglaterra, e sobre a qual redigiu um tratado figurativo e obscuro"[69]. Platt seguiu os ensinamentos de Dicson e aprendeu a memorizar lugares em séries de dez, onde se encontravam imagens que deveriam ser vívidas e eficazes; esse era um processo que "Mestre Dickson chamava animar as *umbras* (sic) ou *ideas rerum memorandarum*"[70]. Um exemplo de uma *umbra* animada era "Bellona, de olhos fixos e faiscantes, retratada por inteiro, segundo a descrição habitual dos poetas"[71]. Platt descobriu que esse método funcionava até certo ponto, mas que dificilmente satisfazia as expectativas levantadas pelas descrições que seu mestre fazia de sua "grande e soberba arte". Tem-se a impressão de que Platt aprendera uma forma simples da mnemotécnica pura, que ele não sabia se tratar de uma arte clássica, mas pensava que fosse "a arte do Mestre Dickson". É evidente que ele não era um iniciado nos mistérios herméticos.

O tratado "figurativo e obscuro" de Dickson sobre a memória, com seus diálogos em que Hermes Trismegisto cita as próprias obras, parece ter tido uma circulação considerável. Ele foi reimpresso com o título de *Thamus*, em 1597, por Thomas Basson, um editor inglês estabelecido em Leiden; no mesmo ano, esse editor também reimprimiu a *Defensio* de "Heius Scepsius"[72]. Não sei por que Basson estava interessado na reedição dessas obras. Esse editor apreciava o mistério e era, provavelmente, um membro da seita secreta conhecida como a Família do Amor[73]. Era, também, um protegido do tio de Sidney, o conde de Leicester[74], ao qual foi dedicada a primeira edição do tratado "figurativo e obscuro". Henry Percy, nono conde de Northumberland, possuía uma cópia de *Thamus*[75],

69. Platt, *Jewell House*, p. 81.
70. Idem, p. 82.
71. Idem, p. 83.
72. Ver J. Van Dorsten, *Thomas Basson 1555-1613*, Leiden, 1961, p. 79.
73. Idem, pp. 65 e ss.
74. Idem, pp. 16 e ss.
75. Catálogo manuscrito da biblioteca do nono conde de Northumberland, no castelo de Alnwick.

e essa obra circulava na Polônia associada às obras de Bruno[76]. Peculiar, na carreira desse livro estranho, é que o jesuíta Martin Del Rio, em seu livro contra a magia, publicado em 1600, recomenda uma obra que não é "desprovida de espírito e profundidade, o *Thamus*, de Alexander Dicson, defendida, na edição publicada em Leiden, por Heius Scepsius, contra o ataque de uma pessoa de Cambridge"[77]. Por que a "escrita interior" egípcia da arte da memória, tal como ensinada por Dicson, mereceria a recomendação de um jesuíta, visto que o mestre que lhe ensinara tal arte fora queimado na fogueira?

No Renascimento veneziano, Giulio Camillo elevara seu Teatro da Memória à vista de todos, embora ele fosse um segredo hermético. Devido às circunstâncias peculiares do Renascimento inglês, a forma hermética da arte da memória tornou-se talvez mais clandestina e foi associada aos que simpatizavam, em segredo, com o catolicismo; ou aos grupos religiosos secretos existentes; ao rosacrucianismo ou à franco-maçonaria ainda incipientes. O rei egípcio, com seu método "scepsista" oposto ao método de Sócrates, o Grego, poderia fornecer uma pista que permitiria obter um significado histórico mais preciso para alguns mistérios elisabetanos.

Vimos que o debate que se desenvolvia no campo da arte da memória ligava-se à imaginação. Um dilema apresentava-se aos elisabetanos em relação a tal controvérsia. Ou as imagens interiores devem ser totalmente removidas pelo método ramista ou devem ser transformadas, pela magia, em instrumentos únicos de apreensão da realidade. Ou as similitudes corporais da religiosidade medieval devem ser destruídas ou devem ser transpostas em figuras grandiosas, criadas por Zeuxis e Fídias, os artistas renascentistas da imaginação. Será que a urgência e a agonia causada por um tal conflito não podem ter contribuído para precipitar o aparecimento de Shakespeare?

76. Ver A. Nowicki, "Early Editions of Giordano Bruno in Poland", *The Book Collector*, XIII, 1964, p. 343.
77. Martin Del Rio, *Disquisitionum Magicarum, Libri Sex*, Louvain, 1599-1600, ed. de 1679, p. 230.

CAPÍTULO 13

Giordano Bruno: *Últimas Obras sobre a Memória*

Quando Bruno retornou a Paris, em 1586, tendo atravessado o Canal da Mancha em companhia de Mauvissière (o embaixador francês que o havia protegido das agitações na Inglaterra), encontrou condições muito menos favoráveis ao seu segredo do que dois anos antes, quando dedicara *Sombras* ao rei Henrique III[1]. Agora, Henrique encontrava-se quase sem poder diante da reação católica extremista, comandada pela facção dos Guise e apoiada pela Espanha. Paris era uma cidade ameaçada pelo medo e por rumores, às vésperas das guerras da Liga, que destronariam o rei da França.

Nessa cidade tumultuada e perigosa, Bruno não temia confrontar os doutores de Paris com sua filosofia antiaristotélica. Um discípulo de Bruno, Jean Hennequin – espécie de Alexander Dicson francês, que falava no lugar do mestre –, discursou para os doutores da Universidade que haviam se reunido para escutá-lo no Collège de Cambrai[2]. Esse discurso segue uma linha muito próxima da do discurso que Bruno diz ter apresentado, em *Cena de le ceneri*, diante dos doutores aristotélicos de Oxford. O discurso do Collège de Cambrai opõe à inércia e ao vazio

1. Sobre a segunda visita de Bruno a Paris, ver *G. B. and H. T.*, pp. 219 e ss.
2. *Camoeracensis Acrotismus*, em G. Bruno, *Op. lat.*, I (i), pp. 53 e ss. Cf. *G. B. and H. T.*, pp. 298 e ss.

da física aristotélica a filosofia do Universo vivo, impregnado da vida divina, a filosofia da gnose ou da percepção da divindade da natureza.

Ao mesmo tempo, Bruno publicou um livro chamado *Figuratio Aristotelici physici auditus*[3], que ensina como memorizar a física de Aristóteles por meio de uma série de imagens de memória mitológicas, que devem ser dispostas em um sistema de lugares de aparência curiosa. A memorização da física de Aristóteles pela memória artificial pertence, evidentemente, à tradição dominicana, uma vez que Romberch, na sua útil *Congestio* mnemônica, conta a seguinte história:

> Um jovem, que ignorava quase por completo essa arte (da memória), pintou sobre as paredes pequenas figuras quase sem importância, por meio das quais ele podia seguir na ordem o *De auditu physico* de Aristóteles; e, embora suas representações não correspondessem muito bem à matéria, ajudaram-no a se lembrar dela. Se um auxílio tão fraco consegue ajudar a memória, quão maior pode ser a ajuda, se a própria base da memória for aprimorada pelo uso e pelo exercício[4].

Temos aqui o título exato que Bruno utiliza para um compêndio da física aristotélica, *De auditu physico*; e, nele, encontramos um frade que relata como se pode memorizar essa física com a ajuda da memória artificial. E é exatamente isso o que Bruno dá a impressão de fazer.

Digo "impressão" intencionalmente, pois há algo estranho aqui. Por que ele quer que memorizemos a "morta e vazia" física aristotélica? Por que não somos estimulados a infundir na memória os poderes vivos do Universo divino, por meio de imagens animadas magicamente? E pode ser que seja justamente este o tema do livro. Figuras mitológicas devem ser utilizadas como imagens de memória: a *Arbor Olympica*, Minerva e Tétis como a "matéria"; Apolo como a "forma"; o "Pã superior" como a "natureza"; Cupido como o "movimento"; Saturno como o "tempo";

---

3. *Op. lat.*, I (iv), pp. 129 e ss. O livro, publicado em Paris "ex Typographia Petri Cheuillot, in vico S. Ioannis Lateranensis, sub Rosa rubra", e dedicado a Piero Del Bene, abade de Belleville. Sobre a importância dessa dedicatória, ver *G. B. and H. T.*, pp. 303 e ss.
4. Romberch, *Congestorium artificiose memoriae*, pp. 7 *verso*-8 *recto*.

Júpiter como o "motor primordial", e assim por diante[5]. Formas como essas, animadas pela magia das proporções divinas, conteriam a filosofia de Bruno, constituiriam o meio da imaginação para apreendê-la. E, quando vemos que o sistema de lugares[6] onde as imagens devem ser dispostas (Pr. 14c) é um daqueles diagramas semelhantes a um horóscopo, como os que vemos em *Selos*, compreendemos que as imagens parecem ser animadas magicamente, estão em contato com os poderes cósmicos por meio da magia. No início da *Figuratio* aparece, de fato, a relação com *Selos*, em que o leitor é convidado a se voltar para os Trinta Selos e escolher dentre eles o que mais lhe convém, talvez o Selo do Pintor, talvez o do Escultor[7].

O sistema de memória que deve "figurar" a física contradiz, em si mesmo, essa mesma física. O livro é um Selo, a contraparte de seu ataque antiaristotélico aos doutores de Paris, assim como, na Inglaterra, *Selos* era um complemento de seu ataque aos doutores de Oxford. Ao pintar ou esculpir na memória imagens impressionantes e significativas, Zeuxis ou Fídias representam o modo como Bruno compreende o mundo vivo e apreende-o pela imaginação.

Quando Bruno deixou Paris, percorreu a Alemanha até chegar a Wittenberg, onde escreveu muitos livros, entre eles o *Lampas triginta statuarum* – daqui para frente denominado *Estátuas*. Embora seja quase certo que tenha sido escrita em Wittenberg por volta de 1588, essa obra, que é quase um fragmento inacabado, não foi publicada durante a vida de Bruno[8]. Nela, Bruno realiza aquilo que havia proposto fazer ao leitor de *Figuratio*. Ele emprega o Selo de Fídias, o Escultor. Essas Estátuas mitológicas monumentais, esculpidas dentro da mente pelo artista da memória inspirado por Michelangelo, não são apenas uma expressão ou

5. *Op. lat.*, I (iv), pp. 137 e ss.
6. Idem, p. 139.
7. Idem, p. 136.
8. A obra *Lampas triginta statuarum* foi copiada pelo discípulo de Bruno, Jerome Besler, em Pádua, em 1591, e faz parte da coleção de escritos do manuscrito Noroff, publicado pela primeira vez em 1891, na edição das obras latinas (*Op. lat.*, III, pp. 1 e ss.). Cf. *G. B. and H. T.*, pp. 307 e ss.

ilustração da filosofia de Bruno. Elas *são* a sua filosofia, demonstram o poder da imaginação para apreender o Universo por meio de imagens. A série começa com os conceitos "não figuráveis", aos quais seguem as Estátuas figuradas.

Nessa série, Bruno apresenta sua religião filosófica, sua filosofia religiosa. O ORCO ou ABISMO, que não se pode figurar, significa o infinito desejo e a necessidade do infinito divino, a sede do infinito[9], como Bruno exprime em *De l'infinito universo e mondi*. APOLO, que pode ser figurado, percorre o Céu em sua carruagem, nu, sua cabeça adornada com raios solares; ele é a MÔNADA, o UM[10], o Sol central, ao qual se dirigem todos os esforços unificadores de Bruno. SATURNO vem em seguida, brandindo sua foice; ele é o Início ou o Tempo. PROMETEU, devorado pelo abutre, é a *Causa efficiens*[11] – essas três Estátuas contêm o tema de *De la causa, principio e uno*, de Bruno. SAGITÁRIO, o arqueiro do zodíaco, que estende o seu arco, representa a direção da intenção em relação a um objeto[12] – como nas aspirações místicas de Bruno, em *De gli eroici furori*. COELIUS representa a bondade natural, expressa na ordem da natureza, a simetria das estrelas, a ordem natural do Céu dirigida para um bom final[13]; é a busca de Bruno na *fabrica mundi* dos vestígios do divino. VESTA significa a bondade moral, que tende ao bem da sociedade humana; ela remete à insistência de Bruno em relação à ética social e à filantropia. Com VÊNUS e seu filho CUPIDO, buscamos a força unificadora do amor, o *spiritus* vivo do mundo vivente[14], como Bruno exprime em sua religião do Amor e da Magia.

MINERVA é uma Estátua importante. Ela é a *mens*, o divino no ser humano, que reflete o Universo divino. Ela é memória e reminiscência, recordando a arte da memória que constituía a disciplina da religião

9. *Op. lat.*, III, pp. 16 e ss.
10. Idem, pp. 63-8.
11. Idem, pp. 68-77.
12. Idem, pp. 97-102.
13. Idem, pp. 106-11.
14. Idem, pp. 151 e ss.

de Bruno. Ela é a continuidade entre a razão humana e as inteligências divina e demoníaca. Representa a crença de Bruno na possibilidade de estabelecer esse tipo de comunicação por meio de imagens mentais. Pela ESCADA DE MINERVA, ascendemos do primeiro ao último patamar, reunimos as espécies exteriores dentro do sentido interno, ordenamos as operações intelectuais em um todo por meio da arte[15], como nas extraordinárias artes da memória de Bruno.

Reduzi *Estátuas* ao mínimo essencial e, com isso, passei uma impressão limitada do impacto da obra e da visualização intensa que as figuras e seus atributos têm. Esse é um dos mais impressionantes escritos de Bruno, em que ele vive a sua convicção de serem todos – o Poeta, o Filósofo e o Artista – um. Na introdução, ele afirma que não faz nenhuma inovação nessa obra, mas retoma algo muito antigo, chamando de volta, mais uma vez,

> [...] o uso e a forma de filosofias da Antiguidade e dos primeiros teólogos, que não costumavam dissimular os arcanos da natureza em tipos e similitudes, mas os evidenciavam e explicavam, sintetizando-os em uma série mais facilmente adaptada à memória. Retemos, com facilidade, uma estátua sensível, visível e imaginável; confiamos, sem problema, as ficções fabulosas ao trabalho da memória; por isso, (por meio delas) estaremos aptos a, sem dificuldade, considerar e reter mistérios, doutrinas e intenções de uma disciplina [...] assim como vemos na natureza a alternância da luz e das trevas, também existe a alternância de diferentes tipos de filosofia. Como não há nada de novo [...] é necessário retornar a essas opiniões depois de muitos séculos[16].

Há, nessa passagem, três linhas de pensamento que Bruno sintetizou em uma única.

Ela remete, em primeiro lugar, à teoria de que os mitos e as fábulas dos antigos contêm verdades da filosofia natural e moral. O manual renascentista que, de forma acessível, explicava as verdades naturais e morais contidas nos mitos, era, com certeza, *Mythologia*, de Natalis Co-

15. Idem, pp. 140-50.
16. Idem, pp. 8-9.

mes. Bruno certamente conhecia a obra de Comes e nela se inspira ao escrever *Estátuas*, embora a filosofia desta última seja de sua própria autoria. Ele acredita que extrai dos mitos a verdadeira filosofia antiga e a revivifica.

Mas Bruno introduz a memória em sua teoria da mitologia. Ele inverte a afirmação tradicional de que os antigos dissimulavam os arcanos nos mitos, ao dizer que, ao contrário, eles evidenciavam e explicavam as verdades pelos mitos, com o objetivo de lembrá-las com mais facilidade. Então, vem um eco da teoria tomista e dominicana sobre a arte da memória: a memória retém mais facilmente as *sensibilia* do que as *intelligibilia* e, por isso, devemos utilizar, no interior da memória, as "similitudes corporais" recomendadas por Túlio, porque elas nos ajudarão a direcionar as intenções espirituais para as coisas inteligíveis. A educação dominicana de Bruno imprimiu em sua mente, de modo profundo, a teorização tomista sobre a arte da memória em relação às intenções religiosas e espirituais. Todas as Estátuas conteriam "intenções"; elas expressam não apenas a verdade natural e moral, mas também a intenção da alma quanto a essa verdade. Apesar de, em Bruno, a teoria e a prática da memória serem radicalmente diferentes daquela de Tomás de Aquino, era somente por meio da utilização religiosa da imagem na memória que podia realizar-se a transformação da arte da memória, do tipo proposto por Bruno, na disciplina de sua religião.

Finalmente, quando Bruno fala da alternância entre luz e trevas, e da luz que agora retorna por meio dele, refere-se sempre à filosofia hermética ou "egípcia", à religião mágica dos egípcios que, como descrito no *Aesclepius* de Hermes, sabiam fabricar estátuas de deuses, pelas quais atraíam do alto as inteligências celeste e divina. Diz-se que as estátuas de memória contêm esse poder mágico, aplicado no interior do ser humano. Há muitos traços mágicos e talismânicos nas descrições que Bruno faz delas[17]. Camillo interpretou a magia das estátuas do *Aesclepius* como tendo dimensão artística e, então, talvez, possamos pensar em Fídias, o Es-

17. Ver *G. B. and H. T.*, p. 310.

cultor, como um artista "divino" do Renascimento, que modela as grandes figuras dos deuses na memória de Bruno.

Para Bruno, então, as *Estátuas* teriam um triplo poder: como afirmações antigas e verdadeiras, sob a forma mitológica, da filosofia e da religião igualmente antigas e verdadeiras, que ele acredita recuperar; como imagens de memória que contêm as intenções da vontade que visa a alcançar essas verdades; como imagens de memória que a arte torna mágicas, pelas quais o Mago acredita estabelecer contato com as "inteligências divina e demoníaca".

Como um sistema de memória concebido por Bruno, as *Estátuas* pertencem, reconhecidamente, ao conjunto complexo das obras sobre a memória. Elas confirmam a interpretação segundo a qual a *Figuração de Aristóteles* contém, em seu sistema de memória, a refutação da filosofia aristotélica, da qual ela permitiria a memorização[18], pois muitas das figuras mitológicas de *Figuração* são as mesmas encontradas em *Estátuas*.

Acredito que as Trinta Estátuas deviam girar nas rodas combinatórias de Llull. O sistema, quando finalizado – como já mencionei, o manuscrito está incompleto –, teria representado um dos espantosos esforços de Bruno para combinar a arte clássica da memória com o llullismo, ao dispor, sobre as rodas combinatórias, imagens em vez de letras. Enquanto esteve em Wittenberg, Bruno escreveu muitas obras llullianas, às quais provavelmente as Trinta Estátuas estão ligadas[19], pois nota-se que, nas *Estátuas*, Bruno utiliza conceitos tirados dos *principia* e *relata* do llullismo. Um sistema giratório que emprega trinta figuras mitológicas aparece em *Sombras* – na série que vai de Licão a Glauco[20] –, que provavelmente é o germe a partir do qual se desenvolveu o sistema mais ambicioso de *Estátuas*.

---

18. Pode haver aqui uma antecipação interessante do uso da mitologia, por Francis Bacon, para transmitir uma filosofia antiaristotélica; ver Paolo Rossi, *Francesco Bacone*, Bari, 1957, pp. 206 e ss.

19. Os títulos dessas obras, *De lampade combinatoria lulliana* e *De progressu et lampade venatoria logicorum*, claramente se ligam ao título *Lampas triginta statuarum*. Cf. *G. B. and H. T.*, p. 307.

20. *Op. lat.*, II (i), p. 107. Ver, anteriormente, p. 280, nota 63.

Estritamente, *Figuração* e *Estátuas* não são tratados sobre a memória segundo Bruno. São exemplos de como utilizar os Selos de "Zeuxis, o Pintor", ou "Fídias, o Escultor", baseando a memória em imagens mitológicas: 1. que contêm a filosofia de Bruno; 2. sobre as quais a imaginação e a vontade estão direcionadas por meio de fortes intenções; 3. que são transformadas, pelas influências astrais e pela magia, em imagens que, como as estátuas mágicas do *Asclepius*, atrairão os poderes celestes ou demoníacos para o interior do indivíduo.

William Perkins estava absolutamente certo ao localizar a memória artificial de Bruno-Dicson no contexto da oposição entre católicos e protestantes em relação às imagens. Porque Bruno, o Mago herético da Memória, podia desenvolver (e desenvolveu) a arte da memória a partir da utilização religiosa que a Idade Média fazia das imagens, mas o iconoclasmo protestante, tanto exterior quanto interior, tornava impossível qualquer evolução desse tipo.

O último livro de Bruno sobre a memória foi também o último publicado por ele, pouco antes de retornar à Itália, onde foi preso pela Inquisição e morto na fogueira. O convite que lhe fora enviado de Veneza, pelo homem que queria aprender seus segredos sobre a memória, precipitou o retorno. Nesse livro, portanto, Bruno expõe pela última vez os seus segredos sobre a memória. O livro é intitulado *De imaginum signorum et idearum compositione*[21] e será, de agora em diante, chamado apenas de *Imagens*. Foi publicado em Frankfurt, em 1591, mas sua maior parte foi provavelmente redigida na Suíça, perto de Zurique, talvez no castelo de Johann Heinrich Hainzell, um ocultista e alquimista com quem Bruno morou durante algum tempo e ao qual dedicou essa obra.

O livro divide-se em três partes. A terceira e última parte consiste nos "Trinta Selos". Como em *Selos*, publicado oito anos antes, na Inglaterra, Bruno lista, aqui, vários tipos de sistemas de memória oculta. Muitos repetem os encontrados em *Selos*, com os mesmos títulos, mas

21. *Op. lat.*, II (iii), pp. 85 e ss. Cf. *G. B. and H. T.*, pp. 325 e ss.

estes últimos Selos são, se isso é possível, ainda mais obscuros do que os anteriores. Os versos latinos que descrevem alguns deles têm afinidades com os poemas latinos que Bruno publicara havia pouco tempo em Frankfurt[22]. Deve haver inovações nesses últimos Selos, principalmente na elaboração de sistemas de lugares pseudomatemáticos ou "matesísticos". A grande diferença entre os Selos desenvolvidos por Bruno na Inglaterra e os feitos na Alemanha é que estes últimos não conduzem a um Selo dos Selos, revelando a religião do Amor, da Arte, da *Mathesis* e da Magia, como os da série inglesa. Parece que somente na Inglaterra Bruno tornou aquela revelação tão explícita em uma obra impressa.

Os Trinta Selos publicados na Alemanha, e sua ligação com os poemas latinos aí publicados, formariam um ponto de partida vital para o estudo da influência de Bruno nesse país, assim como os Selos ingleses e sua relação com os diálogos italianos publicados na Inglaterra são vitais para a compreensão de sua influência nesse país. Este livro trata principalmente de sua influência na Inglaterra e, por isso, não analisarei em detalhes os Trinta Selos contidos na terceira parte de *Imagens*. Algo deve ser dito, no entanto, a respeito das duas primeiras partes do livro, em que Bruno enfrenta, uma vez mais, o seu eterno problema das imagens e apresenta um novo sistema de memória.

A primeira parte é uma arte da memória – como ocorre nas artes presentes em *Sombras* e *Circe*, a última reimpressa em *Selos*. E nela Bruno percorre as regras do *Ad Herennium*, mas de uma forma ainda mais mistificadora do que até então. Além disso, agora ele fala não de uma arte, mas de um método. "Instituímos um método que não diz respeito às coisas, mas a sua significação"[23]. Ele começa com as regras para as imagens; os diferentes modos de formar as imagens de memória; as imagens para coisas e as imagens para palavras; diz que as imagens devem ser vívidas, impressionantes, carregadas de afetos emocionais, para que consigam

22. O *De immenso, innumerabilibus, et infigurabilibus*; o *De triplici minimo et mensura*; o *De monade numero et figura*. O repertório imagético nesses poemas liga-se a *Estátuas* e *Imagens* de maneiras muito complexas para serem analisadas aqui.
23. *Op. lat.*, II (iii), p. 95.

atravessar as portas que encerram o depósito da memória[24]. E faz alusão aos mistérios egípcios e caldeus. Mas, sob toda esta verborragia, pode-se distinguir claramente a estrutura de um tratado sobre a memória. Acredito que ele utilize sobretudo Romberch. Por exemplo, no capítulo sobre as "imagens para palavras", quando Bruno diz que o o pode ser representado por uma esfera, ou que o A pode ser sugerido por uma escada ou um compasso, e o I por uma coluna[25], ele simplesmente está descrevendo com palavras um dos alfabetos visuais ilustrados por Romberch.

Então, ele passa às regras para os lugares – essa é a ordem errada, as regras para os lugares deveriam vir antes – e, aqui, a fundamentação de um tratado sobre a memória também fica evidente. Às vezes, ele irrompe em versos latinos, o que soa impressionante, mas que Romberch ajuda a compreender.

Complexu numquam vasto sunt apta locatis
Exiguis, neque parva nimis maiora receptant.
Vanescit dispersa ampla de sede figura,
Corporeque est modico fugiens examina visus.
Sint quae hominem capiant, qui stricto brachia ferro
Exagitans nihilum per latum tangat et altum[26].

O que significa isso? É a regra de que os *loci* da memória não deveriam ser nem tão amplos nem tão estreitos. A isso, nas duas últimas linhas, soma-se a recomendação de Romberch de que um *locus* de memória não deveria ultrapassar nem a altura nem a largura que um ser humano consegue alcançar com seus membros, regra que Romberch ilustra (ver Fig. 3).

Nessa primeira parte de *Imagens*, em associação com a arte da memória, Bruno apresenta um sistema de memória arquitetônico de grande complexidade. Por sistema "arquitetônico" entendo aquele que empre-

24. Idem, p. 121.
25. Idem, p. 113.
26. Idem, p. 188.

ga seqüências de compartimentos de memória, nas quais são dispostas imagens de memória. A forma arquitetônica é, naturalmente, a mais comum da clássica arte da memória, mas Bruno a utiliza de modo não usual, ou seja, a distribuição dos compartimentos, das salas de memória, está ligada à uma geometria mágica e o sistema é operado do alto, pela mecânica celeste. Há 24 *atria* ou salas, cada uma dividida em nove lugares de memória providos de imagens. Esses *atria*, com suas nove divisões, são ilustrados nas páginas do texto, sob a forma de diagramas. Há, também, quinze *campi* no sistema, cada um dividido em nove lugares; e trinta *cubicula*, o que leva o sistema à obsessão pelo número trinta.

Deve-se ter em mente a idéia geral de que tudo o que existe neste mundo inferior deve ser memorizado por meio das imagens desses *atria*, *campi* e *cubicula*. Aqui se pode encontrar tudo o que está presente no mundo físico, todas as plantas, pedras, os metais, pássaros, etc. (Bruno utiliza, para as suas classificações enciclopédicas, as listas alfabéticas que se encontram nos manuais de memória.) Também se encontram, aqui, toda arte, ciência, invenção conhecidas pelo ser humano e todas as atividades humanas. Bruno afirma que os *atria* e *campi* que ele ensina a construir incluem todas as coisas que podem ser nomeadas, conhecidas ou imaginadas.

Tarefa difícil! Mas estamos acostumados a isso. Esse é um sistema de memória enciclopédico, como o que aparece em *Sombras*, em que todos os conteúdos do mundo, todas as artes e ciências conhecidas do ser humano deviam fazer parte das rodas em torno da roda central e de suas imagens celestes. Nem eu nem o leitor somos Magos, mas ao menos podemos compreender, de forma global, a idéia de Bruno: no sistema de *Sombras*, todo o material apresentado na roda dos inventores e nas outras rodas em torno da roda central e de suas imagens mágicas são, agora, distribuídos em um sistema de salas de memória. Esse é um "Selo" arquitetônico repleto de correspondências, de ordens associativas, que são ao mesmo tempo mnemônicas e astrais.

Mas onde está o sistema celeste que, sozinho, permite o funcionamento de uma memória oculta e enciclopédica desse tipo? O sistema celeste aparece na segunda parte de *Imagens*.

Nessa segunda parte[27], aparecem diante de nós doze figuras ou "princípios" impressionantes, que seriam as causas de todas as coisas, sob o "Optimus Maximus, inefável e não exprimível por figuras". Trata-se de JÚPITER (com Juno), SATURNO, MARTE, MERCÚRIO, MINERVA, APOLO, ESCULÁPIO (juntamente com Circe, Árion e Orfeu), SOL, LUA, VÊNUS, CUPIDO, TELLUS (juntamente com Oceano, Netuno e Plutão). E essas são as figuras celestes, as grandes estátuas dos deuses cósmicos. Com essas figuras principais, Bruno combina um grande número de imagens talismânicas ou mágicas, provavelmente para ajudar a inserir seus poderes na psique. Analisei essa série, e as imagens associadas a ela, em meu outro livro[28], no qual aponto que, neste caso, Bruno aplica às imagens de memória a mágica talismânica de Ficino, provavelmente com a intenção de infundir as fortes influências do Sol, de Júpiter e de Vênus na personalidade do Mago que ele aspirava ser. Essas figuras formam o sistema celeste de *Imagens*, estátuas interiores magicamente assimiladas às influências das estrelas.

Como se combinam os dois sistemas de *Imagens*, as salas de memória da primeira parte e as figuras celestes da segunda?

Provavelmente, um diagrama (Pr. 14*d*) é o Selo que expressa o sistema como um todo. Ele representa, dizem-nos, a disposição dos 24 *atria*, as salas de memória, cada uma com seus *loci* repletos de imagens. Cada *atrium* individual, e a planta dos *atria* em seu conjunto, teria uma relação com os quatro pontos da circunferência. Creio que o círculo que circunda a planta quadrada das salas de memória representa os Céus. Nele seriam inscritas as figuras e as imagens celestes; é o sistema celeste circular que anima, organiza e une os inúmeros detalhes dos conteúdos do mundo inferior, que são memorizados por meio dos lugares e das imagens do sistema das salas de memória.

Então, esse diagrama deveria representar, em *Imagens*, o edifício mnemônico do sistema em seu conjunto; um edifício circular que representa o

27. Idem, pp. 200 e ss.
28. Ver *G. B. and H. T.*, pp. 326 e ss.

Céu, construído internamente segundo uma planta quadrada; um edifício que reflete os mundos superior e inferior, onde o mundo é lembrado como um todo a partir do alto, a partir do nível celeste, que organiza e unifica. Talvez esse sistema ponha em prática a sugestão do Selo 12, de *Selos*, onde Bruno diz que "conhece um duplo sistema figurativo" para a memória[29]: o primeiro constitui a memória celeste, provida de imagens astrais, e o segundo "inventa edifícios de acordo com as necessidades". Esse sistema empregaria a "figura dupla" simultaneamente, ao combinar o sistema celeste circular com o sistema quadrado composto de salas de memória.

Notamos, agora, as letras inscritas no círculo central do diagrama. Elas não são explicadas em nenhuma parte do texto (e não são reproduzidas rigorosamente na edição do século XIX dessa obra). Pode ser que estejamos enfeitiçados e confusos, mas essas letras não começam com "Alta Astra"? Estaremos diante do templo da memória de alguma religião astral?

NA CIDADE do Sol, de Campanella, podemos perceber uma utilização bem mais simples da memória arquitetônica clássica adaptada ao Renascimento. *La Città del Sole*[30] é, em princípio, uma Utopia, a descrição de uma cidade ideal, cuja religião é um culto solar ou astral. A cidade é circular, possui um templo também circular no seu centro, onde estão pintadas todas as estrelas do Céu e suas relações com as coisas daqui debaixo. As casas da cidade estão dispostas de modo a formar muros circulares, *giri*, concêntricos ao círculo central onde fica o templo. Sobre esses muros estariam pintadas todas as figuras matemáticas, todos os animais, pássaros, peixes, metais, todas as invenções e atividades humanas e, sobre o círculo ou muro exterior, estariam as estátuas de grandes homens, de reconhecidos líderes morais e religiosos e dos fundadores de religiões. Temos aqui o tipo de esquema enciclopédico que corresponde a um sistema de memória universal, dotado de uma base "celeste" de organização,

29. Ver, anteriormente, p. 312.
30. *La Città del Sole* foi escrita por Campanella (*ca.* 1602), quando esteve nas prisões da Inquisição, em Nápoles. Foi publicada primeiro em uma versão latina, em 1623. Sobre a Cidade do Sol e suas afinidades com as idéias de Bruno, ver *G. B. and H. T.*, pp. 367 e ss.

com o qual Bruno nos familiarizou. Campanella afirmou muitas vezes que sua Cidade do Sol – ou, talvez, algum modelo dela – poderia ser utilizada para a "memória local", como um meio rápido de alcançar o conhecimento de tudo, "usando o mundo como um livro"[31]. Fica claro que, enquanto "memória local", a Cidade do Sol seria um sistema de memória renascentista razoavelmente simples, no qual o princípio clássico de memorizar lugares em determinadas construções foi adaptado para refletir o mundo, à maneira renascentista.

A Cidade do Sol é uma cidade utópica, baseada em uma religião astral. Quando utilizada como sistema de memória, pode ser utilmente comparada aos sistemas de Bruno, tanto o de *Sombras* quanto o de *Imagens*. O sistema proposto por Campanella é bem mais simples que os de Bruno, porque é estático dentro da Cidade (como o de Camillo é estático no interior de um Teatro) e não alcança a complexidade assustadora de Bruno. No entanto, se compararmos o "Alta Astra", presente no altar circular central do sistema de *Imagens*, ao templo circular no centro da Cidade do Sol, veremos surgir algumas semelhanças fundamentais entre a "memória local" concebida por Bruno e a concebida por Campanella, ambos tendo sido educados no convento dominicano de Nápoles.

"Pensar é especular com imagens", diz Bruno, novamente, em *Imagens*[32], interpretando erroneamente Aristóteles, como já o havia feito em *Selos*. Sua excessiva preocupação com a imaginação não aparece com mais força em nenhum outro lugar do que nesta sua última obra, que contém o mais complexo de todos os seus sistemas e seus últimos pensamentos sobre as imagens. Aqui ele trabalha com duas tradições sobre o uso de imagens: a mnemônica e a talismânica ou mágica. E atua dentro de seu próprio quadro de referências, debatendo-se com problemas ainda não resolvidos em qualquer quadro considerado.

---

31. Ver Tommaso Campanella, *Lettere*, ed. V. Spampanato, Bari, 1927, pp. 27-8, 160, 194; e L. Firpo, "Lista dell'opere di T. Campanella", *Rivista di Filosofia*, XXXVIII, 1947, pp. 213-29. Cf. Rossi, *Clavis universalis*, p. 126; *G. B. and H. T.*, pp. 394-5.
32. *Op. lat.*, II (iii), p. 103; cf. *G. B. and H. T.*, p. 335.

Sobre a Composição das Imagens, dos Signos e das Idéias. Esse é o título do livro, e Bruno emprega "idéias" no sentido de imagens mágicas ou astrais, o mesmo sentido que aparece em *Sombras*. Na primeira parte de *Imagens*, ele discute e compõe imagens de memória, utilizando para isso as regras tradicionais sobre a memória. Na segunda parte, ele discute e compõe "idéias", imagens talismânicas, efígies das estrelas, concebidas como "estátuas" dotadas de magia. Tenta construir imagens que atuarão como conversores dos poderes cósmicos, permitindo que eles penetrem a psique. Seus esforços têm um duplo efeito: ele "talismaniza" as imagens mnemônicas e introduz aspectos mnemônicos nos talismãs, quando os "compõe" de modo a adaptá-los a seus propósitos. Há duas tradições que conferem poder às imagens e que se fundem na mente de Bruno, quando ele trabalha para compor imagens, signos e idéias. Uma é a tradição mnemônica, segundo a qual as imagens devem ser emocionalmente impressionantes e capazes de estimular os afetos. A outra é a tradição mágica, que introduz poderes astrais ou cósmicos nos talismãs. Há genialidade nesse livro, o gênio de um ser extremamente brilhante, que emprega toda a intensidade de sua inteligência para resolver um problema que ele acredita ser o mais importante de todos, o problema de como organizar a psique por meio da imaginação.

A obra como um todo possui a convicção de que é nas imagens interiores – as mais próximas da realidade do que os objetos do mundo exterior – que a realidade é apreendida e a visão unificada é atingida. Vistas à luz de um sol interior, as imagens se misturam, fundem-se na visão do Um. O impulso religioso que move Bruno em seus grandiosos esforços em relação à memória não pode ser visto com maior nitidez do que em *Imagens*. As "*intentiones* espirituais" que ele concentra em suas imagens interiores têm uma força imensa; e essa força deriva da forma que a arte clássica da memória havia adquirido na Idade Média, mesmo se, na última transformação que sofreu no Renascimento, essa arte clássica estranhamente se converteu em uma Arte que é uma das disciplinas de uma religião hermética ou "egípcia".

Bruno pode ter dado algumas conferências sobre a memória em Pádua e Veneza, depois de seu retorno à Itália, mas, em 1592, quando desapareceu nas prisões da Inquisição, sua carreira itinerante havia acabado. É curioso – mas talvez não passe de mera coincidência – que outro mestre da memória tenha surgido e circulado pela Bélgica, Alemanha e França após o desaparecimento de Bruno. Embora Lambert Schenkel e seu discípulo Johannes Paepp não fossem do mesmo calibre de Giordano Bruno, eles são dignos de atenção. Foram mestres da memória no período imediatamente posterior a Bruno e conheciam algo a respeito da interpretação da memória artificial por ele proposta.

Lambert Schenkel[33] (1547-*ca.*1603) tornou-se bem conhecido em sua época, tendo atraído a atenção ao mostrar os poderes de sua memória em exibições públicas e por meio de suas obras publicadas. Ele parece ser proveniente dos Países Baixos católicos; estudou em Louvain e seu primeiro livro sobre a memória, *De memoria*, foi publicado em Douai, em 1593, o que parece ter dado à obra a aprovação daquela cidade profundamente católica, centro de atividades da Contra-Reforma[34]. Contudo, parecem ter recaído dúvidas sobre Schenkel, que foi acusado de magia. Ele era pago por suas aulas e o aluno, depois de aprender os segredos da memória, era obrigado a consultá-lo pessoalmente, pois os segredos não estavam, segundo ele, inteiramente revelados em seus livros.

A principal obra de Schenkel sobre a memória é *Gazophylacium*, publicada em Estrasburgo, em 1610, e em tradução francesa, em Paris, em 1623[35]. Ela está baseada, principalmente, em sua obra anterior, *De memoria*, embora com algumas revisões e acréscimos.

33. Sobre Schenkel, ver o verbete de mesmo nome em *Biographie universelle*, e na *Encyclopaedia Britannica*, o verbete MNEMONICS; Hajdu, *Das mnemotechnische Schrifftum des Mittelalters*, pp. 122-4; Rossi, *Clavis universalis*, pp. 128, 154-5, 250 e ss.
34. Parece ter havido grande interesse em uma retomada da arte da memória nos Países Baixos católicos, a julgar pelo discurso apaixonado a favor da arte de Simônides feito em Louvain, em 1560, e publicado como N. Mameranus, *Oratio pro memoria et de eloquentia in integrum restituenda*, Bruxelas, 1561.
35. L. Schenkel, *Le Magazin des Sciences*, Paris, 1623.

O *Gazophylacium* remete-nos ao tipo de manual mnemônico de Romberch e Rossellius. Schenkel procura conscientemente se vincular à tradição dominicana da memória, por meio de suas freqüentes citações de Tomás de Aquino, que ele considera o grande especialista sobre o tema da memória. Na primeira parte do livro, ele apresenta uma longa história da arte da memória e menciona os nomes mais usuais, como Simônides, é claro, Metrodoro de Scepsis, Tullius, entre outros, e, em tempos mais recentes, Petrarca, adicionando à lista usual de nomes modernos muitos outros que ele relaciona à competência em matéria de memória, entre eles, Pico della Mirandola. Schenkel fornece as referências de suas afirmações, e seu livro pode ser recomendado ao historiador moderno da arte da memória por levar a uma grande quantidade de material útil, caso se consultem as referências do autor.

O que Schenkel ensina parece não ter nada de incomum. Trata-se, basicamente, da arte clássica da memória, com longas seções sobre os lugares – onde se encontram diagramas de salas que contêm lugares de memória – e longas seções sobre as imagens. Poderia ser uma mnemotécnica racional, embora Schenkel a ensine sob as formas elaboradas que ela havia assumido nos tratados sobre a memória. Mas ele é extremamente obscuro e menciona alguns autores muito suspeitos, como Trithemius.

Schenkel teve um discípulo e imitador, um certo Johannes Paepp. Suas obras sobre a memória merecem uma atenção cuidadosa, porque ele desempenha um papel que pode ser vulgarmente descrito como o de quem "dá com a língua nos dentes". Como ele diz, ele "revela Schenkel" ou descobre o segredo da memória oculta, escondida nos livros dele. Esse propósito é afirmado no título de seu primeiro livro, *Schenkelius detectus: seu memoria artificialis hactenus occultata*, publicado em Lyon, em 1617. E ele dá continuidade ao seu trabalho de "revelar Schenkel" em duas publicações subseqüentes[36]. Paepp, o comentador indiscreto, men-

---

36. *Eisagoge, seu introductio facilis in praxim artificiosae memoriae*, Lyon, 1619; e *Crisis, iani phaosphori, in quo Schenkelius illustratur*, Lyon, 1619.

ciona um nome que Schenkel nunca cita, Jordanus Brunus[37], e o segredo que ele revela faz lembrar Bruno.

Paepp estudou cuidadosamente as obras de Bruno, particularmente, *Sombras*, da qual faz inúmeras citações[38]. E suas longas listas de imagens mágicas para serem usadas como imagens de memória lembram muito as de *Imagens*. Segundo Paepp, mistérios filosóficos ocultos estão contidos na arte da memória[39]. Em seus pequenos livros, não há nada do estranho poder filosófico e visual de Bruno, mas, em uma passagem curiosa, ele fornece uma das indicações mais claras que encontrei de como os textos sobre as memórias clássica e escolástica poderiam ser aplicados à contemplação hermética da ordem do Universo.

Depois de citar a reconhecida análise acerca da memória da *Summa* (II, 2, 49), de Tomás de Aquino, e de enfatizar o que este diz a respeito da ordem na memória, ele passa imediatamente a uma citação do "quinto sermão de Trismegisto, no *Pimander*". Utiliza o *Pimander* de Ficino, a tradução latina do *Corpus Hermeticum* que ele faz, cujo quinto tratado é sobre "Deus, que é ao mesmo tempo visível e invisível". É uma rapsódia sobre a ordem do Universo enquanto revelação de Deus e sobre a experiência hermética que revela Deus por meio da contemplação dessa ordem. Então, passa a uma citação do *Timeu* e, depois, a uma do *De oratore*, de Cícero, sobre a questão de a disposição em uma determinada ordem ser o melhor auxílio à memória. Depois, ao *Ad Herennium* – que atribui a Cícero –, sobre a arte da memória enquanto ordem de lugares e imagens. Finalmente, retorna à regra de Aristóteles e de Tomás de Aquino, segundo a qual a meditação regular ajuda a memória[40]. A passagem mostra uma transição dos lugares e das imagens da memória artificial para a ordem do Universo percebido em êxtase, como uma experiência

37. As referências de Paepp a Bruno são notadas por Rossi, *Clavis universalis*, p. 125 (citando um artigo de N. Badaloni). Ver, também, Rossi, "Note Bruniane", *Rivista critica di storia della filosofia*, XIV, 1959, pp. 197-203.
38. *Eisagoge*, pp. 36-113; *Crisis*, pp. 12-3 e ss.
39. *Schenkelius detectus*, p. 21.
40. *Crisis*, pp. 26-7.

religiosa de "Trismegisto". A sucessão das citações e idéias aqui apresentadas mostra a seqüência do pensamento, por meio da qual os lugares e as imagens da memória artificial de Tullius e de Tomás de Aquino se tornaram uma técnica para gravar na memória a ordem universal do mundo. Ou, em outras palavras, mostra como as técnicas da memória artificial se transformaram em técnicas mágico-religiosas da memória oculta.

No início do século XVII, Paepp continua a revelar um segredo do Renascimento, pois o quinto tratado de Trismegisto é citado em *L'Idea del Theatro*, de Camillo[41]. Mas esse segredo chegou a Paepp por intermédio de Giordano Bruno.

Schenkel e seu discípulo indiscreto confirmam nossa hipótese de que o ensino da memória associado ao ocultismo pode ter-se tornado o veículo de propagação de uma mensagem religiosa ou de uma seita hermética. Eles também nos mostram, em comparação, o gênio e o poder de imaginação impressos por Bruno em materiais que, quando tratados por um Schenkel ou um Paepp, recaem no nível comum do tratado sobre a memória. Desaparece a visão de um grande artista do Renascimento, que esculpia interiormente as estátuas da memória, que infundia poder filosófico e intuição religiosa às figuras de sua ampla imaginação cósmica.

Que conclusões podemos tirar da seqüência extraordinária das obras de Giordano Bruno sobre a memória? Todas se relacionam intimamente, encadeiam-se. *Sombras* e *Circe* na França, *Selos* na Inglaterra, *Figuratio* na sua segunda visita à França, *Estátuas* na Alemanha e *Imagens*, a última obra publicada antes do retorno fatal à Itália. Seriam, todas elas, traços da passagem pela Europa de um profeta de uma nova religião, que transmitia mensagens em um código, o código da memória? Todo esse ensinamento complexo sobre a memória, todos os vários sistemas, seriam eles barreiras erguidas para confundir os não iniciados e, também, para indicar aos iniciados que, por trás disso tudo, havia um Selo dos Selos, uma seita hermética, ou até mesmo, talvez, uma organização político-religiosa?

41. Ver, anteriormente, p. 198. Também mencionado por Alexander Dicson.

Em meu outro livro, chamei a atenção sobre o rumor de que Bruno teria fundado uma seita na Alemanha chamada os *Giordanisti*[42], sugerindo que isso poderia ter relação com os rosa-cruzes, a misteriosa irmandade anunciada em manifestos do início do século XVII, na Alemanha, e sobre a qual se sabe tão pouco que alguns estudiosos chegam a duvidar de sua existência. Uma outra questão misteriosa e ainda sem resposta é se há alguma relação entre a citada confraria rosa-cruz e as origens da franco-maçonaria, da qual se ouviu falar pela primeira vez, enquanto instituição, na Inglaterra, em 1646, quando Elias Ashmole foi feito maçom. De qualquer forma, Bruno divulgou seus pensamentos tanto na Inglaterra quanto na Alemanha; portanto, suas viagens são aceitáveis como fonte comum da rosa-cruz e da franco-maçonaria[43]. As origens da franco-maçonaria estão envoltas em mistério, embora se suponha que ela derive das guildas medievais de maçons "operários"*, de fato construtores. Ninguém conseguiu explicar como essas guildas "operativas" transformaram-se em uma maçonaria "especulativa" e no uso simbólico do repertório figurativo arquitetônico no ritual maçônico.

Esses temas forneceram um terreno fértil para autores de imaginação insensata e desprovidos de senso crítico. Já é tempo de analisar tais questões por meio de métodos históricos e críticos apropriados; alguns sinais já apontam nessa direção. No prefácio de um livro sobre o desenvolvimento da franco-maçonaria está escrito que a história da maçonaria

---

42. Ver *G. B. and H. T.*, pp. 312-3, 320, 345, 411, 414.

43. Ver ibid., pp. 274, 414-6.

* O termo "maçom" está ligado à construção, ao trabalho de pedreiro, daí o maçom ser chamado também de pedreiro-livre. Como vemos na etimologia da palavra, segundo o dicionário Houaiss: "fr. *maçon* (1155) 'operário que constrói alvenaria com argamassa, pedreiro', do frânc. *makjo, latinizado *macio/machio* e doc. desde o SVII em santo Isidoro de Sevilha, der. de *makon orign. 'preparar a argila ou argamassa', depois 'fazer', signf. mantido no atual al. *machen* e no ing. *make* 'fazer'; há der. do fr. *maçon* doc. no SXIII, como *maçonner* (c1200), *maçonnerie* (1230) e *maçonnage* (c1240), todos ligados à idéia de 'construção'; no ing. o voc. *mason* ocorre em 1205, sob a f. arc. *machunnes*, com o sentido de 'pedreiro', e, como emprt. do fr., surgem *masonry* (c1400), *freemason* (SXVII), *freemasonry* (SXIX); o fr. *franc-maçon* (1735) 'membro de sociedade secreta', red. a *maçon* dá orig. ao port. *franco-maçom*, red. depois a *maçom*" (N. da T.).

não deve ser vista como um domínio separado, mas como um ramo da história social, um estudo de uma instituição particular e das idéias que lhe são subjacentes. Esse estudo deve "ser investigado e redigido exatamente do mesmo modo que a história das outras instituições"[44]. Outros livros mais recentes sobre o tema continuaram na direção de uma pesquisa histórica precisa, mas os autores desses livros devem deixar sem resposta o problema da origem da maçonaria "especulativa", com seu uso simbólico de colunas, arcos e outros elementos arquitetônicos e de um simbolismo geométrico, como o quadro dentro do qual ela apresenta um ensinamento moral e uma perspectiva mística direcionados ao artífice divino do Universo.

Penso que a resposta para esse problema possa vir da história da arte da memória. A memória oculta do Renascimento – como a vimos no Teatro de Camillo e como foi difundida com fervor por Bruno – pode ser a verdadeira fonte de um movimento hermético e místico que não utilizava a arquitetura real da maçonaria "operativa" como veículo de seus ensinamentos, mas sim a arquitetura imaginária ou "especulativa" da arte da memória. Um exame minucioso do simbolismo das irmandades rosa-cruz e da franco-maçonaria podem, talvez, confirmar esta hipótese. Tal investigação foge ao objetivo deste livro, embora indique algumas linhas que poderiam guiá-la.

O manifesto *Fama*, de 1614, supostamente rosacrucianista, fala de *rotae*, rodas misteriosas, e de uma "abóbada" sagrada, cujas paredes, cujo teto e cujo chão estão divididos em compartimentos que contêm, cada qual, várias figuras ou sentenças[45]. Isso poderia ser algo como uma utilização oculta da memória artificial. Já que não existem registros para a maçonaria, a não ser em época bem posterior, a comparação só poderia ser feita com o simbolismo maçônico do final do século XVII e do século

44. Douglas Knoop e G.P. Jones, "Preface", *The Genesis of Freemasonry*, Manchester University Press, 1947, p.v.
45. *Allgemeine und General Reformation der gantzen weiten Welt. Beneben der Fama Fraternitas, dess Löblichen Ordens des Rosencreutzes*, Kassel, 1614. Tradução inglesa em A. E. Waite, *The Real History of the Rosicrucians*, London, 1887, pp. 75 e 77.

XVIII e, talvez, particularmente, com o simbolismo daquele ramo da maçonaria conhecido como Arco Real. Parece que algumas das antigas gravuras, estandartes e aventais do Arco Real, com seus desenhos de arcos, colunas, figuras geométricas e emblemas[46], também poderiam pertencer à tradição da memória oculta. Aquela tradição teria sido totalmente esquecida, daí a lacuna no início da história da maçonaria.

A vantagem dessa teoria é que ela fornece uma ligação entre manifestações tardias da tradição hermética em sociedades secretas e a principal tradição do Renascimento. Como vimos, o segredo de Bruno tinha sido mais ou menos acessível, pouco antes do Renascimento, quando o Teatro de Camillo era um fenômeno amplamente divulgado. O segredo era a combinação das crenças herméticas com as técnicas da arte da memória. No início do século XVI, isso poderia ser visto naturalmente como parte de uma tradição renascentista, a do "neoplatonismo" de Ficino e de Pico, transportada de Florença para Veneza. Era um exemplo do extraordinário impacto dos livros herméticos sobre o Renascimento, que orientava a mente humana em direção à *fabrica mundi*, à arquitetura divina do mundo, enquanto objeto de veneração e fonte de experiência religiosas. No final do século XVI, o período tumultuado vivido por Bruno, a pressão das circunstâncias políticas e religiosas, pode ter tornado o "segredo" cada vez mais escondido; mas ver em Bruno apenas o propagador de uma sociedade secreta – o que ele pode, de fato, ter sido – seria perder de vista a sua significação global.

Seu segredo, o segredo hermético, dizia respeito ao Renascimento como um todo. Ao viajar de país a país com sua mensagem "egípcia", Bruno transmite o Renascimento sob uma forma tardia, mas muito intensa. Esse homem possui o poder criador do Renascimento elevado ao máximo. Ele cria interiormente as amplas formas de sua imaginação cósmica e, ao exteriorizá-las como criação literária, dá origem a obras de gênio, como os diálogos que escreveu na Inglaterra. Se ele tivesse externado, por meio da arte, as Estátuas que modelava em sua memória,

---

46. Ver as ilustrações em Bernard E. Jones, *Freemason's Book of the Royal Arch*, London, 1957.

ou o magnífico afresco que representava as imagens das constelações, e que ele pinta em *Spaccio della bestia trionfante*, teria surgido um grande artista. Mas a missão de Bruno era pintar e modelar no interior do ser humano, em sua mente, era ensinar que o artista, o poeta e o filósofo eram todos um só, pois a Mãe das Musas é a Memória. Torna-se evidente apenas aquilo que antes foi produzido interiormente, e é por isso que o trabalho mais significativo ocorre no interior do ser humano.

Podemos ver que o enorme poder de formação das imagens, que ele ensina nas artes da memória, é relevante para a força criativa da imaginação do Renascimento. Mas o que pensar do detalhamento espantoso ao qual ele chega para expor essas artes? O que pensar das rodas giratórias do sistema de *Sombras*, que contêm de modo detalhado, e não apenas no plano geral, conteúdos dos mundos da natureza e do humano? Ou o que pensar da acumulação ainda mais espantosa das salas de memória no sistema de *Imagens*? Seriam esses sistemas apenas meios de transmissão de códigos ou rituais de uma sociedade secreta? Mas, se Bruno realmente acreditava neles, seriam com certeza a obra de um louco?

Sem dúvida, penso, há um elemento patológico na compulsão pela formação de sistemas, o que é uma das características mais marcantes de Bruno. Mas que esforço intenso, em meio a essa loucura, na busca por um método! A magia mnemônica de Bruno não tem nada a ver com a magia lenta de *Ars notoria*, cujo praticante apenas observa uma *nota* mágica enquanto recita rezas também mágicas. Incansavelmente, Bruno junta uma roda à outra, acumula salas de memória. Ele trabalha sem cessar para formar as inumeráveis imagens que deverão prover os sistemas; as possibilidades sistemáticas são infinitas e todas devem ser tentadas. Nisso tudo há um elemento que só pode ser descrito como científico, um presságio, no plano oculto, da preocupação que o próximo século terá com a questão do método.

Pois, se a Memória era a Mãe das Musas, ela era também a Mãe do Método. O ramismo, o llullismo, a arte da memória – todas essas construções confusas, compostas de todos os métodos mnemônicos que cobrem o final do século XVI e o início do XVII – são sintomas da busca do método. Dentro desse contexto da procura crescente pelo método, o que parece mais significativo não é a loucura, mas a firme determinação dos sistemas de Bruno de encontrar tal método.

No final desta tentativa de um estudo sistemático das obras de Bruno sobre a memória, gostaria de destacar que não tenho a pretensão de tê-las compreendido totalmente. Quando os próximos pequisadores tiverem descoberto mais a respeito dos temas quase desconhecidos, e ainda não estudados, abordados neste livro, terá chegado o momento de compreender, de uma forma mais abrangente do que aquela de que fui capaz, essas obras extraordinárias e a psicologia da memória oculta. O que tentei fazer, como uma preliminar necessária à compreensão, foi localizá-las em um tipo de contexto histórico. O da arte medieval da memória, com as suas associações religiosas e éticas, que Bruno transformou em seus sistemas ocultos, e que me parecem ter uma tripla importância histórica. Eles podem ter desenvolvido a memória oculta renascentista na direção das sociedades secretas. Certamente, eles ainda contêm toda a força artística e imaginativa do Renascimento. Anunciam o futuro papel da arte da memória e do llullismo no desenvolvimento do método científico.

Mas nenhum estudo histórico, nenhuma investigação de tendências ou influências, nenhuma análise psicológica poderá apreender totalmente esse homem extraordinário, Giordano Bruno, o Mago da Memória.

CAPÍTULO 14

A Arte da Memória e os Diálogos Italianos de Bruno

C omo Bruno a concebe, a arte da memória é inseparável de seu pensamento e de sua religião. A concepção mágica da natureza é a filosofia que permite ao poder mágico da imaginação entrar em contato com a natureza em si, e a arte da memória, sob a forma que Bruno lhe deu, era o instrumento para estabelecer esse contato por meio da imaginação. Sua arte era a disciplina interior de sua religião, o meio interno pelo qual ele procurou apreender e unificar o mundo das aparências. Além disso, assim como no Teatro de Camillo, a memória oculta daria um poder mágico à retórica, do mesmo modo como Bruno desejava tal poder para as suas palavras. Ele queria tanto atuar sobre o mundo quanto refleti-lo, quando fazia fluir, em verso e prosa, sua filosofia hermética da natureza (e a religião hermética ou "egípcia" que associava a ela), e anunciava, na Inglaterra, o retorno iminente dela.

Por isso, poderíamos esperar que os padrões da memória oculta, como aqueles que estudamos nas obras sobre a memória, pudessem ser traçados em todos os escritos de Bruno, principalmente naqueles que o tornaram mais reconhecido – aquela série fascinante de diálogos italianos[1], que ele escreveu na residência do embaixador francês em

---

1. Como disse anteriormente (cf. p. 294), não analiso os poemas latinos de Bruno publicados na Alemanha; também eles deveriam ser examinados em relação aos seus sistemas de memória, utilizando-se para isso a versão dos "Trinta Selos" que Bruno publicou na Alemanha.

Londres, quando se encontrava rodeado pelos tumultos, descritos de maneira tão viva.

Na *Cena de le ceneri* ou *Ceia da Quarta-feira de Cinzas*, publicada na Inglaterra, em 1584, vemos refletida a viagem de Bruno a Oxford e o conflito com os doutores quanto a sua interpretação mágica ou ficiniana do heliocentrismo de Copérnico[2]. Os diálogos têm uma montagem topográfica, que toma a forma de um passeio pelas ruas de Londres. O passeio parece começar na embaixada da França – que se situava na Butcher Row, uma rua que desembocava em Strand, mais ou menos onde hoje ficam os Tribunais de Justiça (*Law Courts*) – e tomar a direção da residência de Fulke Greville, que parece ter convidado Bruno a expor suas opiniões sobre o heliocentrismo. Pela descrição do passeio, seu objetivo parece estar situado perto de Whitehall[3]. Bruno e seus amigos supostamente se dirigiam da embaixada à residência onde se realizaria a misteriosa Ceia da Quarta-feira de Cinzas, que dá título ao livro.

John Florio e Matthew Gwinne[4], atrasados, procuram por Bruno na embaixada, e todos seguem, depois do pôr do sol, pelas ruas escuras. Ao chegarem à rua principal (descendo a Butcher Row até Strand), decidem ir em direção ao Tâmisa e continuar o passeio de barco. Depois de chamarem pelo barqueiro por um longo tempo, conseguem dois anciãos em um barco velho e com fendas no casco. Há dificuldades com o preço da passagem, mas, finalmente, o barco parte com os passageiros e prossegue lentamente. Bruno e Florio aproveitam o passeio cantando versos de *Orlando Furioso*, de Ariosto. "Oh, feminil ingegno", canta o homem de Nola, ao qual responde Florio, que canta "Dove senze me, dolce mia vita", "como se pensasse em seus amores"[5]. Os barqueiros insistem, então,

---

2. Ver *G. B. and H. T.*, pp. 235 e ss.
3. A residência de Greville ficava, de fato, em Holborn. Foi sugerido que ele talvez residisse perto de Whitehall, ou que Bruno realmente estava pensando no palácio; ver W. Boulting, *Giordano Bruno*, London, 1914, p. 107.
4. G. Bruno, *Dialoghi italiani*, ed. Aquilecchia, pp. 26-27. A primeira versão desta passagem afirma claramente que as duas pessoas que procuravam por Bruno eram Florio e Gwinne; ver Bruno, *Cena de le ceneri*, ed. Aquilecchia, Turim, 1955, p. 90, nota.
5. *Dialoghi italiani*, pp. 55-6.

para que desçam, embora não estivessem perto de seu destino. O grupo encontra-se em uma ruela escura e suja, cercada de muros altos. Só resta continuar, e isso é o que eles fazem, amaldiçoando o ocorrido. Finalmente, alcançam mais uma vez "la grande ed ordinaria strada" (a Strand), apenas para saber que estavam próximos do ponto de onde haviam partido em direção ao rio. O episódio do barco não os levara a lugar algum. Começam a pensar em abandonar toda a expedição, mas o filósofo lembra-se de sua missão. A tarefa que o espera, embora difícil, não é impossível. "Homens de raro espírito, que têm dentro de si algo do heróico e do divino, subirão a montanha da dificuldade e arrancarão das circunstâncias adversas a palma da imortalidade. Talvez você nunca alcance o primeiro lugar e nem ganhe o prêmio, mas não abandone a corrida"[6]. Por isso, eles decidem perseverar e começam seu longo trajeto, de Strand em direção a Charing Cross. Então, encontram grupos de pessoas rudes e, "à pirâmide perto da residência, onde três ruas se encontram" (Charing Cross), o homem de Nola recebe um golpe, que revida ironicamente: "Tanchi, maester", as únicas palavras em inglês que ele conhecia.

Enfim eles chegam. Alguns incidentes curiosos ocorrem mas eles finalmente conseguem se sentar. À cabeceira da mesa está um cavaleiro do qual não se sabe o nome (provavelmente Philip Sidney); Greville está à direita de Florio, e Bruno, à sua esquerda. Ao lado de Bruno está Torquato, um dos doutores com quem ele iria debater; o outro, Nundinio, senta-se à sua frente.

O passeio está longe de ser claro; o relato feito sobre ele durante a jornada é interrompido quando Bruno expõe sua nova filosofia, sua ascensão hermética através das esferas até uma visão livre do vasto cosmos e sua interpretação do heliocentrismo coperniciano – muito distinta daquela oferecida pelo próprio Copérnico. Este, sendo "apenas um matemático", não compreendera a significação de sua descoberta. Durante a "Ceia", Bruno debate com os dois doutores "pedantes" a questão da posição solar, central ou não. Há mal-entendidos recíprocos; os "pedantes"

---

6. Idem, p. 63.

tornam-se vingativos e o filósofo é extremamente rude. A última palavra cabe ao filósofo, que, contra Aristóteles e a favor de Hermes Trismegisto, sustenta que a Terra se move porque é viva.

Posteriormente, Bruno relatou aos Inquisidores que a "Ceia" realmente ocorrera na embaixada da França[7]. O passeio pelas ruas de Londres e pelo rio Tâmisa teria sido, então, totalmente imaginário? Acredito que sim. O passeio tem a natureza de um sistema de memória oculta, que Bruno emprega para se lembrar de temas do debate ocorrido na "Ceia". Em um de seus livros sobre a memória, Bruno diz: "Ao último lugar romano você pode juntar o primeiro lugar parisiense"[8]. Na *Cena de le ceneri*, ele utiliza "lugares de Londres" – Strand, Charing Cross, o Tâmisa, a embaixada da França, uma residência em Whitehall – para se lembrar dos temas de um debate sobre o Sol, que aconteceu em uma "Ceia". Certamente, esses temas têm, em alguma medida, significados ocultos relacionados ao retorno da religião mágica anunciada pelo Sol de Copérnico.

Pouco antes de iniciar seu relato da "Ceia" e dos eventos a ela associados, Bruno chama a Memória para ajudá-lo:

> E tu, minha cara Mnemosyne, escondida sob os trinta selos e encarcerada na prisão escura das sombras das idéias, deixe-me ouvir a tua voz a ecoar em meus ouvidos. Alguns dias atrás, chegaram até o homem de Nola dois mensageiros vindos da parte de um nobre da corte. Informaram-no que esse nobre desejava muito conversar com ele, para ouvir a sua defesa da teoria de Copérnico e de outros paradoxos da sua nova filosofia[9].

E, então, Bruno começa a exposição de sua "nova filosofia", combinada ao relato confuso do passeio até a "Ceia" e ao debate ali ocorrido com os "pedantes" a respeito do Sol. A invocação à Mnemosyne de *Selos* e de *Sombras*, no início de toda essa história, parece comprovar meu ponto de vista. Quem deseja conhecer o tipo de retórica proveniente da memória oculta deve ler a *Cena de le ceneri*.

7. *Documenti della vita di Giordano Bruno*, ed. Spampanato, p. 121.
8. Ver, anteriormente, pp. 309-10.
9. *Dialoghi italiani*, p. 26.

E essa retórica mágica exerceu uma extraordinária influência. Muito da lenda em torno de Bruno, o mártir da ciência moderna e da teoria copernicana, o Bruno que rompe com os entraves do aristotelismo medieval e entra no século xix, apóia-se nas passagens retóricas, em *Cena*, sobre o Sol de Copérnico e a ascensão hermética através das esferas.

A *Cena de le ceneri* dá um exemplo do desenvolvimento de uma obra literária a partir dos procedimentos da arte da memória. Porque a *Cena* não é, naturalmente, um sistema de memória; é, antes, um conjunto de diálogos que apresentam interlocutores vivazes e bem caracterizados, como o filósofo, os "pedantes" e outros. No curso desses diálogos, esses personagens tomam parte em uma história, o passeio à "Ceia" e os acontecimentos que ali ocorrem quando eles chegam. Há sátira nessa obra e, também, incidentes cômicos. Há, sobretudo, drama. Quando estava em Paris, Bruno escreveu uma comédia, o *Candelaio*, ou "O Tocheiro". Ele possuía dons dramáticos consideráveis, que sentia agitados dentro de si, durante sua estadia na Inglaterra. Podemos ver, portanto, na *Cena*, como a arte da memória pôde, digamos, transformar-se em literatura; como as ruas dos lugares de memória puderam ser povoadas por personagens e se tornar o cenário de um drama. A influência da arte da memória na literatura é um tema praticamente desconhecido. A *Cena* oferece um exemplo de uma obra literária criada pela imaginação, cuja ligação com a arte da memória é inquestionável.

Outro traço interessante é o uso da alegoria dentro de um esquema mnemônico. Em seu caminho pelos lugares de memória em direção a um objetivo místico, os exploradores encontram muitos impedimentos. Tentam ganhar tempo tomando um velho barco rangente; isso somente os leva de volta ao ponto de onde haviam partido e, pior ainda, entre os muros altos de uma ruela escura e imunda. De volta a Strand, eles continuam em direção a Charing Cross, em meio aos empurrões de uma multidão de pessoas insensíveis, bestializadas. E, quando finalmente chegam à "Ceia", há uma série de formalidades para saber onde cada um deve se sentar. E os "pedantes" estão lá, discutindo a respeito do Sol, ou será sobre a Ceia? Na *Cena*, há algo que evoca as lutas obscuras dos personagens do mundo de Kafka, e é nesse nível que esses diálogos deveriam ser lidos. Entretanto, tais comparações podem levar a enganos, pois, em *Cena*, estamos no Renascimento italiano, em que as pessoas começam facilmente a entoar canções de amor tiradas de Ariosto; e os lugares de memória são lugares da Londres elisabetana, onde habitam poetas-cavaleiros misteriosos que ali parecem presidir um encontro igualmente misterioso.

Uma leitura da alegoria contida nos lugares de memória oculta pode ser a seguinte: a barca, Arca de Noé velha e decadente, representaria a Igreja que desembarcou o peregrino entre os muros de um convento inadequado; o peregrino escapa desse lugar, sentindo-se encarregado de uma missão heróica; mas, no final, descobre que os protestantes, e sua Ceia, eram ainda mais cegos à luz dos raios do Sol que anunciava o retorno da religião mágica.

O Mago irascível mostra suas fraquezas nesse livro. Não são apenas os "pedantes" que o incomodam, mas também o tratamento que Greville lhe dispensa, embora Bruno tenha apenas apreço por Sidney, o cavaleiro célebre e culto, que "conheço bem, primeiro pela reputação, quando eu estava em Milão e na França e, agora, desde que cheguei neste país, tendo-o conhecido pessoalmente"[10].

Foi esse o livro que despertou as ondas de protesto que obrigaram Bruno a permanecer dentro da embaixada, sob a proteção do embaixador[11]. E, no mesmo ano, seu discípulo, Dicsono, teve a contenda com o ramista. Quantos acontecimentos nos lugares de memória da Londres elisabetana! Embora não houvesse, propriamente, frades dominicanos construindo lugares em Londres, para ali memorizar a *Summa* de Tomás de Aquino – como Fra Agostino, em Florença[12] –, ali estava um ex-frade, herético, usando a antiga técnica em sua versão mais extraordinária: a transformação oculta pela qual a arte da memória passava no Renascimento.

10. Idem, p. 69.
11. Ver, anteriormente, pp. 347-8.
12. Ver, anteriormente, pp. 307-8.

A *Cena* termina com curiosas súplicas, em termos mitológicos, endereçadas àqueles que criticaram essa obra. "Dirijo-me a todos vocês; a uns, apelo em nome do escudo e da lança de Minerva, a outros, em nome da linhagem nobre do cavalo de Tróia, a outros, ainda, pela barba venerável de Esculápio, a outros, pelo tridente de Netuno, a outros, pelos coices que os cavalos deram em Glauco; peço-lhes que se conduzam, no futuro, de modo a que possamos escrever diálogos melhores sobre vocês ou nada escrever"[13]. Aqueles que haviam sido admitidos a conhecer os mistérios de um Selo mnemônico mitológico seriam capazes, talvez, de compreender a que Bruno se referia.

Na dedicatória de seu *De gli eroici furori* (1585) a Philip Sidney, Bruno declara que a poesia amorosa dessa obra não é endereçada a nenhuma mulher; ela representa os entusiasmos heróicos dirigidos a uma religião fundada na contemplação da natureza. A estrutura da obra é formada por uma sucessão de mais ou menos cinqüenta emblemas, que são descritos em poemas e discutidos em comentários sobre os poemas. As imagens são, principalmente, *concetti** petrarquistas sobre os olhos e as estrelas, as flechas do Cupido[14], e assim por diante; ou são escudos *impresa* com emblemas. Essas imagens são fortemente carregadas de emoção. Se as lemos inseridas no contexto das muitas passagens que, nas obras sobre a memória, falam da necessidade de imagens de memória mágicas serem dotadas de sentimentos, particularmente o do amor, começamos a ver os emblemas de amor de *Eroici furori* em um novo contexto; não, é claro, como um sistema de memória, mas como traços dos métodos mnemônicos em uma obra literária. Particularmente quando,

---

13. *Dialoghi italiani*, p. 171.
* A autora utiliza aqui a palavra *conceit* (e não *concept*), no sentido do italiano *concetto*, o que, no português, corresponderia a um dos sentidos do verbete CONCEITO: dito original e engenhoso; ditado, máxima, sentença (Houaiss) (N. da T.).
14. Cf. meu artigo "The Emblematic Conceit in Giordano Bruno's *De gli eroici furori* and the Elizabethan Sonnet Sequences", *Journal of the Warburg and Courtauld Institutes*, VI, 1943, pp. 101-21; e *G. B. and H. T.*, p. 275. Há uma tradução inglesa mais recente de *Eroici Furori*, com prefácio, por P.E. Memmo, University of North Carolina Press, 1964.

no final, a série leva a uma visão de Circe, a feiticeira, começamos a nos sentir em meio aos padrões familiares da mente de Bruno.

Uma questão deve ser colocada nesse contexto. Será que a tradição persistente, que associava Petrarca à memória, incluía alguma visão dos *concetti* como imagens de memória? Afinal, tais imagens contêm as *intentiones* da alma em relação a um objeto. De qualquer modo, Bruno emprega os *concetti* com fortes *intentiones*, como meios dotados de imaginação e magia para alcançar a intuição. Uma relação entre *Selos* e essa litania de imagens de amor é sugerida por uma referência às "contrações", ou experiências religiosas, descritas no Selo dos Selos[15].

Esse livro mostra o Filósofo como Poeta, fazendo jorrar sob a forma poética as imagens de sua memória. Os poemas recorrentes sobre Acteão, que caça vestígios do divino na natureza, até ser ele mesmo caçado e devorado por seus cães, expressam uma identificação mística entre sujeito e objeto, assim como a ferocidade da perseguição ao objeto divino, através das florestas e das águas da contemplação. Aqui, também, aparece uma ampla visão de Anfitrite, que personifica, como uma enorme Estátua de memória, a apreensão da mônada, do Um, pela imaginação do entusiasta.

O ESQUEMA da obra de Bruno, *Spaccio della bestia trionfante* (publicada na Inglaterra em 1585 e dedicada a Sidney), baseia-se nas imagens das quarenta e oito constelações do Céu, nas constelações do Norte, no zodíaco e nas constelações do Sul. Em outro livro, sugeri que, do *Fabularum liber*, de Higino, Bruno poderia ter usado a descrição das imagens das quarenta e oito constelações e da mitologia a elas associada[16]. Bruno emprega a ordem das constelações como plano básico de seu sermão sobre as virtudes e os vícios. A *Expulsão da Besta Triunfante* é a expulsão do vício pela virtude e, em seu longo sermão sobre esse texto, Bruno descreve em detalhes como as virtudes ascendem de modo triunfal a cada uma

15. *Dialoghi italiani*, p. 1.091; cf. *G. B. and H. T.*, p. 281.
16. *G. B. and H. T.*, p. 218.

das quarenta e oito constelações, enquanto os vícios correspondentes descem, vencidos pelas virtudes, na grande reforma dos Céus.

Johannes Romberch, o dominicano, cujo manual mnemônico Bruno conheceu muito bem (temos evidências disso), menciona que o *Fabularum liber*, de Higino, apresenta uma série ordenada de lugares de memória fácil de memorizar[17]. Ela fornece, segundo Romberch, uma ordem fixa que pode ser usada com proveito como ordem mnemônica.

As virtudes e os vícios, as recompensas e as punições: não eram esses os temas fundamentais dos sermões dos velhos frades? Se um frade pregador adotasse o conselho de Romberch e, como ordem mnemônica, utilizasse a ordem das constelações, ele também poderia utilizá-la para memorizar um sermão sobre virtudes e vícios. Na dedicatória de *Spaccio* a Sidney, quando Bruno lista os temas éticos que ele liga às quarenta e oito constelações[18], não teria isso trazido à mente um tipo de pregação bem diferente daquela então comum na Inglaterra elisabetana? E essa evocação do passado seria destacada pelos ataques constantes em *Spaccio* contra os modernos "pedantes", que desprezavam as boas obras, uma clara alusão à ênfase calvinista na justificação pela fé. Quando Júpiter apela a um futuro Hércules libertador, que livraria Europa das misérias que a afligiam, Momo acrescenta:

> Será suficiente que aquele herói dê um fim a esta seita inútil de pedantes que, sem fazer o bem, de acordo com a lei divina e natural, consideram a si mesmos homens religiosos e querem ser reconhecidos como tal, amados pelos deuses, e dizem que fazer o bem é bom e que fazer o mal é mau. Mas dizem que não é pelo bem realizado nem pelo mal não realizado que alguém se torna digno e amado pelos deuses; mas que isso acontece quando se espera e crê no catecismo pregado por eles. Vejam, ó deuses, se já existiu irreverência mais escancarada do que essa [...] O pior é que eles nos difamam, dizendo que essa (religião deles) é uma instituição dos deuses; e é com isso que eles criticam efeitos e

---

17. Romberch, *Congestorium artificiose memoriae*, p. 25 *recto*. Ver, anteriormente, pp. 154-6.
18. *Dialoghi italiani*, pp. 561 e ss.; *The Expulsion of the Triumphant Beast*, trad. A. D. Imerti, Rutgers University Press, 1964, pp. 69 e ss.

frutos, referindo-se a eles como defeitos e vícios. Considerando que ninguém trabalha para eles e que eles não trabalham para ninguém (porque seu único trabalho é falar mal das obras realizadas), ao mesmo tempo, eles vivem graças às obras daqueles que trabalharam para outros, mais do que para eles, e que para esses outros estabeleceram templos, capelas, alojamentos, hospitais, escolas e universidades. Por isso, eles são verdadeiramente ladrões e apropriadores dos bens que, por questões hereditárias, pertencem a outros. Outros que, se não são tão perfeitos ou bons quanto deveriam, não serão (como os primeiros) homens perversos ou nocivos ao mundo; serão, antes, necessários à república, especialistas nas ciências especulativas, estudiosos da moralidade, solícitos em aumentar o zelo e o cuidado de ajudar uns aos outros e de conservar a sociedade (para a qual são criadas todas as leis), ao proporem certas recompensas aos benfeitores e ameaçarem os delinquentes com determinadas punições[19].

Esse era o tipo de coisa que não poderia ser dito na Inglaterra elisabetana, exceto por alguém que estivesse a salvo na embaixada da França, sob proteção diplomática. E, no contexto do sermão sobre as virtudes e os vícios, memorizado graças às constelações, deve ter ficado claro que o sermão do ex-frade foi aplicado aos ensinamentos dos "pedantes" calvinistas e à destruição das obras alheias que eles promoveram. A essas doutrinas, Bruno prefere as leis morais ensinadas pelos antigos. Como um estudante aplicado da *Summa* de Tomás de Aquino, ele conhecia, é claro, o modo como as definições tomistas das virtudes e dos vícios empregavam as noções sobre ética de "Tullius" e de outros autores da Antiguidade.

No entanto, *Spaccio* está muito longe de ser o sermão de um frade medieval sobre virtudes e vícios, recompensas e punições. Os poderes da alma personificados, que conduzem a reforma dos Céus, são: JÚPITER, JUNO, SATURNO, MARTE, MERCÚRIO, MINERVA, APOLO — e seus magos, Circe e Medéia, além de seu médico, Esculápio —, DIANA, VÊNUS e CUPIDO, CERES, NETUNO, TÉTIS, MOMO e ÍSIS. Diz-se que essas figuras percebidas internamente na alma têm a aparência de estátuas ou pinturas.

19. *Dialoghi italiani*, pp. 623-4; *The Expulsion*..., pp. 124-5. Cf. *G. B. and H. T.*, p. 226.

Estamos nos domínios dos sistemas ocultos da memória, baseados em "estátuas" animadas magicamente, que servem como imagens de memória. Em meu outro livro[20], analisei a estreita relação entre os interlocutores de *Spaccio* e os doze princípios nos quais o sistema de memória de *Imagens* está baseado. O estudo mais extenso, feito neste livro, das outras obras de Bruno sobre a memória mostra, de forma ainda mais clara, que os deuses reformadores, em forma de escultura, que aparecem em *Spaccio,* pertencem ao contexto dos sistemas ocultos de memória. Sua reforma, embora baseada em leis morais, virtudes e vícios – como concebidos por eles –, inclui o retorno da religião mágica "egípcia", da qual há uma longa defesa[21], com uma longa citação tirada do *Aesclepius*, sobre como os egípcios sabiam fabricar estátuas de deuses, que dotavam de poderes celestes. O "Lamento", em *Aesclepius*, sobre a supressão da religião mágica e divina dos egípcios, também é citado por extenso. Portanto, a reforma moral de Bruno tem uma qualidade "egípcia" ou hermética, e a associação desse aspecto com os resultados da velha pregação baseada em virtudes e vícios leva, de um modo curioso, a uma nova ética, fundada em uma religião natural, que segue leis naturais. O sistema de virtudes e vícios está relacionado com os lados bom e mau das influências planetárias, e a reforma visa a fazer com que o lado bom triunfe sobre o mau e a acentuar a influência dos planetas bons. Daí deve resultar uma personalidade que combine a visão religiosa de Apolo ao respeito de Júpiter pela lei moral; os instintos naturais de Vênus são apurados e adquirem um aspecto "mais gentil, mais cultivado, mais engenhoso, mais perspicaz, mais compreensivo"[22]; e as crueldades das seitas antagônicas são substituídas por benevolência e filantropia gerais.

O *Spaccio* é uma obra independente que pertence ao domínio da literatura de imaginação. Seus diálogos podem ser lidos levando-se em consideração a força e o tratamento fora do comum de vários temas,

20. *G. B. and H. T.*, pp. 326 e ss.
21. Idem, pp. 211 e ss.
22. Sobre a maneira como *Spaccio* se reflete no discurso de Berowne sobre o amor na peça de Shakespeare *Love's Labour's Lost*, ver *G. B. and H. T.*, p. 356.

ou por seu humor curioso e pela sátira, pelo tratamento dramático da história deste conselho reformador constituído por deuses, por seus toques de ironia à maneira de Luciano. Contudo, subjacente à obra, pode ser claramente percebida a estrutura de um sistema de memória como o de Bruno. Como de hábito, ele tomou um sistema dos manuais de memória – ele utiliza Higino e sua ordem mnemônica feita a partir das constelações – e tornou-o "oculto" ao transformá-lo em um de seus Selos. Seu grande interesse pelas imagens reais das constelações liga-se, claramente, a seus modos mágicos de pensamento, como os encontramos em seus livros sobre a memória.

Por isso, acredito ser justificável dizer que *Spaccio* representa o tipo da retórica celeste que acompanha um sistema oculto de memória como o de Bruno. Supunha-se que os discursos – que listavam os epítetos descritivos do lado bom das influências dos deuses planetários – contivessem o poder planetário, como já acontecera com a oratória que provinha do sistema de memória de Camillo. *Spaccio* é o sermão mágico do ex-frade.

No ambiente inflamado que cercava a controvérsia de Bruno com os doutores de Oxford e a discussão de seu discípulo com o ramista de Cambridge, o *Spaccio* não teria sido lido com a calma e o espírito desprendido com que o estudioso moderno o aborda. Considerando-se tais controvérsias, seu sistema de memória "scepsista" seria claramente visível a todos. A dedicatória de uma obra como essa a Sidney deve ter aumentado as inquietudes de William Perkins. No *Spaccio*, ficou evidente a que limites "egípcios" podiam ser levados "scepsistas" como Dicson e o homem de Nola. Contudo, nessa obra estranha, alguns podem ter visto uma revelação ofuscante de uma reforma religiosa e moral hermética e universal. Essa reforma estaria representada no esplêndido repertório imagético de uma grande obra de arte do Renascimento, pintada e esculpida no próprio interior humano pelo artista da memória.

Os diálogos italianos, com seus Selos de memória subjacentes, remeteriam o leitor de volta a *Selos*, a obra programática de Bruno, a que deu início a toda a sua campanha na Inglaterra e fez da arte da memória uma questão crucial. O leitor de *Selos*, que teve acesso ao Selo dos Selos, pode ouvir os diálogos italianos de forma poética, vê-los artisticamente e compreendê-los de modo filosófico, como sermões sobre a religião do Amor, da Arte, da Magia e da *Mathesis*.

Essas eram as influências que emanavam do estranho hóspede da embaixada da França, entre os anos de 1583 e 1586. E esses foram os anos cruciais, de germinação, para o início do Renascimento poético inglês, inaugurado por Philip Sidney e seu grupo de amigos. É a esse grupo que Bruno se dirige, dedicando a Sidney seus dois diálogos mais significativos, *Eroici furori* e *Spaccio*. Com palavras estranhamente proféticas a respeito de seu futuro destino, Bruno fala de si próprio, na dedicatória de *Spaccio*:

> Vemos como este homem, na condição de cidadão e de servo do mundo, um filho do Pai Sol e da Mãe Terra, por amar tanto esse mundo, deve ser odiado, censurado, perseguido e extinto por ele. Mas, durante esse tempo, que ele não seja inútil ou mal-empregado, enquanto espera sua morte, sua transmigração, sua mudança. Que hoje ele apresente a Sidney as sementes, numeradas e dispostas em ordem, de sua filosofia moral[23].

(Numeradas e ordenadas elas realmente estão, como em um sistema celeste de memória.) Para demonstrar o significado de Bruno no círculo de Sidney, não devemos, porém, basear-nos apenas nas dedicatórias. Vimos como as questões associadas aos "scepsistas" Dicson e Bruno (o homem de Nola), em suas controvérsias com aristotélicos e ramistas, parecem pairar sobre Sidney. O amigo inseparável deste, Fulke Greville, aparece como anfitrião na misteriosa "Ceia", e é mencionado na dedicatória de *Spaccio* como "aquele segundo homem que, depois de seus (isto é, de Sidney) primeiros e bons favores, propôs e me ofereceu os segundos"[24]. O impacto de Bruno na Inglaterra deve ter sido a maior experiência desses anos, um acontecimento estreitamente relacionado com os líderes do Renascimento inglês.

23. *The Expulsion of the Triumphant Beast*, trad. Imerti, p. 70.
24. Idem, p. 70.

E quanto à influência desse impacto sobre Bruno, o homem que deveria tornar-se a manifestação mais importante deste último Renascimento? Shakespeare tinha 18 anos quando Bruno chegou à Inglaterra e 22 quando ele a deixou. Não sabemos em que ano Shakespeare chegou a Londres e iniciou sua carreira de ator e dramaturgo; sabemos apenas que deve ter sido pouco antes de 1592, quando já estava bem-estabelecido. Entre as evidências, ou rumores, sobre Shakespeare, há uma que o relaciona com Fulke Greville. Em um livro publicado em 1665, é dito sobre este último que "um grande argumento a favor de seu valor era seu respeito pelo valor dos outros, pois desejava ser reconhecido pela posteridade apenas como o mestre de Shakespeare e Ben Johnson, o patrono do chanceler Egerton, lorde do bispo de Overall e amigo de Philip Sidney"[25].

Não se sabe quando ou de que modo Greville poderia ter sido mestre de Shakespeare. Mas é plausível que Shakespeare o tenha conhecido, pois ambos provinham de Warwickshire[26]; a moradia da família de Greville ficava próxima de Stratford-on-Avon. Quando o jovem de Stratford chegou a Londres, é possível que tenha tido acesso à residência e ao círculo de Greville, onde talvez tenha aprendido o que significava utilizar o zodíaco na memória artificial, como fazia Metrodoro de Scepsis.

25. David Lloyd, *Statesmen and Favourites of England since the Reformation*, 1665; citado em E. K. Chambers, *William Shakespeare*, ii, Oxford, 1930, p. 250.
26. Ver T. W. Baldwin, *The Organisation and Personnel of the Shakespearean Company*, Princeton, 1927, p. 291, nota.

CAPÍTULO 15

O Sistema do Teatro da Memória de Robert Fludd

Durante o período do Renascimento inglês, as influências herméticas na Europa estavam no seu auge, mas, até o reinado de Jaime I, nenhum tratado completo de filosofia hermética havia sido publicado por um inglês. Robert Fludd[1] é um dos mais reconhecidos filósofos herméticos, e sua obra, numerosa e obscura, em muitos casos ilustrada com belas gravuras hieroglíficas, atraiu muita atenção nos últimos anos. Fludd pertencia totalmente à tradição hermético-cabalista do Renascimento, sob a forma que ela havia tomado com Ficino e Pico della Mirandola. Estava impregnado do *Corpus Hermeticum* – que leu na tradução de Ficino – e do *Aesclepius*. Também não seria exagero dizer que, em quase todas as páginas de suas obras, podem ser encontradas citações de Hermes Trismegistus. Era também um cabalista, ligado a Pico della Mirandola e Reuchlin, e parece representar tão de perto a tradição oculta do Renascimento que, para esclarecer a síntese renascentista anterior, utilizei, em outro estudo, algumas das gravuras de suas obras, que representam sua visão na forma de diagramas[2].

---

1. Sobre a vida e as obras de Fludd, ver o verbete de seu nome no *Dictionary of National Biography*; e J. B. Craven, *Doctor Robert Fludd*, Kirkwall, 1902. Fludd era, na verdade, de origem galesa.
2. Ver *G. B. and H. T.*, Prs. 7, 8, 10, 16 e pp. 403 e ss.

13a, b, c, d, e, f. Imagens que ilustram os Princípios da Arte da Memória
Agostino del Riccio, *Arte della Memoria Locale*, Biblioteca Nacional, Florença (ms. II, I, 13).

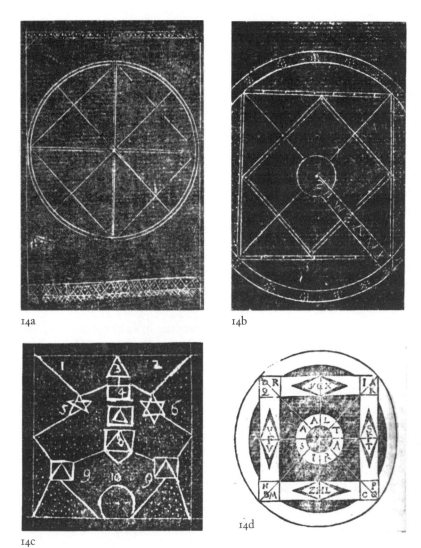

14a
14b
14c
14d

14a. O Céu
14b. A Roda do Oleiro
Selos de Giordano Bruno, *Triginta Sigilli* etc., Londres, 1583.
14c. Sistema de Memória
G. Bruno, *Figuratio Aristotelici physici auditus*, Paris, 1586.
14d. Sistema de Memória
G. Bruno, *De Imaginum compositione*, Frankfurt, 1591.

❖ 395 ❖

Mas Fludd vivia na época em que os modos de pensamento hermético e mágico do Renascimento eram atacados pela geração de filósofos em ascensão no século XVII. A autoridade de *Hermetica* estava enfraquecida quando Isaac Casaubon, em 1614, datou a obra como tendo sido escrita depois de Cristo[3]. Fludd ignorou completamente essa datação e continuou a ver a *Hermetica* como um conjunto de escritos verdadeiros do mais antigo sábio egípcio. A defesa apaixonada de sua crença e de seu ponto de vista levou-o a um conflito aberto com os líderes da nova era. Suas controvérsias com Mersenne e Kepler são famosas e, nelas, ele aparece como um "rosa-cruz". Tenham os rosa-cruzes existido de fato ou não, certo é que anúncios sobre a existência dessa irmandade criavam grande agitação e interesse, no início do século XVII. Em suas primeiras obras, Fludd proclamou-se um discípulo dos rosa-cruzes e, assim, foi identificado pelo público em geral com essa irmandade invisível e misteriosa e com seus objetivos evasivos.

O filósofo hermético ou ocultista certamente se interessava pela arte da memória, e Fludd não é exceção à regra. Tendo aparecido tardiamente no Renascimento, no momento em que as filosofias renascentistas davam lugar aos movimentos que cresciam no século XVII, Fludd ergue o que é, provavelmente, o último grande monumento da memória do Renascimento. E, assim como o primeiro grande monumento dessa memória, o sistema de Fludd toma um teatro como sua forma arquitetônica. O Teatro de Camillo inaugurou a nossa série de sistemas de memória do Renascimento, e o Teatro de Fludd encerra-la-á.

Como será sugerido no próximo capítulo, o sistema de memória de Fludd pode ter uma importância surpreendente: a de um reflexo, distorcido pelos espelhos da memória mágica, do Globe Theatre de Shakespeare. Espero que o leitor seja paciente com meus árduos esforços neste capítulo para quebrar o último dos Selos da Memória, com o qual pretendo confrontá-lo.

---

3. Idem, pp. 399 e ss. O livro em que Casaubon forneceu uma data para *Hermetica* foi dedicado a Jaime I.

Na obra de Fludd, podemos encontrar esse sistema de memória naquela que representa a exposição mais completa e característica de sua filosofia. Ela tem o incômodo título de *Utriusque Cosmi, Maioris scilicet et Minoris, metaphysica, physica, atque technica Historia*. Os "mundos mais e menos importantes" que essa história pretende abarcar são o grande mundo do macrocosmo, o Universo, e o pequeno mundo do ser humano, o microcosmo. Fludd apóia suas idéias sobre o Universo e o ser humano nas várias citações de "Hermes Trismegistus", tiradas do *Pimander* – ou seja, da tradução latina, de Ficino, do *Corpus Hermeticum* –, e no *Aesclepius*. Com sua visão hermética mágico-religiosa, ele une o cabalismo e completa, assim, a visão de mundo do Mago do Renascimento, mais ou menos como vimos acontecer, anos antes, no Teatro de Camillo.

Essa obra monumental foi publicada, em partes, por John Theodore de Bry, em Oppenheim, na Alemanha[4]. A primeira parte do primeiro

4. Rober Fludd, *Utriusque Cosmi Maioris Scilicet et Minoris, Metaphysica, Physica atque Technica Historia*.

    Tomus Primus.   *De Macrocosmi Historia in duos tractatus divisa.*

    De Metaphysico Macrocosmi et Creaturum illius ortu etc., Oppenheim, Aere Johan-Theodori de Bry. Typis Hieronymi Galleri, 1617.

    De Naturae Simia seu Technica Macrocosmi Historia, Oppenheim, Aere Johan-Theodori de Bry. Typis Hieronymi Galleri, 1618.

    Tomus Secundus. *De Supernaturali, Naturali, Praeternaturali et Contranaturali Microcosmi Historia...* Oppenheim, Impensis Johannis Theodori de Bry. Typis Hieronymi Galleri, 1619.

    Sectio I. Metaphysica atque Physica... Microcosmi Historia.

    Sectio II. Technica Microcosmi Historia.

    De praeternaturali utriusque mundi historia, Frankfurt, *typus* Erasmeri Kempferi, *sumptibus* Johan-Theodori de Bry, 1621.

    (Em anexo, no final, esse volume contém uma réplica de Fludd a Kepler, intitulada *Veritatis proscenium* etc.).

    Essa apresentação da complexa publicação da obra nos permite observar que o *Tomus Primus*, sobre o macrocosmo, foi publicado em duas partes, em 1617 e 1618; o *Tomus Secundus*, sobre o microcosmo, foi publicado em 1619 (a publicação de Frankfurt, de 1621, constitui uma parte posterior deste volume).

    John Theodore de Bry, o editor de toda a série, era filho de Theodore de Bry (morto em 1598), cuja casa publicadora e impressora ele herdara. John Theodore de Bry é mencionado na página de rosto do *Tomus Primus* como o responsável pelas gravuras "aere Johan-Theodori de Bry", mas isso não é confirmado na página de rosto do *Tomus Secundus*. A

volume (1617), sobre o macrocosmo, começa com duas dedicatórias extremamente místicas: a primeira, a Deus, e a segunda, a Jaime I, como
o representante de Deus na Terra. O segundo volume, sobre o microcosmo, apareceu em 1619, com uma dedicatória a Deus, onde o Divino
é definido por meio de várias citações de Hermes Trismegistus. Jaime
I não é mais mencionado, mas, dado que na dedicatória do primeiro
volume ele estava estreitamente associado ao Divino, é provável que
sua presença ainda esteja implícita na dedicatória do segundo volume,
apesar de este último ser dedicado exclusivamente ao Divino. É quase
como se Fludd invocasse o nome de Jaime I nessas dedicatórias como
o Defensor da Fé Hermética.

Sabemos que, por volta dessa época, Fludd pedia, especialmente a
Jaime I, para apoiá-lo contra os ataques de seus inimigos. Um manuscrito do British Museum, de aproximadamente 1618, contém uma "Declaração" de Fludd sobre suas obras impressas e suas idéias, endereçada ao
rei[5]. Ele defende a si mesmo e aos rosa-cruzes como seguidores inofensi-
vos de filosofias divinas e antigas, menciona a dedicatória de *Macrocosmo*
a Jaime I e anexa testemunhos de eruditos estrangeiros sobre o valor de
seus escritos. Portanto, a dedicatória da obra a Jaime I – o segundo volume contém o sistema de memória – pertence a um período de sua vida
em que se sentiu atacado e desejou especialmente obter o apoio do rei.

Fludd vivia na Inglaterra quando escreveu essa e outras obras, embora não as tenha publicado ali. Tal fato foi tomado como negativo por
um de seus inimigos. Em 1631, um certo doutor William Foster, um
pastor anglicano, atacou a medicina de Fludd, baseada em Paracelso,
como sendo mágica, e aludiu ao fato de Marin Mersenne tê-lo chamado de mago e dito que fora justamente por essa sua reputação que
Fludd não publicara suas obras na Inglaterra: "Suponho que esta seja
uma das causas por que ele publicou seus livros no além-mar. Nossas

gravura da página de rosto de *De Naturae Simia*, 1618, é assinada por "M. Merian sculp.".
Matthieu Merian era genro de John Theodore de Bry e fazia parte da firma.
5. Robert Fludd, "Declaratio brevis Serenessimo et Potentissimo Principe ac Domine Jaco-
bo Magnae Britanniae... Regi", British Museum, MS. Royal 12, c. ii.

universidades e nossos reverendos bispos (graças a Deus) são muito cautelosos para permitirem a publicação de livros de magia por aqui"[6]. Em sua resposta a Foster (do qual ele diz não se diferenciar em termos religiosos), Fludd retoma a referência à sua controvérsia com Mersenne. "Mersenne acusou-me de magia e Foster se pergunta como o rei Jaime me permitiu morar e escrever em seu reino"[7]. Fludd se diz capaz de convencer o rei da inocência de suas obras e intenções (provavelmente aludindo à Declaração) e aponta o fato de ter dedicado um livro a Jaime I (aqui, certamente, ele se refere à dedicatória do *Utriusque Cosmi... Historia*) como evidência de que não havia nada de errado com elas. E rejeita, com vigor, a explicação de Foster sobre o motivo do envio de suas obras para impressão no exterior: "Eu as enviei para fora do país porque nossos editores pediam quinhentas libras para publicar o primeiro volume e providenciar as gravuras em cobre. Mas, no além-mar, ela seria impressa sem que eu tivesse qualquer custo e do modo que eu desejasse"[8]. Embora Fludd tenha publicado vários livros com gravuras fora da Inglaterra, é quase certo que essa observação se refere ao caso de *Utriusque Cosmi... Historia*, cujos dois volumes são ilustrados com uma notável série de gravuras.

Fludd atribuía grande importância à ilustração de suas obras, pois era sua intenção apresentar sua filosofia de forma visual ou "hieroglífica". Esse aspecto da filosofia de Fludd tornou-se evidente em sua controvérsia com Kepler, quando o matemático zombou de suas "figuras" e de seus "hieróglifos", "do modo hermético" como utilizava os números,

---

6. William Foster, *Hoplocrisma-Spongus: or A Sponge to wipe away the Weapon-Salve*, London, 1631. O *"weapon-salve"* [ünguento que se acreditava curar uma ferida ao ser aplicado sobre a arma que causara o ferimento (N. da T.)] era recomendado por Fludd, e Foster afirmava ser ele perigosamente mágico e proveniente de Paracelso.

7. *Dr. Fludd's Answer unto M. Foster, or The Squesing of Parson Foster's Sponge ordained for him by the wiping away of the Weapon-Salve*, London, 1631, p. 11.

8. Idem, pp. 21-2. *The Squesing of Parson Foster's Sponge*, único livro que Fludd publicou na Inglaterra, certamente era tido como obra de interesse não apenas local, mas fazia parte das grandes controvérsias internacionais do momento, pois uma tradução latina foi publicada em Gouda, em 1638 (R. Fludd, *Responsum ad Hoplocrisma-Spongum M. Fosteri Presbiteri*, Gouda, 1638).

comparando tudo isso aos diagramas puramente matemáticos de suas próprias obras[9]. As figuras e hieróglifos de Fludd são freqüentemente muito complexos, e ele dava grande importância à correspondência exata entre eles e o seu texto complicado. Mas como será que Fludd explicava ao editor e gravador na Alemanha o que queria de suas ilustrações?

Se Fludd precisava de um emissário de confiança para levar o seu texto e material referente às ilustrações até Oppenheim, encontrou-o em Michael Maier. Esse homem, que pertencera ao círculo do imperador Rodolfo II, certamente acreditava na existência da irmandade Rosa-Cruz e estava convencido de ser um de seus adeptos. Diz-se que foi ele quem persuadiu Fludd a escrever seu *Tractatus Theologo-Philosophicus*, dedicado aos Irmãos da Rosa-Cruz e publicado por De Bry em Oppenheim[10]. Além disso, diz-se que foi Maier quem levou essa obra de Fludd para ser impressa lá[11]. Maier fez o percurso entre a Inglaterra e a Alemanha várias vezes e, por volta dessa época, ele imprimiu suas próprias obras com De Bry em Oppenheim[12]. Portanto, existia um emissário, Maier, que pode ter levado o material das ilustrações de Fludd para o *Utriusque Cosmi... Historia* até Oppenheim, para que o livro pudesse ser editado "segundo a vontade" de Fludd, como foi o caso, segundo suas próprias palavras.

Tudo isso tem alguma importância, pois o sistema do Teatro da Memória é ilustrado e, no próximo capítulo, surgirá o problema de até que ponto podemos nos basear em uma dessas ilustrações como reflexo de um palco realmente existente em Londres.

9. Ver *G. B. and H. T.*, pp. 442-3.
10. Ver J. B. Craven, *Count Michael Maier*, Kirkwall, 1910, p. 6.
11. Ver Craven, *Doctor Robert Fludd*, p. 46.
12. A obra de Maier, *Atalanta fugiens*, com suas notáveis ilustrações, foi publicada por John Theodore de Bry, em Oppenheim, em 1617; sua *Viatorum hoc est de montibus planetarum* foi publicada pela mesma firma, em 1618.
   Dever-se-ia acrescentar que as relações comerciais entre a firma De Bry e a Inglaterra bem podem ter sido estabelecidas pelo velho De Bry (Theodore de Bry) que, em *America*, publicou gravuras a partir dos desenhos de John White. Theodore de Bry visitou a Inglaterra, em 1587, para reunir ilustrações e outros materiais para suas publicações de viagens de descobrimento. Ver P. Hulton e D. B. Quinn, *The American Drawings of John White*, London, 1964, 1, pp. 25-6.

Para resumir esta breve introdução a *Utriusque Cosmi...Historia*, deve ser dito que tal livro se insere na tradição hermético-cabalista do Renascimento e a retoma no momento de entusiasmo rosacrucianista; que a sua dedicatória busca fazer de Jaime I um defensor da tradição; que a relação entre Fludd, na Inglaterra, e seu editor, na Alemanha, pode ter sido realizada por Michael Maier ou por meio dos canais de comunicação entre a empresa de De Bry e a Inglaterra, já estabelecidos em negócios relativos a edições anteriores.

À vista da significativa situação histórica do livro, é interessante saber que ele contém um sistema de memória oculta, um Selo de memória, cuja complexidade e mistério são dignos do próprio Bruno.

Fludd trata da arte da memória no segundo volume de sua *Utriusque Cosmi... Historia*, aquele sobre o homem como microcosmo. Nele, apresenta o que chama de "a história técnica do microcosmo", o que significa a técnica ou as artes utilizadas pelo microcosmo. No início dessa parte, o conteúdo é utilmente apresentado sob uma forma visual. *Homo*, ou o microcosmo, tem acima de sua cabeça uma glória triangular, que marca a sua origem divina; a seus pés está um macaco, o símbolo favorito de Fludd para representar a arte com a qual o homem imita, ou reflete, a natureza. Os segmentos do círculo mostram as artes ou técnicas que serão tratadas e que, de fato, nessa ordem, são abordadas nos capítulos seguintes: Profecia, Geomancia, Arte da Memória, Genetliologia (a arte de fazer horóscopos), Fisiognômica, Quiromancia, Pirâmides da Ciência. A arte da memória está indicada por cinco *loci* de memória, nos quais há imagens. O contexto aqui apresentado, e no qual se insere a arte da memória, é instrutivo: seus lugares e imagens estão situados ao lado do diagrama do horóscopo, marcado com os signos do zodíaco. Outras artes mágicas e ocultas fazem parte da série, que também inclui a profecia – o que sugere conotações místicas e religiosas – e as pirâmides, que são o símbolo preferido de Fludd para o movimento ascendente e descendente, ou a interação entre o divino (ou o espiritual) e o terrestre (ou corporal).

O capítulo sobre a "ciência da memorização espiritual, vulgarmente chamada de *Ars Memoriae*"[13] é introduzido por uma imagem que a ilustra (Pr. 15). Vemos um homem com um grande "olho da imaginação" na parte anterior de sua cabeça; ao seu lado encontram-se cinco *loci* de memória, nos quais há imagens. Cinco é o número preferido de Fludd para um grupo de lugares de memória, como aparecerá mais tarde, e o diagrama ilustra também o seu princípio – colocar uma imagem principal em uma sala de memória. Aqui, a imagem principal é um obelisco; as outras são a Torre de Babel, Tobias e o Anjo, um navio e o Juízo Final, com os condenados entrando pela boca do Inferno – uma relíquia interessante, nesse sistema muito tardio do Renascimento, da virtude medieval de lembrar o Inferno por meio da memória artificial. Não há outras referências ou explicações para essas cinco imagens no texto seguinte. Não sei se deveriam ser lidas de forma alegórica: o obelisco como um símbolo egípcio, referindo-se à "escrita interior" da arte que deverá superar as confusões da Torre de Babel e conduzir aqueles que a utilizam, tendo por guia um anjo, à salvação religiosa. Essa interpretação corre o risco de ser fantasiosa e, na ausência de uma explicação do próprio Fludd, é melhor deixar tais imagens envoltas em seu mistério.

Após algumas definições habituais da memória artificial, Fludd dedica um capítulo[14] para explicar a distinção que faz entre dois tipos diversos dessa arte, que chama, respectivamente, "arte circular" (*ars rotunda*) e "arte quadrada" (*ars quadrata*).

Para atingir a perfeição completa da arte da memória, a imaginação opera de duas maneiras. A primeira é por meio das *ideas*, que são formas separadas das coisas corporais, como os espíritos, as sombras (*umbrae*), as almas e assim por diante, e, também, os anjos dos quais nos servimos, sobretudo em nossa *ars rotunda*. Não empregamos a palavra "*ideas*" no mesmo sentido de Platão, que a utiliza para falar da mente de Deus, mas para algo que não seja composto pelos quatro elementos, ou seja, para coisas espirituais e simples concebidas na

13. *Utriusque Cosmi... Historia, Tomus Secundus, sectio* 2, pp. 48 e ss.
14. Idem, p. 50.

imaginação; por exemplo: anjos, demônios, as efígies das estrelas, as imagens de deuses e deusas aos quais são atribuídos poderes celestes e que participam mais de uma natureza espiritual do que corpórea; do mesmo modo, as virtudes e os vícios concebidos na imaginação e transformados em sombras, que também deveriam ser considerados como demônios[15].

A "arte circular", então, utiliza imagens talismânicas ou dotadas de magia: efígies de estrelas, "estátuas" de deusas e deuses, animadas pelas influências celestes, imagens de virtudes e vícios, como na velha arte da Idade Média mas, agora, como se contivessem poder "demoníaco" ou mágico. Fludd trabalha em uma classificação de imagens potentes e menos potentes, o que também era uma preocupação constante de Bruno.

A "arte quadrada" emprega imagens de coisas corporais como homens, animais e objetos inanimados. Quando se trata de homens ou de animais, as imagens são ativas, ligadas a algum tipo de ação. A "arte quadrada" soa como a habitual arte da memória, que utiliza as imagens ativas do *Ad Herennium*. Talvez ela seja "quadrada" porque emprega edifícios ou salas, cômodos, como lugares de memória. Segundo Fludd, as únicas artes da memória possíveis são a circular e a quadrada: "A memória só pode ser melhorada artificialmente de três maneiras: ou por medicamentos, ou pela operação da imaginação direcionada às *ideas* na arte circular, ou ainda, pelas imagens de coisas corporais na arte quadrada"[16].

A prática da arte circular é diferente daquela da arte que utiliza o "anel de Salomão", e sobre a qual Fludd ouvira rumores em Toulouse (e que devia ter relação com a magia negra). Mas ela também precisa do auxílio de demônios (no sentido de poderes demoníacos e não de demônios do Inferno) ou da influência do Espírito Santo. E é necessário que a "imaginação coopere com o ato metafísico"[17].

15. Idem, loc. cit.
16. Idem, pp. 50-1.
17. Idem, p. 51. A arte da memória extremamente mágica, de que Fludd, em Toulouse, ouviu falar, faz lembrar a *ars notoria*. Fludd pode estar se referindo a Jean Belot, que publicara na França, no início do século, obras sobre quiromancia, fisiognomia e arte da memória (sobre Belot, ver Thorndike, *History of Magic and Experimental Science*, VI, pp. 360-3). A

Muitas pessoas, continua Fludd, preferem a arte quadrada porque é mais fácil, mas a arte circular é, de longe, superior. Porque a arte circular é "natural": utiliza lugares "naturais" e está naturalmente adaptada ao microcosmo. Já a arte quadrada é "artificial": usa lugares e imagens fabricados.

Depois, Fludd dedica um capítulo inteiro e longo a uma polêmica contra o uso dos "lugares fictícios" na arte quadrada[18]. Para compreendermos isso, devemos recordar a velha distinção, que remonta ao *Ad Herennium* e às outras fontes clássicas, entre lugares de memória "reais" e "fictícios". Os lugares "reais" são edifícios, construções reais de qualquer tipo, utilizados para construir os lugares por meio da mnemotécnica habitual. Os lugares "fictícios" são construções imaginárias ou lugares imaginários de qualquer tipo, cuja invenção o autor do *Ad Herennium* permitia, caso não houvesse suficientes lugares reais disponíveis. A distinção entre lugares "reais" e "fictícios" permaneceu sempre nos tratados sobre a memória, com muitos comentários elaborados a esse respeito. Fludd rejeita de forma veemente o uso de construções "fictícias" na arte quadrada. Elas confundem a memória e retardam a sua tarefa. Devem-se empregar sempre lugares reais em construções também reais. "Alguns versados nessa arte quadrada desejam baseá-la em palácios fabricados ou erigidos pela invenção da imaginação; agora, explicaremos brevemente os inconvenientes de tal opinião"[19]. Assim começa o capítulo contra o uso dos lugares fictícios na arte quadrada. É um capítulo importante, pois, se as construções que Fludd irá empregar em seu sistema de memória estiverem de acordo com essa visão contrária aos lugares fictícios, elas deverão ser "reais".

Depois de estabelecer sua distinção entre a *ars rotunda* e a *ars quadrata* e de apresentar os diferentes tipos de imagem a serem utilizadas em

memória artificial de Belot, altamente mágica, em que ele menciona Llull, Agrippa e Bruno, foi reimpressa na edição de suas *Ouevres*, Lyon, 1654, pp. 329 e ss. A arte da memória de R. Saunders (*Physiognomie and Chiromancie... whereunto is added the Art of Memory*, Londres, 1653, 1671) baseia-se na de Belot e repete sua menção a Bruno. Saunders dedicou seu livro a Elias Ashmole.

18. *Utriusque cosmi... Historia*, II, 2 pp. 51-2.
19. Idem, p. 51.

cada uma delas; depois de deixar clara sua visão de que a *ars quadrata* deve sempre empregar construções reais, Fludd agora expõe o seu sistema de memória[20]. Trata-se de uma combinação das artes quadrada e circular. Baseado nos círculos dos Céus, no zodíaco e nas esferas dos planetas, ele utiliza, em combinação com ambas as artes, construções que devem ser localizadas nos Céus, que contêm lugares providos de imagens de memória que, ao estarem organicamente ligadas às estrelas, deverão ser ativadas pelos astros. Já encontramos isso antes. De fato, a idéia é exatamente a mesma daquela de Bruno em *Imagens*[21], em que ele emprega as séries de *atria* ou salas, *cubicula* e *campi*, abarrotados de imagens, e ativados ao serem organicamente ligados a essa arte "circular", provida de imagens de deuses e deusas aos quais se atribuíam influências celestes. Bruno havia igualmente estabelecido a distinção entre o que Fludd chama de artes "circular" e "quadrada" em seu *Selos*, publicado na Inglaterra 36 anos antes da obra de Fludd[22].

O traço surpreendente do sistema de memória de Fludd é que os edifícios de memória a serem localizados nos Céus, nessa nova combinação entre as artes circular e quadrada, correspondem ao que ele chama de "Teatros". E, por meio dessa palavra, "Teatro", ele não designa aquilo que nós entendemos por teatro, uma construção que possui um palco e um auditório. Ele designa um palco. Mais adiante demonstraremos a veracidade dessa afirmação de que, para Fludd, "Teatro" significa realmente um palco. Entretanto é útil afirmar isso antes de abordar o sistema de memória.

FLUDD DIZ que o "lugar comum" da *ars rotunda* é "a parte etérea do mundo, ou seja, as orbes celestes numeradas a partir da oitava esfera até a esfera da Lua"[23]. Tal afirmação é ilustrada por um diagrama (Pr. 16) que mostra a oitava esfera, ou zodíaco, marcada com os signos do

20. Idem, pp. 54 e ss.
21. Ver, anteriormente, pp. 364 e ss.
22. Ver, anteriormente, p. 312.
23. *Utriusque Cosmi... Historia*, II, 2, p. 54.

zodíaco e que engloba os sete círculos que representam as esferas dos planetas e, no centro, um círculo que representa a esfera dos elementos. Tudo isso representa, segundo Fludd, uma ordem "natural" dos lugares de memória, baseada no zodíaco, assim como uma ordem temporal, pelo movimento das esferas em relação ao tempo[24].

Em cada lado do signo de Áries, aparecem duas pequenas construções. São minúsculos "Teatros", ou palcos. Dessa forma, ou seja, com duas portas no fundo do palco, eles não serão novamente ilustrados nem aparecerão outra vez no texto. Um sistema de memória oculto tem sempre muitas *lacunae* inexplicadas e não compreendo por que Fludd não menciona novamente esses dois "Teatros". Suponho que são colocados aqui, no diagrama cósmico, como um tipo de afirmação preliminar do princípio desse sistema de memória, que utilizará "Teatros", edifícios que contêm *loci* de memória, à maneira da *ars quadrata*, mas que são dispostos no grande "lugar comum" da *ars rotunda*, isto é, no zodíaco.

Na página seguinte do livro, oposta ao diagrama dos Céus, encontra-se uma gravura de um "Teatro" (Pr. 17). O diagrama dos Céus e a imagem do "Teatro" estão localizados em páginas opostas, de maneira tal que, quando o livro é fechado, os Céus cobrem o "Teatro". Este último, como já afirmado, não corresponde a um teatro completo, mas apenas a um palco. Diante de nós, temos a *frons scaenae*, com cinco entradas, como na clássica *frons scaenae*. Porém, esse não é um palco clássico. Ele é um palco que apresenta muitos planos, típico da época de Elisabeth I ou de Jaime I. Três entradas encontram-se no nível térreo; duas delas têm forma de arco, mas a do meio pode ser fechada por pesadas portas articuladas, mostradas entreabertas. As outras duas entradas estão em um nível superior, e abrem para um terraço com ameias. No centro, uma

---

24. Se compararmos esse diagrama básico da *ars rotunda* com o desenho da página de rosto do primeiro volume de *Utriusque Cosmi... Historia*, veremos o movimento temporal visualmente expresso pela corda enrolada em torno do macrocosmo e do microcosmo e puxada pelo Tempo. Pela comparação com essa imagem, na qual o microcosmo é representado dentro do macrocosmo, também podemos compreender por que a arte "circular" da memória é a "natural" para o microcosmo.

característica notável desse palco, há uma espécie de porta-balcão, ou de câmara ou sala superior.

Fludd apresenta essa imagem de um "Teatro" ou palco com as seguintes palavras: "Chamo de Teatro (um lugar no qual) todas as ações relativas a palavras, sentenças, detalhes de um discurso são mostradas, *como em um teatro público, no qual são encenadas comédias e tragédias*"[25]. Fludd irá utilizar esse "Teatro" como um sistema de lugares de memória, em relação à memória para palavras e memória para coisas. Mas o "Teatro" em si é como "um teatro público, no qual são encenadas comédias e tragédias". Aqueles grandes teatros de madeira, onde eram encenadas as obras de Shakespeare e de outros autores, recebiam o nome técnico de "teatros públicos". Levando-se em consideração a forte recusa de Fludd quanto ao uso dos "lugares fictícios" para a memória, será que podemos afirmar que ele nos apresenta, nessa gravura, um palco de verdade em um teatro público?

O capítulo que contém a ilustração desse Teatro é intitulado: "Descrição do Teatro oriental e do Teatro ocidental". Parece que deve haver dois desses Teatros, um "oriental" e o outro "ocidental", idênticos quanto ao plano, mas diferentes nas cores. O Teatro oriental deve ser claro, brilhante e luminoso, já que apresentará as ações diurnas. O Teatro ocidental deverá ser escuro, negro e obscuro, relacionado com a noite. Ambos devem estar situados nos Céus e referem-se, provavelmente, às "casas" diurnas e noturnas dos planetas. Haverá um Teatro ocidental e um oriental para cada um dos signos do zodíaco? Devem eles ser situados como aqueles dois pequenos palcos, que vimos no plano, em cada um dos lados de Áries, e não apenas para um signo mas para todo o domínio dos Céus? Penso que sim. Mas estamos no campo da memória oculta e não é fácil compreender o funcionamento desses teatros dos Céus.

A comparação mais próxima que pode ser feita é com o sistema de Bruno em *Imagens*, no qual disposições elaboradas de salas de memória, que contêm lugares para as imagens de memória – como na arte "quadrada" de Fludd –, estão ligadas a um sistema celeste ou "circular". De modo

25. *Utriusque Cosmi... Historia*, II, 2, p. 55.

semelhante, assim acredito, os "Teatros" de Fludd são salas de memória que devem ser ligadas aos Céus circulares, ao serem localizadas no zodíaco. Se Fludd pensa que dois desses "Teatros" devem ser situados em cada signo, então, o "Teatro" que ele ilustra corresponderia a uma das vinte e quatro salas de memória idênticas. Os Teatros "oriental" e "ocidental", ou diurno e noturno, introduzem o tempo em um sistema que está ligado à revolução dos Céus. É, com certeza, um sistema altamente mágico ou oculto, fundado na crença na relação entre macrocosmo e microcosmo.

Na porta-balcão do "Teatro" estão inscritas as palavras THEATRUM ORBI. Já que Fludd e o gravador altamente culto certamente conheciam latim, parece difícil acreditar que isso fosse apenas um erro, substituindo a forma correta de THEATRUM ORBIS. Sugiro, então, embora com cautela, que o caso dativo seja intencional e que a inscrição signifique não que esse seja um "Teatro do Mundo" mas um dos "Teatros", ou palcos, a ser situado no mundo, isto é, nos Céus mostrados na página oposta.

Fludd diz que "cada um dos teatros terá cinco portas diferentes entre si e quase eqüidistantes, cuja utilização explicaremos depois"[26]. Assim, a existência das cinco portas ou entradas que aparecem na ilustração do "Teatro" é confirmada pelo texto de Fludd. O texto confirma, portanto, a ilustração. As cinco portas dos Teatros, que Fludd explica posteriormente, servem como cinco *loci* de memória, que correspondem a cinco colunas às quais estariam opostas[27]. As bases dessas cinco colunas são mostradas no primeiro plano da ilustração do "Teatro". Uma é redonda, a seguinte é quadrada, a central é hexagonal e, depois, vêm uma outra quadrada e outra redonda: "Devem-se imaginar cinco colunas diferentes umas das outras pela forma e cor. As que se encontram nas extremidades têm a forma redonda, circular; a coluna central terá a figura de um hexágono; e as intermediárias serão quadradas"[28]. Aqui, novamente, a

26. Idem, loc. cit.
27. Idem, p. 63.
28. *"His pratis oppositae fingantur quinque columnae, quae itidem debent figura & colore distingui; Figura enim duarum extremarum erit circularis & rotunda, mediae autem columna habebit figuram hexagoneam, & quae his intermedia sunt quadratam possidebunt figuram"*

ilustração corresponde ao texto, pois a imagem mostra que as bases das colunas estão nas formas e na disposição que nele aparecem.

Essas colunas, continua Fludd, têm cores diferentes, que correspondem "às cores das portas dos Teatros que lhes são opostas". Essas portas devem ser utilizadas como cinco *loci* de memória e devem ser diferenciadas entre si ao serem recordadas de acordo com as suas várias cores. A primeira porta será branca, a segunda vermelha, a terceira verde, a quarta azul e a quinta preta[29].

Na ilustração do "Teatro", a correspondência entre as portas e as colunas talvez seja indicada pelas formas geométricas que aparecem no terraço com ameias. Não compreendo, em detalhe, como essas correspondências devam funcionar, embora fique claro que a porta central principal, no nível térreo, corresponderia à coluna central principal em forma de hexágono e que as outras quatro portas corresponderiam, por sua vez, às quatro colunas circulares e quadradas.

Com esse conjunto de dez lugares, cinco portas e cinco colunas, em todos os "Teatros", Fludd propõe recordar coisas e palavras pelo seu sistema de memória mágico. Embora ele não cite as regras do *Ad Herennium* em relação às portas e colunas, é certo que as tinha em mente. As portas são espaçadas de modo a formar lugares de memória adequados. As colunas têm diferentes formas, de modo a não serem muito parecidas e confundirem a memória. Não encontramos no *Ad Herennium* a idéia de dar cores diferentes aos *loci* de memória que queremos lembrar, como uma ajuda adicional para distingui-los entre si; mas os tratados de memória dão esse conselho com freqüência.

O sistema funciona por estar ligado às estrelas, ou melhor, às "idéias principais", como Fludd as chama em um capítulo sobre a relação dos planetas com os signos do zodíaco[30]. Esse capítulo fornece o fundamento celeste do sistema e é imediatamente seguido pelo capítulo sobre as cinco

---

(Idem, p. 63). Embora ele fale de "campos" (*prata*), aqui ele está considerando as cinco portas como campos ou lugares de memória.

29. Idem, loc. cit.

30. Idem, p. 62.

portas e cinco colunas nos Teatros de memória. Os Céus funcionam em conjunto com os Teatros, que estão nos Céus. As artes "circular" e "quadrada" estão unidas para formar um Selo de memória, ou um sistema oculto de memória, bastante complexo. Fludd jamais emprega a palavra "Selo", mas o seu sistema de memória é, sem dúvida, do tipo do de Bruno.

Dois outros "Teatros" (Pr. 18*a*, *b*) estão ilustrados no texto de Fludd. Eles não têm palcos de muitos níveis como nos Teatros principais; mais parecem salas sem uma das paredes, de modo que o espectador possa ver dentro delas, e apresentam uma semelhança com os Teatros principais: as ameias sobre os muros possuem um desenho semelhante ao das ameias que se encontram nos terraços dos Teatros principais. Esses Teatros secundários também devem ser utilizados como salas de memória. Um possui três portas e o outro cinco; neste último há um sistema de colunas semelhante ao dos Teatros principais, o que reconhecemos pelas suas bases, e que funciona ligado às portas. Esses Teatros secundários estão, portanto, ligados aos Teatros principais e, por meio destes, aos Céus.

Falamos sobre os "lugares" do sistema de Fludd; o principal "lugar comum" são os Céus, aos quais estão ligados os Teatros como salas de memória. E o que dizer do segundo aspecto da memória: as "imagens"? O que Fludd tem a dizer a seu respeito?

Para as suas imagens básicas ou celestes ele utilizou imagens talismânicas ou mágicas, como Bruno também o fez na roda central de *Sombras*. As imagens dos signos do zodíaco e das características dos planetas são mostradas no plano dos Céus, mas não as imagens de decanos, planetas, casas, etc. Contudo, podemos pensar que Fludd tinha em mente tais imagens quando, no capítulo sobre "a ordem das idéias principais por meio das esferas dos planetas", ele analisa a progressão de Saturno através do zodíaco, fornecendo diferentes imagens desse planeta, de acordo com os diversos signos e dizendo, ainda, que o mesmo deve ser feito com os outros planetas[31]. Assim deveriam ser as imagens celestes ou magicamente operativas a serem utilizadas na parte circular do sistema.

31. Idem, loc. cit.

Depois desse capítulo sobre as imagens das "idéias principais", há um sobre as "imagens menos importantes" a serem colocadas nos Teatros, sobre portas e colunas. Essas são as imagens a serem utilizadas na parte "quadrada" da arte. Elas devem ser formadas de acordo com as regras sobre imagens impressionantes que aparecem no *Ad Herennium*, e que Fludd cita, mas como se estivessem dotadas magicamente no interior desse sistema. Entre os conjuntos de cinco imagens a serem empregadas nos Teatros, temos o de Jasão segurando o Velocino de Ouro, Medéia, Páris, Dafne, Febo. Outro conjunto mostra Medéia, primeiro colhendo ervas mágicas, imagem a ser colocada sobre a porta branca; depois, matando seu irmão, essa destinada à porta vermelha; e em outras situações, a serem representadas sobre as outras portas[32]. Há um outro conjunto de cinco imagens de Medéia[33]; há, também, outras imagens de Circe. A magia atribuída a essas feiticeiras deve ter ajudado muito o sistema.

Como Bruno, Fludd está profundamente envolvido nas complexidades dos velhos tratados sobre a memória, que sobreviveram em meio à magia e contribuem para a sua obscuridade. São fornecidas listas de nomes e coisas, em ordem alfabética, do tipo tão apreciado por autores como Romberch e Rossellius, mas, agora, dotadas de um caráter misterioso, pelo seu envolvimento com uma arte oculta. Nessas listas fornecidas por Fludd encontram-se todas as principais figuras mitológicas e, ainda, listas de virtudes e vícios – as quais nos recordam a memória artificial medieval em meio à extraordinária miscelânea.

Realmente, ao incluir exemplos ilustrados de "alfabetos visuais"[34], Fludd deixa clara sua ligação com a velha tradição dos tratados sobre a memória. O alfabeto visual era um tipo de manual sígnico dos velhos tratados sobre a memória. Boncompagno provavelmente já os anunciava

32. Idem, p. 65.
33. Idem, p. 67.
34. Ele também apresenta séries de imagens visuais para números, novamente uma velha tradição. Exemplos de lugares de memória dotados de imagens para números são apresentados na seção "De Arithmetica Memoriali", no primeiro volume da obra (*Utriusque Cosmi... Historia*, I, 2, pp. 153 e ss.).

no século XIII e regularmente os encontramos em Publicius, Romberch, Rossellius, entre outros[35]. Apesar de Bruno nunca ter feito uma ilustração de um alfabeto visual, com freqüência se refere a eles ou descreve-os com palavras[36]. Os alfabetos visuais de Fludd mostram que, como Bruno, ele devia pensar que o seu extraordinário Selo de memória ainda era uma continuação da velha tradição da memória.

Em suma, o sistema de memória de Fludd me parece muito semelhante a um dos sistemas de Bruno. Há o mesmo enorme esforço de utilizar, em detalhes, os princípios da arte da memória associados aos Céus, para formar um sistema global que reflita o mundo. Além do plano geral do conjunto, muitos outros pontos de menor importância lembram Bruno. Fludd emprega os termos *cubicula* e *campi* de lugares de memória, também muito utilizados por Bruno. Contudo, ele não parece estar usando o llullismo[37] nem insiste no número "trinta", como Bruno. O sistema de Bruno que me parece mais próximo ao de Fludd é o que aparece em *Imagens*, onde há uma tentativa semelhante de utilizar uma série muito complexa de salas de memória associada aos Céus. Fludd substitui os *atria* concebidos como salas de memória por Bruno pelos seus "Teatros", também tidos como salas de memória, como o lado arquitetônico ou "quadrado" de um sistema usado juntamente com os Céus "circulares".

Esse "Teatro", ou palco, com suas cinco portas a serem utilizadas como lugares de memória, é o motivo condutor de todo o sistema. Podemos vê-lo prefigurado na ilustração introdutória (Pr. 15), que mostra o homem que enxerga, com o olho da imaginação, cinco lugares de memória com suas respectivas cinco imagens.

O PRÓPRIO Fludd dá a impressão de ter aprendido sua arte da memória na França. Em sua juventude, ele viajou por muitos países da Europa e passou um certo tempo no sul da França. Em uma seção sobre a arte

35. Ver, anteriormente, pp. 156 e ss.
36. Ver, anteriormente, pp. 313-4, 363-4.
37. Embora Llull apareça como uma imagem de memória que representa a alquimia (*Utriusque Cosmi... Historia*, II, 2, p. 68).

da geomancia, em *Utriusque Cosmi... Historia*, ele diz que a praticou em Avignon, no inverno de 1601-1602, tendo depois deixado a cidade e ido a Marselha, onde ensinou ao duque de Guise e a seu irmão as "ciências matemáticas"[38]. É a esse mesmo período da vida no sul da França que Fludd deve se referir no relato, no início da seção sobre a arte da memória, ao dizer como se interessou por essa arte quando estava em Nîmes e, então, aperfeiçoou-se nela, em Avignon. E, quando foi a Marselha ensinar ao duque de Guise e a seu irmão "as ciências matemáticas", ensinou também a esses nobres a arte da memória[39].

Por isso, Fludd deve ter ouvido falar do Teatro de Camillo e das obras de Bruno quando estava na França. Mas *Selos* havia sido publicado na Inglaterra e Dicsono ensinara a arte da memória em Londres bem depois da partida de Bruno. Pode, então, ter existido uma tradição da memória do tipo de Bruno que provinha da Inglaterra, tendo, assim, alcançado Fludd.

E podemo-nos perguntar se uma influência imediata sobre o sistema de memória de Fludd seria decorrente de uma obra publicada em Londres, em 1618, ou seja, um ano antes da publicação de parte de *Utriusque Cosmi... Historia*, e que contém o sistema de memória. Trata-se da *Mnemonica; sive Ars Reminiscendi*, de John Willis[40], na qual é descrito um sistema de memória formado por conjuntos de "Teatros" idênticos.

---

38. *Utriusque Cosmi... Historia*, I, 2, pp. 718-20. Uma tradução inglesa da passagem aparece em C.H. Josten, "Robert Fludd's Theory of Geomancy and his Experiences at Avignon in the Winter of 1601 to 1602", *Journal of the Warburg and Courtauld Institutes*, XXVII, 1964, pp. 327-35. Esse artigo discute a teoria da geomancia apresentada por Fludd em *Utriusque Cosmi... Historia*, II, 2, pp. 37 e ss., imediatamente antes de sua abordagem sobre a arte da memória, com a qual pode ser utilmente comparada.

39. Idem, II, 2, p. 48.

40. John Willis, *Mnemonica; sive Ars Reminiscendi: e puris artis naturaeque fontibus hausta...*, London, 1618. Uma tradução inglesa de parte da obra foi publicada pelo autor três anos mais tarde (John Willis, *The Art of Memory*, London, 1621). E uma tradução inglesa da obra completa apareceu em 1661 (John Willis, *Mnemonica: or The Art of Memory*, London, impressa e colocada à venda por Leonard Sowersby, 1661). Longos trechos da edição de 1661 aparecem em G. von Feinaigle, *The New Art of Memory*, London, 3.ª ed., 1813, pp. 249 e ss.

Willis ilustra um de seus "Teatros", ou "Repositórios", como também os chama (Fig. 10). Trata-se de uma construção de um andar, sem a parede da frente, de modo que se possa olhar seu interior; está dividida em duas metades por uma coluna próxima à parede do fundo. Esta divisão dá a Willis duas salas de memória, nas quais memoriza os *loci*. Deve-se imaginar esses Repositórios ou Teatros com diferentes cores, para que se possa distingui-los na memória; e as imagens de memória devem possuir algo que lembre a cor do Teatro a que pertencem. Willis dá os seguintes exemplos de imagens a serem utilizadas em um Teatro "dourado", para que um homem de negócios se lembre do que tem de fazer em certa feira de uma cidade:

> O primeiro negócio no qual ele pensa é perguntar o preço do trigo no mercado. Portanto, vamos deixá-lo supor que, no primeiro lugar ou sala do primeiro Repositório, ele vê um certo número de homens, juntos, com sacas de grãos [...] e que, no proscênio, ele vê um camponês, vestido de burel e calçado com um par de botas, passar o trigo de uma saca para um alqueire, cujas orelhas e punhos são de ouro puro. Graças a essa suposição, a Idéia pode ter a cor dourada do Repositório, tal como lhe foi atribuída [...]
>
> O segundo negócio é procurar ceifeiros que cortem a relva dos prados. Que ele suponha, no segundo lugar do primeiro Repositório, três ou quatro agricultores afiando suas foices, cujas lâminas são de ouro, de acordo com a cor do Repositório [...] A relação desta Idéia com a anterior diz respeito à situação, porque ambas as Idéias estão colocadas sobre o palco do primeiro Repositório[41].

Esse parece um uso perfeitamente racional da arte como pura mnemotécnica; poderia muito bem servir como uma lista de compras interna, quando, como diz o autor, "estamos desprovidos da ajuda do Papel, da Tinta ou do Caderno de Notas"[42]. Contudo, é surpreendente a semelhança com o emprego por Fludd dos conjuntos de "teatros", dotados de colunas, como salas de memória; é igualmente espantosa a ênfase na

41. Willis, *The Art of Memory*, tradução de 1621, pp. 58-60.
42. Willis, *The Art of Memory*, tradução de 1661, p. 28.

15. Primeira página da *Ars memoriae*
Robert Fludd, *Utriusque Cosmi... Historia*, II, Oppenheim, 1619.

54 TRACT. I. SECT. II. PORT. III. LIB. I.

C A P. IX.

De loco communi artis rotundæ, deque ejus partitione in propriis locis pro vocabulorum recordatione.

Locus communis artis rotundæ est pars mundi æcherea, scilicet orbes cœlestes, numerando ab octava sphæra, & finiendo in sphæra Lunæ. Partitionem autem ejus *duplicē* fecimus; unam scilicet *ratione loci & ordinis* qua eum naturaliter primùm secundùm Zodiaci distinctionem in duodecim æquales partes distribuimus, quas signa cœlestia Astrologi vocaverunt; *Alteram* verò *ratione temporis*, in qua fit subdivisio: Nam, quia primum mobile, cursum suum raptum uno die naturali perficit (ab oriente nempe in occidentē) idcirco quælibet diëi hora respondet quinque Zodiaci gradibus, quod quidem spatium est dimidia signi pars. Signi autem longitudo delineat motum Solis quantitate unius horæ diei. Peracto Zodiaco vel octava sphæra incipiendum cum cœlo Saturni, & sic in cæteris peripheria cœli medii versus sphæram ignis descendendo, ut in figura sequenti explicatur.

16. O Zodíaco
R. Fludd, *Ars memoriae.*

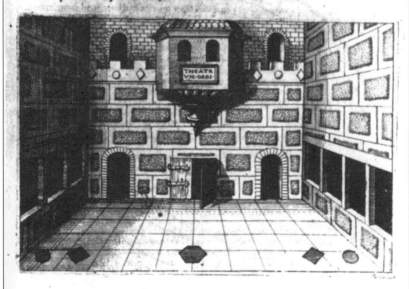

DE ANIM. MEMORAT. SCIENT. 15

Loci ite rum temporales sunt duplices, cùm alius sit orientalis, qui scilicet in eodem signo orientalem mundi plaga n respicit, atque hunc locum theatro albo impleti imaginabimur: Alius verò occidentalis, sive occidentalis signi portio, in qua ponetur theatrum quoddam nigrum, de quo posteà dicemus.

CAP. X.
De theatri orientalis & occidentalis descriptione.

THeatrum appello illud, in quo omnes vocabulorum, sententiarum, particularum orationis seu subjectorum actiones tanquam in theatro publico, ubi comœdiæ & tragœdiæ aguntur, demonstrantur. Hujusmodi theatrorum *speciem unam* in puncto orientis sitam esse imaginabimini, quæ realis seu corporea, sed quasi vapore æthereo consideranda erit: Sicque illa theatri umbra similitudinibus spirituum agentium repleta. *Primùm* ergo theatrum habebit colorem album, lucidum & splendidum, præ se ferens diem, diurnasque actiones. Quare in oriente collocabitur, quia Sol ab Oriente se attollens diem incipit, claritatemque mundo pollicetur: *Secundum* verò fingetur imbutum colore nigro, fusco & obscuro: illudque in Occidente positum imaginaberis, quia Sol in Occidente existens noctem & obscuritatem brevi venturam denunciat. Quodlibet autem horum theatrorum habebit *quinque portas* ab invicem distinctas, & ferè æquidistantes, quarum usus posteà demonstrabimus.

17. O Teatro
R. Fludd, *Ars memoriae.*

18a

18b

18a. Teatro Secundário
18b. Teatro Secundário
R. Fludd, *Ars memoriae.*

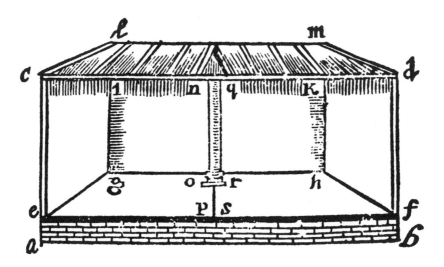

10. Teatro da Memória ou Repositório
J. Willis, *Mnemonica*, 1618.

diferenciação dos lugares de memória, ao lembrá-los por meio de cores diversas. E os maravilhosos Teatros Diurnos e Noturnos, situados por Fludd no zodíaco, talvez encontrem uma certa origem no conselho de Willi de que "as coisas que chegam à Memória durante o dia devem ser depositadas pelo menos antes de dormir; as coisas que chegam durante a noite devem ser depositadas imediatamente depois de acordar"[43].

Era costume de Bruno tomar um sistema de memória racional e torná-lo "oculto", transformando-o em um sistema mágico; nós o vimos fazendo isso muitas vezes. Possivelmente, é o que Fludd fez com os conjuntos de Willi, que ele chama de "teatros", no sentido de salas de memória. Ele os tornava ocultos, integrando-os a uma atividade mágica, ao ligá-los ao zodíaco. Paralelamente, quando nos lembramos de como nessa mesma época, na França, Paepp "descobria" Schenkel[44], encontrando o oculto subjacente em suas explicações aparentemente racionais sobre a arte da memória, podemos nos perguntar se a *Mnemonica* de

43. Idem, p. 30.
44. Ver, anteriormente, pp. 371-3.

Willis não contém algo mais do que aparenta. Não posso resolver esse pequeno problema, mas ele deve ser mencionado, porque é significativo o fato de uma arte da memória – que emprega conjuntos ou séries de "teatros", ou palcos, como salas de memória – ter sido publicada na Inglaterra no ano anterior à publicação do sistema de Fludd. Isso sugere que não foi apenas por meio de suas viagens ao exterior que Fludd ouviu falar da arte da memória.

De qualquer maneira, o sistema de memória de Fludd parece nos levar de volta à época das grandes controvérsias centradas na figura de Metrodoro de Scepsis e no emprego do zodíaco na memória artificial, com tudo o que isso implicava. Se William Perkins estivesse vivo quando o livro de Fludd foi publicado, ele certamente teria reconhecido nele a "memória artificial ímpia" de um "scepsista".

Em um de seus ataques a Fludd, Mersenne disse que os dois mundos de Fludd repousavam em uma doutrina "egípcia" duvidosa (que aparece em *Hermetica*), segundo a qual o ser humano contém o mundo, e na afirmação de "Mercurius" (no *Aesclepius*) de que o ser humano é um grande milagre e semelhante a Deus. Mersenne apreende bem, aqui, o fundamento hermético dos dois mundos de Fludd[45]. É justamente porque o homem de Fludd, como um microcosmo, contém potencialmente o mundo, que ele pode refletir esse mundo dentro de si. Em Fludd, a arte oculta da memória é uma tentativa de reproduzir ou recriar a relação microcosmo-macrocosmo, ao estabelecer, compor ou tornar consciente na memória do microcosmo o mundo que ele contém, que é a imagem do macrocosmo, a imagem de Deus. Esse esforço consiste em manipular as estrelas no interior do ser humano, por meio de imagens astrais que caracterizam a versão oculta da arte da memória. Fludd retoma, aqui, o que é a base dos esforços hercúleos de Bruno.

Entretanto, embora Bruno e Fludd operem seus sistemas de memória ocultos a partir das filosofias herméticas, elas não são idênticas. O

---

45. Marin Mersenne, *Quaestiones celeberrimae in Genesim*, Paris, 1623, cols. 1746, 1749. Cf. *G. B. and H. T.*, p. 437.

ponto de vista de Fludd é o dos primórdios do Renascimento, no qual os "três mundos" ou etapas de toda a Criação – os mundos elementar, celeste e sobreceleste – são cristianizados pela identificação do mundo sobreceleste com as hierarquias cristianizadas dos anjos do Pseudo-Dionísio. Isso permite, por assim dizer, coroar o sistema com um ápice cristianizado, angélico e trinitário. Camillo partilha do mesmo ponto de vista. Para além das estrelas, seu "Teatro do Mundo" se liga às Sefirot e aos anjos que, na mente de um filósofo cristão e hermético do Renascimento, identificam-se com as hierarquias cristãs de anjos, que são a imagem da Trindade.

Bruno, que rejeitava a interpretação cristã de *Hermetica* e desejava retornar a uma religião egípcia pura, desconsiderou o que chamou de ápice "metafísico" do sistema. Para ele, além do mundo celeste existe o Um sobreceleste, ou um Sol intelectual, que é o objeto que deseja alcançar, por meio de suas manifestações ou vestígios na natureza, agrupando e unindo esses traços por meio de suas imagens na memória.

Uma das ilustrações de Fludd representa, sob a forma visual, o reflexo dos três mundos dentro da mente e da memória do microcosmo. Ela mostra um homem que, primeiro, apreende impressões sensoriais do mundo sensível, ou *mundus sensibilis*, por meio de seus cinco sentidos. Depois, ele lida com essas impressões interiormente, como imagens ou *umbra*, em um *mundus imaginabilis*. Na discussão, em seu texto, a respeito desse *mundus imaginabilis*, Fludd inclui o reflexo das imagens do zodíaco e das estrelas[46]. O microcosmo, nessa etapa, une os conteúdos da memória no nível celeste. Então, o diagrama passa para a *mens*, para o mundo intelectual, na qual aparece uma visão das nove hierarquias celestes e da Trindade. Finalmente, o diagrama chega aos domínios da memória, na parte posterior da cabeça, que recebe todos os três mundos dentro de si.

Para Bruno, o Sol intelectual alcançado pela *mens* por meio do processo unificador não apresentaria esse aspecto cristão e trinitário. Além disso, Bruno aboliria – e o faz em *Selos* – as divisões da "psicologia das

46. *Utriusque Cosmi... Historia*, II, pp. 205 e ss.

faculdades" (que Fludd conserva parcialmente aqui), a passagem do material tirado das impressões sensoriais através das várias "faculdades", pensadas como compartimentos separados no interior da psique. Para Bruno há somente um poder, uma faculdade que se estende por todo o mundo interior da percepção, ou seja, o poder ou a faculdade da imaginação, que atravessa imediatamente os portões da memória e se une a ela formando um todo[47].

Portanto Fludd, como filósofo e psicólogo hermético, não fala a mesma língua de Bruno. De fato, é provável que a tradição hermética que atingiu Fludd não tivesse tanto a forma daquela importada por Bruno, mas a da já estabelecida na Inglaterra por John Dee. Fludd tem um forte interesse pela mecânica e pelas máquinas (que a tradição hermética via como um ramo da magia)[48], o que também era uma característica de Dee, mas não de Bruno. Dee também estava mais próximo da forma original da tradição, cristianizada e trinitária, descartada por Bruno, mas sempre presente em Fludd.

Contudo, em seu sistema de memória hermético, Fludd foi influenciado por Bruno, o que prova que foi este, mais do que qualquer outro, que desenvolveu a arte da memória como arte hermética. Apesar das diferenças entre Fludd e Bruno, como filósofos herméticos, o Selo de memória de Fludd nos apresenta fundamentalmente os mesmos problemas que já tentamos solucionar em Bruno. Podemos, de um modo geral, apreender a natureza do esforço realizado em um sistema como esse, mas os detalhes nos escapam. Seria pura loucura situar vinte e quatro Teatros de memória no zodíaco? Ou seria uma loucura que poderia, talvez, levar a um método? Ou seria tal sistema o Selo ou código secreto de uma seita ou sociedade hermética?

47. Ver, anteriormente, pp. 320-2. Existe uma rejeição semelhante da psicologia das faculdades em Campanella, *Del Senso delle Cose e della Magia* (Bari, A. Bruers, 1925, p. 96), em uma passagem em que ele – nesse e em outros aspectos tão próximo de Bruno – a acusa de "criar muitas almas a partir de uma alma única e indivisível".
Contudo, com a ênfase que dá à importância capital da imaginação, a psicologia de Fludd é inteiramente renascentista.
48. Ver *G. B. and H. T.*, pp. 147 e ss.

É mais fácil se concentrar no aspecto histórico do problema e ver o sistema de Fludd como a volta de um padrão que parece manter-se por todo o Renascimento. Nós o vimos antes no Teatro da Memória que Giulio Camillo trouxe como um segredo ao rei da França. E o vimos novamente nos Selos de Memória que Bruno levou consigo de país a país. E, finalmente, também no Sistema dos Teatros de Memória, no livro que Fludd dedicou a um rei da Inglaterra. E esse sistema contém, como um segredo nele oculto, informações concretas sobre o Globe Theatre.

Pode ser que o interesse levantado por esse fato extraordinário leve muitos pesquisadores a uma investigação intensa sobre essas questões que abordei sozinha. Pode ser que, no futuro, a natureza e a significação da memória oculta do Renascimento se tornem mais claras do que o são para mim neste momento.

CAPÍTULO 16

O *Teatro da Memória de Fludd e o Globe Theatre*

O s grandes teatros públicos de madeira, que podiam abrigar milhares de pessoas e que haviam acolhido a arte dramática do Renascimento inglês, ainda existiam e funcionavam na época de Fludd. Construído em 1599, no Bankside, o Globe Theatre original – que era a residência da companhia de atores de lorde Chamberlain, à qual pertencia Shakespeare e para a qual escrevera suas peças – sofrera um incêndio em 1613. Logo em seguida, foi reconstruído sobre as mesmas fundações e segundo a planta original, apenas de forma mais suntuosa. Essa nova casa de espetáculos era tida como "a mais bela que jamais existiu na Inglaterra"[1]. Jaime I pagou por boa parte da reconstrução[2]. Isso já era esperado, pois ele havia tomado sob sua proteção a companhia teatral de lorde Chamberlain, e seus atores passaram a ser conhecidos como os "Homens do Rei"[3]. Naturalmente, o rei teria grande interesse na reconstrução do teatro de sua própria companhia de atores.

Tem havido grande interesse, hoje em dia, na tentativa de reconstrução de teatros da época de Elisabeth I e Jaime I, particularmente do Glo-

1. E. K. Chambers, *Elizabethan Stage*, Oxford University Press (1.ª ed. 1923, ed. revista 1951), I, p. 425.
2. Idem, loc. cit.
3. Idem, pp. 208 e ss.

be, por sua associação a Shakespeare[4]. O material visual a esse respeito é escasso. De fato, ele consiste principalmente em um esboço grosseiro do interior do Swan Theatre, o famoso desenho de De Witt (Pr. 19), que tem sido minuciosamente explorado pelos especialistas. O esboço pode não ser muito rigoroso: trata-se de uma cópia do desenho original de De Witt, que se perdeu. No entanto, é a melhor evidência à disposição sobre o interior de um teatro público, e todas as reconstruções partem dali. Com base no desenho de De Witt, nos contratos para a construção de teatros e na análise das indicações da encenação das peças é que foram feitas as modernas reconstruções do Globe. Mas a situação não é satisfatória. O desenho de De Witt é do Swan e não do Globe; os contratos de construção referem-se aos teatros Fortune e Hope[5] e não ao Globe. Nenhum documento visual sobre o interior do Globe foi utilizado, pois não se supõe que exista algum. O material visual sobre sua parte externa foi desenhado a partir de mapas antigos de Londres, nos quais se vê, em Bankside, um objeto que se diz representar o Globe[6]. Nesses mapas, há indícios contraditórios quanto à forma da construção, circular ou poligonal.

No entanto, tem se avançado bastante na compreensão de como podia ser o Globe e como foi feito. Sabemos que a parede de fundo do palco era formada pela parede da *tiring house*, isto é, da construção onde os atores mudavam de roupa, guardavam seus pertences, etc. Essa parede apresentava três níveis. No inferior, que dava para o palco, havia portas ou aberturas, talvez três: uma porta central ladeada por duas entradas. Uma dessas portas talvez se abrisse para exibir uma cena interior. No

4. A informação fundamental é dada em Chambers, *Elizabethan Stage*, I, liv. IV, "The Play-Houses". Entre os numerosos estudos, destaco: J. C. Adams, *The Globe Playhouse*, Harvard, 1942, 1961; Irwin Smith, *Shakespeare's Globe Playhouse*, New York, 1956, London, 1963 (baseado na reconstrução de Adams); C. W. Hodges, *The Globe Restored*, London, 1953; A. M. Nagler, *Shakespeare's Stage*, Yale, 1958; R. Southern, "On Reconstructing a Practicable Elizabethan Playhouse", *Shakespeare Survey*, XII, 1959, pp. 22-34; Glynn Wickham, *Early English Stages*, I, London, 1963; R. Hosley, "Reconstitution du Théâtre du Swan", em *Le Lieu Théâtral à la Renaissance*, ed. J. Jacquot, Paris, CNRS, 1964, pp. 295-316.
5. Impresso em Chambers, *Elizabethan Stage*, II, pp. 436 e ss., 466 e ss.
6. Detalhes dos mapas que mostram o Globe encontram-se reproduzidos em Irwin Smith, Shakespeare's Globe Playhouse, Prs. 2-13.

segundo nível, havia um terraço que, muito utilizado em cenas de luta e de cortejo, podia ser ameado, já que são mencionadas "ameias" em documentos de teatros e em peças[7]. Em algum lugar desse piso superior havia um cômodo, chamado de *the chamber* (a câmara), provido de janelas. Acima desse nível havia um terceiro piso e os *huts* (alojamentos), que abrigavam a maquinaria do palco. O palco, com sua parede de fundo, ou *frons scaenae*, formada pela parede da *tiring house*, estava elevado sobre uma plataforma e projetado no *yard*, um espaço descoberto do teatro, onde ficavam os *groundlings*, ou seja, a parte do público que pagava uma pequena quantia por um lugar em pé. Aqueles que podiam pagar pelos assentos ficavam acomodados nas galerias que circundavam o edifício. Esse esquema geral pode ser visto no desenho de De Witt do Swan: há o palco com sua parede de fundo formada pela parede da *tiring house*, e existem também as galerias. Vemos no palco, aqui, apenas duas portas articuladas, no nível térreo, e nenhum indício de uma porta que se abre para mostrar uma cena interna. No nível superior, não existe "a câmara" (*the chamber*) com janelas, mas apenas uma galeria que parece abrigar espectadores, e que também pode ter sido usada pelos atores. Mas o palco para o qual olhamos nesse desenho não é o do Globe.

Um traço que apareceu claramente nas reconstruções é que, nesses teatros, parte do palco possuía uma cobertura a partir da parede da *tiring house*, que era sustentada por colunas ou *posts*[8]. No desenho de De Witt, podem ser vistas no palco duas colunas dessas sustentando a cobertura. Somente a parte interna do palco era protegida dessa maneira; a parte externa era descoberta, como pode ser visto no referido desenho. Sabe-se que a parte interna da tal cobertura era pintada para representar os Céus. Na reconstrução do Globe feita por Adams, o forro da cobertura do palco interno apresenta pinturas dos signos do zodíaco e de algumas estrelas esparsas dentro do círculo zodiacal[9]. Naturalmente, é uma tentativa moderna de reconstruir o forro; não restou

7. Chambers, *Elizabethan Stage*, I, pp. 230-1; III, pp. 44, 91, 96; IV, p. 28.
8. Idem, II, pp. 544-5; III, pp. 27, 38, 72, 108, 141, 144.
9. Irwin Smith, Shakespeare's Globe Playhouse, Pr. 31.

nenhum exemplo dessas pinturas teatrais dos Céus. Elas certamente não representavam um Céu vagamente decorativo e estrelado. Deviam ser representações do zodíaco, com seus doze signos das esferas dos sete planetas; talvez fossem representações bem simples ou, às vezes, mais elaboradas[10]. Essa parte dos acessórios de um teatro era chamada, nos contratos e em outros documentos, *the heavens*[11], e às vezes, referida como *the shadow*[12].

EM UM artigo publicado em 1958, Richard Bernheimer reproduziu a gravura do Theatrum Orbi, do livro de Fludd. Cito uma de suas observações:

> Em um simples relance, vemos que a ilustração retrata uma estrutura de um tipo elisabetano geral, embora estilisticamente incomum. Os especialistas em Shakespeare reconhecerão a presença de um palco inferior e de outro superior, de duas portas de entrada que flanqueiam um palco interno, de ameias adaptadas para as cenas de corte e de uma janela-balcão, de onde Julieta podia se inclinar para sorver as palavras melífluas de seu pretendente: todas elas são coisas que ninguém jamais viu, embora tenham sido postuladas pelas pesquisas sobre direção de palco e por alusões nos textos dramáticos[13].

Bernheimer viu coisas que, como ele mesmo diz, nenhum olho moderno viu, embora saibamos, pelas peças, que elas devem ter existido. In-

---

10. O chamado *English Wagner Book*, de 1592 – e Chambers lhe atribui algum valor como documento sobre o teatro inglês –, descreve um teatro mágico onde havia *posts* e uma *tiring house*, e era adornado com "o firmamento celeste, muitas vezes salpicado de pingos dourados que os homens chamavam de Estrelas. Havia, retratado de modo vívido, o completo Exército Imperial dos imaculados habitantes celestes" (Chambers, *Elizabethan Stage*, III, p. 72).

11. Chambers, *Elizabethan Stage*, II, pp. 466, 544-6, 555; III, pp. 30, 75-7, 90, 108, 132, 501.

12. Por exemplo, no contrato do teatro Fortune; Chambers, II, pp. 437, 544-5.

13. Richard Bernheimer, "Another Globe Theatre", *Shakespeare Quarterly*, IX, inverno 1958, pp. 19-29.
    Talvez me seja permitido mencionar que fui eu quem chamou a atenção do professor Bernheimer para a gravura de Fludd, quando ele reunia material sobre o teatro no Warburg Institute, em 1955. Naquele momento, eu não tinha idéia de uma possível ligação entre a gravura e o Globe.

felizmente, ele estragou essa intuição brilhante ao cometer erros básicos em sua interpretação da gravura e do texto de Fludd.

O primeiro erro é que Bernheimer pensou que a gravura representasse um teatro inteiro, muito pequeno, com camarotes laterais para o público, como aqueles em uma quadra de tênis do século XVI. Mas a gravura não representa um teatro inteiro, e sim um palco; ou, mais ainda, uma parte do palco.

O segundo erro é que Bernheimer, não tendo feito a dura aprendizagem sobre os Selos mnemônicos de Bruno, foi confundido pelas artes "quadrada" e "circular". Ele percebeu que Fludd falava muito sobre a arte "circular" e pensou que este queria dizer, com isso, que a construção mostrada na gravura era circular. Já que não há nada de circular na construção apresentada na gravura, Bernheimer chegou à conclusão de que tal gravura não tinha nenhuma relação com o texto. Ele sugeriu que o gravador alemão havia utilizado uma gravura que tinha à mão para ilustrar a mnemônica obscura de Fludd. Essa gravura – inteiramente imaginada por Bernheimer – representava um pequeno teatro em algum lugar da Alemanha, que havia sido erguido sobre uma quadra de tênis e ao qual foram dados alguns traços elisabetanos, com o objetivo de deixar à vontade os atores de uma companhia teatral inglesa visitante. Ao inventar tal mito, Bernheimer reduziu a nada a sua notável observação sobre o caráter shakespeariano do palco representado na gravura. Suponho que a maneira curiosa como ele abafou e destruiu o que percebera intuitivamente explique o fato de os reconstrutores do Globe não terem dado atenção ao seu artigo e à ilustração que o acompanha.

No ENTANTO, se Fludd utiliza, como diz, um teatro público "verdadeiro" para criar os palcos de seu sistema de memória do mundo (Bernheimer negligencia esta afirmação), então, o que seria mais adequado do que o Globe, o mais famoso dos teatros públicos de Londres e cujo nome sugere o próprio mundo? Além disso, já que o seu primeiro volume fora dedicado a Jaime I, não seria uma boa maneira de manter o interesse do soberano pelo segundo volume aludir, no sistema de memória, ao Globe recentemente reconstruído (e para isso recebera ampla ajuda do rei), o teatro de sua própria companhia de atores, os chamados "Homens do Rei"?

Os únicos traços da gravura do Theatrum Orbi que Fludd menciona em seu texto e que emprega em sua mnemônica são as cinco portas ou entradas da parede do palco e as cinco colunas "opostas" a elas, cujas bases são representadas apenas na gravura. Em seu texto, ele nunca menciona – nem utiliza em sua mnemônica – os outros elementos, tão claramente representados na gravura – a janela-balcão, o terraço ameado, as paredes laterais com aquelas aberturas na parte inferior. E, embora as *cinque portae* da parede do palco sejam mencionadas com freqüência – são, de fato, a base do esquema dos cinco *loci* de memória –, ele nunca especifica as diferenças entre as *cinque portae* representadas na gravura, nunca diz que a porta central é dotada de grandes dobradiças e, semi-aberta, permite ver um cômodo interior. Qual seria o objetivo de mostrar todos esses elementos na gravura, que ele não utiliza e nem menciona no texto sobre a mnemônica, a menos que eles fossem elementos "reais" de um palco "real" ao qual ele quer se referir?

Ademais, palcos "reais" possuíam o elemento que é o fundamento da *ars rotunda*, os "Céus", pintados na parte interna da cobertura do palco interno. Abramos mais uma vez o volume e observemos o diagrama dos Céus na página esquerda que, quando o livro está fechado, cobre o palco retratado na página direita. Será que essa disposição se refere não apenas à mnemônica mágica – na qual palcos como esses são colocados dos lados esquerdo e direito dos signos do zodíaco em torno dos Céus –, mas também à disposição de um teatro "real"? Se pensarmos dessa maneira, estaremos no caminho que nos leva a compreender a relação da gravura do Theatrum Orbi com o Globe Theatre.

A gravura representa aquela parte do palco do Globe que deveria ser coberta pelos "Céus" cênicos.

O que vemos ao olharmos diretamente para a parede de fundo é a parede da *tiring house* do Globe, não a sua totalidade, mas apenas os dois níveis inferiores: o nível térreo, com as três entradas, e o segundo nível, com o terraço e a câmara. Não vemos o terceiro nível, porque estamos sob os Céus; eles se projetam invisivelmente para o alto a partir do terceiro nível da parede da *tiring house*.

Há cinco entradas para esse palco; três estão no nível térreo – uma ampla porta central que se abre para mostrar um cômodo interno, e duas outras entradas que a ladeiam – e há duas entradas no nível superior. Essas são as *cinque portae* utilizadas como *loci* no sistema de memória. Mas Fludd não está usando "lugares fictícios", e sim "lugares reais". Aquelas cinco entradas são reais, localizadas no verdadeiro palco do Globe. E a janela-balcão saliente também é real; ela é a janela da "câmara" superior, e em cada um de seus lados existe um verdadeiro terraço com ameias.

Mas o que dizer das paredes laterais do palco mostradas na gravura, com aquelas aberturas em forma de caixas, próximas do chão? Essas paredes laterais encerram o palco e impedem-no de ser um espaço cênico visível a partir de todos os lugares do teatro. E o que dizer das cinco colunas, das quais se vêem somente as bases, e que, se realmente ocupassem os lugares indicados, obstruiriam a visão frontal do palco pelos espectadores?

Minha explicação para esses elementos é que são distorções do palco verdadeiro introduzidas devido a objetivos mnemônicos. Fludd queria uma "sala de memória" dentro da qual pudesse praticar sua mnemônica, com a ajuda das cinco portas e das cinco colunas. Ele queria que essa "sala de memória" fosse baseada em um palco verdadeiro, mas fechado dos lados, de modo a formar um "teatro de memória" cercado, parecido, talvez, com aqueles Teatros de Memória ou Repositórios de Willis. Para se perceber o verdadeiro palco do Globe por trás dessa gravura, as paredes laterais devem ser removidas.

Essas paredes laterais causam uma impressão curiosa. Do ponto de vista estrutural, elas parecem impossíveis, como se não houvesse apoio suficiente para seus prolongamentos superiores. E não se adaptam de modo conveniente à parede de fundo, pois eliminam parte das ameias do terraço. Parecem frágeis se comparadas à solidez da parede de fundo, e devem ser removidas como distorções mnemônicas irreais em relação ao palco verdadeiro. Entretanto, essas paredes laterais imaginárias apresentam um traço do teatro "real", a saber, os camarotes ou *gentlemen's rooms* ocupados por autoridades e por amigos dos atores, situados nas galerias em cada um dos lados do palco[14].

As cinco colunas também são irreais, introduzidas por objetivos mnemônicos. O próprio Fludd diz que elas são "imaginadas"[15]. Contudo, elas também têm um aspecto "real", pois estão situadas na linha onde haveria, no palco real, não cinco, mas duas colunas ou *posts* que servem de suporte para os "Céus".

A gravura mostra a parede da *tiring house* do Globe, vista de sob os "Céus", e o palco, modificado de modo a se tornar uma sala de memória. Uma vez compreendido isso, podemos, combinando a gravura de Fludd com o desenho de De Witt, fazer o palco do Globe aparecer a partir do sistema de memória mágico.

No DESENHO do palco do Globe, tal como apresentado por Fludd (Pr. 20), as distorções mnemônicas são eliminadas por mim. As absurdas paredes laterais são removidas, e duas colunas ou *posts* erguem-se para sustentar os "Céus" acima. As colunas são copiadas a partir daquelas que aparecem no "Templo da Música", no primeiro volume de *Utriusque Cosmi... Historia*. Os "Céus" mostram o zodíaco e as esferas dos planetas, como no diagrama, em frente ao teatro de memória, mas os signos do zodíaco são mostrados apenas por seus símbolos. Não foi feita nenhuma tentativa de representar suas imagens, e isso é apenas um esquema resumido de como poderiam ser os "Céus" pintados no Globe. Os *gentlemen rooms*, ou camarotes, são representados em seu lugar adequado, isto é, nas galerias de cada lado do palco. O palco não é mais distorcido em "sala de memória"; agora é visto projetando-se claramente a partir da parede da *tiring house* para o *yard*, aberto nas laterais e dotado de colunas (*posts*) que sustentam os "Céus" sobre o palco interno.

14. Chambers, *Elizabethan Stage*, II, p. 531.
15. Ver, anteriormente, p. 408-9.

Se compararmos esse desenho com o de De Witt, poderemos ver que ambos estão de acordo no que é essencial quanto à parede da *tiring house*, ao palco que se projeta, aos *posts* e às galerias para o público. A única grande diferença é que esse desenho nos mostra o palco do Globe e não o do Swan.

A gravura de Fludd torna-se, assim, um documento de grande importância para o palco shakespeariano. Refiro-me ao segundo Globe, aquele reconstruído depois do incêndio de 1613 e que, por esse modo extremamente complexo, Fludd queria relembrar ao rei Jaime I. Foi no primeiro Globe que muitas peças de Shakespeare foram encenadas. Ele morreu em 1616, apenas três anos depois do incêndio. Mas o novo teatro utilizou as fundações do antigo e é amplamente reconhecido que o palco e o interior do antigo Globe foram reproduzidos com exatidão no novo teatro. Não omiti que a gravura de Fludd nos mostra o palco do segundo Globe, por meio do espelho deformador da memória mágica. Mas meu desenho elimina o que, acredito, são as principais distorções. Fludd tinha a intenção de utilizar um "teatro público" real em seu sistema de memória. Ele mesmo diz isso, enfatizando repetidamente que emprega lugares "reais" e não "fictícios". E sabemos que o que ele nos mostra a respeito do palco do Globe, ou trata-se de algo que estava lá ou de algo que poderia estar, embora a configuração exata das entradas, da câmara e do terraço não seja conhecida.

Fludd nos mostra que havia cinco entradas para o palco, três no nível térreo e duas no nível superior que dava para o terraço. E isso resolve um problema que preocupava alguns especialistas, para os quais deveria haver mais de três entradas, mas não parecia haver lugar para mais uma no nível térreo. Chambers sugeriu que deveriam existir cinco entradas, correspondendo às cinco entradas do *frons scaenae* do palco clássico[16]. O palco clássico possuía, é claro, um único nível. O que vemos nesse caso é o velho tema das cinco entradas do *frons scaenae* adaptado ao *frons scaenae* de muitos níveis, formado pela parede da *tiring house* do

16. Chambers, *Elizabethan Stage*, III, p. 100.

Globe, onde há três entradas embaixo e duas em cima. É uma solução altamente satisfatória para o problema, e sugere que, apesar das ameias e da janela-balcão, podem ter existido alguns elementos clássicos e vitruvianos na planta do Globe.

A questão dos "palcos internos" preocupa muito os especialistas. Uma forma rigorosa da teoria dos "palcos internos" foi postulada por Adams, que pensava existir um amplo "palco interno" no centro do nível térreo e um "palco interno superior" imediatamente acima dele. Hoje, já não se dá essa ênfase aos palcos internos, mas Fludd apresenta enormes portas articuladas que se abrem no centro para revelar algo e, logo acima delas, ele faz menção à "câmara". A única alteração ou adição que é feita à gravura de Fludd consiste na sugestão de que a fachada da janela-balcão (que tem uma parte encoberta pelo título na gravura) poderia se abrir de dois modos: ou como as janelas se abrem, sendo que a parte inferior permaneceria fechada, ou como um todo, em direção ao interior. A janela-balcão poderia, então, ser usada para as cenas à janela (as janelas abrindo separadamente das portas) ou, quando as portas estivessem completamente abertas, surgiria um "palco interno superior". Esses palcos internos inferiores e superiores poderiam se estender através da *tiring house* até o fundo da construção, onde janelas os iluminariam por detrás.

A posição da câmara, tal como Fludd a apresenta, resolve o que foi um dos maiores problemas da encenação shakespeariana. Sabia-se que havia um terraço no nível superior que supostamente o atravessava de ponta a ponta e, também, que havia uma câmara superior. Pensava-se que essa câmara estivesse situada atrás do terraço, que, com seus parapeitos ou balaústres (ou melhor, como agora vemos, com suas ameias), encobriria a visão interna da câmara[17]. Fludd nos mostra que o terraço passava atrás da fachada da câmara e que esta se projetava do terraço sobre o palco principal. O terraço passava através da câmara, na qual se podia entrar, a partir dele, pelos dois lados (essas entradas podiam ser cobertas quando toda a câmara estivesse sendo usada como um palco

17. Ver a discussão desta questão em Irwin Smith, *Shakespeare's Globe Playhouse*, pp. 124 e ss.

interno superior). Ninguém havia pensado nessa solução, obviamente correta, para o problema da câmara e do terraço.

A JANELA ornada com enfeites em forma de corbelha e que avançava sobre um enorme portão era um elemento comum na arquitetura da época dos Tudor. Um exemplo em Hengrave Hall (1536) mostra esse tipo de janela em uma *gatehouse** dotada de ameias[18]. A *gatehouse* era tida como um traço essencial das casas-grandes inglesas do século XVI[19]; ela provinha das antigas *gatehouses*, fortificadas e dotadas de ameias e, com freqüência, mantinha tais ameias. Bramshill, em Hants, no Hampshire (1605-1612)[20], é um outro exemplo de casa-grande que apresenta uma entrada semelhante às das *gatehouses*, com janelas que se projetam sobre a casa e dotadas de mísulas. As três entradas e o terraço em cada um dos lados das tais janelas lembram o palco retratado por Fludd. Faço essas comparações para sugerir que a parede do palco, revelada por Fludd, apresenta algumas das características da *gatehouse* ou entrada de uma magnífica mansão da época, podendo se transformar facilmente na entrada fortificada de um castelo ou cidade. Também faço essas comparações para apontar, nos dois exemplos mencionados, que a mísula sob a janela estendida desce até o alto do portão. Isso nos faz perguntar se a porta central ou portão da gravura de Fludd não é pequena demais e se não deveria ser prolongada até a base da mísula, como sugiro em meu desenho.

Bernheimer pensou ter encontrado uma influência germânica na mísula sob a janela-balcão da gravura[21]. À vista dos exemplos ingleses aqui citados, essa é talvez uma suposição desnecessária, embora não possa ser totalmente descartada a possibilidade de, na Alemanha, no processo final de sua publicação, a gravura ter sofrido alguma influência.

* Cômodos construídos sobre parte de um portão do tipo que aparecia nos muros cercando um burgo, e que eram usados por guardas ou onde se encarceravam prisioneiros. (N. da T.)

18. Ver John Summerson, *Architecture in Britain 1530 to 1830*, London, 1953, Pr. 8 (Pelican History of Art).

19. Idem, p. 13.

20. Idem, Pr. 26.

21. Art. cit., p. 25.

Na gravura de Fludd, um toque final é dado à arquitetura do palco, pelo efeito "rústico" italiano, então em voga, que aparece nas paredes (grosseiramente reproduzido no desenho). Sabemos que os grandes teatros públicos de madeira eram cobertos com telas pintadas. O efeito aqui apresentado deve ser muito parecido ao criado para uma casa de madeira destinada a banquetes erguida em Westminster, em 1518, cujas paredes "eram revestidas de telas, e toda a parte externa era pintada com o mesmo artifício, chamado de rústico, que produz um efeito de pedra"[22]. Pode-se perguntar se o "trabalho rústico" representado por Fludd não seria uma das caras melhorias feitas no segundo Globe. O uso desse efeito nas ameias e na janela-balcão dá um extraordinário efeito híbrido ao conjunto; mostra, porém, uma vez mais, que o efeito de ilusão pretendido era o de uma mansão moderna, que podia ainda ser facilmente transformada para apresentar o aspecto mais severo de um castelo ou cidade fortificados.

EMBORA ENTRE o teatro original de Shakespeare e a gravura de Fludd estejam as distorções causadas pela mnemônica, as influências germânicas e os esplendores do segundo Globe, não há dúvida que esse filósofo hermético mostrou-nos mais a respeito desse teatro do que jamais vimos antes. De fato, Fludd é o único que nos deixou algum testemunho visual do palco sobre o qual as peças do maior dramaturgo do mundo eram encenadas.

Podemos, portanto, começar a colocar cenários nesse palco. No nível térreo há portas para as cenas de rua; pessoas batem à porta, encostam-se nela ao conversar nas cenas de "soleira". Há o "alpendre", formado pela janela-balcão saliente, que oferece abrigo da chuva. Existem os muros com ameias, da cidade ou do castelo, com seu baluarte prolongado (ocupados pelos defensores do terraço), e, sob ele, a grande cidade ou portão do castelo, prontos para as cenas históricas de cerco ou batalha. Se estamos em Verona, temos a Casa dos Capuleto, com o cômodo no nível

22. Chambers, *Elizabethan Stage*, I, p. 16, nota.

19. Esboço de De Witt do Teatro Swan
Biblioteca da Universidade de Utrecht.

20. Esboço do Palco do Globe Theatre baseado em Fludd

térreo destinado à preparação dos banquetes, e a câmara superior, de cuja janela Julieta se inclina "em uma noite como essa". Ou, se estamos em Elsinore, existem as muralhas, onde Hamlet e Horácio conversavam quando Hamlet viu o fantasma. Ou, se estamos em Roma, há o *rostrum*, a partir do qual Marco Antônio se dirigia aos amigos, romanos e cidadãos que ficavam embaixo, no palco. Ou, se estamos em Londres, há o cômodo superior da Taverna Boar's Head, em Eastcheap. Ou ainda, se estamos no Egito, a câmara e o terraço são preparados para representar o monumento onde Cleópatra morreu[23].

23. Das peças aqui mencionadas, embora algumas possam ter sido encenadas primeiro em outros teatros, todas foram, quase com certeza, em algum momento, encenadas no Globe Theatre. As peças de Shakespeare foram, também, encenadas na corte e, depois de 1608, no teatro Blackfriars.

Temos, agora, que dirigir a nossa atenção para os outros dois "teatros" (Pr. 18*a*, *b*) que Fludd ilustra em seu sistema de memória. São palcos de apenas um nível; um apresenta cinco entradas e o outro três. No de cinco entradas, vemos as bases de colunas imaginárias opostas a elas, como no teatro principal. Esses teatros subsidiários deviam ser utilizados no sistema de memória juntamente com o teatro principal, com o qual tinham uma relação de semelhança devido às ameias sobre os muros, similares àquelas do terraço. Esses teatros também são cobertos com telas pintadas que se parecem, em um, com paredes de pedra, e no outro, com madeira, cujas pranchas estão cuidadosamente ajustadas.

Devo lembrar aqui que os tratados sobre a memória advertem, com freqüência, que se pode lembrar melhor dos lugares de memória se os recordamos como sendo feitos de diferentes materiais[24]. Fludd diferenciou seus Teatros de Memória ao fazer o principal deles como "obra rústica" e os subsidiários, um de blocos de pedra aplainados e o outro de vigas de madeira. Entretanto, como sempre, Fludd insiste que também esses teatros secundários são lugares "reais" e não fictícios. Um é classificado como "a figura de um verdadeiro teatro"[25]. Portanto, os teatros subsidiários, assim como o teatro principal, não são apenas Teatros de Memória mágicos, mas reflexos de algo "real" ou verdadeiro visto no Globe.

Especialistas em Shakespeare procuraram decifrar como os diferentes lugares estavam indicados no palco principal. Por exemplo, o pomar dos Capuleto, que tinha muros que Romeu escalava para chegar sob a janela de Julieta. Chambers sugeriu que o palco deveria possuir um muro que pudesse ser escalado e apontou para muitos outros cenários, como os que mostravam campos de batalha de exércitos inimigos, que pareciam exigir muros para diferenciá-los ou algum outro tipo de divisória. Ele supôs que possíveis construções cênicas semelhantes a muros eram trazidas para o palco[26]. E numerosas referências a "ameias", conce-

24. Por exemplo, Romberch, *Congestorium artificiosae memoriae*, pp. 29 *verso*-30 *recto*; Bruno, *Op. lat.*, ii, ii, p. 87 (Selos).
25. "Sequitur figura vera theatri", *Utriusque Cosmi... Historia*, ii, 2, p. 64.
26. Chambers, *Elizabethan Stage*, iii, pp. 97-8.

bidas como elementos cênicos, foram reunidas por Glynn Wickham a partir de documentos sobre os teatros[27].

Minha hipótese é que os dois teatros de memória subsidiários de Fludd refletem essas construções cênicas, ou telas, que se assemelham a muros providos de ameias. Eles podiam ser feitos de estruturas leves de madeira, cobertas com telas pintadas, e facilmente transportáveis. Fludd faz uma importante revelação sobre essas construções, ao mostrar que tinham entradas e, assim, podiam ser utilizadas em cenas que exigiam entradas e saídas. Podiam ser colocadas antecipadamente sobre o palco, para atender às exigências de cenas que não podiam ser interpretadas apenas com a ajuda do *frons scaenae* principal. Por exemplo, *Romeu e Julieta* exigiria construções cênicas extras, representando o pomar dos Capuleto e a cela do frade – que ficava no campo e para onde se dirigiam os visitantes, que entravam e saíam por uma porta. Ou tomemos o exemplo de *Ricardo III*, em que existem campos de batalha inimigos: as cenas mudam rapidamente de um a outro campo. O problema de como essas cenas podiam ser representadas é resolvido se pensarmos no uso de construções como os teatros subsidiários de Fludd para os dois campos inimigos.

Fludd novamente nos apresenta algo de que não há qualquer documento visual até o momento. O fato de ele combinar os seus teatros subsidiários ameados com o teatro principal, cujo terraço também possui ameias, sugere que essas construções cênicas eram pensadas como parte integrante do palco em seu conjunto. Essa revelação, como aquela outra sobre a relação entre o terraço e a câmara, permite, talvez, compreender as mudanças de cena nas peças de Shakespeare de forma mais clara do que nunca.

Fludd nos fala muito a respeito de questões relativas ao palco do Globe. Será que ele não teria nada a nos dizer sobre a forma e a planta desse teatro? Acredito que, caso se estude essa questão com cuidado e método, pode-se tirar do testemunho de Fludd informação suficiente que per-

---

27. Early English Stages, ii, pp. 223, 282, 286, 288, 296, 305, 319.

mita desenhar uma planta do teatro como um todo. Claro que não seria a planta detalhada de um arquiteto, com indicações sobre a posição das escadas e de outros elementos, mas uma planta das formas geométricas básicas utilizadas na construção do teatro. Acredito que, sobre tal planta como um todo, Fludd fornece informação de duas maneiras: primeiro, por meio das formas das cinco bases de colunas que ele menciona; segundo, ao insistir que existiam cinco entradas para o *frons scaenae*.

As cinco bases de colunas mostradas na gravura do *Theatrum Orbi* são, respectivamente, redonda, quadrada, hexagonal, quadrada e redonda. Essas são as suas formas, não apenas retratadas na gravura, mas também expressas no texto.

O único documento visual sobre a forma externa do Globe pode ser encontrado, como já mencionei, naqueles mapas antigos de Londres, nos quais pequenas representações do teatro aparecem em Bankside. Em alguns mapas, o Globe está indicado como um edifício poligonal; em outros, como redondo. Meditando sobre as formas vagas mostradas nos mapas, Adams acreditava que podia visualizar oito lados em uma delas e, assim, baseou sua elaborada reconstrução do Globe em um octógono. Outros preferiam a teoria do Globe circular. O testemunho dos mapas é realmente inconclusivo.

Contudo, possuímos a declaração de uma testemunha ocular sobre a forma do Globe, embora alguns especialistas considerem-na pouco confiável. Em meados do século XVIII, Hester Thrale, uma amiga do Dr. Johnson, morava perto do lugar onde se situava o Globe, que havia sido demolido em 1644, na época da República de Cromwell, mas cujos vestígios ainda eram visíveis em sua época. Ela descreve esses vestígios como "um amontoado de escombros escurecidos". A sra. Thrale manifestou um interesse romântico pelo velho teatro, sobre o qual fez a seguinte afirmação: "Havia restos realmente curiosos do velho Globe Theatre, que apresentavam uma forma hexagonal no exterior e circular em seu interior"[28].

28. Citado por Chambers, *Elizabethan Stage*, II, p. 428.

Encorajado pela sra. Thrale, acredito que Fludd exprime as figuras geométricas empregadas na construção do Globe por meio das formas das bases das cinco colunas, ou seja, o hexágono, o círculo e o quadrado.

Reflitamos, então, no fato sobre o qual Fludd tanto insiste, ou seja, que havia cinco entradas para o palco, representadas em sua gravura. O testemunho de Fludd sobre isso resolve, de forma satisfatória, o problema levantado por Chambers, de que o palco do Globe devia ter cinco entradas, como no teatro clássico. Ele realmente possuía cinco entradas, não como no palco clássico, todas no nível térreo, mas três nesse nível e duas acima – uma adaptação das cinco entradas do palco clássico para um teatro de vários níveis ou planos. Apesar da diferença fundamental em relação ao palco clássico, devido ao palco de muitos níveis, será que as cinco entradas do Globe sugerem uma influência clássica e vitruviana em seu plano?

No teatro romano, descrito por Vitrúvio, as posições do *frons scaenae*, das cinco entradas do palco e dos sete corredores de acesso que levam aos assentos do auditório são determinadas por quatro triângulos eqüiláteros inscritos em um círculo. Esses triângulos aparecem na reconstrução do teatro vitruviano feita por Palladio, ilustrada por um diagrama no comentário de Barbaro sobre Vitrúvio (Pr. 9a), cuja primeira edição é de 1556[29]. Vemos, aqui, como a base de um triângulo determina a linha do *frons scaenae*, enquanto o seu vértice aponta para o corredor de acesso principal do auditório. Três vértices de triângulos determinam as posições das três entradas principais ou portas no *frons scaenae*. Dois outros vértices de triângulo determinam a localização das duas entradas laterais do palco. Seis outros determinam, ainda, seis corredores de acesso do auditório, e a principal entrada central, a sétima, é determinada pelo triângulo cuja base indica a posição do *frons scaenae*. Vitrúvio compara esses quatro triângulos àqueles inscritos pelos astrólogos no

29. Segundo alguns especialistas modernos, Vitrúvio afirma que os triângulos estão inscritos no círculo da orquestra. De acordo com a interpretação de Palladio, nesse diagrama, Vitrúvio considera que os triângulos estão inscritos no círculo do teatro inteiro. Seguimos o diagrama de Palladio, provavelmente conhecido pelos desenhistas do Globe.

zodíaco, para formar os *trigona* dos signos (triângulos que ligam signos do zodíaco relacionados entre si, uns com os outros)[30]. O palco clássico era, portanto, planejado de acordo com a *fabrica mundi*, para refletir as proporções do mundo. Será que não podemos supor que o Globe Theatre, com seus "Céus" que se estendem sobre parte do palco, também teria sido planejado de acordo com a *fabrica mundi*, como o palco clássico? E que os quatro triângulos inscritos em um círculo teriam desempenhado um papel na localização do *frons scaenae* e dos corredores de acesso?

A tentativa feita aqui, para propor uma planta do Globe, baseia-se na hipótese de que esse teatro era uma adaptação do teatro vitruviano. Ele teria de ser uma adaptação, pois seu palco, distinto daquele do teatro clássico, não tinha apenas um nível. E as galerias do seu auditório também eram sobrepostas, diferentemente dos patamares ascendentes do teatro clássico.

Ao desenhar a planta, outra hipótese levantada é a de que Fludd indica que as formas geométricas básicas empregadas na construção do Globe eram o hexágono, o círculo e o quadrado.

E, terceira hipótese, a planta utiliza as dimensões apresentadas no contrato de construção do Fortune Theatre[31]. Esse contrato sempre foi a principal fonte para os reconstrutores do Globe, porque, em dois lugares, ele afirma que algumas de suas especificações retomam aquilo que foi feito no Globe. Entretanto, esse contrato é um documento que pode confundir aquele que busca reconstituir o Globe, pois: 1. o Fortune era um teatro quadrado e, por isso, não podia ser exatamente como o Globe; 2. suas especificações são, com freqüência, vagas, e não fica claro, pelo menos para mim, quais de suas partes são construídas como no Globe. Contudo, não se pode ignorar as dimensões nele indicadas. O contrato do Fortune apresenta uma medida de aproximadamente 13 metros (43 pés) para o palco, que deve "se estender até o meio do *yard*"; e uma medida de aproximadamente 24 metros (80 pés) para o quadrado que cons-

30. Ver, anteriormente, pp. 216-8.
31. Impresso em Chambers, *Elizabethan Stage*, II, pp. 436 e ss.

titui o teatro, com um outro quadrado interno de aproximadamente 16 metros (55 pés), ao qual se chega pela subtração da largura das galerias. A planta do Globe que proponho aqui mantém a dimensão de 13 metros (43 pés) para o palco, mas amplia a dimensão total de 24 metros (80 pés), dada pelo quadrado do Fortune, para aproximadamente 26 metros (86 pés), para o diâmetro do círculo formado pela parede externa das galerias neste teatro, que acredito ser circular internamente e hexagonal na parte externa.

A nova planta do Globe (Fig. 11) baseia-se em um hexágono como forma externa do teatro. Dentro desse hexágono inscreve-se um círculo (a parede externa das galerias). Dentro do círculo estão inscritos quatro triângulos. A base de um deles fornece a posição do *frons scaenae*; seu vértice aponta para a parte oposta do auditório; seis outros vértices de triângulos apontam para outras partes do auditório. No círculo interno, que marca o limite entre as galerias e o *yard*, são indicadas sete aberturas, opostas aos vértices dos sete triângulos. Elas indicam, como sugerido, os corredores de acesso entre os assentos nas galerias, cujas posições são determinadas pelos triângulos, como os corredores em um teatro clássico. Pode-se ver, no desenho de De Witt (Pr. 19), duas dessas entradas ou *ingressa*. É possível que elas não fossem entradas efetivas para a galeria inferior, cujo acesso mais provável seria por trás, como nas galerias superiores; mas tais *ingressa* indicariam os sete pontos significativos, nos quais estariam sete corredores de acesso entre os assentos.

Três outros vértices de triângulo determinam a posição das três portas no *frons scaenae*, no nível térreo, como no teatro clássico. Mas, diferentemente deste último, os dois vértices dos triângulos restantes não indicam entradas; no teatro clássico, eles apontariam para entradas laterais do palco, mas, no Globe, as outras duas entradas para o palco ficavam no nível superior, imediatamente acima das duas entradas que ladeavam a entrada principal no nível térreo. Portanto, as cinco entradas do Globe precisavam de apenas três vértices de triângulo para indicar suas posições. Isso representa um desvio em relação ao teatro clássico, justamente devido ao palco de vários níveis.

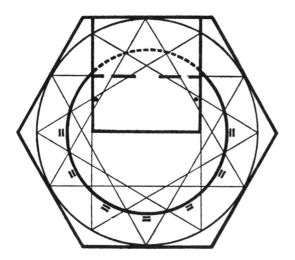

11. Globe Theatre:
Planta Proposta

O quadrado inclui tanto a *tiring house* quanto o palco, e é delimitado, no fundo, pela parede hexagonal externa. Dado que existiam dentro da *tiring house* áreas em que os atores atuavam, talvez se possa dizer que o quadrado representa todo o palco. A parte dele que fica diante do *frons scaenae* constitui um retângulo que avança até o meio do *yard*. A frente do palco coincide com o diâmetro do *yard*, assim como o proscênio do palco clássico coincidia com o diâmetro da orquestra. Os dois "*posts*" circulares indicam o ponto em que termina a cobertura do palco, ou os "Céus". Essas bases de colunas indicam, efetivamente, a posição dos *posts* reais; indicam, também, qual parte do teatro é representada na gravura de Fludd.

Não tentei sugerir a posição da porta, ou portas, de acesso ao teatro nem os detalhes arquitetônicos. Trata-se apenas de uma planta feita de formas geométricas básicas. Mas acredito que os triângulos zodiacais vitruvianos e a geometria simbólica de Fludd possam ser guias mais estáveis e seguros para a planta essencial do Globe do que os mapas e contratos vagos nos quais se basearam as reconstituições até o momento.

É interessante constatar a que ponto o Globe aparece como uma adaptação de Vitrúvio. Se compararmos essa planta com a do teatro vitruviano segundo Palladio (Pr. 9*a*), poderemos ver que as duas plantas precisam resolver o problema do posicionamento de um palco e de um edifício cênico em relação a um círculo, e ambas resolvem-no de maneira muito parecida, exceto pelo fato de que o Globe coloca o público em galerias sobrepostas e possui um palco de vários níveis. Também o contorno hexagonal do Globe permite localizá-lo em um quadrado, o que não se pode obter dentro do círculo da planta do teatro vitruviano.

Esse quadrado é muito significativo, pois relaciona o teatro de Shakespeare ao templo e à igreja. Em seu terceiro livro sobre os templos, Vitrúvio descreve como a figura de um homem, com braços e pernas estendidos, adapta-se exatamente a um quadrado ou um círculo. No Renascimento italiano, essa imagem vitruviana do Homem dentro de um quadrado ou de um círculo tornou-se a expressão favorita da relação do microcosmo com o macrocosmo, ou, nas palavras de Rudolf Wittkower:

> Animado pela crença cristã de que o Homem, como imagem de Deus, corporificava as harmonias do Universo, a figura vitruviana inscrita em um quadrado ou círculo tornou-se o símbolo da correspondência matemática entre microcosmo e macrocosmo. Como a relação entre o Homem e Deus poderia ser mais bem expressa [...] do que pela construção da casa de Deus de acordo com a geometria fundamental do quadrado e do círculo?[32]

Essa era a preocupação de todos os grandes arquitetos renascentistas. E era, evidentemente, a preocupação dos desenhistas do Globe Theatre.

A VELHA teoria a respeito do *inn yard* (pátio interno em um conjunto de construções) como antecessor dos teatros de madeira do Renascimento inglês começa a parecer inadequada[33], embora ainda possa servir a outros fins, talvez, em relação às galerias e ao uso da palavra *yard* para

---

32. Rudolf Wittkower, *Architectural Principles in the Age of Humanism*, London, Warburg Institute, 1949, p. 15.
33. A teoria sobre o *inn yard* já está ultrapassada; ver Glynn Wickham, *Early English Stages*, II, pp. 157 e ss.

a orquestra. A vontade de construir grandes teatros de madeira mostra uma influência clássica, pois Vitrúvio declara que muitos dos "teatros públicos" de Roma eram feitos de madeira[34]. E as observações feitas pelos visitantes estrangeiros indicam que, ao examinarem os vários teatros públicos de Londres, percebiam neles uma influência clássica. De Witt fala dos "anfiteatros" de Londres[35]. Um viajante que visitou Londres em 1600 diz ter visto uma comédia inglesa em um teatro "construído de madeira, como faziam os antigos romanos"[36]. E o desenho do Globe revelado por Fludd parece sugerir um conhecimento não apenas de Vitrúvio mas, também, das interpretações feitas acerca desse autor pelo Renascimento italiano.

O primeiro dos teatros de madeira do Renascimento inglês foi o "Teatro", construído por James Burbage, em 1576, em Shoreditch[37]. O "Teatro" era o protótipo de todos os teatros de madeira do novo estilo. Além disso, estava particularmente associado às origens do Globe, pois vigas do "Teatro" cruzaram o rio e foram utilizadas na construção do primeiro Globe, em Bankside, em 1599[38]. Se buscarmos as influências da retomada de Vitrúvio pelo Renascimento italiano nas origens do Globe, poderemos encontrá-las antes de 1576, quando o "Teatro" foi construído. Além do livro de Shute sobre arquitetura (1563), os de John Dee, o filósofo hermético e mestre de Philip Sidney e seu grupo, também devem ser uma das fontes inglesas sobre essas influências.

No ano de 1570 – ou seja, seis anos antes da construção do "Teatro" –, John Day editou em Londres um livro muito importante. Era a primeira tradução inglesa de Euclides, feita por H. Billingsley, cidadão

---

34. *De architectura*, liv. v, cap. v, 7.
35. Chambers, *Elizabethan Stage*, ii, p. 362. Cf., também, a passagem tirada de *Holland's Leaguer*, na qual o Globe, o Hope e o Swan são descritos como "os três famosos Anfiteatros" (idem, p. 376).
36. Idem, p. 366.
37. Idem, pp. 384 e ss.
38. Idem, p. 399. O "Teatro" é igualmente associado ao Globe, já que era o teatro mais utilizado pela trupe do lorde Chamberlain, a companhia de Shakespeare, antes da construção do Globe.

de Londres[39]. Um longo prefácio de John Dee, em inglês, precede a tradução[40]. Nele, Dee passa em revista todas as ciências matemáticas, tanto do ponto de vista da teoria platônica e mística dos números como com a intenção de torná-las úteis aos artesãos. Nesse prefácio, o autor cita Vitrúvio muitas vezes. Ao analisar a questão do Homem enquanto "Microcosmo" (Lesse World), ele diz: "Veja em Vitrúvio"; aqui, ele se refere, na margem, ao primeiro capítulo do terceiro livro de Vitrúvio[41], em que está a descrição do homem vitruviano, inscrito no quadrado e no círculo. E também, nesse prefácio, na parte referente à arquitetura, Dee apresenta a teoria de Vitrúvio sobre arquitetura como a mais nobre das ciências, e o arquiteto, como o homem universal, que deve estar familiarizado não apenas com os aspectos práticos e mecânicos de sua profissão, mas com todos os outros ramos do conhecimento. Além disso, Dee utiliza aqui não somente "Vitruvius, o Romano", mas também "Leo Baptista Albertus, um Florentino". Apoiando-se em ambos, Vitrúvio e Alberti, Dee concebe a arquitetura ideal como imaterial. "A mão do Carpinteiro é o Instrumento do Arquiteto", pondo em prática o que este, "em sua mente e Imaginação", determina. "E podemos estabelecer, na mente e na Imaginação, todas as formas, deixando de lado toda substância material"[42].

Parece estranho que, com suas referências entusiasmadas quanto aos ideais da retomada de Vitrúvio pelo Renascimento italiano, o prefácio de Dee tenha sido tão pouco mencionado. Talvez isso deva ser atribuído ao preconceito contra Dee, visto como "filósofo oculto". Compreendo,

---

39. *The Elements of the Geometrie of the most ancient Philosopher Euclide of Megara, Faithfully (now first) translated into the English toung, by H. Billingsley, Citizen of London... With a very fruitfull Praeface made by M. I. Dee...*, impresso em Londres, por John Daye (o prefácio tem a data de 3 de fevereiro de 1570).

40. Sobre a citação de Pico della Mirandola neste prefácio, ver *G. B. and H. T.*, p. 148.

41. "Preface", *The Elements of the Geometrie...*, *sig.* c iiii, *recto*. No trecho que segue imediatamente, Dee insiste que o leitor "consulte Albertus Durerus, *De Symmetria humani Corporis*. Ver capítulos 27 e 28, do segundo livro, *De occulta Philosophia*". Nesses livros do *De occulta Philosophia*, Agrippa apresenta as figuras vitruvianas do homem inscrito no quadrado e no círculo.

42. Prefácio, *sig.* d iii, *recto*.

no entanto, que R. Wittkower queira incluir Dee em seu próximo livro sobre a teoria da arquitetura na Inglaterra.

Dee não fornece detalhes de plantas arquitetônicas, mas, ao discutir a música como uma das ciências que o arquiteto deve conhecer, ele menciona uma característica do teatro antigo: aqueles misteriosos amplificadores de som que Vitrúvio diz que eram colocados sob os assentos.

E (o arquiteto) também deve conhecer a Música, de modo que compreenda ao mesmo tempo a Música Regular e a Música Matemática [...] Além disso, os tubos de cobre condutores que, nos teatros, são colocados em uma ordem matemática [...] sob as arquibancadas[...], e os múltiplos sons [...] são ordenados de acordo com as Sinfonias e Harmonias musicais, sendo distribuídos nos circuitos segundo a quarta, a quinta e a oitava justas. De modo a aumentar o volume da voz de cada artista, quando ela passa pelos tubos, dispostos em ordem: ao ser amplificada, pode se tornar mais clara e agradável aos ouvidos dos espectadores[43].

Essa passagem poética sobre as vozes musicais dos artistas talvez nos aproxime da origem do tipo shakespeariano de teatro, porque James Burbage era carpinteiro de profissão. E, quando ele começou a construir o seu "anfiteatro", não era bem provável que ele usasse uma tal tradução de Euclides, em cujo prefácio se encontrava essa evocação musical do teatro antigo e a descrição de como "a mão do carpinteiro" executa as formas ideais que se encontram na mente do arquiteto?

Um amplo tema se abre aqui, ao qual só posso dedicar um único parágrafo. Nesse prefácio, Dee apresenta a teoria renascentista dos números; ele tem em vista as aplicações práticas das ciências matemáticas e dirige-se aos artesãos. Esses temas eram excluídos das universidades, fato a que Dee se refere com freqüência no prefácio. Por isso, coube a um artesão, a um carpinteiro como James Burbage, introduzir a verdadeira arquitetura renascentista da época elisabetana, isto é, a arquitetura do teatro de madeira. Será que também foi Burbage (talvez com o con-

43. Idem, *sig.* d iii *verso.* Cf. Vitrúvio, liv. v, cap. v.

selho de Dee) quem adaptou Vitrúvio, ao combinar o teatro clássico ao palco de vários níveis, herança esta do teatro medieval religioso?[44] Foi essa adaptação que fez do teatro shakespeariano uma síntese maravilhosa do contato imediato entre os atores e o público, como ocorria com o teatro clássico, e da alusão da hierarquia dos níveis espirituais, tal como era expressa no velho teatro religioso.

Embora o primeiro Globe tenha perpetuado tradições iniciadas com o primeiro "anfiteatro", ele era um teatro novo, considerado em geral como o melhor e mais bem-sucedido dos teatros. Era o teatro do qual Shakespeare fora co-proprietário, assim é concebível que ele até possa ter tido alguma influência sobre o seu plano de construção. E o Globe (considerando-se a reflexão de Fludd sobre o segundo Globe) mostra que o teatro shakespeariano não era uma imitação, mas uma adaptação de Vitrúvio. Além de o *frons scaenae* ter sido mudado de um edifício clássico para uma residência dotada de ameias e janela-balcão, o palco de vários níveis introduzia uma mudança fundamental. O velho teatro religioso apresentava um drama espiritual da alma humana em rela-

44. Outro traço medieval remanescente no teatro shakespeariano seria o daqueles teatros secundários que Fludd apresenta, utilizados para indicar localidades diferentes simultaneamente, do mesmo modo que as "*mansiones*" medievais.

Do modo como compreendemos o teatro shakespeariano hoje, ele se torna uma das adaptações mais interessantes e vigorosas do teatro vitruviano feitas durante o Renascimento (sobre isso, ver R. Klein e H. Zerner, "Vitruve et le théâtre de la Renaissance italienne", em *Le lieu théâtral à la Renaissance*, ed. Jacques Jacquot, Paris, Centre National de la Recherche Scientifique, 1964, pp. 49-60).

No Prefácio de Dee podemos encontrar evidências de que ele conhecia o comentário de Daniele Barbaro sobre Vitrúvio, o livro que contém a reconstrução do teatro romano por Palladio (Pr. 9a). Ao comentar a dedicatória que Vitrúvio faz de sua obra a Augusto, Dee acrescenta: "nos dias em que nosso arquimestre celeste nasceu" (Prefácio, *sig.* d iii *recto*). Barbaro, no início de seu comentário (p. 2, ed. de Veneza, 1567), estende-se a respeito da paz universal da era de Augusto, "época na qual Nosso Senhor Jesus Cristo nasceu".

Pode ser significativo que, de acordo com Anthony à Wood (*Athenae Oxonienses*, London, 1691, cols. 284-285), Billingsley foi ajudado em seu trabalho matemático sobre Euclides por um frade agostiniano chamado Whytehead, que havia sido expulso de seu convento, em Oxford, na época de Henrique VIII, e residia com Billingsley em Londres. Nesse contexto, existia, ainda, um especialista em números e seus significados simbólicos, sobrevivente do velho mundo anterior à Reforma.

ção aos níveis do Inferno, Purgatório e Paraíso. Um teatro renascentista como o Globe também expressava o drama espiritual, mas em relação à nova perspectiva do Renascimento, que se aproximava da verdade religiosa por meio do mundo, da *fabrica mundi*.

O teatro shakespeariano era esplêndido, uma adaptação de Vitrúvio superior ao cenário pintado dentro do arco do proscênio, que perdera as qualidades vitruvianas verdadeiras. O teatro com palco dotado de cenário pintado iria suplantar o tipo de teatro do Globe por séculos, aliás, já o fizera, quando a gravura de Fludd foi publicada. E Fludd era antiquado em seu gosto teatral, pois os palcos dotados de cenários pintados, introduzidos na corte por Inigo Jones, em 1604, faziam com que o Globe parecesse fora de moda, já em 1619.

"O MUNDO todo é um palco." Fludd nos ensina a reconsiderar essas palavras familiares. Ninguém jamais pensou que os que desenharam aquele edifício de madeira desaparecido fossem versados nas sutilezas da proporção cosmológica. Mas Ben Jonson sem dúvida o sabia, pois, ao examinar os restos carbonizados do primeiro Globe, depois do incêndio, exclamou: "Vejam as ruínas do Mundo!"[45]

A crença na correspondência entre microcosmo e macrocosmo, na estrutura harmônica do Universo, na compreensão de Deus por meio dos símbolos matemáticos [...] todas essas idéias estreitamente ligadas, que tinham suas raízes na Antiguidade e pertenciam aos dogmas indiscutíveis da filosofia e da teologia medievais, adquiriram uma nova vida no Renascimento e encontraram sua expressão visual nas igrejas desse período[46].

Rudolf Wittkower discute o uso da forma circular nas igrejas do Renascimento. Ele cita Alberti, que acreditava ser a forma circular a mais apreciada pela natureza, como ficava provado em suas próprias criações, e ser ela o melhor mestre, pois "a natureza é Deus"[47]. Alberti

45. Citado por Chambers, *Elizabethan Stage*, II, p. 422.
46. R. Wittkower, *Architectural Principles in the Age of Humanism*, p. 27.
47. Idem, p. 4.

recomendava nove formas básicas para as igrejas, entre elas o hexágono, o octógono, o decágono e o dodecágono, todas figuras determinadas pelo círculo[48]. Os desenhistas do Globe escolheram o hexágono para o seu teatro religioso.

Fludd nos fala, ainda, a respeito de como o Teatro do Mundo se colocava em relação aos diversos pontos da circunferência. Esses pontos estão marcados no diagrama dos "Céus" (Pr. 16), diante da gravura do palco: "Oriens" está em cima e "Occidens" embaixo. Quando esses "Céus" cobrem o palco, compreendemos que ele estava situado na extremidade oriental do teatro, como o altar em uma igreja.

Somos levados a pensar na possibilidade de utilizar as revelações de Fludd, não apenas para a compreensão da encenação real das peças de Shakespeare, mas também para uma interpretação da significação espiritual das cenas representadas nos diferentes níveis. Seria o palco shakespeariano uma transformação renascentista e hermética do velho palco religioso? Seriam os seus vários níveis – havia um terceiro nível acima dos "Céus" sobre o qual Fludd não dá qualquer informação – uma representação da relação do divino com o humano, vista no mundo sob a sua forma tripla? O mundo elementar e subceleste seria o palco quadrado, sobre o qual o ser humano representa seus papéis. O mundo celeste circular está suspenso sobre este último; ele não representa o destino que determina o ser humano astrologicamente, mas a "sombra das idéias", o vestígio do divino. Acima dos "Céus" estaria o mundo sobreceleste das idéias, que espalha seus eflúvios na direção do mundo elementar, através dos Céus, e ao qual se ascende pelos mesmos degraus que se descende, isto é, passando pelo mundo da natureza.

Talvez fossem representadas no alto as cenas de elevado significado espiritual, onde as sombras são menos densas. Julieta apareceu para Romeu na câmara. Cleópatra morreu em um monumento egípcio que também se encontrava no alto. Uma vez, Próspero apareceu "no topo",

---

48. Ver os diagramas, idem, p. 3; e quanto ao plano de Serlio para uma igreja hexagonal, idem, fig. 6.

invisível para os atores no palco abaixo dos "Céus", mas visível para o público[49]. Não se sabe se *A Tempestade* foi encenada no Globe ou no Blackfriars*, o teatro aberto no edifício do antigo convento dos dominicanos e que a companhia de atores do rei adquirira em 1608. Mas o teatro Blackfriars, sem dúvida, possuía um "Céu". Portanto, tenha Próspero sido visto pela primeira vez no "topo" do Blackfriars ou do Globe, sua aparição seria, de qualquer maneira, particularmente impressionante, como apoteose do Mago benevolente, que se elevara acima das sombras das idéias para atingir a suprema visão unificadora.

Para concluir, quero enfatizar que vejo este capítulo apenas como uma primeira tentativa de utilizar um material – que, até o momento, não estava disponível – sobre a reconstrução do tipo de teatro shakespeariano. Esse material consiste, primeiro, nas gravuras que se encontram no sistema de memória de Fludd; e, segundo, na utilização do prefácio de Dee na tradução de Euclides por Billingsley, como uma evidência de que foi Dee (e não Inigo Jones) o primeiro "Vitruvius Britannicus"; e, portanto, as influências vitruvianas estavam disponíveis para os projetistas do primeiro teatro elisabetano e seus sucessores. Certamente, o capítulo será investigado e criticado por especialistas e, desse modo, o estudo do tema avançará mais do que pude fazer. Resta muita pesquisa a ser realizada, particularmente sobre a conclusão da publicação das obras de Fludd na Alemanha – o que pode esclarecer algo a respeito do gravador do teatro – e sobre as influências vitruvianas em Dee e Fludd.

Precisei condensar o capítulo tanto quanto possível, pois este livro, que trata da história da arte da memória, poderia perder de vista seu objetivo. Mas este capítulo precisava constar no livro, porque é somente no contexto da história da arte da memória que a relação entre o sistema de memória de Fludd e um teatro real pode ser compreendida. Foi a estrita seqüência de nossa pesquisa sobre a história da arte da me-

---

49. *The Tempest*, III, iii; cf. Irwin Smith, *Shakespeare's Globe Playhouse*, p. 140.
*   "Blackfriar" é o nome dado aos frades dominicanos. (N. da T.)

mória que nos introduziu no teatro de Shakespeare. A quem devemos essa extraordinária experiência? A Simônides de Ceos e Metrodoro de Scepsis; a "Tullius" e Tomás de Aquino; a Giulio Camillo e Giordano Bruno. Pois, se não tivéssemos viajado em nossa longa jornada juntamente com a história da arte da memória, embora pudéssemos ter visto algo interessante na gravura de Fludd (como Bernheimer viu), não o teríamos compreendido. Foi com as ferramentas que fabricamos, seguindo a história da arte da memória, que fomos capazes de desenterrar o Globe Theatre do lugar onde estava escondido no *Utriusque Cosmi... Historia*, de Fludd.

Ele ali esteve verdadeiramente escondido por três séculos e meio. E aqui ressurge a questão que foi um obstáculo ao estudarmos os Selos de memória de Bruno. Seriam esses fantásticos sistemas ocultos de memória propositalmente inacessíveis e impenetráveis a fim de esconder um segredo? Seria o sistema de Fludd, de vinte e quatro teatros de memória colocados no zodíaco, uma espécie de gabinete elaborado, deliberadamente concebido para ocultar de todos a sua alusão ao Globe Theatre, exceto dos iniciados, dos quais devemos supor que Jaime I fizesse parte?

Como disse antes, penso que, embora no final daquela época a tradição hermética do Renascimento se estivesse transformando, mais e mais, em um segredo, o sistema de memória oculto não deve ser visto totalmente como um código. A memória oculta pertence ao Renascimento de forma global. Foi o aspecto hermético do Renascimento como um todo, o segredo do estímulo interior que o período dava à imaginação, que Giordano Bruno trouxe à Inglaterra. Eu veria, na visita de Bruno e nas controvérsias "scepsistas" suscitadas por *Selos*, um fator fundamental na formação de Shakespeare. Também sugeriria que os dois filósofos herméticos ingleses, John Dee e Robert Fludd, não devem ser excluídos da atenção por aqueles que se interessam pelo Renascimento inglês. O fato de eles terem sido excluídos pode ser a razão pela qual o segredo de Shakespeare não foi descoberto.

Se não se preparasse o leitor, a revelação do Globe no último dos Selos de Memória poderia ser incompreensível e inacreditável. Contudo, essa revelação apresenta um contexto histórico inteligível dentro da história da arte da memória, e é unicamente isso o que nos diz respeito na parte final deste capítulo.

Em muitos aspectos, o Teatro de Camillo é análogo ao sistema do Teatro de Fludd. Em ambos há uma distorção de um teatro "real" em função de um sistema de memória hermético. Camillo distorce o teatro vitruviano, ao deslocar a prática de decorar com imagens as cinco entradas do palco para situá-la sobre os sete vezes sete portões imaginários erguidos no auditório. Fludd fica de costas para o público e olha em direção ao palco; ele carrega de figuras mentais imaginárias as cinco portas desse palco, utilizando-as como *loci* de memória, e deforma o palco para os seus propósitos mnemônicos, comprimindo-o em uma sala de memória. Em ambos os casos há uma distorção do teatro real, embora essas distorções sejam de um tipo diferente.

O Teatro de Camillo eleva-se em meio ao Renascimento veneziano e é diretamente derivado do movimento iniciado por Ficino e Pico. Ele provoca admiração e interesse intensos e parece ligar-se, naturalmente, àquelas manifestações poderosas da imaginação criativa que vemos naquela época do Renascimento italiano. Admirada por Ariosto e Tasso, sua forma arquitetônica estava ligada à arquitetura neoclássica, a partir da qual se desenvolveria, em breve, um significativo teatro "real", o Teatro Olímpico. O sistema de memória do Teatro de Fludd aparece no contexto de uma filosofia que deriva em grande medida de uma tradição mais antiga do Renascimento. E ele utiliza o tipo de teatro que havia acolhido a suprema realização de um Renascimento muito tardio. Quando refletimos o melhor possível sobre essa comparação, parece que, a partir da autoridade histórica, o sistema de memória hermético de Fludd reflete o Globe.

A questão que não posso responder clara e satisfatoriamente é: o que era a memória oculta? Da fabricação das similitudes corporais baseadas no mundo inteligível, passa-se para a apreensão do mundo inteligível por meio de terríveis esforços de imaginação, como aqueles aos quais Giordano Bruno dedicou sua vida. Será que isso estimulou realmente, mais do que nunca, a psique humana em direção a uma ampliação da realização criadora e imaginativa? Seria esse o segredo do Renascimento representado pela memória oculta? Deixo essa questão a outros.

CAPÍTULO 17

A Arte da Memória e o Desenvolvimento
do Método Científico

O objetivo deste livro é mostrar o lugar da arte da memória nos grandes e agitados centros da tradição européia. Na Idade Média, ela desempenhava um papel central, com sua teoria formulada pelos escolásticos e sua prática ligada ao repertório imagético medieval na arte e na arquitetura, em seu conjunto, e aos grandes monumentos literários, como a *Divina Comédia*, de Dante. No Renascimento, a sua importância diminuiu dentro de uma pura tradição humanista, mas cresceu em grandes proporções dentro da tradição hermética. Agora que, no curso de nossa história, já estamos no século XVII, será que a arte da memória irá desaparecer, ou sobreviverá apenas à margem e não no centro? Robert Fludd ocupa uma das últimas posições de destaque de toda a tradição hermética do Renascimento. Ele se opõe aos representantes do novo movimento científico, Kepler e Mersenne. Será o seu sistema hermético de memória, baseado no Globe Theatre shakespeariano – ele próprio um dos últimos bastiões da arte da memória –, um sinal de que a antiga arte de Simônides está prestes a ser abandonada como um anacronismo pelo avançar do século XVII?

É curioso e significativo o fato de, no século XVII, a arte da memória ser conhecida e discutida não apenas – como deveríamos esperar – por um escritor como Fludd, que ainda segue a tradição renascentista, mas também pelos pensadores que se voltam para novas direções: Francis

Bacon, Descartes, Leibniz. E, naquele século, a arte da memória passou ainda por outra transformação: de método para memorizar a enciclopédia do conhecimento e refletir o mundo na memória a ferramenta de auxílio que permite investigar a enciclopédia e o mundo, com o objetivo de descobrir um novo conhecimento. É fascinante observar como, dentro das tendências do novo século, a arte da memória sobrevive como um fator do desenvolvimento do método científico.

Neste capítulo de conclusão, que é um pós-escrito à parte principal da obra, posso apenas indicar brevemente a importância da arte da memória em seu novo papel. Apesar de insuficiente, este capítulo precisava ser escrito, porque no século XVII a arte da memória ainda ocupava uma posição significativa dentro de um quadro mais amplo do desenvolvimento europeu. Nossa história, que começou com Simônides, não pode terminar antes de Leibniz.

RAMUS POPULARIZOU o termo "método". Vimos, em um capítulo anterior[1], que há uma íntima conexão entre o ramismo e a arte da memória, e que esse fato, por si só, pode sugerir uma ligação entre a história da memória e a história do método. Mas o termo também era empregado pelo llullismo e a cabala, que floresceram no Renascimento em estreita associação com a memória. Para dar apenas um dos muitos exemplos disponíveis, há o "método circular", que permitiria o conhecimento de tudo, descrito por Cornelius Gemma em seu *De arte cyclognomica*[2], que é uma combinação de llullismo, hermetismo, cabala e arte da memória. Essa obra pode ter influenciado Bruno, que também chamava os seus procedimentos de "método"[3], no século XVII, prevalecia amplamente o uso desse termo para certos modos de pensamento que pareciam ter pouca relação com o novo método matemático, como ilustra a história a seguir.

Quando os membros de uma pequena academia privada de Paris reuniram-se para o seu primeiro encontro, por volta de 1632, o tema de suas

1. Ver, anteriormente, pp. 291 e ss.
2. Cornelius Gemma, *De arte cyclognomica*, Antuérpia, 1569.
3. Ver, anteriormente, p. 363-4.

reflexões era o "método". A conferência teve início com uma referência muito resumida ao "método dos cabalistas", que descem do mundo arquetípico para o mundo intelectual e, deste, para o mundo elementar. Depois, os membros passaram a uma igualmente rápida caracterização do "método de Ramon Llull", baseado nos atributos divinos. E, então, passaram ao que descreveram como "o método da filosofia usual". No relatório publicado sobre seus trabalhos, esses esforços estão reunidos sob o título de *De la méthode*[4]. Essas poucas páginas, nas quais temas tão amplos se dissolvem, não merecem atenção, exceto como indicação da pouca surpresa que teria causado o título *Discours de la méthode*, livro publicado por Descartes cinco anos depois.

Entre os numerosos "métodos" que circulavam no início do século XVII, a arte da memória ocupava um lugar importante, assim como a arte de Ramon Llull. Essas duas grandes artes medievais, que o Renascimento tentou combinar entre si, tornaram-se métodos naquele século e tiveram seu papel na revolução metodológica[5].

FRANCIS BACON tinha um profundo conhecimento da arte da memória e ele próprio a utilizara[6]. De fato, na biografia de Bacon escrita por Aubrey, encontramos uma das poucas evidências do desenho real de uma construção que deveria ser utilizada para a "memória local". Aubrey

---

4. *Recueil général des questions traitées ès Conférences du Bureau d'Adresse*, Lyon, 1633-1666, I, pp. 7 e ss. Sobre essa academia do "Bureau d'Adresse", dirigida por Théophraste Renaudot, ver meu *French Academies of the Sixteenth Century*, p. 296.
5. O útil livro de Neal W. Gilbert, *Renaissance Concepts of Method* (Columbia, 1960) discute as origens clássicas da palavra e contém valiosas páginas sobre "arte" e "método". No entanto, os "conceitos de método no Renascimento" analisados são, sobretudo, ramistas e aristotélicos. Os "métodos" que este capítulo irá abordar não são mencionados.
Creio que Ong provavelmente está certo (*Ramus, Method and the Decay of Dialogue*, Cambridge, Mass., 1958, pp. 231 e ss.) quando destaca a importância da retomada de Hermógenes, ao chamar a atenção para a palavra "método". Essa retomada foi anunciada por Giulio Camillo (ver, anteriormente, p. 168, nota 19; p. 238).
6. Sobre Bacon e a arte da memória, ver K. R. Wallace, *Francis Bacon on Communication and Rhetoric*, North Carolina, 1943, pp. 156, 214; W. S. Howell, *Logic and Rhetoric in England*, Princeton, 1956, p. 206; Paolo Rossi, *Francesco Bacone*, Bari, 1957, pp. 480 e ss.; e *Clavis universalis*, 1960, pp. 142 e ss.

relata que, em uma das galerias da residência de Bacon, Gorhambury, havia janelas de vidro pintadas, "e cada vidraça tem várias figuras de animais, pássaros e flores: talvez ele as empregue como tópicos para uso local"[7]. A importância que Bacon atribuía à arte da memória é evidenciada pela proeminência que ela adquire no *Advancement of Learning*, como uma das artes e ciências que deve ser reformulada, tanto em seus métodos quanto em seus objetivos. Bacon diz que a arte da memória existente poderia ser aprimorada e que deveria ser empregada não para uma ostentação vazia, mas sim com objetivos úteis. A orientação geral do *Advancement*, de melhorar as artes e ciências e transformá-las visando a fins práticos, é levada à memória. Bacon diz que existe uma arte da memória, "mas parece-me que existem regras melhores do que as dessa arte, e melhores práticas de tal arte do que as que nos foram legadas". Como utilizada, tal arte pode "ser elevada à ostentação prodigiosa", mas é improdutiva e não serve para "negócios e propósitos" sérios. Ele define a arte da memória como baseada em "pré-noções" e "emblemas", a versão de Bacon para os lugares e as imagens de memória:

> Essa arte da memória está construída apenas sobre duas idéias: a primeira é a pré-noção, e a segunda, o emblema. A pré-noção nos desobriga da busca interminável daquilo que deveríamos lembrar e direciona a busca a um círculo restrito, isto é, a algo que corresponda a nosso lugar de memória. O emblema reduz os conceitos intelectuais a imagens sensíveis, que impressionam mais a memória. A partir dessas definições pode-se conseguir uma prática melhor do que aquela em uso[8].

O *Novum Organum* define com mais precisão os lugares, que seriam:

> A ordem ou distribuição de Lugares Comuns na memória artificial, que podem ser ou Lugares no sentido próprio do termo, tal como uma porta, um canto, uma janela, etc.; ou pode tratar-se de familiares e pessoas conhecidas; ou, ainda, de qualquer coisa que escolhermos (contanto que estejam dispostas em uma de-

---

7. John Aubrey, *Brief Lives*, ed. O. L. Dick, London, 1960, p. 14.
8. F. Bacon, *Advancement of Learning*, II, xv, p. 2, em *Works*; ed. Spedding, III, pp. 398-9.

terminada ordem), como animais, plantas, palavras, letras, personagens fictícios ou históricos[9].

Uma definição como essa, quanto aos diferentes tipos de lugares, provém diretamente dos manuais de memória.

A definição das imagens como "emblemas" é ampliada no *De augmentis scientiarum*:

> Os emblemas reduzem as coisas intelectuais a coisas sensíveis; pois o que é sensível sempre impressiona mais a memória e fixa-se mais rapidamente do que o que é intelectual [...] E, por isso, é mais fácil reter a imagem de um caçador que persegue a lebre, de um farmacêutico que põe em ordem suas caixas, de um orador que discursa, de um menino que repete versos ou de um ator representando o seu papel, do que as noções correspondentes de invenção, disposição, elocução, memória e ação[10].

E isso mostra que Bacon concordava plenamente com a visão dos antigos, de que a imagem eficaz imprime-se melhor na memória, e com o ponto de vista do tomismo, de que as coisas intelectuais são mais bem lembradas por meio das coisas sensíveis. Conseqüentemente, essa aceitação do papel das imagens sobre a memória mostra que Bacon, embora influenciado pelo ramismo, não era um ramista.

Portanto, *grosso modo*, era a arte da memória usual, que utilizava lugares e imagens, que Bacon aceitava e praticava. Sua proposta para aprimorá-la não fica clara. Mas entre os novos usos propostos para ela estava a memorização de diferentes assuntos em uma determinada ordem, para que fossem fixados na mente e pudessem ser utilizados em alguma investigação posterior. Isso ajudaria a pesquisa científica, pois ao recuperar pormenores da massa indistinta da história natural, e ordená-los, o julgamento sobre eles seria mais facilmente alcançado[11]. Aqui, a arte da

---

9. *Novum Organum*, II, xxvi; Spedding, I, p. 275.
10. *De augmentis scientiarum*, V, v; Spedding, I, p. 649.
11. *Partis Instaurationis Secundae Delineatio et Argumentum*; Spedding, III, p. 552; cf. Rossi, *Clavis...*, pp. 489 e ss.

memória é utilizada na investigação da história natural, e seus princípios de ordem e disposição transformam-se em algo como uma classificação.

A arte da memória fora reformada; dos seus usos de "ostentação", por parte de retóricos interessados em impressionar os outros por meio de suas prodigiosas memórias, passara a negócio sério. Entre os usos ostentatórios a serem abolidos em uma arte reformulada, Bacon certamente pensa nas memórias ocultas dos Magos. Em *Advancement*, ele diz: "A antiga idéia de que o homem era um microcosmo, uma abstração ou modelo do mundo foi levada aos seus mais fantásticos limites por Paracelso e pelos alquimistas"[12]. Era sobre uma tal idéia que se baseavam os sistemas de memória inspirados em Metrodoro, como o de Fludd. Para Bacon, esses esquemas poderiam parecer "espelhos mágicos", plenos de *idola* deformantes, e distantes daquela abordagem despretensiosa da natureza, por meio da observação e da experiência, que ele pregava.

No entanto, embora eu concorde com Rossi que a reforma da arte da memória proposta por Bacon impossibilitaria a memória oculta em seu conjunto, Bacon permanece um personagem obscuro. Em *Sylva Sylvarum* há uma passagem em que ele introduz a arte da memória no contexto do uso da "força da imaginação". Ele conta uma história de um truque, com cartas de baralho, que funcionava pela força da imaginação do prestidigitador, por meio da qual ele "induz o espírito" do espectador a pedir uma determinada carta. O comentário sobre o tal truque que utiliza a força da imaginação é o seguinte:

Sabemos, pela arte da memória, que as imagens visíveis funcionam melhor do que outros *concetti*; por exemplo, você conseguirá se lembrar da palavra *filosofia* mais seguramente se imaginar que uma certa pessoa (pois as pessoas são os melhores lugares) está lendo a *Física*, de Aristóteles, do que se você imaginá-la dizendo: "Vou estudar filosofia". Assim, essa observação deveria ser aplicada ao assunto do qual falamos agora (o truque do baralho): pois, quanto mais brilhante a imaginação, mais ela incorpora e fixa as coisas[13].

12. *Advancement...*, II, x, p. 2; Spedding, III, p. 370.
13. *Sylva sylvarum*, Centúria x, p. 956; Spedding, II, p. 659.

Embora estude o assunto de modo científico, Bacon está profundamente impregnado pela crença clássica de que a imagem mnemônica tem poder quando estimula a imaginação, e liga esse fato aos truques que empregam a "força da imaginação". Essa linha de pensamento foi um dos modos pelo qual a arte da memória se tornou uma auxiliar do mágico no Renascimento. Evidentemente, Bacon ainda vê tais conexões.

DESCARTES TAMBÉM refletiu sobre a arte da memória, e sobre o modo como ela poderia ser reformulada. Sobre a memória, o autor que inspirou suas reflexões foi ninguém menos do que Lambert Schenkel. Em *Cogitationes privatae* há o seguinte comentário:

> Ao percorrer as fecundas bagatelas de Schenkel (no livro *De arte memoria*), pensei em um modo fácil de tornar-me mestre em tudo o que descobri por meio da imaginação. Isso seria feito pela redução das coisas a suas causas. Já que essas últimas podem ser reduzidas a uma, obviamente não é necessário lembrar todas as ciências. Quando se compreende as causas, todas as imagens desvanecidas podem ser reencontradas no cérebro, facilmente, por meio da impressão da causa. Essa é a verdadeira arte da memória, que é totalmente contrária às noções nebulosas de Schenkel. Não que sua (arte) seja ineficaz, mas ela ocupa todo o espaço com muitas coisas e na ordem incorreta. A ordem certa é a que encadeia imagens dependentes umas das outras. Ele (Schenkel) omite esse fato, que é a chave de todo o mistério.
>
> Pensei em outra maneira; que a partir de imagens desconectadas deveriam ser compostas novas imagens comuns a todas elas, ou que deveria ser formada uma imagem que não se referisse apenas a outra imagem mais próxima, mas a todas – de modo que a quinta se referisse à primeira, por meio de uma lança atirada ao chão; a imagem central, por meio de uma escada, por onde elas descem; a segunda, por meio de uma seta atirada em sua direção e, analogamente, a terceira deveria ser relacionada às outras de algum modo, real ou fictício[14].

De maneira muito curiosa, a reformulação da memória sugerida por Descartes é mais próxima de princípios "ocultos" do que a de

14. Descartes, *Cogitationes privatae* (1619-1621), em *Œuvres*, x, ed. Adam & Tannery, p. 230. Cf. Rossi, *Clavis...*, pp. 154-5.

Bacon, pois a memória oculta reduz todas as coisas às suas supostas causas, cujas imagens, quando impressas na memória, organizariam as imagens subsidiárias. Se Descartes tivesse consultado o que Paepp dizia sobre "revelar" Schenkel[15], ele saberia disso. A frase, sobre a "impressão da causa" pela qual todas as imagens desvanecidas podem ser encontradas, pode facilmente ser a de um artista da memória oculta. Naturalmente, Descartes não pensa nesses termos, mas sua nova e brilhante idéia de organizar a memória a partir das causas soa, curiosamente, como uma racionalização da memória oculta. Suas outras idéias sobre a formação de imagens ligadas entre si não são inéditas e podem ser encontradas, de alguma maneira, em quase todos os manuais sobre a memória.

Parece improvável que Descartes tenha utilizado a memória local. De acordo com as observações de Baillet, em *Life*, ele deixou de praticá-la regularmente em seu retiro e a considerava como "memória corporal" e "exterior a nós", se comparada à "memória intelectual", que nos é interior e incapaz de aumentar ou diminuir[16]. Essa idéia especialmente grosseira está de acordo com a falta de interesse de Descartes pela imaginação e pelo seu funcionamento. Rossi sugere, contudo, que os princípios mnemônicos de ordem e disposição influenciaram Descartes, assim como haviam influenciado Bacon.

TANTO BACON quanto Descartes conheciam a arte de Llull, e referem-se a ela de forma depreciativa. Ao discutir os falsos métodos, em *Advancement*, Bacon diz: "Foi elaborado e colocado em prática um método que não é legítimo, mas uma impostura; consiste em comunicar o conhecimento como se fosse possível rapidamente ostentar toda uma cultura sem tê-la previamente. Assim era o trabalho de Ramon Llull ao fabricar a arte que leva o seu nome"[17].

15. Ver, anteriormente, pp. 371-2.
16. Descartes, *Œuvres*, x, ed. cit., pp. 200-1 (fragmentos de *Studium bonae mentis, ca.* 1620, preservados em citações em *Life*, de Baillet).
17. *Advancement...*, II, xvii, p. 14; Spedding, III, p. 408.

Em seu *Discours de la méthode*, Descartes também é severo quanto à arte de Llull, que serviria apenas para permitir que "se fale sem ponderação sobre coisas que se ignora"[18].

Assim, nem o descobridor do método indutivo, que não levaria a resultados científicos válidos, nem aquele que descobriu o método da geometria analítica, que iria revolucionar o mundo como a primeira aplicação sistemática da matemática na investigação da natureza, têm algo de bom a dizer sobre o método de Ramon Llull. E, por que deveriam? Que possível conexão poderia existir entre a "emergência da ciência moderna" e aquela arte medieval, extremamente exaltada e tornada "oculta" pelo Renascimento, com seus sistemas combinatórios baseados nos Nomes ou Atributos divinos? Contudo, a Arte de Ramon Llull tinha um ponto em comum com as intenções de Bacon e Descartes. Ela prometia fornecer uma arte ou um método universal que, baseado na realidade, poderia ser aplicado na solução de todos os problemas. Além disso, era um tipo de lógica geométrica, com seus quadrados e triângulos e suas rodas combinatórias em movimento; e empregava uma notação por letras para expressar os conceitos com os quais lidava.

Ao esboçar seu novo método a Beeckman, em uma carta de março de 1619, Descartes diz que ele planejava não uma *ars brevis*, como a de Llull, mas uma nova ciência que seria capaz de resolver todas as questões referentes à quantidade[19]. O termo operante é, naturalmente, "quantidade", o que marca a enorme mudança do uso qualitativo e simbólico do número. O método matemático foi finalmente inventado, mas, para entendermos o ambiente dentro do qual ele se encontrava, deveríamos saber algo sobre o febril interesse pelas artes da memória, artes combinatórias, artes cabalísticas, que o Renascimento legara ao século XVII. A maré ocultista se retraía e, no ambiente de transição, a busca se volta para o método racional.

No que diz respeito à transmissão de formas de pensamento e procedimentos renascentistas no século XVII, o alemão Johann-Heinrich

---

18. *Discours de la méthode*, parte II; *Œuvres*, VI, ed. cit., p. 17.

19. *Œuvres*, X, ed. cit., pp. 156-7. Cf. meu artigo, "The Art of Ramon Lull", *Journal of the Warburg and Courtauld Institutes*, XVII, 1954, p. 155.

Alsted (1588-1638) desempenhou um papel importante. Ele era um enciclopedista, llulliano, cabalista e ramista, autor do *Systema mnemonicum*[20], um vasto repertório sobre a arte da memória. Assim como Bruno e os llullianos do Renascimento, Alsted acreditava que a obra pseudollulliana *De auditu kabbalistico* era mesmo de Llull[21], o que facilitou sua assimilação do llullismo à cabala. Ele descreve Llull como um "matemático e cabalista"[22] e define método como o instrumento mnemônico que parte do geral (*generalia*) em direção ao particular (*specialia*) (uma definição, é claro, também influenciada pelo ramismo) e considera os círculos llullianos como lugares correspondentes àqueles da arte da memória. Alsted é um enciclopedista do Renascimento e igualmente um homem do Renascimento, em seus esforços para combinar todo tipo de método na busca de uma chave universal[23].

No entanto, também é afetado pela reação contrária ao ocultismo do Renascimento. Ele desejava libertar o llullismo dos sonhos e das fantasias inúteis que o haviam contaminado e retornar à pura doutrina ensinada por Lavinheta. No prefácio à sua *Clavis artis Lullianae*, de 1609, ele investe contra os comentadores que haviam desfigurado a divina arte com seus erros e suas obscuridades; e cita os nomes de Agrippa e Bruno[24]. Mas, após a morte de Bruno, Alsted publicou um dos manuscritos dele, embora não se tratasse, é verdade, de um texto de inspiração llulliana[25].

20. J.-H. Alsted, *Systema mnemonicum duplex... in quo artis memorativae praecepta plene et methodice traduntur*, Frankfurt, 1610.
21. *Systema mnemonicum duplex...* p. 5; citado por Rossi, *Clavis...*, p. 182. A influência de *De auditu kabbalistico* (ver, anteriormente, pp. 237, 247-8, 262) pode ter ajudado na difusão da palavra "método", que é utilizada em seu prefácio (*De auditu kabbalistico*, em R. Llull, *Opera*, Estrasburgo, 1598, p. 45).
22. Ver Carreras y Artau, *Filosofia Cristiana de los Siglos XIII al XV*, Madrid, 1943, II, p. 244.
23. Uma de suas obras é intitulada *Methodus admirandorum mathematicorum novem libris exhibens universam mathesim*, Herborn, 1623. Ver Carreras y Artau, *op. cit.*, II, p. 239.
24. J.-H. Alsted, *Clavis artis Lullianae*, Estrasburgo, 1633, prefácio; ver Carreras y Artau, *op. cit.*, II, p. 241; Rossi, *Clavis*, p. 180.
25. A obra *Artificium perorandi*, escrita por Bruno em Wittenberg, em 1587, foi publicada por Alsted em Frankfurt, em 1612. Ver Salvestrini-Firpo, *Bibliografia di Giordano Bruno*, Firenze, 1958, pp. 213, 285.

No círculo de Alsted parece haver um movimento que retoma Bruno a partir de uma versão reformulada dos procedimentos que ele estimulara exageradamente em um plano imoderadamente hermético. Um estudo aprofundado de Alsted pode revelar que as sementes plantadas por Bruno durante suas viagens pela Alemanha haviam germinado, mas produziram frutos mais adequados aos novos tempos. No entanto, seria necessário todo um livro para investigar a vasta produção de Alsted.

Outro exemplo interessante da emergência de um método mais racional a partir do ocultismo do Renascimento é dado em *Orbis pictus*, de Comenius, cuja primeira edição é de 1658[26]. Tratava-se de um manual elementar de ensino de línguas – latim, alemão, italiano, francês – para crianças, por meio de imagens. Os desenhos estão arranjados segundo a ordem do mundo: imagens do céu, das estrelas e de fenômenos celestes, de animais, pássaros e pedras e assim por diante; do ser humano e de todas as suas atividades. Ao ver o desenho do Sol, a criança aprendia a palavra "sol" nas diferentes línguas; ou, ao ver o desenho de um teatro[27], aprendia a palavra "teatro" nas várias línguas. Isso pode soar como algo muito comum, agora que o mercado está repleto de livros infantis ilustrados, mas, naquela época, tratava-se de um método pedagógico surpreendente e original, e deve ter tornado o aprendizado de línguas agradável para muitas crianças do século XVII, se comparado com o estúpido e enfadonho método da educação tradicional, acompanhado da aplicação de freqüentes castigos corporais. Diz-se que, na época de Leibniz, os garotos de Leipzig eram educados com a ajuda do "livro ilustrado de Comenius" e do catecismo de Lutero[28].

Não pode haver dúvida de que o *Orbis pictus* descende diretamente da *Cidade do Sol*[29], de Campanella, aquela Utopia de magia astral em que o

26. *Orbis sensualium pictus*, Nuremberg, 1658. Não é a cartilha de línguas elementar de Commenius, a *Janua linguarum*. Commenius era aluno de Alsted.
27. Reproduzido em Allardyce Nicoll, *Stuart Masques and the Renaissance Stage*, London, 1937, fig. 113.
28. Ver R. Latta, introdução à *Monadologia* de Leibniz, Oxford, 1898, p. 1.
29. Ver Rossi, *Clavis...*, p. 186.

templo circular central do Sol, pintado juntamente com as imagens das estrelas, estava rodeado pelos círculos concêntricos dos muros da cidade, sobre os quais aparecia representado todo o mundo da Criação, do ser humano e de suas atividades, em imagens ligadas às imagens causais centrais. Como já dito anteriormente, a Cidade do Sol podia ser empregada como um sistema de memória oculta, por meio do qual tudo podia ser rapidamente aprendido, ao se utilizar o mundo "como um livro" e como "memória local"[30]. As crianças da Cidade do Sol eram educadas pelos sacerdotes do Sol, que as levavam pela Cidade para observarem as imagens pintadas nos muros, por meio das quais aprendiam os alfabetos de todas as línguas e tudo o mais. O método pedagógico desses "solarianos" profundamente ocultistas, e todo o plano da Cidade e suas imagens, era uma forma de memória local, com seus lugares e suas imagens. Traduzido no *Orbis pictus*, o sistema de memória mágico da Cidade transforma-se em um manual de línguas elementar, racional, muito original e válido. Deve-se acrescentar que a cidade utópica descrita por Johann Valentin Andreae – aquele homem misterioso que, segundo rumores, estava ligado aos manifestos dos rosa-cruzes – também é toda decorada com imagens utilizadas para instruir os jovens[31]. Contudo, a obra de Andreae, *Christianopolis*, também fora influenciada pela Cidade do Sol, que provavelmente era a fonte principal da nova educação visual naquela época.

Uma das preocupações do século XVII era a busca da língua universal. Estimulado pelo pedido de Bacon de "caracteres reais" para exprimir as noções[32] – caracteres ou signos que estariam realmente em contato com as noções expressas por eles –, Comenius trabalhou nesse sentido e, por meio de sua influência, todo um grupo de escritores – Bisterfield, Dalgarno, Wilkins e outros – esforçaram-se para encontrar línguas univer-

---

30. Ver, anteriormente, p. 368.
31. J. V. Andreae, *Reipublicae Christianopolitanae Descriptio*, Estrasburgo, 1619; tradução inglesa de F. E. Held, *Christianopolis, an Ideal State of the Seventeenth Century*, New York e Oxford, 1916, p. 202. Sobre Andreae e Campanella, ver. *G. B. and H. T.*, pp. 413-4.
32. Em *The Advancement of Learning*, II, xvi, 3; Spedding, III, pp. 399-400. Cf. Rossi, *Clavis...*, pp. 201 e ss.

sais baseadas em "caracteres reais". Como Rossi mostrou, esses esforços vinham diretamente da tradição da memória, com sua busca de signos e símbolos para serem empregados como imagens de memória[33]. As línguas universais são pensadas como ferramentas de auxílio à memória e, em muitos casos, seus autores recorrem, claramente, aos tratados de memória. Pode-se acrescentar que a busca por "caracteres reais" vem pelo lado oculto da tradição da memória. No século XVII, os entusiastas da língua universal traduzem em termos racionais os esforços como os de Giordano Bruno para encontrar sistemas de memória universais, fundamentados em imagens mágicas que ele imaginava em contato direto com a realidade.

Os métodos e as aspirações do Renascimento incorporam-se aos do século XVII, mas o leitor daquele século não distinguia os aspectos modernos da época tão claramente como fazemos agora. Para ele, os métodos de Bacon ou de Descartes eram apenas mais dois entre outros. O monumental *Pharus Scientiarum*[34], publicado em 1659 pelo jesuíta espanhol Sebastian Izquierdo, é um exemplo interessante disso.

Izquierdo faz um levantamento dos que trabalharam na busca de uma arte universal. Dá um espaço considerável ao "método circular", ou *Cyclognomica*, de Cornelius Gemma (àquele que desejar compreender a arte ciclognômica, que pode ter importância histórica, Izquierdo poderá ser útil); depois, ele passa ao *Novum Organum*, de Francis Bacon, à arte de Ramon Llull e à arte da memória. Paolo Rossi escreveu páginas preciosas sobre Izquierdo[35], em que aponta a importância da insistência dos jesuítas sobre a necessidade de uma ciência universal, que se aplique a todas as ciências da enciclopédia; a de uma lógica, que deveria incluir a memória; e a de um procedimento exato em metafísica, a ser modelado pelas ciências matemáticas. Descartes pode ter influenciado este último projeto, mas

33. Ver a valiosa pesquisa de Rossi sobre o movimento da "língua universal" em relação com a arte da memória, em *Clavis...*, cap. VII, pp. 201 e ss.
34. Sebastian Izquierdo, *Pharus Scientiarum ubi quidquid ad cognitionem humanam humanitatis acquisibilem pertinet*, Leyden, 1659.
35. Rossi, *Clavis...*, pp. 194-5.

também parece que Izquierdo retoma o pensamento de Llull e pensa nos termos do velho esforço de combinar o llullismo com a arte da memória. Ele insiste que o conhecimento de Llull precisa ser "matematizado" e, de fato, escreve páginas e mais páginas, em que as combinações de letras do llullismo são substituídas por combinações de números. Rossi sugere esse fato como um presságio do uso que Leibniz fará do princípio da *combinatoria* como cálculo. Também Athanasius Kirchner, um jesuíta mais conhecido, insistia na "matematização" do llullismo[36].

Quando se notam, nas páginas de Izquierdo, as influências de Bacon e, talvez, de Descartes, atuando lado a lado com o llullismo e a arte da memória; e quando se percebe como a tendência matemática daquele século atua no contexto das velhas artes, torna-se cada vez mais evidente a necessidade de estudar a emergência dos métodos do século XVII no contexto da influência persistente das artes em questão.

MAS É Leibniz quem ilustra de modo marcante como a arte da memória e o llullismo continuam influenciando a mente de uma grande figura do século XVII. Naturalmente, sabemos que Leibniz interessava-se pelo llullismo, em cujas adaptações se baseou para escrever *De arte combinatoria*[37]. O que não é tão conhecido, embora tenha sido apontado por Paolo Rossi, é que Leibniz também estava familiarizado com as tradições da arte da memória clássica. De fato, o esforço que fez para inventar um cálculo universal, utilizando combinações de signos e caracteres significantes, pode ser visto como proveniente historicamente do esforço renascentista de combinar o llullismo com a arte da memória, esforço do qual Giordano Bruno é um exemplo importante. Mas os signos e caracteres significantes das "*characteristica*" de Leibniz eram símbolos matemáticos, e suas combinações lógicas dariam origem à invenção do cálculo infinitesimal.

Em Hannover, entre os manuscritos não publicados de Leibniz, há referências à arte da memória que citam, em particular, Lambert

36. A. Kircher, *Ars magna sciendi in XII libros digesta*, Amsterdã, 1669. Cf. Rossi, *Clavis...*, p. 196.
37. Ver L. Couturat, *La logique de Leibniz*, Paris, 1901, pp. 36 e ss.; e, adiante, pp. 471-4.

Schenkel (autor que versa sobre a memória, também mencionado por Descartes) e um outro tratado sobre a memória muito conhecido, *Simonides Redivivus*, de Adam Bruxius, publicado em Leipzig, em 1610. Seguindo as indicações de Couturat, Paolo Rossi chamou a atenção para a prova do interesse de Leibniz pela arte da memória, que aparece nos manuscritos[38]. Há muitas evidências disso nas obras publicadas. O *Nova methodus discendae docendaeque jurisprudentia* (1667) contém longas discussões sobre a memória e sua arte[39]. A *mnemonica*, diz Leibniz, fornece a matéria de um argumento; a *methodologia* lhe dá forma, e a *logica* é a aplicação da matéria à forma. Então, define a *mnemonica* como a união da imagem de alguma coisa sensível à coisa a ser lembrada, e essa imagem, ele chama de *nota*. A *nota* "sensível" precisa ter alguma ligação com a coisa a ser lembrada, ou porque se assemelha a ela, ou difere dela, ou porque de alguma maneira está ligada a ela. Assim, as palavras podem ser lembradas – embora isso seja muito difícil – e também as coisas. Aqui, o pensamento do grande Leibniz trabalha em termos que nos remetem diretamente ao *Ad Herennium*, às imagens para coisas e às imagens para palavras, estas últimas as mais difíceis. Ele nos faz lembrar, também, das três leis aristotélicas de associação, que a escolástica ligou tão intimamente à tradição da memória. Então, ele diz que as coisas vistas são mais bem lembradas do que as ouvidas – daí usarmos *notae* na memória – e acrescenta que os hieróglifos dos egípcios e dos chineses têm a mesma natureza das imagens de memória. Ele indica "regras para lugares", observando que a distribuição das coisas em células ou lugares é útil para a memória, e cita Alsted e Frey como autores a serem consultados sobre o assunto[40].

Essa passagem é um pequeno tratado de Leibniz sobre a memória. Inclino-me a pensar que a figura na página de rosto de *Disputatio de ca-*

38. Ver L. Couturat, *Opuscules et fragments inédits de Leibniz*, Hildesheim, 1961, p. 37; Rossi, *Clavis...*, pp. 250-3. Essas referências à mnemônica encontram-se em Phil. VI.19 e Phil. VII.B.III.7 (manuscritos não publicados de Leibniz em Hannover).
39. Leibniz, *Philosophische Schriften*, I, ed. P. Ritter, 1930, pp. 277-9.
40. J. C. Frey, *Opera*, Paris, 1645-1646, contém uma seção sobre a memória.

sibus in jure (1666)[41], sobre a qual um certo número de emblemas visuais estão dispostos, serviria para ser utilizada como um sistema de memória local, para a recordação de processos judiciários – um uso totalmente clássico da arte da memória – e, sem dúvida, poderiam ser mencionadas muitas outras indicações do conhecimento de Leibniz sobre as artimanhas da atividade da memória. Uma que me chamou a atenção é a observação (em uma obra de 1678) de que a *Ars memoriae* sugere um modo de lembrar uma série de idéias, vinculando-as a uma série de personagens, como patriarcas, apóstolos ou imperadores[42]. Isso nos remete a uma das práticas da memória mais características e consagradas pelo tempo, que cresceu a partir das regras clássicas.

Portanto, Leibniz conhecia muito bem a tradição da memória; ele havia estudado os tratados sobre a memória e apreendido não apenas as idéias gerais das regras clássicas, mas também as dificuldades que haviam crescido em torno delas, dentro da tradição da memória. E estava interessado nos princípios sobre os quais a arte clássica da memória estava fundamentada.

Muito tem sido escrito a respeito de Leibniz e sua relação com o llullismo, e uma grande evidência da influência da tradição llulliana sobre o autor é forncecida pela *Dissertatio de arte combinatoria* (1666). O diagrama no início da obra[43], no qual o quadrado dos quatro elementos está associado ao quadrado lógico de oposição, mostra que Leibniz compreendia o llullismo como lógica natural[44]. No prefácio, ele menciona llullianos modernos, como Agrippa, Alsted, Kircher, sem omitir "Jordanus Brunus". Leibniz diz que Bruno chamava a arte llulliana de "*combinatoria*"[45], termo que o próprio Leibniz emprega para o seu novo llullismo. Ele interpreta esse último com a ajuda da aritmética e da "ló-

41. Leibniz, *Philosophische Schriften*, I, ed. cit., p. 367.
42. Couturat, *Opuscules...*, p. 281.
43. Leibniz, *Philosophische Schriften*, I, ed. cit., p. 166.
44. Ver, anteriormente, pp. 224-5.
45. Leibniz, *Philosophische Schriften*, I, ed. cit., p. 194. Leibniz refere-se ao prefácio da obra de Bruno, *De Specierum scrutinio*, Praga, 1588 (Bruno, *Op. lat.*, II (ii), p. 333).

gica inventiva", que Francis Bacon queria aprimorar. Já existe aqui a idéia de utilizar a *combinatoria* em associação com as matemáticas, idéia que, como vimos, havia se desenvolvido em Alsted, Izquierdo e Kircher.

Nessa nova arte, ao mesmo tempo matemática e llulliana, continua Leibniz, as *notae* serão usadas como um alfabeto. Elas devem ser tão "naturais" quanto possível, uma escrita universal. Devem, ainda, assemelhar-se a figuras geométricas, ou a "desenhos" e "pinturas" utilizados pelos egípcios e chineses, embora as novas *notae* de Leibniz devessem ser mais adequadas para a "memória" do que as anteriores[46]. Dentro do outro contexto no qual já havíamos encontrado as *notae* de Leibniz, elas eram, quase com certeza, ligadas à tradição da memória, além de se parecerem com as imagens requeridas pela arte clássica da memória. E também aqui estão ligadas a ela. É perfeitamente claro que Leibniz emerge de uma tradição do Renascimento, de um daqueles esforços infindáveis de combinar o llullismo com a arte clássica da memória.

A *Dissertatio de arte combinatoria* é uma das primeiras obras de Leibniz, escrita antes de sua estada em Paris, entre 1672 e 1676, quando aperfeiçoou seus estudos matemáticos, aprendendo de Huyghens e de outros todos os mais recentes avanços no domínio da matemática superior. É a partir dessa obra que ele faria seus próprios progressos, e a essa história pertence o nascimento do cálculo infinitesimal, ao qual Leibniz chegou, ao que parece, independentemente de Isaac Newton, que trabalhava em uma direção semelhante naquele mesmo momento. Não tenho nada a dizer sobre Newton, mas o contexto do qual emerge o cálculo infinitesimal de Leibniz pertence à história traçada neste livro. O próprio Leibniz dizia que o germe de seu pensamento posterior encontrava-se na *Dissertatio de arte combinatoria*.

Como se sabe, Leibniz elaborou um projeto conhecido pelo nome de *characteristica*[47]. Eram elaboradas listas de todas as noções essenciais do pensamento e a essas noções eram atribuídos símbolos ou "caracte-

46. Leibniz, op.cit., p. 302. Cf. Rossi, *Clavis...*, p. 242.
47. Couturat, *La logique de Leibniz*, pp. 51 e ss.; Rossi, *Clavis...*, pp. 201 e ss.

res". É claro que um tal esquema sofreu a influência da antiga busca, desde Simônides, das "imagens para coisas". Leibniz sabia das aspirações da sua época em favor da formação de uma língua universal de signos e símbolos[48] – os esquemas de Bisterfield e outros –, mas, como já disse, tais esquemas eram influenciados pela tradição mnemônica. E a *characteristica* de Leibniz seria mais do que uma linguagem universal; ela se tornaria um *calculus*. Os "caracteres" seriam empregados em combinações lógicas, de modo a formar uma arte universal, ou cálculo, para a solução de todos os problemas. O Leibniz maduro, o grande matemático e lógico, também provém, ainda diretamente, dos esforços do Renascimento para combinar a arte clássica da memória com o llullismo, utilizando para isso as imagens da arte clássica nas rodas combinatórias de Llull.

Na mente de Leibniz, a *characteristica* ou cálculo estava ligada ao projeto de uma enciclopédia que reuniria todas as artes e ciências conhecidas pelo ser humano. Quando todo o conhecimento estivesse sistematizado na enciclopédia, poderiam ser conferidos "caracteres" a todas as noções; então, o cálculo universal seria estabelecido para solucionar todos os problemas. Leibniz visava à aplicação do cálculo a todos os setores do pensamento e da atividade. Até mesmo questões religiosas seriam solucionadas por ele[49]. Por exemplo, aqueles em desacordo sobre o Concílio de Trento não iriam mais à guerra, mas sentar-se-iam juntos e diriam: "Façamos os cálculos".

Ramon Llull acreditava que a sua Arte, com seu sistema de notação por letras e figuras geométricas rotatórias, poderia ser aplicada a todos os objetos da enciclopédia; poderia, ainda, convencer judeus e muçulmanos das verdades do cristianismo. Giulio Camillo construíra um Teatro da Memória, no qual todo o conhecimento seria sintetizado por meio de imagens. Giordano Bruno colocou as imagens em movimento sobre as rodas combinatórias de Llull e viajou por toda a Europa com

48. Idem, ibidem.
49. Couturat, *La logique de Leibniz*, p. 98 e cf. o verbete "Leibniz" na *Enciclopedia Filosofica*, Veneza, 1957.

suas fantásticas artes da memória. No século XVII, Leibniz é o herdeiro dessa tradição.

Ele procurou fazer com que vários potentados e academias se interessassem por seus projetos, mas sem sucesso. A enciclopédia não chegou a ser composta; também a atribuição de "caracteres" às noções jamais foi completada, e o cálculo universal nunca foi estabelecido. Isso nos faz lembrar de Giulio Camillo, que não conseguiu finalizar o seu extraordinário Teatro da Memória, que contou apenas com o apoio parcial e insuficiente do rei da França. Ou de Giordano Bruno, que experimentava febrilmente um sistema de memória após o outro, até encontrar a morte na fogueira.

Mas Leibniz foi capaz de realizar algumas partes de seu esquema global. Ele acreditava que os avanços que havia feito em matemática deviam-se ao fato de ter conseguido encontrar símbolos para representar as quantidades e suas relações. Diz Couturat: "E, de fato, não restam dúvidas de que a sua mais famosa invenção, a do cálculo infinitesimal, surgiu de sua busca incessante de simbolismos novos e mais gerais, e que, inversamente, essa invenção confirmou a sua opinião sobre a importância central de uma boa característica para as ciências dedutivas"[50]. Ainda segundo Couturat, a profunda originalidade de Leibniz estava em representar, por meio de signos apropriados, as noções e operações para as quais não existira, até o momento, nenhuma notação[51]. Em resumo, foi devido à sua invenção de novos "caracteres" que lhe foi possível realizar as operações do cálculo infinitesimal, que era apenas um fragmento, um exemplo, da "característica universal" jamais concluída.

Se, como foi sugerido, a *characteristica* de Leibniz, como um todo, provém diretamente da tradição da memória, então a pesquisa de "imagens

50. Couturat, *La logique de Leibniz*, p. 84.
51. Idem, p. 85. Cf., também, a nota de Couturat em *Opuscules*, p. 97: "Quelle que soit la valeur de cet essai d'une caractéristique nouvelle, il faut, pour le juger équitablement, se rappeler que c'est de cette recherche de signes appropriés qu'est né l'algorithme infinitésimal usité universellement aujourd'hui" [Qualquer que seja o valor dessa tentativa de uma característica nova, é necessário, para julgá-lo com isenção, lembrar-se de que foi dessa pesquisa de signos apropriados que nasceu o algoritmo infinitesimal, hoje universalmente em uso]. (Trad. rev. téc.)

para coisas", quando aplicada ao simbolismo matemático, resultou na descoberta de novas e melhores notações matemáticas ou lógico-matemáticas. E isso tornou possível o surgimento de novos tipos de cálculo.

Na sua busca pelos "caracteres", Leibniz sempre tomou por princípio que eles deveriam representar, tanto quanto possível, a realidade ou a natureza real das coisas. Há muitas passagens em suas obras que esclarecem bem o cenário da sua pesquisa. Por exemplo, em *Fundamenta calculi ratiocinatoris*, ele define "caracteres" como signos que são escritos, desenhados ou esculpidos. Um signo é tanto mais útil quanto mais próximo estiver da coisa significada. Mas Leibniz diz que os caracteres do químico ou do astrônomo – como John Dee postula em *Monas hieroglyphica* – não são empregáveis, como as figuras dos chineses e egípcios. A língua usada por Adão para nomear as criaturas devia estar próxima da realidade, mas não a conhecemos. As palavras da língua corrente são imprecisas e seu uso conduz ao erro. O que existe de melhor para as pesquisas e os cálculos acurados são as *notae* dos aritméticos e dos algebristas[52].

Essa passagem – e há outras similares – mostra Leibniz conduzindo a sua pesquisa, percorrendo, de forma reflexiva, o mundo passado, com seus "caracteres" mágicos, os signos dos alquimistas, as imagens dos astrólogos e das mônadas de Dee, formadas pelos caracteres dos sete planetas, o mundo da legendária língua adâmica, que possuía uma ligação mágica com a realidade, o dos hieróglifos egípcios, nos quais a verdade estava oculta. Ele emerge de tudo isso – como o seu século emerge do ocultismo do Renascimento – e descobre, nos símbolos da matemática, as verdadeiras *notae*, os caracteres mais próximos da realidade.

Mas Leibniz conhecia muito bem aquele passado e, ao falar de seu projeto como uma "magia inocente" ou "verdadeira cabala", ele talvez estivesse se defendendo de possíveis suspeitas de que a sua "característica

52. Leibniz, *Opera philosophica*, ed. J. E. Erdman, Berlim, 1840, pp. 92-3. Há um texto bastante semelhante em *Philosophische Schriften*, ed. C.J. Gerhardt, Berlim, 1880, VII, pp. 204-5. Sobre o interesse de Leibniz na *"língua Adamaica"*, a língua mágica usada por Adão para nomear as criaturas, ver Couturat, *La logique de Leibniz*, p. 77.

universal" pudesse estar estreitamente ligada a esse passado[53]. Em outras ocasiões, ele irá apresentá-la servindo-se da linguagem do passado, como um grande segredo, uma chave universal. A introdução aos *arcana* de sua enciclopédia afirma que ali se encontrava uma ciência geral, uma nova lógica, um novo método, uma *Ars reminiscendi* ou *Mnemonica*, uma *Ars Characteristica* ou *Symbolica*, uma *Ars Combinatoria* ou Llulliana, uma Cabala dos Sábios, uma *Magia Naturalis*, em resumo, todas as ciências estariam ali contidas, como em um oceano[54].

Poderíamos estar lendo a longa página de rosto dos *Selos* de Bruno[55], ou o discurso pelo qual ele apresenta aos doutores de Oxford aqueles delirantes sistemas de memória mágicos, que conduziam à revelação da nova religião do Amor, da Arte, da Magia e da *Mathesis*. Quem poderia adivinhar, a partir dessas nuvens do velho estilo bombástico, que Leibniz realmente encontrara uma Grande Chave? Em um ensaio sobre a *characteristica*, ele afirma que, até então, a verdadeira *Clavis* não fora conhecida, daí os disparates sobre magia dos quais os livros estavam repletos[56]. Faltava a luz da verdade, que somente a disciplina da matemática poderia trazer[57].

Voltemos novamente ao passado para observar mais uma vez o estranho diagrama (Pr. II) que retiramos da obra de Bruno, *Sombras*. Nele, as imagens mágicas das estrelas, em rotação na roda central, controlam as imagens das outras rodas (os conteúdos do mundo elementar), assim como as imagens da roda exterior, que representam todas as atividades do ser humano. Lembremo-nos de *Selos*, em que o ex-dominicano, especialista em memória, experimentava incansavelmente cada método mnemônico concebível que conhecia, em diversas combinações, cuja eficácia repousava na imagem de memória, que possuiria uma força má-

---

53. Leibniz, *Sämtliche Schriften und Briefe*, ed. P. Ritter, série I, vol, II, Darmstadt, 1927, pp. 167-9; citado por Rossi, *Clavis...*, p. 255.
54. *Introductio ad Encyclopaediam arcanam*, em Couturat, *Opuscules*, pp. 511-2. Cf. Rossi, *Clavis...*, p. 255.
55. Ver, anteriormente, pp. 253-4.
56. Leibniz, *Philosophische Schriften*, ed. C. J. Gerhardt, Berlim, 1890, VII, p. 184.
57. Idem., p. 67 (*Initia et specimena scientiae novae generalis*).

gica. Leiamos novamente a passagem no final de *Selos* (que possui equivalentes em todas as outras obras de Bruno sobre a memória), em que o artista da memória oculta enumera os tipos de imagem que podem ser utilizados nas rodas combinatórias de Llull, entre os quais: signos, *notae*, caracteres, selos[58]. Ou, ainda, contemplemos o espetáculo das estátuas de deuses e deusas, assimilados às estrelas e girando na roda que aparece em *Estátuas*: ao mesmo tempo imagens mágicas da realidade e imagens de memória que reúnem todas as noções possíveis. Ou pensemos no complexo labirinto das salas de memória de *Imagens*, repletas de imagens de todas as coisas do mundo elementar, controladas pelas significativas imagens dos deuses do Olimpo.

Essa loucura continha um método muito complexo. Qual seria a sua finalidade? Chegar ao conhecimento universal por meio da combinação de imagens relevantes da realidade. Sempre sentimos que existia um ímpeto científico violento naqueles esforços de Bruno, um empenho, no plano hermético, em atingir algum método do futuro, meio entrevisto, meio sonhado, profeticamente previsto naquelas intricadas tentativas elaboradas a partir de um cálculo das imagens de memória, a partir dos arranjos de ordens mnemônicas, nos quais o princípio de movimento de Llull deveria, de algum modo, ser combinado com uma mnemônica mágica que empregasse caracteres da realidade.

Enfin Leibniz vient, podemos dizer, parafraseando Boileau. E, olhando para trás, agora a partir da posição privilegiada de Leibniz, podemos ver Giordano Bruno como um profeta do Renascimento, que anuncia, no plano hermético, o método científico. Um profeta que nos mostra a importância da arte clássica da memória, combinada com o llullismo, na preparação do caminho para a descoberta de uma Grande Chave.

Mas o assunto não acaba por aqui. Sempre supusemos que havia um aspecto secreto nos sistemas de memória de Bruno, que eles eram um modo de transmitir uma religião, uma ética ou alguma mensa-

---

58. Bruno, *Op. lat.*, II (ii), pp. 204 e ss.

gem de importância universal. E, subjacente aos projetos de Leibniz para o seu cálculo ou característica universal, havia uma mensagem de amor universal e fraternidade, de tolerância religiosa, de caridade e de benevolência. Planos para a unificação das Igrejas, para a pacificação de oposições sectárias, para a fundação de uma Ordem de Caridade formam uma parte fundamental dos seus planos. O progresso das ciências, acreditava Leibniz, levaria a um amplo conhecimento do Universo e, assim, a um maior conhecimento de Deus, o seu Criador e, portanto, ao crescimento da caridade, a fonte de todas as virtudes[59]. Misticismo e filantropia se unem à enciclopédia e ao cálculo universal. Quando pensamos nesse aspecto de Leibniz, a comparação com Bruno é inevitável. A religião do Amor, da Arte, da Magia e da *Mathesis* estava oculta nos Selos da Memória. A religião do amor e da filantropia em geral manifestar-se-ia ou realizar-se-ia por meio do cálculo universal. Se apagarmos a Magia, substituirmos a matemática propriamente dita pela *Mathesis*, compreendermos a Arte como cálculo e conservarmos o Amor, então as aspirações de Leibniz parecerão aproximar-se de modo impressionante daquelas de Bruno, mesmo que sob a forma adquirida no século XVII.

Uma aura rosacrucianista envolve Leibniz, uma sugestão muitas vezes vaga, descartada sem um exame ou discussão das muitas passagens de suas obras em que ele menciona "Christian Rosenkreuz", ou Valentin Andreae, ou refere-se direta ou indiretamente aos manifestos da Rosa-Cruz[60]. É impossível investigar essa questão aqui, mas é plausível que as curiosas ligações entre Bruno e Leibniz – que, sem dúvida, existem – possam ser explicadas por intermédio de uma sociedade hermética, fun-

---

59. Couturat, *La logique de Leibniz*, pp. 131-2, 135-8 etc.

60. O fato de Leibniz ser um rosa-cruz é, contudo, aceito sem hesitação pelo excelente especialista que é Couturat: "On sait que Leibniz s'était affilié en 1666 à Nuremberg à la société secrète des Rose-Croix" [Sabe-se que Leibniz afiliou-se em 1666, em Nuremberg, à sociedade secreta dos rosa-cruzes] (*Logique de Leibniz*, p. 131, nota 3). O próprio Leibniz pode sugerir que era um rosa-cruz (*Philosophische Schriften*, ed. P. Ritter, I, 1930, p. 276). As normas para a sua projetada Ordem de Caridade (Couturat, *Opuscules*, pp. 3-4) são uma citação de *Fama*, obra rosa-cruz. Poderíamos apresentar outras evidências a esse respeito em suas obras, mas a questão merece mais do que um estudo fragmentário.

dada por Bruno na Alemanha, e que se desenvolveria como movimento rosa-cruz. Os "Trinta Selos" publicados por Bruno na Alemanha[61], e as relações entre eles e os poemas latinos também lá publicados, poderiam formar a base dessa pesquisa a partir de Bruno. E, para partir de Leibniz, a pesquisa teria de esperar a publicação completa dos manuscritos do autor e o esclarecimento da situação insatisfatória relativa à edição de suas obras. Portanto, teremos certamente de aguardar um longo tempo para a solução desse problema.

As histórias correntes da filosofia moderna repetem, uma após a outra, a idéia de que o termo "mônada" foi emprestado de Bruno por Leibniz, mas omitem, como se estivesse fora de seu alcance, qualquer menção à tradição hermética, da qual Bruno e outros filósofos herméticos do Renascimento tomaram a palavra emprestada. Embora Leibniz, como filósofo do século XVII, tenha adentrado uma outra atmosfera e um mundo novo, a sua monadologia carrega as marcas características da tradição hermética. Quando as mônadas de Leibniz são almas humanas dotadas de memória, elas têm como principal função representar ou refletir o Universo, do qual são espelhos vivos[62] – uma idéia bem conhecida do leitor dessa obra.

Uma comparação detalhada entre Bruno e Leibniz, sob uma nova perspectiva, pode ser uma das melhores abordagens de estudo para explicar o surgimento do século XVII a partir da tradição hermética do Renascimento. E tal estudo poderia demonstrar que tudo de mais nobre nas aspirações religiosas e filantrópicas da ciência do século XVII já estava presente, em um plano hermético, em Giordano Bruno, transmitido por ele no segredo de suas artes da memória.

* * *

RESOLVI TERMINAR minha história com Leibniz porque é preciso parar em algum momento e porque foi talvez nesse ponto que a arte da me-

---

61. Ver, anteriormente, pp. 363-4.
62. Leibniz, *Monadology*, tradução R. Latta, Oxford, 1898, pp. 230, 253, 266 etc.

mória deixou de ser um elemento ativo no desenvolvimento fundamental da Europa. Mas encontramos vários remanescentes em séculos posteriores. Livros sobre a arte da memória, que pertencem ainda à tradição clássica, continuaram a ser publicados. É improvável que as tradições da memória oculta tenham se perdido ou deixado de influenciar movimentos significativos. Outro livro poderia ser escrito a respeito de como esse tema se desenvolveu nos séculos seguintes.

Embora este livro tenha buscado analisar parcialmente a história da arte da memória nos períodos abordados, ele não deve ser visto como uma história completa e definitiva. Para o estudo desse assunto tão amplo, utilizei somente uma fração do material disponível, ou que eu poderia ter à disposição depois de uma pesquisa mais exaustiva. Pode-se considerar que o estudo sério dessa arte esquecida apenas começou. Tais objetos de estudo não têm atrás de si, no momento, um arcabouço de pesquisa moderno e organizado. Eles não fazem parte de currículos usuais e, portanto, são omitidos. A arte da memória é um caso claro de tema marginal, não reconhecido como parte de nenhuma disciplina corrente, omitido por não ser atribuição de ninguém. Mas ela acabou por se tornar, em certo sentido, atribuição de todos. A história da organização da memória toca em questões vitais da história da religião, da ética e moral, da filosofia e psicologia, da arte e literatura, do método científico. A memória artificial como uma parte da retórica pertence à tradição da retórica, e a memória como faculdade da alma se relaciona à teologia. Quando refletimos sobre essas profundas associações de nosso tema, começa a não ser mais surpresa que o seu estudo tenha aberto novas perspectivas a respeito de algumas das grandes manifestações da nossa cultura.

Quando olho para trás, tenho consciência de quão pouco entendi da significação de períodos inteiros da história dessa arte que Simônides teria inventado depois daquele fatídico e legendário banquete.

Índice Remissivo

B

Título	*A arte da memória*
Autor	Frances A. Yates
Coordenador geral	José Emílio Maiorino
Secretária editorial	Eva Maria Maschio Morais
Secretário gráfico	Ednilson Tristão
Tradução	Flavia Bancher
Revisão da tradução	Flavia Trocoli
Revisão técnica	Lara Christina de Malimpensa
Design e editoração eletrônica	Negrito Produção Editorial
Formato	16 x 23 cm
Papel	Offset 75 g/m² (miolo)
	Cartão supremo 250 g/m² (capa)
Tipologia	Caslon
Número de páginas	504
CTP, Impressão e Acabamento	**imprensaoficial**

Imagem de capa
Diagrama em forma de árvore, R. Llull, *Arbor scientiae*, Lyon, 1515.

Editora da Unicamp   Caixa Postal 6074
Cidade Universitária   Barão Geraldo
CEP 13083-892   Campinas – SP – Brasil
Tel./Fax: (19) 3521-7718/7728
www.editora.unicamp.br   vendas@editora.unicamp.br